ROCKY TRIP

ROCKY TRIP

La Ruta de los Galeses en la Patagonia

The Route of the Welsh in Patagonia

por

Sergio Sepiurka

y

Jorge Miglioli

Consejo Federal de Inversiones

Gobierno de la Provincia del Chubut

ILUSTRACIÓN DANIEL MAYOR

EQUIPO DE TRABAJO

Sergio Daniel Sepiurka y Jorge Alberto Miglioli (idea, textos, fotografías y producción general); Marcelo Gavirati (asesoramiento histórico); Fernando Coronato (asesoramiento histórico-geográfico); Héctor Mac Donald (producción CD con audio); Daniel Mayor (diseño general, ilustraciones y mapas); Charlie Cattaneo (corrección versión en inglés); Ricardo Douglas "Douggie" Berwyn (guía en viajes de exploración) y Juan Castro (procesamiento material fotográfico).

COLABORACIONES ESPECIALES

Jorge Alberto Berizzo, Margarita Jones de Green, Owen Tydur Jones, Robert Owen Jones, Dafydd Tudur, Ana Ester Virkel, Fernando Williams y Glyn Williams.

OUR TEAM

Sergio Daniel Sepiurka and Jorge Alberto Miglioli (idea, texts, photographs, and general production); Marcelo Gavirati (historical advisor); Fernando Coronato (historical and geographical advisor); Héctor Mac Donald (audio CD production); Daniel Mayor (general design, illustrations and maps); Charlie Cattaneo (English version proofreader); Ricardo Douglas "Douggie" Berwin (guide during our exploratory trips).

SPECIAL CONTRIBUTIONS

Jorge Alberto Berizzo, Margarita Jones de Green, Owen Tydur Jones, Robert Owen Jones, Dafydd Tudur, Ana Ester Virkel, Fernando Williams, and Glyn Williams.

Contratapa: Óleo de Oswald Jones (1965).

Contenido   Contents

En Puerto Madryn, un cenotafio recuerda a los inmigrantes galeses.
In Puerto Madryn a granite cenotaph was built as a tribute to the Welsh
that came on the Mimosa.

Prólogo

A veces los pueblos necesitan evocar (o inventar) una prolongada peregrinación que los habría llevado a ocupar su lugar en el mundo, después de superar sufrimientos y desfallecimientos propios de la marcha misma. El Exodo de los Judíos que parten de Egipto hacia la Tierra Prometida, o la larga caminata del pueblo azteca hasta encontrar el águila sobre el nopal, las migraciones de los bárbaros desde las nieblas nórdicas en pos de las tierras del sol y el vino, son algunos de los ejemplos de estos desplazamientos que suelen tener algo de real y mucho de mito pero que sirven para afirmar identidades y justificar arraigos.

La de los galeses, esa marcha que los condujo desde las costas del Mar del Norte hasta las estribaciones de la cordillera atravesando la estepa patagónica, carece de la dimensión masiva de otras, pero tiene muchas de las características épicas que señalan las marchas largas: voluntad para encontrar un lugar donde la vida sea mejor, coraje para emprender la riesgosa singladura, alguna tragedia, alguno ó algunos episodios recordables por curiosos ó entrañables y, sobre todo, el empeño de esa gente en conquistar el Poniente, descubrir las montañas tras las cuales se oculta el sol, plantarse allí, construir sus viviendas y radicar sus vidas. En suma, una formidable moción colectiva cuyo objetivo final es la esperanza.

Hacen bien Sergio Sepiurka y Jorge Miglioli en reconstruir la saga de los galeses y su viaje fundante hacia Esquel y Trevelin. Hacen bien, porque ese Rocky Trip, tan recordado en la memoria colectiva pero no muy preciso en sus detalles, imprime carácter todavía a los descendientes de aquellos peregrinos, los define y colorea su identidad. Hacen bien, además, al reconstruir la saga usando de todos los medios que la técnica más moderna pone a su disposición, con música, paisajes y recuerdos que dan carnadura al relato.

Esta obra cierra, realza, aquella larga marcha. Más de un siglo después, esta reconstrucción es un tierno homenaje a los hombres y mujeres que recorrieron la Patagonia atrás de un sueño.

Félix Luna

Historiador, escritor, periodista y poeta.
Miembro de la Academia Nacional de Historia.

JORGE MIGLIOLI

Prologue

Sometimes nations need to evoke (or invent) an extended pilgrimage that led them to find their place in the world, after overcoming the suffering and weaknesses inherent to such a march. The Exodus of the Jews from Egypt to the Promised Land, or the long trek of the Azteca people to find the eagle on the nopal cactus, the Barbaric migrations from the northern mist towards the land of sun and wine, are only some examples of these journeys that are usually only partly true and mostly myth, but that fill the need of people to assert identities and justify belonging.

That march of the Welsh, that took them from the shores of the North Sea to the Andes foothills, after crossing the Patagonian steppe, is of a smaller scale, but it shares much of the epic characteristics of those longer marches: the will to find a better place to live in, the courage to embark on a risky run, some tragic incident, some curious or beloved episodes, and, above all, the determination of these people in conquering the West, discover the mountains behind which the sun sets, settle there, build their homes and root their lives. In sum, a formidable collective motion with hope as its final goal.

Sergio Sepiurka and Jorge Miglioli do well to recreate the Welsh saga and their foundational journey to Esquel and Trevelin. They do well, because that Rocky Trip –ever present in the collective memory but somewhat lacking in detail– still moulds the character of those pilgrims' descendants, defines them and lends colour to their identity. They do well, also, to recreate that saga with the help of modern technology, including music, landscapes, and memoirs that add flesh and blood to the skeleton of their story.

This book closes and enhances that long march. And this reconstruction, done more than a century later, amounts to an affectionate tribute to those men and women that crossed Patagonia following a dream.

Félix Luna

Argentine historian, writer, journalist, and poet.
Member of the National Academy of History.

Capilla Bethel. Gaiman.
Bethel Chapel. Gaiman.

Introducción

CROESO

Todo libro tiene su historia y la de éste se remonta a marzo de 2002 cuando regresábamos en automóvil desde Puerto Madryn hacia Esquel, luego de presentar uno anterior titulado "La Trochita: Un viaje en el Tiempo y la Distancia en el Viejo Expreso Patagónico", que desde ese día estaría destinado a integrar una colección de la que ahora forma parte este nuevo trabajo.

Como a tantos viajeros que cruzan Chubut desde el mar a la cordillera o al revés, la travesía de casi 700 km nos resultaba por momentos monótona y de a ratos deslumbrante, pero siempre jalonada de escenarios maravillosos sobre los cuales –desde el principio de los tiempos– el viento, el sol y el agua se empeñan en grabar, sin prisa y sin pausa, formas singulares de sorprentes colores.

Nuestra primera reflexión fue que –efectivamente– el cruce de la provincia del Chubut por la Ruta de los Galeses es un viaje que los habitantes patagónicos y la mayoría de los viajeros que nos visitan, hacemos generalmente con apuro y pocas paradas, fuera de aquellas que resultan imprescindibles para cargar combustible y descansar.

Es que si bien la ruta señala algunos puntos de interés, muy poca es la atención que habitualmente les dispensamos, ya que el objetivo primordial es llegar y, cuanto antes, mejor. Un buen viaje en automóvil es considerado aquel que se prolonga por no más de seis horas, y es sabido que algunos audaces llegan a transitarlo en poco más de cuatro.

Luego coincidimos en que el extenso trayecto era siempre un buen motivo de conversación y de reflexión para los viajeros, más dispuestos ante la inmensidad de los paisajes a prestar atención a los detalles. Y en nuestro caso, a pesar de haberlo frecuentado hasta el cansancio, sentíamos que siempre la curiosidad volvía a despertarse, insatisfecha, ante el sinnúmero de interrogantes para los que habitualmente carecemos de respuestas.

¿Cómo se viajaba antes? ¿Quiénes fueron los primeros viajeros? ¿Cuál es la historia que hay detrás de los sitios donde nos detenemos y de tantos nombres curiosos que desconocemos? ¿Qué actividad desarrollan los establecimientos y asentamientos humanos que bordean la ruta? ¿Cuál es el origen geológico de las formaciones rocosas que contemplamos? ¿Adónde conducen los caminos secundarios que nunca nos hemos decidido a recorrer? ¿Qué habrá un poco más allá del costado del camino?

Y fue así entonces que decidimos tomarnos tiempo para hacer el recorrido de un modo diferente cada vez, rescatando

Introduction

WELCOME

There is a story behind every book, and this one's goes back to March 2002, when we were returning by car from Puerto Madryn to Esquel after presenting a former one entitled "La Trochita – A Journey through Time and Distance on the Old Patagonian Express." As from that day, "La Trochita" would become the first in a series of books, now continued with this one on the Route of the Welsh in Patagonia.

Like so many travellers crossing Chubut province from the sea to the Andes and vice versa we felt that, even if this 700-km journey seemed monotonous in some places, it often became downright marvellous; the road frequently ran through remarkable, awe-inspiring scenery where –from the beginning of time– the wind, the sun, and the water had unhurriedly engraved wonderfully-coloured formations.

However, we reflected upon the fact that the crossing of the province through the Route of the Welsh is a trip we Patagonians and most of our visitors generally make in a rush, with only the necessary stops to refill our tanks and have a short rest.

Although there are some road signs marking interesting spots, we tend to overlook them, as our main objective is to reach our destination; the sooner, the better. A "good" automobile journey is that one that does not exceed six hours, and it's common knowledge that some intrepid drivers usually take just over four.

But we also realized that this long trip encourages conversation and that these immense landscapes usually bring about a contemplative mood. With prior information, many travellers would be on the lookout for even the smaller details along the road. In our case, despite our frequent trips on this highway, we found our curiosity whet every time, posing so many questions we typically didn't have an answer for.

How did they travel back then? Who were the first travellers? What stories lie behind those places where we make our usual stops, and what was the origin of so many curious names? What are the daily activities on the farms and other human settlements along the road? What was the geological genesis of the many rock formations we admire? Where would the secondary roads take us –those we always eyed in passing, but never got to travel on? What lies a bit further from the side of the pavement?

So we decided to take as much time as necessary to make this trip in many different ways. We would gather images, and oral and written accounts; we would seek to confirm that –as so often in life– more than reaching our destination, what really matters

imágenes y testimonios escritos y orales, buscando comprobar que –como tantas veces en la vida– más importante que llegar es transitar. Así, deteniéndonos en el camino, yendo y viniendo tras las huellas de los galeses y de tantos otros pioneros que los siguieron, fuimos encontrando respuestas y tomando conciencia de que la ruta –en sus innumerables variantes– además de un eje geográfico excepcional, representa también un viaje al pasado y al futuro de la Patagonia.

Nos sorprendieron los galeses que zarparon de Liverpool y llegaron a unas cuevas sobre el mar, sobreviviendo primero al desierto y a las inundaciones del Río Chubut después. Nos conmovió saber cómo mantuvieron los rasgos de su propia cultura mientras se integraban a la Argentina, conviviendo pacíficamente con los pueblos originarios de la Patagonia. Y cómo desarrollaron una economía productiva que luego trasladaron al Oeste siguiendo las sendas indígenas y abriendo rutas y horizontes a nuevas corrientes de pioneros, cuyos descendientes todavía forman parte de esa aventura.

Comprobamos una vez más que –como tan a menudo sucede en nuestro país– muchos de los desafíos que enfrentaron los galeses cuando llegaron hace casi 140 años siguen aún pendientes de solución; una solución que llegará más rápido si acertamos a descubrir con inteligencia las pistas valiosas que los pioneros dejaron en la huella, hoy renovada con el corredor humano que desde todo el planeta fluye a la Patagonia. En especial desde Gales, cuyo pueblo hace muchos años encontró en Chubut un reservorio para mantener su idioma y su cultura, a cuyo reflorecimiento general asistimos con alegría.

Durante todos los viajes que realizamos o revivimos a través de la lectura –a caballo, en carros y a pie– la riquísima toponimia regional nos sorprendió con decenas de nombres. Pero uno en particular se nos quedó especialmente grabado, por la angustia con la que los viejos colonos recordaban cada bajada y cada trepada de los carros en un sitio que llamaron Rocky Trip. Se trata de una expresión inglesa que puede traducirse indistintamente como "camino rocoso" o "viaje bamboleante", según lo hizo notar uno de los primeros volantes que lo transitó en automóvil.

Leímos acerca de Rocky Trip, buscamos y encontramos

Mural cerámico del desembarco de los Galeses (Andrea Marchisio).
A hand-painted tile mural on the Welsh landing in Chubut (Andrea Marchisio).

is the journey itself. In this way, with frequent stops and travelling to and fro following the tracks of the Welsh and the many pioneers that followed, we gradually found some answers to our queries. And we also became aware of the fact that the route –in its many variants– is not only an exceptional geographical axis, but also implies a journey to Patagonia's past and future.

We were surprised by the Welsh that set sail from Liverpool and arrived to some caves by the sea, first surviving the desert and then the Chubut River floods. We were moved to learn how they kept their culture alive while they integrated to Argentina, peacefully sharing their everyday lives with the Native peoples of Patagonia. And how they developed a productive economy that they later took westwards, following the Native trails and opening the way for a steady flow of other pioneers, whose descendants are still a part of that adventure today.

Once again, we found that –as so often happens in our country– many of the difficulties the Welsh faced upon their arrival 140 years ago still remain unsolved; their solution would surely be hastened if we intelligently learn to follow the valuable leads these pioneers left on the trail. This trail, that has now been renewed by an increasing flow of people from all over the world into Patagonia. Especially from Wales, whose people found a reservoir for their language and culture in this land many years ago, and which we now joyfully see flourishing again.

During our many journeys, both the real ones and those we relived through written and oral accounts –on horseback, wagon, or foot– we wondered at scores of place-names. One of them stuck in our mind. It evoked the agony of each climb and descent of the place they called Rocky Trip. A trip that was "rocky" in both senses of the word, as one of the first automobile drivers that negotiated this tract rightfully pointed out.

We read about Rocky Trip, found the exact site with the help of many friends, and got acquainted with its current neighbours; we crossed it on a 4 x 4 truck and on foot, found the stone walls the settlers built to buttress the track, heard the stories this remarkable place witnessed, and, in time, its name became so familiar that we finally chose it as the title for this book. Since, even if Rocky Trip is only one of the many names that have been erased by the layout of today's paved road, it adequately

el sitio exacto con la ayuda de muchos amigos, conocimos a sus vecinos actuales, lo caminamos y lo transitamos junto a ellos, hallamos intactas las piedras colocadas por los colonos para consolidar la huella, escuchamos las historias de las que ella fue testigo y, andando, el nombre se nos hizo tan familiar que finalmente lo elegimos como título de este trabajo. Es que, aunque Rocky Trip sea solamente uno de los tantos nombres borrados por la pavimentada traza del camino actual, representa muy bien el espíritu del viaje que nos propusimos rescatar.

Como suele decirse, uno no hace un viaje sino que el viaje lo hace a uno. Así hemos vivido la gestación de este libro sus autores y colaboradores quienes, lejos de pretender ofrecer al lector una guía, aspiramos a que apenas encuentre en sus páginas y en el audio que las acompaña un motivo de inspiración. Una especie de invitación a continuar nuestro viaje en la vida teniendo como refrescante referencia el espíritu de los pioneros galeses. Atreviéndonos en medio de las turbulencias y los ajetreos de estos tiempos modernos y más allá de todas sus dificultades –nuestro cotidiano Rocky Trip– a proseguir como ellos nuestra marcha en paz, soñando y cantando en libertad.

symbolizes the spirit of the journey we intend to recreate.

It has been said that it's not the traveller who makes the trip, but it's the trip that makes the traveller. Such is the way the authors of this book and their many collaborators have experienced its progress. Far from offering our readers a tourist guide, we hope they will find a source of inspiration in its pages and the enclosed audio. Maybe even an invitation to continue our lives' journey without losing sight of the refreshing example of the Welsh pioneers; just daring, amidst all the fuss and bustle of these modern times, and beyond all difficulties –our daily Rocky Trip– to keep on just like them, marching peacefully, while dreaming and singing in freedom.

Un bosquecillo de sauce criollo a la entrada de Cañadón Carbón.
A native willow grove on the roadside, near the entrance to
"Cañadón Carbón" (Coal Ravine).

...LA TRAVESÍA DE CASI 700 KM NOS RESULTABA
SENCILLAMENTE DIFERENTE. POR MOMENTOS
MONÓTONA Y DE A RATOS DESLUMBRANTE,
PERO SIEMPRE JALONADA DE ESCENARIOS
MARAVILLOSOS.

...WE FELT THAT, EVEN IF THIS 700-KM JOURNEY
SEEMED MONOTONOUS IN SOME PLACES, IT
OFTEN BECAME DOWNRIGHT MARVELLOUS;
THE ROAD FREQUENTLY RAN THROUGH
REMARKABLE, AWE-INSPIRING SCENERY.

13

I
Camwy

Un sueño de libertad
A dream of freedom

The Parker Gallery - 28, Pimlico Road, London.

La Mimosa, embarcación en la que arribaron los colonos en 1865.

The Mimosa clipper, on which the colonists arrived in 1865.

Hacer la Patagonia

"HEMOS ENCONTRADO UNA TIERRA MEJOR EN UNA LEJANA REGIÓN DEL SUR, EN LA PATAGONIA. VIVIREMOS EN PAZ, SIN TEMER TRAICIÓN NI ESPADA, Y EL GALÉS SERÁ REY ALLÍ. LOADO SEA DIOS."

Hace nada más que unos ciento cuarenta años, en la Patagonia continental argentina prácticamente no existía otro asentamiento humano estable fuera del Carmen de Patagones, ubicado en el extremo sur de la Provincia de Buenos Aires. Ese era el último centro poblado de abastecimiento sobre el Océano Atlántico para los audaces que se atrevieran a seguir rumbo al Sur, hasta llegar de alguna manera al otro lado del fin del mundo. Si pasaban con éxito el Cabo de Hornos o el Estrecho de Magallanes, entonces llegarían con vida a Punta Arenas sobre el Océano Pacífico, para luego continuar viaje desde el extremo sur de Chile hasta el Asia o California.

Poco y nada se sabía entonces acerca de lo que contenía en su interior esa todavía gran "terra australis quae incógnita est", que a lo largo de los siglos despertara en base a relatos, leyendas, mapas y libros, la fascinación de navegantes, exploradores, aventureros, evangelizadores, piratas, científicos y tantos otros. Soñadores todos ellos de sus misterios y encantos, fueron además sufridos testigos de la naturaleza extrema y rigurosa de sus aguas, desiertos y montañas, y de la furia sin igual del viento patagónico.

Tan poco era lo que se conocía de la Patagonia, que Carlos Darwin, después de rodearla y recorrerla parcialmente en 1833 a bordo de la Fragata Beagle comandada por Fitz Roy, dicen que la llamó tierra maldita. En realidad el autor de la teoría de la evolución sólo dedicó un párrafo de su famoso Diario –que escribió durante ese viaje juvenil que marcaría su vida– para señalar una suerte de maldición o calamidad que representaba la esterilidad de la tierra reseca que avizoraba en una parte de su trayecto, pero algunos convirtieron su aseveración en una sentencia que hasta hoy nos empeñamos en desmentir.

Y tal vez hayan sido los galeses quienes primero lo hicieron, porque la obra de Darwin –de gran difusión en Europa– tuvo enorme influencia en la percepción del territorio patagónico que finalmente eligieron para dejar Gran Bretaña, cuando sintieron que allí Gales ya no sería Rey, tal como dice una de las canciones que entonaban los colonos a bordo de la goleta Mimosa durante su viaje de 1865. Alentados por las descripciones efectuadas tres décadas atrás por el

Making Patagonia

"WE HAVE FOUND A BETTER LAND IN A FARAWAY SOUTHERN REGION, IN PATAGONIA. WE WILL LIVE IN PEACE, WITHOUT FEAR OF BETRAYAL OR SWORD, AND IN THIS PLACE THE WELSH WILL BE KING. GOD BE PRAISED."

As recently as 140 years ago, in Argentine continental Patagonia there was no permanent human settlement other than Carmen de Patagones. This was the last supply port on the Atlantic Ocean for the adventurous that sailed further south, towards the end of the world. If they survived Cape Horn or the Magellan Strait, then they would reach Punta Arenas on the Pacific Ocean, and from there they would set sail for Asia or California.

At that time, little was known about what that great region, the mystical "terra australis quae incognita est," contained. Through the centuries a variety of stories, legends, maps, and books had fascinated navigators, explorers, adventurers, missionaries, pirates, scientists, and many others. All of them dreamt about its mysteries and charms, and also suffered the extreme nature of its waters, deserts, and mountains. And they also witnessed the matchless fury of the Patagonian wind.

So little was known about Patagonia, that they say Charles Darwin, after rounding and partially exploring it in 1833 aboard HMS Beagle, under Fitz Roy's command, called the region "a cursed land." The truth is the author of the theory of evolution only wrote a single paragraph in his famous diary –written when he was very young, during this journey that would mark his life– to point out the dryness and sterility of a tract of land he saw on his way. But some have transformed this statement into a condemnation we strive to refute to this day.

And maybe the Welsh were the first to do so. Darwin's book –of great circulation in Europe– had enormously influenced their perception of the Patagonian region. They finally chose this as the place to leave Great Britain, when they realised that Welsh would never again be king there, as the song the emigrants sang aboard the schooner Mimosa in 1865 goes. Inspired by Admiral Fitz Roy's account of his journey three decades earlier, and after making great efforts to organize the expedition, they set sail towards New Bay (Golfo Nuevo bay) and the Chubut River. There, the dreams of freedom they had been pursuing around the world for a long time would finally materialize.

Throughout the 19th century many groups of Welsh had emigrated; mainly to the

El Sol de Mayo y el Dragón Rojo flamean juntos frente a la centenaria capilla Seion de Esquel. De ella se ha dicho que "Se edificó con pobreza, no son piedras sino amor sus cimientos..."
The May Sun and the Red Dragon proudly fly together on the grounds of the 100-year-old Seion Chapel in Esquel. It has been said about Seion that "it was built sparingly, its foundations made of love rather than stone..."

almirante Fitz Roy, y luego de enormes esfuerzos para organizar la expedición, enfilaron la proa rumbo al Golfo Nuevo y al Río Chubut donde imaginaron concretar el sueño de libertad que perseguían desde hacía mucho tiempo por todo el mundo.

Es que a lo largo del siglo XIX, numerosos grupos de galeses emigraron principalmente a Estados Unidos y algunos otros a Australia y al Estado de Río Grande do Sul en Brasil, además de haber evaluado otras alternativas como Palestina, la Isla de Vancouver en Canadá, Uruguay y Nueva Zelanda. Pero lo cierto es que todos los intentos del pueblo galés de rehacer su vida en libertad, tarde o temprano fracasaban en el propósito central que se habían fijado de mantener su antigua cultura y fundamentalmente su particularísimo idioma. Y las familias finalmente resultaban absorbidas por las sociedades receptoras, donde se perdía el idioma, se diluía su identidad y se dispersaban sus miembros.

De modo que los líderes religiosos y políticos de este pueblo milenario –en especial el Reverendo Michael D. Jones– al momento de volver su mirada a la Patagonia, se debatían frente a la amarga opción de emigrar y ver perdida su identidad rápidamente o permanecer humillados en su tierra para perderla de a poco, en medio de la verdadera invasión inglesa a Gales que se produjo durante la Revolución Industrial, a causa de la demanda generalizada del hierro y carbón que albergaba su

rico subsuelo. Este clima social reflotó entonces los ideales románticos y nacionalistas de su pueblo, casi olvidados luego de su sometimiento a la Corona Inglesa durante el siglo XIII.

Después de diversas gestiones ante las autoridades argentinas, la Asociación Emigratoria envió desde Gales dos representantes a la Argentina –el capitán Love Jones Parry del Castillo de Madryn y Lewis Jones, linotipista de Liverpool– quienes arribaron en una nave al Chubut y, según el cronista Abraham Matthews, "Echaron un vistazo al valle y no estuvieron allí el tiempo suficiente como para dar una información satisfactoria del lugar. Volvieron a Buenos Aires muy conformes con la región" y obtuvieron el apoyo del Dr. Guillermo Rawson, Ministro del Interior del Presidente Bartolomé Mitre.

Alguna vez imaginaron que progresivamente trasladarían cerca de 3.000 familias a lo largo de diez años hasta reunir unas 20.000 personas y lograr el reconocimiento de un nuevo Estado Provincial. Y también, por qué no decirlo, alentaron sueños de poblar toda la Patagonia Sur –hasta el Cabo de Hornos– como lo testimonian algunos poemas.

Muchas veces nos hemos encontrado en el curso de este trabajo con meritorios esfuerzos destinados a responder una pregunta recurrente: ¿A qué vinieron los galeses, a formar una Nueva Gales o a integrarse a la Argentina? Desde ya podemos anticipar que seguramente se encontra-

United States, but also to Australia and Río Grande do Sul in Brazil. Many other alternatives were also considered, as Palestine, Vancouver Island, Uruguay, and New Zealand. But the truth is that all the attempts of the Welsh emigrants to rebuild their lives in freedom sooner or later failed in the central purpose of keeping their old culture and –fundamentally– their unique language alive. The families were finally assimilated by their new cultural environment; their language lost, their Welsh identity weakened, and the community members dispersed.

At the time they turned their gaze on Patagonia, the religious and political leaders of these ancient people –especially Reverend Michael D. Jones– were facing the bitter option of emigrating and losing their national identity, or staying home to be humiliated and gradually be deprived of their land. There was a veritable English invasion of Wales during the Industrial Revolution, fuelled by the increasing demand for the iron and coal that its rich subsoil contained. This social climate created an upsurge of the romantic, nationalistic ideals of the Welsh, that had been almost forgotten since being conquered by the English Crown in the 13th century.

After discussing the idea with Argentine authorities, the Emigration Society sent two representatives to Argentina: Captain Love Jones Parry (of Madryn Castle) and Lewis Jones, a Liverpool typesetter. They arrived in Chubut by sea

and, according to Abraham Matthews, "They took a quick look at the valley and did not stay there long enough to produce satisfactory information about the place. They returned to Buenos Aires quite satisfied with the region." They finally obtained support from Dr. Guillermo Rawson, President Bartolomé Mitre's Minister of the Interior.

There was a time when they believed they would gradually move 3,000 families over a period of ten years, until a population of 20,000 was reached, when they would request the government's recognition as a new Province. They also harboured dreams of populating all of southern Patagonia, as far as Cape Horn –as the words of some poems proclaim.

During our work we frequently came across many worthy efforts to find an answer for the recurring question: Did the Welsh come to establish a New Wales, or to integrate into Argentina? Naturally, one can find arguments to answer it either way. Further, we must accept that, depending on the time under analysis, they did both things. Sometimes even simultaneously.

But we have no doubts: while many immigrants crossed the Atlantic to "make a fortune in America," we must acknowledge that the Welsh simply came here to "make Patagonia." Although by pointing out this difference we are not judging motives, we feel it's a relevant enough fact to be emphasized along our imaginary journey.

rán argumentos para responder en cualquiera de los dos sentidos. Es más, debiéramos aceptar que, según el tiempo en que se lo analice, hicieron un poco de cada cosa y a veces las dos al mismo tiempo.

Pero de algo estamos absolutamente seguros. Así como muchos emigrantes cruzaron el Atlántico para "hacerse la América", de los galeses debemos reconocer que llegaron hasta aquí sencillamente para "hacer la Patagonia". Y, aunque la diferencia no pretenda encerrar juicio de valor alguno, no deja de ser relevante para enfatizarla a lo largo de éste, nuestro viaje.

El dormitorio principal de la primera casa de Gaiman, hoy abierta al público como museo.

The master bedroom of the first house in Gaiman, which is now open to the public as a museum.

JORGE MIGLIOLI

LAS DESVENTURAS DEL DRAGON ROJO   MISFORTUNES OF THE RED DRAGON

Fernando Coronato

Bajo el inmenso bosque que cubría Europa hace 3.000 años, circulaban –larvadamente– muchos pueblos con más semejanzas que diferencias. Sólo en el Mediterráneo, muy al sur, brillaba Grecia, pero ni siquiera Roma se perfilaba aún. Para los griegos, todos esos pueblos rústicos que a veces asolaban sus fronteras, eran los keltoy, los "extranjeros", los "otros", y por cierto que eran otra cosa muy distinta. Si los keltoy, los celtas, atacaron a Grecia, saquearon Delphos y se impusieron sobre otros pueblos vecinos igualmente ignotos, fue porque dominaron la metalurgia del hierro antes que los demás.

Así, con armas más resistentes para imponerse al enemigo y mejores hachas para combatir al bosque, los celtas se abrieron paso por toda Europa al norte de los Alpes, entre el Danubio y el Rin. Su expansión, hacia el año 600 AC los llevó hasta Turquía, España y a las Islas Británicas. Allí, en las brumosas costas del Atlántico, encontraron que otros pueblos anteriores habían levantado megalitos, y –cautivados por el misterio que entrañaban– los adoptaron como propios y los incorporaron a su mitología.

Los celtas no eran un imperio, no tenían unidad política. Eran tribus emparentadas por la cultura del hierro y el idioma, que asistieron, detrás de las bambalinas del teatro mediterráneo, a la escena de Roma. Pasaron a ser "bárbaros" y se enfrentaron con Roma cara a cara a lo largo de toda la frontera norte del Imperio, que terminó integrándolos. Fueron los paisanos de las provincias del norte, habitantes de un país vencido que sin embargo siguió guardando sus dioses y su idioma, que poco a poco fue mezclando con el latín.

JORGE MIGLIOLI

De la otra punta del mundo, de Persia, sobre el Indo, las legiones romanas habían traído el emblema del Dragón, llegado hasta allí desde la China. En los destacamentos militares romanos de las islas británicas ondeaban estandartes con dragones, no ya chinos ni persas, sino romanos.

La Pax Romana no duró mucho, apenas unos tres siglos. Otros bárbaros que habían quedado fuera de las fronteras del Imperio –ahora decadente– empezaron a soca-

Under the great forest that covered Europe 3,000 years ago many peoples –with more similarities than differences– moved about unnoticed. Only Greece shone on the Mediterranean, further south, as Rome was not even taking shape then. To the Greeks, all those rough people beyond their borders were *keltoy* the "foreigners," the "others," and indeed they were quite different. If the *keltoy*, the Celts, were able to assail Greece, sack Delphos and defeat other neighbours as unknown as themselves, that was because they had mastered the metallurgy of iron before the rest

Thus, with stronger weapons to beat their enemies and better axes to clear the forest, the Celts made their way all over Europe north of the Alps, between the Danube and the Rhine. Their expansion, about 600 BC, took them to Turkey, Spain and the

British Isles. On the misty shores of the Atlantic, they found that other people, earlier, had erected megaliths and –captivated by the mystery they conveyed– the Celts adopted them as theirs and integrated them to their mythology.

The Celts were not an empire; they had no political unity. They were tribes related through their iron culture and their language who, from behind the scene of the Mediterranean theatre, witnessed the spectacle of Rome. They were "barbarians" and confronted Rome all along the northern boundary of the Empire, which ended up by assimilating them. The Celts became the peasants of the northern provinces, people from a conquered nation who, however, kept their gods and their language, although the latter gradually mixed with Latin.

Roman legions had brought the emblem of the dragon from the other end of the world. It came from Persia, on the Indus, having arrived there from China. Standards showing a dragon waved over the Roman garrisons in the British Isles, yet now it was not a Chinese nor a Persian dragon, but a Roman one.

The Pax Romana did not last more than three centuries. Other barbarians from beyond began to undermine the now decadent Empire. In the fifth century they arrived in Britain, the insular province. The Ro-

El autor es geógrafo, investigador y miembro del Gorsedd del Chubut.

The author is a geographer, researcher, and member of the Gorsedd of Chubut.

varlo. En el siglo V comienzan a llegar a Britania, la provincia insular. Los romanos abandonan estos confines de su imperio y se repliegan a Italia. Los britanos –celtas romanizados– tuvieron que enfrentarse solos con estos invasores, que –francamente– no eran muy diferentes a lo que los propios celtas habían sido antes de que la "civilización" romana los alcanzara. Estos bárbaros eran verdaderos "gwerr-man", "hombres de guerra" –anglos para el caso– y pronto ocuparon el sureste de la isla de Britania, que pasó a llamarse Anglia, tierra de Anglos, England.

Roma se había ido, pero –ante la invasión de anglos y sajones– los britanos añoraban el orden que imponía el estandarte del Dragón. Lo hicieron suyo. El Dragón pasó a representar lo que quedaba del viejo orden. La defensa de los britanos se aglutinó tras el Dragón y sin embargo...

Aunque demoró siglos, el avance anglo-sajón fue incontenible. Sólo se detuvo cuando las montañas del oeste y del norte de Britania dieron ventaja a los defensores. Así, los britanos quedaron arrinconados en los extremos de la isla y separados entre sí: Escocia, Gales, Cornualles; hubo también grupos de britanos que abandonaron la isla y se refugiaron en el continente, y así empezó Bretaña, (hoy en Francia). De la Britania Romana ya no quedaba nada, sólo la influencia latina en el idioma y el sentimiento del Dragón que hermanaba a los coterráneos, comprovincianos, com-bro, cambrios.[1] Ellos, los del Dragón, eran cambrios, pero para los anglo-sajones eran extranjeros, wealhas, welsh, galeses.

Durante los siglos VII y VIII los galeses del Dragón Rojo se atrincheraban tras las montañas que los separaban de los anglo-sajones, ahora ya casi ingleses, cuyo idioma casi no tenía nada de latín. Sin embargo, los casi-ingleses se habían cristianizado y hasta tenían un dragón, ¡pero era blanco!.

Los siglos que siguieron fueron un permanente combate entre el dragón rojo y el blanco. Combate solapado a veces, declarado otras, con treguas pactadas en matrimonios arreglados o en reyes-comodín, o reyes de origen galés, los Tudor, que –a fines del siglo XV– traicionaron a su pueblo. Al final el Dragón Rojo se convenció de que no podía esperar nada bueno del este; dejó de enfrentar al Dragón Blanco y le dio la espalda. El Dragón Rojo mira al oeste desde entonces, más allá de Irlanda, más allá del Atlántico.

Miles de galeses cruzaron el mar en busca de un mejor pasar. La emigración, a Norteamérica principalmente, pero también a Australia, alcanzó cifras muy altas a partir del si-

mans abandoned these outermost parts of the Empire and withdrew to Italy. Then the Britons, Romanised Celts, had to face the invaders on their own (indeed, these barbarians looked quite like the very Celts before they were "civilized" by Rome). They were truly "gwerr-man," war-men, Germans, Angles in this case, and soon they occupied southeast Britain, which became Anglia, England.

Now facing the invasion of Angles and Saxons, the Britons longed for the order the Roman standard of the dragon had imposed, and made this emblem their own. The dragon was to represent what remained of the old order. The defence of the Britons was embodied in the dragon and, however...

Although it took several centuries, the Anglo-Saxon advance was overwhelming; it only stopped when the mountains of the west and the north of Britain gave the defenders an advantage. Thus, the Britons were cornered in the fringes of the island and their groups separated from one another: Scotland, Wales, Cornwall, and there even were some groups of Britons who abandoned the island and settled in the close mainland, Brittany.

There was nothing left of Roman Britannia, just the influence of Latin in the Celtic languages and the feeling for the dragon shared by the fe-

llow countrymen, the *com-bro*, Cambrians.[1] They, the ones of the dragon, called themselves Cambrians, but to the Anglo-Saxons they were foreigners, *wealhas*, Welsh.

During the 7th and 8th centuries the Welsh of the Red Dragon remained entrenched behind the mountains that separated them from the Anglo-Saxons, by then almost English and speaking a language that had no Latin influence. Nevertheless, these quasi-English had converted to Christianity and even waved their own dragon, but this one was white!

During the following centuries there was endless war between the red and the white dragons. Sometimes it was a hidden struggle; sometimes an open battle. With truces arranged through marriages of convenience, contingent kings, or even Welsh-lineage kings, the Tudors, who betrayed their people. Finally the Red Dragon, convinced that nothing good could de expected from the East, ceased to fight the White Dragon and turned its back on it. From then on, the Red Dragon looked West, beyond Ireland, beyond the Atlantic.

Thousands of Welsh crossed the ocean in search of a better life. As from the middle of the 19th century emigration was intense, mainly to the United States but also to Australia. The Industrial Revolution increased the English need for

---

[1] En galés actual, "Gales" se dice "Cymru" (pronúnciese kémbri).

[1] Wales, in today's Welsh language, is "Cymru."

Colores otoñales en las chacras de la Cordillera.
Autumn's gold in the Andes farms.

glo XIX. La Revolución Industrial aumentó la presión inglesa sobre los ricos yacimientos de hierro y carbón que tiene Gales. Fue ardua la tarea de mantener viva la nacionalidad del pequeño país justo al lado del mayor imperio del mundo en su época. El Dragón quedó arrumbado en el desván de la Historia y se convirtió en un símbolo de algo casi muerto. Muy pocas veces se mostró en público durante el siglo XIX; el ambiente le era muy poco propicio y podía acusársele de querer subvertir el orden imperial. Una de las pocas veces que flameó, libre, en esos años aciagos fue en 1865 al tope del Mimosa, el buque que transportó al primer grupo de galeses a la Patagonia. Al zarpar de Liverpool, el Dragón reapareció, audaz –porque se iba– sobre las franjas celestes y blanca de la bandera argentina. Extraña metamorfosis del Viejo Dragón que se adaptaba a la Nueva Tierra. La misma curiosa bandera esperaba a este primer contingente en Puerto Madryn. Edwyn Roberts la izó en Punta Cuevas y describió sus sentimientos así:

"Hé aquí la vieja bandera que antaño guió a nuestros padres a la batalla; largos siglos estuvo dormida en Gales y hoy ensancha sus alas en tierras lejanas. Su poder confluye de toda la Patagonia, del Atlántico a los Andes, para hacer la Colonia Galesa para nosotros y nuestra gente para siempre. Imagino el tiempo cuando esta bandera sea honrada en mar y tierra. A pesar de estar solo en un país lejano, vale la pena afrontar mil peligros con tal de tener sólo una hora bajo esta sombra sagrada. Se pone el sol, ahora tengo que arriar la bandera con cuidado y ponerla de almohada para dormir y soñar que vienen cosas espléndidas."

Y las cosas espléndidas vinieron, y aunque tuvo que pasar hambre, y frío, y miedo, en la Patagonia el Dragón Rojo se desparramó a sus anchas y, peleando de otra manera, pudo recuperar su orgullo. No dejó de mirar para el oeste, atravesó el desierto y se afincó en los Andes. En Gales, mientras tanto, los vientos habían cambiado y en ellos flamea el Viejo Dragón, cientos, miles de veces, con la libertad que recuperó en la Patagonia.

mining the Welsh iron deposits and coalfields. Thus, the task of keeping the nationality alive in this small country, when its next-door neighbour was the greatest empire of the time, was truly arduous. The Red Dragon was put aside in the lumber-room of history and became the symbol of something almost dead.

During the 19th century the Red Dragon made few public appearances; the environment was unfavourable and it ran the risk of being accused of subverting imperial order. In those years of oppression one of the few times it fluttered, free, was in 1865 on the masthead of the *Mimosa*, the clipper that carried the first group of Welsh emigrants to

JORGE MIGLIOLI

Un típico maitén con el Valle 16 de Octubre de fondo.
A typical Maitén tree overlooks the "16 de Octubre" Valley.

Patagonia. When setting sail from Liverpool, the Red Dragon reappeared –boldly, since it was leaving– set on the blue and white bands of the Argentine flag. It was a strange metamorphosis of the Old Dragon, which was adapting to the New Land. The same odd flag was waiting for the first settlers in Port Madryn. Edwyn Roberts had hoisted it in Punta Cuevas, and he wrote:

"This is the old flag which guided our forefathers to battle long ago. It was dormant for centuries in Wales and now it spreads its wings in a remote country. The power of the whole of Patagonia, from the Atlantic to the Andes, meets here to create the Welsh Colony for ourselves and our people for ever. I can imagine the time when this flag will be honoured on sea and land. Being alone in a far off country does not matter, and it is worth facing any danger to be beneath its shade for just an hour. It is sunset: now I must lower the flag carefully and set it as a pillow so as to sleep on it and dream of splendid things to come."

And splendid things did come. Although the Red Dragon had to endure hunger, cold, and fear, it spread wide in Patagonia and, fighting in a different way, could recover its pride. It kept on looking west, and crossed the desert to settle in the Andes. Meanwhile, the winds had turned in Wales. And now they make the Red Dragon wave, hundreds, thousands of times, with the freedom regained in Patagonia.

IDEAS, SOCIEDADES Y UTOPÍAS   SOCIETY AND IDEALISM

Glyn Williams

La mitad del siglo XIX fue un período de grandes cambios. En términos políticos, la influencia del iluminismo se evidenció en el énfasis puesto por la filosofía política en la importancia de la existencia de un estado para la administración de su territorio. Esto se vinculaba con los acontecimientos en Norteamérica, donde el Republicanismo ya era la filosofía política predominante. Dichas ideas no eran sólo una representación práctica de cómo gobernar, sino que se extendieron dando forma a las disciplinas que luego se convirtieron en las ciencias sociales. En el corazón de todos estos metadiscursos estaba el estado. La sociología sustentaba la idea de una sola sociedad para cada estado, integrada a través del papel central de ese estado en la creación de un ordenamiento normativo extraído de su cultura unitaria. Mientras que en los tiempos de Rousseau mantener el orden social era una prerrogativa de la comunidad, hacia la mitad del siglo XIX este rol ya se había transferido al estado, que se convirtió en la suma de todas las comunidades dentro de su territorio. En forma similar, la ciencia económica preveía una sola economía y un solo mercado de trabajo para cada estado, y que la función de ese estado era la de regularlos para

maximizar sus beneficios materiales y los de la población. Igualmente, la lingüística presuponía la existencia de una sola lengua en cada estado, y que ésta era el lenguaje de la razón, a ser estandarizado para proveer la base gramática del pensamiento racional. Era simplemente imposible permanecer fuera del estado.

Estas ideas fueron centrales al pensamiento vinculado con la creación de la Colonia en Chubut. En la mitad del siglo XIX, Gales era un país firmemente integrado a los desarrollos intelectuales de toda Europa. En efecto, muchas de las ideas que luego conformaron las ciencias sociales ya circulaban en ese tiempo, y fueron la base sobre la que se teorizó acerca de la emigración de los galeses. En el corazón de estas ideas estaba el sentimiento de nacionalismo que inundaba a Europa. El nacionalismo, como lo caracteriza la filosofía política, emergió de la mano del nacimiento del estado, y era percibido como una liberación del orden político anterior, fundado en la realeza y los privilegios de sus parientes y relaciones, tanto consanguíneas como ficticias. El intercambio de mujeres para consolidar la unidad europea cedía ante la emergencia de estados diferenciados. La transición tomó un largo tiempo en comple-

The middle of the 19th century was a period of considerable change. In political terms the effect of the Enlightenment was evident in the emphasis placed in political philosophy on the centrality of a state for the administration of its territory. This was linked with developments in North America where Republicanism had worked through as the predominant political philosophy. These ideas did not stand alone as a kind of practical representation of how to govern, but extended into the range of disciplines which eventually became the social sciences. It is not surprise for instance that Sociology in its original conception was seen as a political science. At the heart of all these meta discourses was the state. Thus in Sociology the concept of a society is based on the idea of a single society for each state, this society being integrated through how the state played a central role in creating a normative order out of its unitary culture. Where in Rousseau's time social order was the prerogative of the community, by the middle of the 19th century this role had shifted to the state which now became the sum of all the communities within its territory. Similarly Economics was premised on the idea that there was a single economy and a single labour market for each state

and the state's function was to regulate that economy in order to maximise the benefit in material terms that would accrue to the state and its population. Linguistics similarly was premised upon the idea of a single language for each state, that language being the language of reason that was standardised in order to provide the grammatical basis for rational thought. It was simply impossible to stand outside of the state.

Such ideas were central to much of the thinking associated with the establishment of the settlement in Chubut. At mid century Wales was a country that was firmly integrated into the intellectual developments across Europe. Indeed many of the ideas which eventually were integrated into the social sciences were already in circulation at that time and were the basis on which Welsh emigration was theorised. At the heart of these ideas was the sense of nationalism which engulfed Europe at that time. Nationalism as a feature of political philosophy emerged hand in hand with the emergence of the state. It was a conception which was thought of in terms of liberation from the prior political order which was focused upon the centrality of royalty and the privileged order that surrounded the extended kinship, both consanguinal and fictive, of

Glyn Williams es sociólogo y autor de un clásico sobre la Colonia del Chubut titulado "The desert and the dream".
Glyn Williams is a sociologist and the author of "The Desert and the Dream," a classic book on the Chubut Colony.

tarse, pero era una cuestión de suma importancia en los debates de entonces.

Era un período en que la relación entre el tiempo, la persona y el lugar estaba siendo realineada. La relación entre las personas, el lugar como un territorio, y el tiempo como sentido de la historia, estaban sujetas al desarrollo de un nuevo significado. Luego de los trabajos pioneros de Adam Smith, se consolidaba el vínculo entre la soberanía del "pueblo" y el bienestar. Surgió una separación nítida entre el radical (y particular) Hegelianismo de Marx y el neoliberalismo del libre mercado, acerca de la mejor política económica para generar riqueza y redistribuirla. Durante el tiempo que permaneció en Cleveland, Ohio, Michael D. Jones no sólo ejerció su rol como miembro de la comunidad galesa, sino que también –tan importante como lo primero– se vio expuesto a estas ideas, en parte a través de los escritos e influencias de la comunidad alemana de esta ciudad. Sus escritos, tanto como por el sentido religioso, fuéron asimismo fuertemente influenciados por Marx, Spinoza, y el nacionalismo de Kosuth, Davis y Manzini.

En toda Europa, el crecimiento económico que traía la industrialización y la expansión del comercio provocaba un profundo proceso de cambio social y económico. Obviamente sería un error suponer que anteriormente las comunidades galesas se encontraban un tanto aisladas del mundo, ya que el movimiento marítimo desde Gales aseguraba su familiaridad con los grandes acontecimientos. Pero fue durante el siglo XIX que se produjo el auge en el movimiento masivo de la población desde el campo hacia los nuevos centros industriales. Esto no dejaba de relacionarse con la falta de capacidad de los grandes feudos –quienes se apropiaban de gran parte del valor de la producción agrícola y dominaban los mercados de trabajo locales y regionales– de proveer sustento a una creciente población. El creciente radicalismo y el disgusto por el contraste entre la riqueza inmensa de la nobleza y la pobreza de los trabajadores, avivaron el deseo de un cambio político.

Paralelamente a la migración rural-industrial interna, comenzó la emigración. En realidad, muchas veces ambas iban de la mano; la marcha hacia las ciudades precediendo a la subsiguiente emigración. En el alma de este movimiento estaba el deseo de ascender en la escala social. Los regímenes en las Américas habían diezmado a la población indígena, y ahora buscaban a los trabajadores que pudieran transformar su economía. Vinculados a esta concepción del mundo, existían allí fuertes sentimientos racistas. La emancipación de los esclavos africanos no respondía a la voluntad de convertirlos en futuros burgueses, sino

royalty. The exchange of women as a means of cementing a sense of European unity was giving way to the emergence of distinctive states. It took a long time for this transition to work through but it was central to the debates of the time.

Thus it was a period when the relationship between time, person and place was being realigned. The relationship between people, place in the form of territory and time as a sense of history were subject to the development of a new meaning. Subsequent to the pioneering work of Adam Smith the relationship between the sovereignty of 'the people' and well being was consolidating. There emerged a distinct separation between the radicalism of Marx's particular form of Hegelianism and the neo-liberalism of free marketism. This was very much a matter of political economy which focused upon the best way of generating wealth and its redistribution. Michael D. Jones' period in Cleveland. Ohio was as much about being exposed to these ideas, partly through the writings and influences of the German community in the city, as it was about his role as a member of the Welsh community. His writings were strongly influenced by the writings of Marx, Spinoza, and the nationalism of Kosuth, Davis and Mazini as it was by his sense of religion.

Across Europe the economic growth associated with industrialisation and the expansion of trade was resulting in a profound process of social and economic change. It is of course a mistake to think of communities prior to this development as somehow isolated and remote from the world. Indeed the movement by sea from Wales across the world insured that wider events were familiar. However it was during the 19th century that there was a massive upsurge in population movement. People relocated from the countryside to the emerging industrial centres. This was not unrelated to the ability of the large estates which appropriated most of the agricultural surplus value and which dominated local and regional labour markets, to sustain a growing population. The growing radicalism and the distaste for the contrast between the immense wealth of the gentry and the poverty of the labour force fuelled a desire for political change.

The internal rural-industrial migration was paralleled by emigration. Indeed the two often went hand in hand, with the movement from the countryside to the urban-industrial locations preceding subsequent emigration. At the heart of this was a desire for upward social mobility. The regimes in the Americas had decimated the indigenous population in the name of progress and sought the labour which could transform their economy. Associated with this conception was a strong sense of racism. The emancipation of the African slaves was not accompanied by any sense of their role as the futu-

que era vista como la base de la expansión de la mano de obra industrial. En ese contexto, la preferencia por inmigrantes europeos era otra faceta del mencionado racismo. Así, se le ofreció al trabajador agrícola de Gales la oportunidad de convertirse en un agricultor libre en el Nuevo Mundo, una movilidad social que estaba fuera de su alcance en su país. Igualmente se le ofreció al trabajador industrial galés –si bien ganaba un sueldo alto en el contexto británico– una oportunidad aún mayor a través de la emigración.

Estas fueron las circunstancias asociadas a la emigración a Chubut, la que no se originó en una concepción nacionalista basada en principios que incluyeran el deseo de establecer un estado galés. Aquellos que respaldaban la iniciativa eran totalmente conscientes de que la emigración era un proceso que ya estaba en marcha. Simplemente buscaban encauzar esa emigración hacia un lugar donde, según su parecer, era posible mejorar las oportunidades del emigrante mediante la creación de una base cultural para sustentar y desarrollar los valores necesarios que llevarían al éxito económico. En este sentido, no fue una alternativa al país de Gales sino una base para extender elaborados principios de gobierno y desarrollo económico que resultarían en una ventaja para todos los involucrados.

re bourgeoisie but rather as a basis for expanding industrial labour power. The preference for North European immigrants was another feature of the same racial bias. Confronted with a need that was expressed in these terms the agricultural labourer in Wales was offered the opportunity to become a free farmer in the New World, a mobility which was beyond reach in the homeland. Similarly the industrial worker, even though earning high wages by British standards was offered an even greater opportunity through emigration.

These were the conditions associated with the emigration to Chubut. It was not a nationalist conception in the sense that it was conceived of as a means of fuelling an emigration purely on nationalist principles involving the desire to establish a Welsh state. Those behind the initiative were firmly aware that emigration was already an on-going process. They were simply seeking to channel that emigration to a location where, in their view, the opportunity for the emigrant would be enhanced by creating the cultural basis whereby the values necessary for economic success could be sustained and elaborated. To this extent it was not an alternative to Wales but the basis for extending elaborate principles of governance and economic development which would be of advantage to all involved.

Reproduccón de un emblema que figura en un viejo escrito de los primeros años de la colonia.
This small, hand-drawn emblem is imprinted on an old poem written during the first years of the Welsh colonization in Patagonia.

Michael D. Jones

Michael D. Jones

A Michael Daniel Jones se lo ha llamado el "padre" de la Colonia Galesa en la Patagonia. Nació en Llanuwchllyn (Gales), en 1822. Estudió teología en la década de 1840, antes de pasar un año en Cincinatti (Ohio) en 1848-49. Allí advirtió que la asimilación cultural norteamericana hacía peligrar la conservación de las características nacionales de los inmigrantes galeses. Opinó que debía fundarse una "Colonia Galesa" en otro lugar, donde podrían florecer su lengua, religión y costumbres, promoviendo incansablemente esta idea y aportando dinero para su materialización. Establecida finalmente la Colonia del Chubut en 1865, sus dos hijos, Llwyd y Mihangel ap Iwan, emigraron a ella y colaboraron valiosamente en su desarrollo. En 1882 visitó la Colonia por única vez, y se reunió con el presidente Julio A. Roca en Buenos Aires.

En Gales, como pastor y rector del Colegio Independiente de Bala, se ocupó de la preparación de jóvenes para pastores disidentes. En 1859 protagonizó un despertar político en su condado de Merionethshire, cuando una victoria demasiado ajustada de un terrateniente local en una Elección General fue retribuida con el desalojo de varios arrendatarios, entre ellos su madre. Ante ello, Jones se embarcó en una campaña defendiendo el derecho de los arrendatarios a votar de acuerdo a su conciencia, y no según los deseos del dueño de las tierras que ocupaban.

La identidad galesa influenció toda su vida, e insistía en usar ropa elaborada con telas locales para impulsar la industria en Gales. Sostuvo que el idioma galés no sólo debía usarse en lo religioso y cultural, sino también en la esfera política, en el derecho y el comercio. Además hizo campañas a favor del autogobierno, sosteniendo que los galeses tenían derecho a hacer oír sus opiniones en su propio parlamento. Fue este aspecto de su trabajo lo que inspiró al eminente poeta de siglo XX, Gwenallt, a referirse a Michael D. Jones como "el más grande galés del siglo XIX".

Dafydd Tudur

Michael Daniel Jones, who has often been referred to as the "father" of the Welsh settlement in Patagonia, was born in Llanuwchllyn in 1822. He studied theology in the 1840s, before spending a year in Cincinnati, Ohio, in 1848-49. There, he realized that assimilation to the new cultural environment threatened the existence of the Welsh immigrant's national characteristics, therefore proposing a "Welsh Colony" should be founded, where the Welsh language, religion and customs could flourish unhindered. He campaigned tirelessly and contributed money to finance this movement. After the Chubut Colony was finally established in 1865, both his sons, Llwyd and Mihangel ap Iwan, immigrated here and made a valuable contribution to its development. In 1882, he made his only visit to the Colony, and met with President J. A. Roca in Buenos Aires.

In Wales, as an Independent minister and Principal of the Independent College at Bala, he prepared young men for the Nonconformist ministry. In 1859, he took part in what amounted to a political awakening in his home county of Merionethshire when the narrow victory of a local landowner in the General Election was followed by the eviction of several tenants from their lands, including M. D. Jones's mother. He then campaigned for the right of tenants to vote according to their consciences rather than their landlord's wishes.

Welsh identity influenced all aspects of his life; he even insisted on wearing clothes made from Welsh cloth in order to support the local industry. He argued that Welsh language should go beyond the cultural and religious spheres, and also be used in politics, law and trade. He also campaigned for national self-government, believing it to be the right of the Welsh people to be able to voice their opinions in their own parliament. It was this aspect of his work that led to the eminent 20th century poet Gwenallt's reference to Michael D. Jones as "the greatest Welshman of the nineteenth century."

Dafydd Tudur

N. de A.: M. D. Jones visitó la Colonia Galesa del Chubut en 1882, en plena lucha por el Gobierno Municipal.
Author's Note: M. D. Jones visited the Chubut Colony in 1882, when the settlers were struggling for their right to have their own municipal government.

El autor es graduado en Historia de la Universidad de Gales. Actualmente investiga la vida y obra de M. D. Jones como tema de su doctorado.
The author read History at the University of Wales, and is currently a postgraduate PhD student, undertaking research into the life and work of M. D. Jones.

Yr eidox yn wladgar,

Mixael D. Jones.

*Los Rifleros del Chubut en el tradicional
desfile del 25 de Noviembre en Trevelin.
The Chubut Riflemen during the traditional
25th. of November parade in Trevelin.*

*Desfilando el 25 de Mayo en Esquel.
Parading at Esquel on the 25th. of May,
a public holiday in Argentina.*

29

Trelew:
Pueblo de Luis
Lewis Town

Gaiman:
Piedra de Afilar (palabra Tehuelche)
Honing Stone (Tehuelche word)

Bryn Gwyn:
Loma Blanca
White Hill

Dolavon:
Prado del Río
River Meadow

Tir Halen:
Tierra Salada
Salty Land

Hafn yr Eglwys:
Cañadón de la Iglesia
Church Ravine

Hirdaith Edwin:
Travesía de Edwin
Edwin's Crossing

Dol y Plu:
Prado de las Plumas
Meadow of the Feathers

Hafn y Glo:
Cañadón Carbón
Coal Ravine

Rhyd yr Indiaid:
Paso de los Indios
Indians' Crossing

Cwm Hyfryd:
Valle Encantador
Pleasant Valley

Gorsedd y Cwmwl:
Trono de las Nubes
Throne of the Clouds

Trevelin:
Pueblo del Molino
Mill Town

Nant y Fall:
Arroyo de las Cascadas
Stream of the Falls

Futaleufú:
Río Grande (palabra Mapuche)
Great River (Mapuche word)

30

1 – Unos 160 inmigrantes galeses arribaron a bordo del Mimosa en 1865.
About 160 Welsh emigrants arrived on the Mimosa in 1865.
2 – El ferrocarril que unía el Golfo Nuevo y la Colonia comenzó a correr en 1888.
The railway between New Bay and the Colony started to run in 1888.
3 – La ciudad de Trelew se desarrolló alrededor de la punta de rieles sur del ferrocarril.
The town of Trelew developed around the line's southern railhead.
4 – Muchas de las capillas galesas del Valle sobreviven en buenas condiciones.
Many of the Welsh chapels in the Valley still subsist in a good state of repair.
5 – En los primeros tiempos, la Colonia se gobernaba por un Consejo local.
At first, the Colony was governed by a local Council.
6 – El riego fue intentado con éxito por primera vez en 1867.
Irrigation was successful for the first time in 1867.
7 – Cuando alcanzaron el valle del Río Chubut, los primeros colonos se refugiaron en los restos del abandonado fuerte que construyó una década antes el comerciante y marino británico Henry Libanus Jones para cazar ganado salvaje.
When they arrived at the valley of the Chubut River, the first settlers took shelter in the ruins of the Old Fort, which had been built by British seaman and merchant Henry Libanus Jones a decade earlier as a base from which to hunt wild cattle in the area.

Puerto Madryn

GOLFO NUEVO

Ferrocarril Central del Chubut

Gaiman

Treorcky

Drofa Dulog

Bryn Gwyn

Río Chubut

Trelew

Rawson

Glyn Du

Playa
Unión

MAR ARGENTINO

Monumento a los inmigrantes galeses en Puerto Madryn. Igual que el monuento al indio tehuelche (página 34) es obra del escultor Luis Perlotti. Ambos fueron levantados en 1965 en conmemoración del centenario del Desembarco.

The Welsh Immigrants monument at Puerto Madryn. It was designed by Luis Perlotti, the famous Argentine sculptor, who also designed the Tehuelche Native monument in this city (page 34). Both were erected in 1965 to commemorate the centenary of the Welsh landing in New Bay.

DE LIVERPOOL A PUNTA CUEVAS

FROM LIVERPOOL TO PUNTA CUEVAS

La instalación de la Colonia Galesa en la Patagonia respondió a los intereses de dos partes. Por un lado, el gobierno argentino necesitaba afirmar su posesión del área, ya que Chile desde el Estrecho de Magallanes e Inglaterra desde las Malvinas amenazaban la soberanía argentina, que hasta entonces era sólo teórica. Por otro lado, un grupo de nacionalistas galeses –liderado por Michael D. Jones– perseguía la utopía de fundar una "Nueva Gales" en donde desarrollar libremente su cultura. La opresión inglesa, económica y cultural, era muy fuerte y la emigración organizada era vista como una solución.

Los promotores de la colonización buscaban una región "vacía" para poder preservar los valores culturales galeses, que quienes habían emigrado a Estados Unidos perdían rápidamente. Además, en esos años, la Guerra de Secesión (1860-1865) desalentaba la

The creation of the Welsh Colony in Patagonia satisfied the interests of both parties involved. On the one hand, the Argentine government needed to strengthen its presence in the area since Chile, from the Strait of Magellan, and Britain from the Falklands/Malvinas, were a threat to Argentine sovereignty over the whole region, up till then only theoretical. On the other hand, a group of Welsh nationalists dreamed of founding a "New Wales," in which to develop their culture without hindrance. English oppression –both cultural and economic– was very strong and mass emigration was the envisaged solution.

The promoters of the scheme looked for an "empty" region to keep Welshness alive, since those who had settled in the USA had soon lost it. Besides, the Civil War in that country (1860-65) discouraged immigration. Negotiations with the Argentine government be-

JORGE MIGLIOLI

Con las cuevas convenientemente preservadas, el futuro de este sitio histórico se encuentra asegurado. Sobre la parte superior izquierda se observa el edificio del Centro de Visitantes.

The caves at the Punta Cuevas historical site have been adequately preserved. Up on the left, the Visitors' Centre building.

emigración a Norteamérica. Las tratativas con el gobierno argentino comenzaron en 1862. El ministro del interior, Dr. Guillermo Rawson, fue muy favorable a la idea. En 1863, Lewis Jones y Sir Love Jones Parry, barón de Madryn, vinieron a tratar con el gobierno y visitaron muy rápidamente la región donde se asentaría la Colonia. Sus informes fueron optimistas y embellecidos aún más al publicarse en Gales.

Después de mucha discusión y mucha propaganda en Argentina y en Gales, el primer grupo de unas 160 personas zarpó de Liverpool a bordo de la goleta Mimosa el 25 de mayo de 1865. Edwin Roberts y Lewis Jones –otra vez– viajaron con anticipación a la Patagonia a fin de preparar las cosas para cuando llegara el grupo. Llegaron al Golfo Nuevo un mes y medio antes que el contingente. Eligieron Punta Cuevas por ser una ensenada protegida, con materiales de construcción a mano: roca fácil de trabajar y restos de un barco encallado. Traían madera y chapa de Carmen de Patagones, además de 800 ovejas, vacas y caballos; también habían contratado allí a 5 ayudantes. Posiblemente estos peones dieron a los dos galeses la idea de excavar viviendas en la roca, como las cuevas de los Maragatos, habituales en el pueblo del que provenían.

Cuando instalaron el campamento en Punta Cuevas no imaginaron que no había agua dulce cerca y recién la encontraron una semana después. Era una laguna formada por las lluvias, situada 4 km al norte, sobre la playa, que mucho más tarde sería llamada Laguna de Derbes. Hacia allí trasladaron el ganado, pero no obstante siguieron con las construcciones que ya habían comenzado en la punta, antes gan in 1862. The interior minister, Dr. Rawson, was very much in favour of the project. Lewis Jones and Sir Love Parry, Madryn, came to explore the area in early 1863. Their reports were optimistic yet

JORGE MIGLIOLI

Al amanecer, desde el mar el sol ilumina al Monumento al Indio Tehuelche, en Puerto Madryn.
The Tehuleche Native monument in Puerto Madryn at dawn.

somewhat embellished when published in Wales.

After a great deal of discussion, both in Argentina and in Wales, and a great advertising campaign in Wales, the first batch of about 160 people sailed from Liverpool aboard the tea-clipper Mimosa on 25th May 1865. Two Welshmen, Edwin Roberts and Lewis Jones, travelled ahead to prepare the landing site and arrived there 6 weeks before the arrival of the party. They chose Punta Cuevas because it is a sheltered cove in which building material was readily available: the soft clayey rock (tosca) and timber from a nearby wreck. With them they brought more timber and corrugated iron, as well as over 800 sheep, cattle and horses. They had also hired a few men in Patagones as labourers. Probably these men suggested the digging of dwellings in the cliff face as this was also done in their own town.

When they installed their camp there, they didn't know there was no fresh water around. They only found some a week later: it was a pond formed by runoff, on the sea shore, 3 miles north. They then moved the livestock there but went on with the work they had begun at the original site. They built a storehouse with tosca-blocks cut out from the cliff face. The hollows resulting from the extraction of tosca are the caves we can see today. Within these hollows Roberts built some of the 16 crude wooden huts, which were finished after the arrival of the colonists.

The Mimosa anchored in

de hallar agua.

Hicieron un galpón con bloques de tosca que sacaron de la punta; medía 5 m por 20 m y tenía techo de chapa. No se sabe exactamente dónde estaba, pero no debía estar lejos del lugar que hoy ocupa el edificio del Parque Histórico. Parte de los huecos dejados por la extracción de la piedra son los que se ven actualmente y es posible que Roberts aprovechara ese reparo para this cove on the afternoon of 27th July 1865. Most of the passengers disembarked the following day, but it took several days to unload their belongings and settle down. The full party gathered here for only a few days, as groups of men soon began to make for the Chubut River. Most of the women and children followed a month later, by boat. The place was still busy: there was one birth, 4 infants and a wo-

Vista de la ciudad desde Punta Cuevas.
A view of modern Puerto Madryn town from Punta Cuevas.

Óleo pintado por Oswald Jones para el Eisteddfod de 1965, representando el desembarco de un siglo antes.
An oil painting by Oswald Jones, made for the 1965 Eisteddfod, depicts the Welsh landing of a century earlier.

construir algunas de las 16 precarias casillas de madera que se terminaron después de la llegada de los inmigrantes.

El Mimosa ancló frente a Punta Cuevas la tarde del 27 de julio de 1865. La mayoría desembarcó el 28, pero les llevó varios días bajar todo y acomodarse. Poco tiempo estuvieron todos los colonos juntos en ese lugar; los hombres empezaron a irse en grupos, a pie, hasta el Río Chubut, insta-

lándose en lo que muy pronto sería el pueblo de Rawson. La mayoría de las mujeres y los chicos siguió pocas semanas más tarde en otro barco. Durante ese lapso hubo un casamiento, un nacimiento, cuatro niños murieron y también una mujer (cuyos restos se hallaron en las cercanías en 1995).

Como en Punta Cuevas estaba el depósito de comida, al principio hubo mucho movimiento de gente entre Raw-

man died (most likely a grave discovered in 1995 near this place was hers).

As the food was stored in Punta Cuevas, there was much coming and going between here and Rawson, recently founded. Edwin Roberts started the first section of the track while he was awaiting the *Mimosa's* arrival, and it was 13 km long by September of that year. This straight line can still be seen when the sun

lies low.

By the end of 1865 a group of fishermen worked here and sold their catches in Rawson. There were also some people looking after the storehouse at least until the autumn of 1866. After enduring two years of hardship in the Chubut Valley, the colonists decided to abandon Patagonia. Thus they all returned to Madryn to wait for a ship. The caves were occupied once again that

son y Puerto Madryn, como ya empezaba a ser llamado este lugar. Edwin Roberts había empezado el primer tramo del camino entre ambos puntos mientras esperaba la llegada del Mimosa; luego se siguió abriendo la huella que para septiembre ya tenía 13 km. Con iluminación rasante aún se adivina la marca de esa senda en línea recta, trepando las lomas hacia el sur.

A fines de 1865 se instala en Punta Cuevas un grupo de pescadores que vende su producción en Rawson. También hay cuidadores del galpón por lo menos hasta el otoño de 1866. Tras dos años de penurias, en 1867, los colonos deciden irse de la Patagonia y se vuelven todos a Puerto Madryn a esperar un barco. Las cavas son habitadas de nuevo ese invierno, esta vez sin las casillas de madera que en 1865 las disimulaban. Los huecos son adaptados para vivienda; hubo quienes agrandaron las excavaciones existentes o cavaron alguna otra. También se aprovecharon los restos del barco encallado. El grupo permaneció allí durante tres o cuatro meses de mucha incertidumbre.. Mientras tanto llegó la propuesta oficial del ministro Rawson, de intentar otra temporada más. Hubo arduas discusiones y muchos decidieron irse igual. En Punta Cuevas quedaron poco más de cien personas.

El destino de la colonización se jugó en las cavas de la punta. Durante esos meses estaba la tribu tehuelche de Galach invernando allí, y cuenta la historia que el segundo aniversario del desembarco se celebró con las "Primeras Olimpíadas Patagónicas" entre ambos pueblos. Los nativos ganaron en las pruebas ecuestres y los blancos en las de puntería. En agosto de 1867 el grupo más convencido vuelve al Valle del Chubut; allí debieron empezar de cero nuevamente ya que los indígenas —según su costumbre— habían quemado las viviendas abandonadas. Felizmente a los pocos meses los colonos se dan cuenta de la factibilidad de regar por inundación. Esto dio vuelta la página de los fracasos y, muy lentamente, empezó el progreso de la Colonia.

Aunque casi toda la vida de la Colonia se trasladó entonces al Valle del Chubut, Puerto Madryn siguió activo al ritmo de la llegada de los barcos, que preferían este puerto al de Rawson. El galpón y las 16 cavas se usaron como depósito por un tiempo más. Hacia 1870 el lugar fue saqueado por loberos malvinenses, quienes usaron las maderas de los techos de las cavas como combustible y robaron las cosas que había guardadas en ellas. Después de esta destrucción, sólo se mantuvo un par de cabañas como base para los que tuvieran que atender el tráfico portuario.

En 1882 el gobierno nacional instaló unos galpones en el fondeadero situado inmediatamente al este de Punta Cuevas. Se lo llamó "Puerto Roca", pero pronto fue abandonado por falta de agua. En esa época, para los argentinos, Punta Cuevas se llamaba "Punta Galenses" y la caleta aledaña "Bahía Galenses". Cuando el desarrollo de la Colonia exi-

winter, this time with no wooden huts inside, and adapted as dwellings. Some people made existing caves a little larger, or dug new ones. The timber from the nearby wreck was used as well. The group spent 3 or 4 months there. Meanwhile, they received Dr. Rawson's official proposal of trying for one more year, but only a group of one hundred accepted this proposal and remained in Chubut. They had to start from scratch again.

The fate of the Welsh Colony was decided in these caves. During those months, there was also a Tehuelche tribe, that of Galach, wintering there. The 2nd anniversary of the Landing was celebrated with a series of tournaments called "The First Patagonian Olympic Games" between Welsh and Natives. The former won the shooting competitions while the latter won the equestrian ones. In August 1867, the more determined group went back to the Chubut Valley. As luck would have it the feasibility of flood watering was discovered a few months later. This turned the page on failures and, very slowly, progress started.

How does the story continue? As a port, Punta Cuevas thrived with the coming and going of marine traffic. The storehouse and the 16 caves were still used as a depot for a few years. In 1870 the place was plundered by sealers from the Falklands. They took the rafters from the caves' roofs as fuel and stole the goods stored in them. From then on, just a couple of huts were kept habitable for those who needed to stay there to service the ships

as they came and went.

In 1882 the National Government built some storehouses opposite the anchorage located to the east of Punta Cuevas. It was called "Puerto Roca", but was soon abandoned due to the lack of fresh water. By this time, on Argentine maps Punta Cuevas was named "Welshmen Point" and the adjacent inlet "Welshmen Bay." When the developing colony needed better communications, the old idea of building a railway between the New Gulf and the Chubut Valley revived. On 28th July 1886, exactly 21 years after the Mimosa's arrival, over 400 Welsh workers arrived aboard the steamer Vesta. They spent their first days in Patagonia in the caves, and —as in 1865— a baby was born there.

The workers installed their camp by the 1865 pond (Laguna Derbes), and it was around that site that the modern town of Madryn would start. Activity moved towards the new anchorage, and Punta Cuevas ceased to be used. As the generation that had arrived on the Mimosa finally ceased to exist and the old anchorage had been abandoned for many years, the true story of the caves was forgotten, so much so that a bizarre account took form: that the settlers had lived in the caverns formed by the sea round the point, which are flooded by the sea twice a day. The sea itself collaborated with the loss of folk-memory as it slowly eroded several of the 16 original caves. In 1931 Madryn's weekly reported: "Remains of the first Welsh dwellings discovered."

gió mejores comunicaciones, tomó cuerpo la vieja idea de un tren entre el golfo y el valle. El 28 de julio de 1886, justo a los 21 años de la llegada del Mimosa, el vapor Vesta dejó a más de 400 obreros galeses en Puerto Madryn. Los primeros días patagónicos de esta gente transcurrieron en "las cuevas", y como en 1865, también hubo en ellas un nacimiento.

Los ferroviarios se instalaron junto a la Laguna de Derbes y allí surgió la ubicación actual de la ciudad. La actividad se desplazó al nuevo sitio y Punta Cuevas dejó de ser frecuentada. Con la muerte de la generación del Mimosa, y el abandono del viejo fondeadero, el recuerdo de "las cuevas" empezó a desdibujarse... tanto fue así que surgió la descabellada versión de que los colonos vivieron en las grutas del otro lado de la punta, que el mar inunda dos veces al día. El mar colaboró con el olvido y fue destruyendo varias de las 16 cavas originales. En 1931, el semanario local "El Golfo Nuevo" informaba: "Descu-

bren vestigios de las primeras viviendas galesas".

El paso de los años y la paulatina distorsión de la historia, hicieron vivir a los galeses en cuevas inhabitables o se inventó un sitio alternativo. Para recuperar la certeza de lo ocurrido, fue necesario un par de interesantes hallazgos arqueológicos acompañados de una investigación documental que sigue en curso. Sin embargo, el crédito que mereció la versión alternativa demoró en más de 20 años la protección del lugar, y recién en 1996 se logró el reconocimiento oficial de Punta Cuevas como sitio histórico.

Desde entonces se han tomado algunas medidas concretas para la preservación de ésta, la primera huella que los galeses dejaron en la Patagonia.

(Texto preparado por Fernando Coronato en base a información disponible en el Centro de Visitantes del Parque Histórico Punta Cuevas).

Time and the gradual distortion of the story would have the Welsh living in inhabitable caves, and even at a completely different site. It took a couple of interesting archaeological findings and an ongoing documental research to restore the truth about what really happened in those years. Nevertheless, the credit those alternate versions received held back the site's protection for more

than 20 years. Only in 1996 was Punta Cuevas officially recognized as a historical site.

Since then, some concrete measures have been taken to preserve these first tracks left by the Welsh in Patagonia.

(Text by Fernando Coronato, based on information available at the Visitors' Centre of the Historical Park of Punta Cuevas).

CARLOS MURARO

Saludo simbólico tehuelche-galés en las playas de Puerto Madryn, durante una de las clásicas Fiestas del Desembarco que se realizan todos los 28 de Julio.

A symbolic Tehuelche-Welsh greeting at Puerto Madryn's beach during one of the Landing Day celebrations that are held annually in Chubut.

JORGE MIGLIOLI

En el Centro de Visitantes del Parque Histórico Punta Cuevas se puede observar, entre muchas otras cosas, esta recreación de las casillas en que se alojaron los galeses al desembarcar y el anillo de matrimonio de una mujer fallecida en esos días, cuya tumba fue descubierta recién en 1995. En la imagen superior, de 1939, un grupo de personas dentro de una de las cuevas nos da una idea de su tamaño, y también de lo atinado de las medidas de preservación que se han tomado en este sitio histórico.

Among many other documents, photographs, and a variety of objects, at the Punta Cuevas Historical Park Visitors' Centre one can observe this representation of the rough clay stone-and-wood cabins of the Welsh, and also the wedding ring of a woman that died during those early days in Patagonia. Her tomb was discovered in 1995. Top right, the 1939 photograph of a group of people inside one of the caves lends a sense of scale, but also hints at how wise the decision to take measures to preserve this site was.

El EcoCentro, dedicado a la interpretación de los ecosistemas marinos, fue construido sobre un acantilado, como un mirador en un sitio cuidadosamente elegido.
Puerto Madryn's EcoCentre is dedicated to interpreting the marine ecosystems. It was built on a bluff, as a viewpoint at a carefully selected spot.

FOTOS: ALEJANDRO BISIGATO

En la Carrera del Barril los "nativos" y los "colonos" recrean la competencia entre tehuelches y galeses en 1867. Si bien con otros protagonistas, el espíritu de confraternidad es el mismo de entonces.

During the Barrel Race the "Natives" and the "Settlers" recreate the 1867 competition between the Tehuelche and the Welsh. Although the competitors have changed, the good will spirit remains the same.

40

La pujante ciudad turística e industrial de Puerto Madryn aparece como por encanto ni bien uno abandona la meseta patagónica en dirección a la costa. En la primera de las puntas que se internan en el mar (flecha) se encuentran los restos de las excavaciones en las que los galeses armaron sus casillas en 1865. Todo era desierto en ese entonces.

Somewhat unexpectedly, the booming tourist and industrial city of Puerto Madryn comes into sight as soon as one turns away towards the sea from the straight highway that runs along the Patagonian tableau. On the first point of the coast (arrow) are the remains of the excavations where the Welsh took shelter upon their arrival in 1865. All this area was a desert in those years.

La Princesa de Gales, Lady Diana Spencer, visitó Chubut a fines de 1995. Cerca de la Península Valdés disfrutó de la presencia amistosa de los ejemplares de la ballena franca austral, que anualmente arriban al Golfo Nuevo y atraen a miles de turistas.

The Princess of Wales, Lady Diana Spencer, who visited Chubut in late 1995, is seen here enjoying the friendly presence of a Southern Right Whale, one of the many that arrive every year at the New Gulf, near the Valdés Peninsula, attracting thousands of tourists from all over the world.

Cerca de la Ruta Nacional 3, en plena pampa, se encuentra este montículo que se destaca vivamente del paisaje monótono que lo rodea. Es la Torre de José, adonde subió para orientarse en la inmensidad horizontal uno de los primeros hombres que, luego del desembarco, exploraron el camino hacia la costa del Río Chubut.

Right in the middle of the flat plateau along which National Highway 3 runs, this yellowish cone of a hill stands out from the monotonous landscape. It is Joseph's Tower, named after one of the first Mimosa immigrants who dared venture into the desert to look for the Chubut River, and climbed it to find his bearings in the horizontal vastness that surrounded him.

EL SUEÑO Y EL DESIERTO

Uno de los aportes contemporáneos más importantes para comprender el proceso de la colonización galesa en la Argentina probablemente sea el libro "The Desert and the Dream", escrito por el sociólogo galés Glyn Williams, aún no traducido al español. Su título además proporciona una buena síntesis para comprender que la distancia mayor que separaba Gales de la Patagonia, fue la que recorrieron los viajeros del Mimosa cuando desde el elevado fervor de sus sueños, descendieron a la realidad del desierto.

El tramo de la ruta de las galeses que va desde Puerto Madryn hasta Rawson buscando la desembocadura del Río Chubut en el Atlántico, es apenas un botón de muestra que basta para conocer las dificultades que debieron enfrentar los colonos en esos tiempos difíciles. Cada cual podrá atribuir a distintas circunstancias la persistente adversidad que desafió el ánimo de los galeses durante sus primeros años en el Chubut, pero seguramente todos coincidirán en que las mismas parecían condenar al fracaso a la empresa colonizadora.

Podemos mencionar el desconocimiento generalizado de una geografía extraña cuyos intentos de poblamiento habían fracasado hasta entonces, los defectos en la organización del grupo emigratorio y una composición inicial del mismo que incluía pocos agricultores y muchos colonos sin capital, la inexistente planificación de la operación colonizadora a nivel del Estado Nacional –librada a los buenos oficios de pocos y a las suspicacias de muchos– o las expectativas que traían los viajeros, por citar sólo algunas.

Nunca estará de más recordar la razón por la cual los galeses se dirigieron primero a Puerto Madryn donde al poco tiempo comprobaron que carecían de agua potable, en vez de hacerlo directamente a la desembocadura del Río Chubut donde querían establecerse. La razón reside en las excepcionales condiciones naturales que presenta la protegida Bahía Nueva para la permanencia de los buques, frente a las muy difíciles condiciones que los vientos y las mareas ofrecían sobre la desembocadura del Chubut. Como bien se ha dicho "una cosa es encontrar la desembocadura del Río Chubut, y otra muy distinta es atravesarla".

HACIENDO CAMINO AL ANDAR, EN TRE-RAWSON Y EL PUERTO DE MADRYN

Puede decirse que desde un primer momento, más allá de los inevitables errores derivados de una relativamente improvisada organización y contra todas las dificultades que debieron enfrentar, algunos colonos tuvieron bien clara una visión estratégica de sus posibilidades de desarro-

THE DREAM AND THE DESERT

Through his book "The Desert and the Dream," Welsh sociologist Glyn Williams has lately made a very important contribution towards the clarification of the Welsh colonization process in Argentina. The title of this book is a synthesis in itself, suggesting that the great distance separating Wales from Patagonia was only covered when the Mimosa travellers, from the height of their dreams, descended to the realities of the Patagonian desert.

The Route of the Welsh in Patagonia begins at New Bay, its first stretch running between Puerto Madryn and Rawson, in search of the mouth of the Chubut River. The harsh landscape it crosses adequately illustrates the difficulties the settlers had to overcome in those hard times. Although the persistent adversity challenging the Welsh settlers during their first years in Chubut is attributed by scholars to many causes, they will all surely agree that these combined calamities seemed to doom the colonization to failure.

We can mention just a few: The land was at that time largely unexplored, and many previous attempts to settle it had failed. The emigrants' organization had some flaws; there were very few farmers in the group, and many were short of working capital. Planning by Argentina's National Government was nonexistent, the project being left to the good offices of a few –and the mistrust of many. And the emigrants' high expectations were yet another liability.

We must keep in mind the reason why the Welsh went to Puerto Madryn first, a place where they found almost no fresh water, instead of going directly to the mouth of the Chubut River where they wanted to settle. New Bay is an exceptional natural harbour, with calm waters that offer good protection for the ships lying at anchor there. On the other hand, the mouth of the Chubut River is a difficult place to navigate because of the high winds and the tides; as it has been correctly stated "one thing is to find the mouth of the Chubut, and quite another is to cross it."

MAKING THE ROAD AS THEY WALKED

Beyond the inevitable errors resulting from a rather improvised organization, and against all the hardships they endured, we can see that some of the settlers had a clear strategic vision of their development possibilities right from the start, and that they persevered in making them materialise: a productive valley and a good, nearby port to export their produce and receive their supplies.

Just as the title of this section reads, sometimes the road is made by moving on. Since their arrival in Patago-

llo, en cuya construcción supieron perseverar: un valle en producción, y un buen puerto cercano para la salida de sus productos y el imprescindible aprovisionamiento de los insumos necesarios.

Y confirmando que el camino se hace al andar, los galeses anduvieron prácticamente desde su llegada a la Patagonia en condiciones muchas veces dramáticas y penosas, a pié, a caballo o en barco, procurando llegar desde el Golfo Nuevo hasta la desembocadura del Chubut, tal como lo consignara Abraham Matthews, uno de sus líderes, en su clásica "Crónica de la Colonia Galesa de la Patagonia", algunos de cuyos párrafos transcribimos a continuación:

"Pronto se vio que no había en Puerto Madryn lugar para el establecimiento humano debido a la falta de agua potable, de manera que era inútil hacer ningún trabajo permanente en el lugar. Para no perder tiempo se convino que los hombres solteros y los jefes de familia con menos responsabilidades pasaran inmediatamente al valle. Este distaba cuarenta millas del puerto, y no había camino ni huella de ninguna clase...

"Conocíamos el punto de desembocadura del Río Chubut, según los mapas de entonces, pero ninguno era exacto, excepto la carta marina de Fitz Roy. Sin embargo, se resolvió partir, en grupos de diez a doce; a cada grupo se le dio un caballo para portar el equipaje, una brújula para orientarse y comida y agua para el viaje. Se resolvió, además, cargar el bote salvavidas

con las provisiones y bajo la dirección de un hábil marino. El bote debía cubrir las setenta millas que separaban el puerto de la desembocadura del río...

"Los diferentes grupos debían partir con un día de diferencia, y se suponía que invertirían a lo sumo dos días en ir de Puerto Madryn al Valle del Chubut. Sin embargo, no se orientaron bien, y perdido el camino, vagaron sin rumbo. De modo que en vez de llegar en dos días, estuvieron cerca de cuatro perdidos en el campo. Esos grupos sufrieron muchas penalidades por falta de agua; y después de la llegada sufrieron aún por falta de víveres ya que el bote que salió con toda felicidad de Puerto Madryn poco después encalló y no fue posible sacarlo nuevamente al mar.

"Los grupos que habían ido al valle, estaban allí sin víveres, a no ser que se lo procurasen con sus rifles. Vivieron de lo que pudieron cazar, zorros y aves de rapiña... Fracasado el intento del bote, desde Madryn enviaron provisiones a lomo de caballo. Pero por ser muy lento el sistema, no se alcanzaba a cubrir las necesidades de los que estaban en el valle, y así muchos jefes de familia resolvieron volver al puerto, donde estaban los almacenes y provisiones, y donde permanecían aún las mujeres y los niños y muchos de sus hombres.

"Durante todo ese tiempo muchos se dedicaban con constancia al camino que debía unir el puerto con el valle. Llegaron a completar en esa época unas ocho millas. En septiembre llegaron desde

nia the Welsh had to travel many times under hard, even dramatic conditions. This they did on foot, on horseback, or aboard ship, always trying to reach the mouth of the Chubut from New Bay, as Abraham Matthews, one of their leaders, states in his classic "Hanes y Wladfa Gymreig yn Patagonia" (History of the Welsh Colony in Patagonia):

"Soon it was evident that Puerto Madryn was not fit for human settlement due to the lack of fresh water, so it was useless to make any permanent construction in this place.... So as not to lose time, it was agreed that the single men and the family men with less responsibilities would immediately go to the valley. This was forty miles away from the port, and there was no road or track of any kind leading to it....

"We knew the location of the mouth of the Chubut River through the maps of that time, but none were exact except Fitz Roy's chart. Nevertheless, it was decided that we should set off, in groups of ten to twelve; each group was given a horse to carry their luggage, a compass to keep their bearings, and water for the trip. It was also decided to load the lifeboat with supplies and put it under the command of a skilful sailor. The boat should cover the seventy miles separating the port from the river's mouth....

"The different groups would set off with a day's difference, and it was assumed that they would take two days, at most, to go from Puerto Madryn to the valley of the Chu-

but. However, they did not find their way and got lost, wandering astray. So instead of reaching their destination in two days, they were lost in the country for four. These groups suffered much for lack of water, and when they finally returned they suffered further for lack of food; the boat that had happily sailed from Puerto Madryn ran aground shortly and could not be returned to sea.....

"The groups that had reached the valley remained there without food, other than what they could get with their rifles. They lived off the land, hunting foxes and birds of prey....As the attempt to send provisions by boat failed, they were then sent by pack-horse. But this method was very slow and proved to be inadequate to cover the needs of those in the valley, so many family men chose to return to the port, where the supplies, the women, children, and many men still remained....

"During all that time many persevered in building the road to join the port with the valley, and they completed about eight miles. In September, two Argentine officials came from Patagones to raise the Argentine flag and to grant the Welsh formal permission to occupy the place. They travelled from Puerto Madryn to the valley on the horses that they had brought on their ship. As luck would have it, it rained for a week or nine days, and, as it was a large group that travelled in line over the wet ground, they marked a visible track on which the proper road was later built, since before no

Hugh Hughes Cadvan construyó el primer carro de la Colonia del Chubut en 1866. Hoy se encuentra en exhibición en el Museo Salesiano de Rawson.
This old cart is preserved at the Salesian Museum in Rawson. Made by Hugh Hughes Cadvan in 1866, it was the first one to be built at the Colony.

Patagones dos funcionarios argentinos en nombre del gobierno argentino para izar la bandera argentina y otorgar formalmente a los galeses el permiso para la ocupación del lugar. Vinieron desde Puerto Madryn a lomo de los caballos que trajeron consigo en el barco. En ese tiempo llovió casualmente por una semana o nueve días y como un grupo numeroso de ellos viajaba en fila uno tras otro a través del campo mojado, trazaron una huella visible sobre la que se hizo después el camino, pues hasta ese entonces nadie conservaba la misma ruta. Las personas criadas en países nuevos tienen una gran habilidad para trazar rumbos rectos, aún en lugares que les son completamente desconocidos. Y así esta gente trazó un camino casi recto en esa ocasión, aunque nunca habían estado allí antes.

one kept to the same path. People raised in new countries possess an uncanny ability to plot straight courses, even in places totally unknown to them. And so it was that these people drew an almost straight path on that occasion, even though they had never been in that area before....

"During the stay in Puerto Madryn a woman died, Catherine Davies, and a girl was born whom they called Mary Humphreys. And soon some hills were named after her, Mary's Hills, on the road between Puerto Madryn and the valley, as someone got the news of her birth when crossing them."

But let's return to our Route, because if the saying "life is a journey" is true, this road bespeaks well of how the life of the settlers was at that time. Today there are two alternatives to join Puer-

45

"Durante la estadía en Puerto Madryn murió una mujer, Catherine Davies, y nació una niña que llamaron Mary Humphreys. Y pronto se dio este nombre a unas lomas, Lomas de Mary, que hay en el camino entre Puerto Madryn y el valle, por haber recibido alguien la noticia de su nacimiento, al cruzar las mismas."

Si "vivir es transitar", el camino refleja muy bien cómo fue la vida de los colonos. Actualmente existen dos alternativas principales para circular en automóvil desde Puerto Madryn hacia Rawson, la capital provincial. La más conocida recorre una distancia total de 65 km, primero por la pavimentada Ruta Nacional 3 hacia el sur para, luego de rodear la ciudad de Trelew, entrar finalmente a Rawson por la Ruta Provincial 7 o la Ruta Nacional 25, que corren una a cada lado de las márgenes del río. La Ruta Nacional 25 será la que sigamos luego a lo largo

de gran parte de este libro.

La segunda opción es circular 50 km. por la costera Ruta Provincial 1 (antigua Ruta Nacional 3) cuya traza enripiada une Rawson y Puerto Madryn bordeando en parte de su trayecto el Océano Atlántico. Debido a sus hermosas vistas, está proyectada su pavimentación para uso turístico. La traza del camino original de los galeses que unía el Golfo Nuevo con la desembocadura del Chubut en el mar, puede aún observarse desde el aire o la distancia; esta ubicada en medio de las dos rutas principales mencionadas.

EN EL FUERTE DE LA AVENTURA

La ciudad de Rawson conserva una impronta cultural menor de la colonización galesa que le dio origen, si la comparamos con localidades como Gaiman, Dolavon, Trelew, Puerto Madryn, Trevelin y Esquel, todas ellas surgidas luego de la fundación de la Capital del Chubut, ocurrida el 15 de diciembre de 1865.

Pero Tre-Rawson (el pueblo de Rawson) fue el primer asentamiento estable que perduró en territorio chubutense. Los galeses se establecieron allí en 1865 unos 5 km antes de la desembocadura del Chubut en el Atlántico, aprovechando las ruinas del Fuerte Viejo, construido en 1854 por el marino y comerciante británico Henry Libanus Jones.

H. L Jones protagonizó un frustrado emprendimiento para cazar ganado salvaje. En sus desplazamientos por la zona, había obtenido informa-

ción que indicaba que buenas cantidades del mismo estaban disponibles cerca del Río Chubut. Y, obtenido el capital y el apoyo oficial necesario, se estableció allí por un tiempo.

A pesar de la coincidencia entre el asentamiento de H. L. Jones y el de los colonos galeses con una década de diferencia, se trata de dos iniciativas independientes, mas allá de las noticias que los galeses seguramente tuvieron acerca del constructor del fuerte donde inicialmente se ubicaron.

Llamaron a este sitio *Caer Antur,* Fuerte de la Aventura, sin duda en referencia a las desventuras que allí vivieron.

_____

to Madryn with Rawson –the capital of Chubut– by car. The one best known is a 65 km trip along National Highway 3 south to Trelew and then east on Provicial Highway 7 or National Highway 25, each running along opposite banks of the river. The latter crosses most of the Province, and further on, in a significant part of the book, we shall be following it west.

The other is to travel 50 km on the coastal Provincial Highway 1, a gravel road which at times runs close to the sea and offers beautiful sights, and which will be paved in the future to promote tourism. But the original road used by the Welsh connecting New Bay and the mouth of the Chubut River runs through the middle of the two mentioned alternatives, and can still be seen from the air or from a distant viewpoint when illuminated at a low angle by the sun.

THE ADVENTURE FORT

Rawson was founded earlier than the rest of the towns in Chubut, on December 15, 1865. But compared to Gaiman, Dolavon, Trelew, Puerto Madryn, Trevelin, and Esquel, the Capital of Chubut has preserved its Welsh heritage to a lesser degree.

Tre-Rawson (the town of Rawson) was the first stable settlement to survive in Chubut territory. The Welsh settled there in 1865, about 5 km from the river mouth on the Atlantic, taking advantage of the shelter provided by the ruins of the Old Fort, which was built in 1854 by Henry Libanus Jones, a British seaman and merchant.

During his travels around the area, H. Libanus Jones had heard of the existence of large herds of wild cattle near the banks of the Chubut River. Hoping to make a profit, he secured the necessary capital and the official permission to set up an operation to hunt these animals, and built a small fortified hamlet where he settled for some time.

Although this venture was not related in any way to the process of Welsh immigration to Patagonia a decade later, doubtlessly the Mimosa settlers had heard of the fort's existence, and sought to make good use of what remained of it.

With some irony, they called this place *Caer Antur,* "The Adventure Fort," surely in reference to the hardships they had to endure there.

La fundación de Rawson según el mural de Alejandro Lanöel en la Casa de Gobierno del Chubut.

The founding of Rawson, as depicted in a mural by Alejandro Lanöel at Chubut Government House.

Tiempos difíciles en Tre-Rawson y Gaiman

Painful times at Tre-Rawson and Gaiman

Marcelo Gavirati

LOS DUROS TIEMPOS INICIALES (1865-67)

Los primeros años en Patagonia fueron sumamente duros para los colonos. El desconocimiento del medio ambiente, la inexperiencia agrícola, sumadas al hecho de que llegaron tarde para sembrar en 1865 y 1867, hicieron que las cosechas de los tres primeros años fueran un completo fracaso.

Al año de haber llegado, algunos colonos hacen oír sus quejas ante la extrema escasez que ponía en riesgo sus vidas, por lo cual la nave de guerra británica Tritón decide visitar la Colonia. A bordo de la misma viaja Antonio Alvarez de Arenales, comisionado por el gobierno argentino para levantar datos acerca de la situación del emprendimiento. De su informe surge que si bien no había un riesgo inminente, la situación no dejaba de ser preocupante. La población –entre muertes y deserciones– había descendido de 153 a 133 personas, las que vivían en casas construidas en su mayoría de barro y paja. Los colonos sólo habían podido sembrar unas veinticuatro hectáreas de trigo y media hectárea de cebada; encontrándose los sembradíos a merced de los fuertes vientos patagónicos por la falta absoluta de árboles que los reparasen. Los elementos agrícolas se reducían a una docena de arados –la mayoría de madera–, media docena de hoces y dos molinos manuales. El ganado se componía de poco más de setenta vacunos –bastante más ariscos al ganado que estaban acostumbrados a manejar en Gales–, medio centenar de caballares, una quincena de porcinos, ochenta aves y ningún ovino, ya que de los ochocientos que se habían traído, unos doscientos cincuenta se habían perdido en el campo y el resto se había consumido por la escasez de víveres. La práctica de la pesca en el Golfo Nuevo se veía dificultada por la escasez de agua potable en dicho

Indígenas con un cargamento de plumas de avestruz, uno de sus principales bienes de cambio en el comercio con los colonos galeses.
A group of Natives carrying a load of ostrich (rhea) feathers, one of the main commodities they traded for goods with the Welsh settlers.

A HARD BEGINNING (1865-67)

The first years in Patagonia were very tough for the settlers. The unfamiliar environment, their little experience in farming chores, and the fact that they arrived late for the sowing season in 1865 and 1867, turned the first three years' harvests into a complete failure.

One year after arrival, some settlers complained about the extreme shortage of provisions that threatened their lives, prompting the British ship *Triton* to visit the Chubut Colony. Aboard this battleship Antonio Alvarez de Arenales came, commissioned by the Argentine government to collect first-hand information on the colonists' situation. His report stated that, even if there was no immediate risk to their lives, their situation was nevertheless precarious. Population, owing to deaths and defections, had dropped from 153 to 133, and they lived mostly in mud-and-straw huts. The settlers had only been able to sow about twenty-four hectares of wheat and half a hectare of barley. The crops suffered the strong Patagonian wind without any trees to shelter them. Their tools only included a dozen ploughs –mostly wooden– half a dozen hoes, and two manual grain mills. Their livestock amounted to scarcely over seventy head of cattle –quite wilder than the animals they were used to managing in Wales– about fifty horses, fifteen pigs, eighty fowl, and no sheep. Of the eight hundred sheep that had been brought from the north, two hundred and fifty were lost and the rest were slaughtered for meat. Fishing at New Bay was hindered by the lack of fresh water, and the newly arrived settlers were still somewhat inexperienced in hunting in Patagonia.

During the first ten months the colonists awaited their first contact with the Patago-

El autor es historiador, escritor e investigador del Centro Nacional Patagónico (CENPAT) de Puerto Madryn.
Marcelo Gavirati is a historian, writer, and researcher at the CENPAT (Patagonian National Centre) in Puerto Madryn.

47

puerto y la caza por la inexperiencia de los recién llegados en el medio patagónico.

Durante los primeros diez meses los colonos vivieron sobresaltados esperando el momento de establecer contacto con los indígenas patagónicos, hasta que en abril de 1866 la tribu del cacique Francisco se hace presente en la Colonia. "¿Cómo trataremos a estos indios?", fue la pregunta que se formularon. "Tratar a los indios como nos tratamos unos a otros", fue la respuesta.

Por su parte los indígenas –acostumbrados a comerciar con los establecimientos de Punta Arenas, Isla Pavón, Carmen de Patagones e incluso con los barcos huaneros que tocaban las costas patagónicas– percibieron a la Colonia como una nueva posibilidad que les permitiría evitar ciertos puntos conflictivos y a los comerciantes que los estafaban, por lo cual se sintieron muy proclives a apoyar a los galeses en sus primeros y duros momentos:

"Ese año vendían muy baratas sus mercaderías, al parecer porque veían que los colonos no tenían mayormente nada que dar por ellas. Era posible comprar un caballo por unos pocos panes y un poco de azúcar (...)".

Los indígenas les proporcionaron a los colonos dos elementos básicos para sobrevivir en el "desierto": las técnicas de caza y el modo de manejar caballos; incluyendo la posibilidad de obtener y aprender a usar aparejos, lazos, boleadoras, etc.

En febrero de 1867 –ante el fracaso de la cosecha por la falta de lluvias y por no haber podido realizar zanjas para el riego a causa de la gran bajante del río– un grupo de diputados se dirige a Buenos Aires para pedir su traslado a otra parte del territorio argentino. En julio, mientras los colonos estaban refugiados en las cuevas recortadas en las toscas frente a la playa de Puerto Madryn, esperando un barco que los llevase a otro lugar, el cacique Galats se presenta e insta a los colonos a no abandonar el Chubut:

"¿Con quién vamos a comerciar si no están ustedes? nos alentaban para que regresáramos; hasta llegaron a ofrecer caballos para facilitar nuestro traslado."

LAS LLAVES DEL ÉXITO: EL INTERCAMBIO CON LOS INDÍGENAS Y EL DESARROLLO DEL CULTIVO DEL TRIGO (1867-1873)

Pero en medio de la crisis, aparece un dato interesante: la Colonia ya había producido las primeras "exportaciones". Ante la ausencia del trigo se colocan en Patagones –ade-

nian Natives with some concern, until in April 1866 chief Francisco's tribe arrived at the Colony. "How will we treat these Natives?" was the question that was raised. "We will treat them as we do ourselves, one another," was the answer.

For their part, the Natives –accustomed, as they were, to trade with the white settlements in Punta Arenas, Pavón Island, Carmen de Patagones, and even the "guano" ships that called at the Patagonian coast– perceived the Colony as a new option which allowed them to bypass some conflictive spots and also avoid the unscrupulous traders that swindled them. Consequently, they were prone to help the Welsh out during these early, hard times:

"That year they sold their goods at very low prices, seemingly because they saw that the settlers had not much to trade in for them. It was possible to buy a horse in exchange for a few loafs of bread and a little sugar...."

The Natives taught the colonists two crucial abilities to survive in the "desert": the hunting methods and the expertise in handling horses, including the techniques to manufacture and use some elements such as lassoes, "boleadoras," etc.

In February 1867, the crop having failed yet again due to lack of rain and the low water-level of the Chubut that prevented the construction of irrigation ditches, a group of deputies from the settlement travelled to Buenos Aires to request their relocation to another part of the Argentine territory. During July, when the colonists had taken refuge in the caves cut on the clayish cliffs facing the beach at Puerto Madryn, waiting for a ship to take them away, Native chief Galats turned up and begged them not to leave Chubut: "Who will we trade with if you are not here?' they encouraged us, even offering us horses to help us return to the valley."

THE CLUES FOR SUCCESS: THE INDIAN TRADE AND THE DEVELOPMENT OF WHEAT CULTIVATION (1867-1873)

But even in the midst of the crisis, an interesting piece of information comes to light: the Colony had already made its first "exports." With still no wheat to trade in, nevertheless the settlers sold, in Patagones, aside from 46 kg of butter, about a thousand pounds of rhea feathers; a first indication of the great importance trade with the Natives had for the Colony. This had not been foreseen by the Colony leaders, but was later very much

JORGE MIGLIOLI

más de 46 kg de manteca–unas mil libras de plumas de avestruz. Primer indicio de la importancia fundamental que tendría para el éxito de la Colonia el tráfico con los indios, el que si bien no estaba en los cálculos previos fue luego muy apreciado por los líderes de la Colonia (ver carta de Michael D. Jones en pág. 53).

Después que el gobierno argentino –Lewis Jones mediante– convenciera y ayudara a los colonos para permanecer en el Chubut un tiempo más, éstos vuelven al valle para realizar un nuevo y último intento. Esta vez Aaron Jenkins y su esposa Rachel deciden sembrar en un lugar diferente: "la tierra negra pelada", concretan una zanja desde el río a su sembrado y logran obtener –¡al fin!– una cosecha.

Cuatro años después (1871) ya se observan ciertos progresos: la población –que había caído a 110 personas– recuperaba el número inicial de 153 colonos. La cantidad de hectáreas sembradas trepa a 250, regadas por un viejo cauce del río a modo de canal. El comercio con los indios comprendía el intercambio de bienes provenientes de sus respectivos espacios y circuitos de comercialización. Los

tehuelches aportaban caballos, cueros, quillangos (mantas) de guanaco y de avestruz, ponchos de los indígenas cordilleranos y trascordileranos, artículos europeos adquiridos en Patagones y principalmente plumas de avestruz. Los galeses, además del pan, la manteca y la leche, los proveían de licor, azúcar, yerba, tabaco, fariña, trigo, arroz, harina, jabón, ropa; sus herreros le confeccionaban boleadoras, hebillas y cuchillos. Este comercio era realizado en forma particular por cada familia y el quillango de guanaco solía desempeñar el rol de moneda. La venta de alcohol a los indígenas era muy mal vista por los líderes religiosos de la Colonia.

LA CONSOLIDACIÓN DEL MODELO (1873-1884)

En 1873 se realiza el primer envío de trigo a Buenos Aires y los colonos se plantean como objetivo la venida de nuevos inmigrantes para producirlo en grandes cantidades y exportarlo. En los siguientes dos años arriban colonos procedentes de los EEUU y de Gales y la población se duplica.

En 1875 se sanciona una

appreciated by them (see Michael D. Jones letter in page 53).

After the Argentine government –through Lewis Jones' influence– convinced and helped the colonists to stay in Chubut longer, they returned to the valley to make another (and last) attempt. This time Aaron Jenkins and his wife Rachel decided to sow their wheat in a different place, "the barren black soil." They dug a ditch from the river to their sowed field and succeeded –at last!– in obtaining a crop.

Four years later (1871) the colonists had some progress to show: the population –that had dropped to 110 people– recovered to its initial 153. They had 250 hectares under cultivation, watering them through an old riverbed used as a makeshift channel. Trading with the Natives included different products that came from the areas they roamed, and also from their own trade circuits. The Tehuelche supplied horses, hides, "quillangos" (blankets) made from guanaco and rhea skins, Native "ponchos" from both sides of the Andes, European goods bought in Patagones, and –most of all– rhea feathers.

The Welsh, aside from bread, butter and milk, also provided the Natives with liquor, sugar, yerba mate, tobacco, cassava flour, wheat, rice, flour, soap, and clothes; their smiths manufactured "boleadoras," buckles, and knives. This commerce was done individually by the families, and the guanaco "quillangos" usually served as a substitute for money. The religious leaders of the Colony strongly disapproved of settlers selling alcohol to the Natives.

THE ECONOMIC MODEL CONSOLIDATES (1873–1884)

The first shipment of wheat to Buenos Aires was done in 1873. The colonists now looked forward to bringing in new immigrants to boost the production of this grain for export. In the next two years, many new settlers arrived from the U.S. and Wales and the population doubled.

A law was passed in 1875 increasing the amount of land allocated to each settler from 50 to 100 hectares. The first two businesses were established, adding warehouses and a vessel, and the first steam-powered thresher reached the Colony.

49

ley por la cual se eleva de 50 a 100 hectáreas la tierra que se le otorga a cada colono y se instalan las dos primeras casas de comercio, las que cuentan con almacenes y un barco para el tráfico comercial, y entra la primera trilladora a vapor.

El riego se realiza por medio de pequeñas zanjas que, proviniendo del río surcaban las chacras, pero en 1882 se inicia la construcción de dos canales principales, uno al sur y otro al norte del río, para ramificarse luego en canales intermedios. También aumenta la maquinaria agrícola: 260 arados, 172 rastras, 45 segadoras, 6 trilladoras, 71 molinos de mano y 16 molinos grandes, o de uso industrial, utilizados por las casas de comercio o por chacareros en forma cooperativa, entre los hidráulicos, a viento y a vapor.

La ganadería aportaba poco a las exportaciones: astas, huesos, cueros lanares y vacunos, lana sucia. Su importancia estaba representada más bien por la producción tambera, destinada al consumo interno y a la incipiente industria láctea que producía manteca y queso, origen del famoso quesito tipo Chubut.

Pero sin duda el rubro más importante del comercio "exterior" de la Colonia seguía siendo el de los productos adquiridos a los indígenas. En un año de cosecha normal –como 1881– estos productos representaron el 56% del total de exportaciones de la Colonia, en tanto que en años de

malas cosechas –como 1882– treparon hasta el 80% (gráfico 1). Dentro del mismo, tuvo fundamental importancia el tráfico de plumas de avestruz, el que llegó a representar el 65% del valor total de las exportaciones de la Colonia. Es que la pluma de avestruz rendía mucho más que el trigo, como lo pinta muy bien Ricardo Berwyn:

"En nuestro comercio externo corresponde a los aborígenes una parte importante aunque liviana, pues tres toneladas de pluma de avestruz valen tanto como cien toneladas de trigo, a los precios actuales".

A consecuencia del desarrollo económico, el aumento poblacional iniciado a principios de este período se vio ampliamente consolidado (gráfico 2). Para 1883 la Colonia contaba con 1.350 pobladores –mayoritariamente galeses o descendientes de galeses–, se proyectaba su expansión económica y poblacional, y las miradas se dirigían cada vez más hacia el oeste. Pero el exitoso modelo de complementariedad económica y convivencia pacífica construido laboriosamente por galeses y nativos patagónicos veía próximo su fin ante la presencia de las tropas de la "Conquista del Desierto" que abriría el territorio a nuevas corrientes inmigratorias. Finalizaba un modelo y comenzaba otro, con nuevos desafíos por delante.

At first, watering was accomplished through small ditches carrying water from the river across the farms, but in 1882 work began on two main canals, one to the south and the other to the north of the river, branching off into many intermediate ones. Also the farm machinery inventory increased: 260 ploughs, 172 hoes, 45 reapers, 6 threshers, 71 manual mills and 16 industrial mills –including hydraulic, wind, and steam-powered installations– which were used by the business houses or cooperatively among the farmers.

Livestock breeding did not add significantly to exports: horns, bones, sheep and cattle skins, and greasy wool. Its importance lied mostly in the dairy production, both for internal consumption and for an incipient dairy industry that produced butter and cheese, which originated the now famous Chubut-type cheese.

But, no doubt, the main items on the "external" trade were still the products they purchased from the Natives. On a year with a normal harvest –as in 1881– these products amounted to 56% of the Colony's total exports. On a year with a bad harvest –1882– they reached 80% (see Graph

1). Rhea feathers reached 65% of the total value of the exports. They yielded far more profits than wheat, as Richard Berwyn wrote:

"The Natives play an important, albeit lightweight, part in our external trade. With today's prices three tons of rhea feathers are worth as much as one hundred tons of wheat."

Due to the economic development, the population continued to increase considerably (see Graph 2). By 1883 there were 1,350 settlers living at the Colony, most of them Welsh or their descendants. An economic and demographic expansion was planned, and the colonists' eyes turned increasingly towards the west. But this successful model, painstakingly established through complementary economic activities and peaceful coexistence between the Welsh and the Patagonian Natives, would soon come to an end. National troops of the "Conquest of the Desert" campaign would enter these southern territories and clear the way for new immigration drives. A model came to an end, and another was born, with new challenges to overcome.

GRÁFICO I - EXPORTACIONES 1881 Y 1882 EN VALOR $ OF. APROXIMADOS
(EXPORTS)

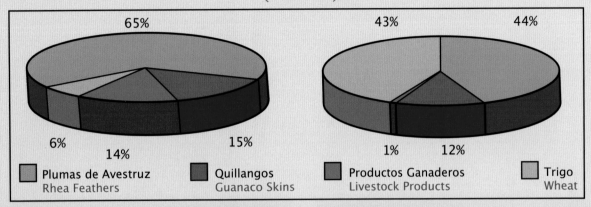

65%   43%   44%

6%   15%   1%   12%
14%

■ Plumas de Avestruz   ■ Quillangos   ■ Productos Ganaderos   ■ Trigo
Rhea Feathers   Guanaco Skins   Livestock Products   Wheat

Censo 1881			
Pluma de Avestruz	Quillangos y Lana de Guanaco	Productos Derivados de la Ganadería	Trigo y Cebada
56.329	16.350	1.850	57.243

Censo 1882			
Pluma de Avestruz	Quillangos y Lana de Guanaco	Productos Derivados de la Ganadería	Trigo y Cebada
20.283	4.834	4.547	1.756

Fuente: Gavirati, De Bella y Jones 1998; según datos de Chubutense, Revista "Argentina Austral" N° 405, Julio de 1965.

Fuente: Gavirati, De Bella y Jones; según datos del Censo de 1882.

GRÁFICO 2 - CRECIMIENTO DE LA POBLACIÓN EN LOS PRIMEROS VEINTE AÑOS DE LA COLONIA
(POPULATION)

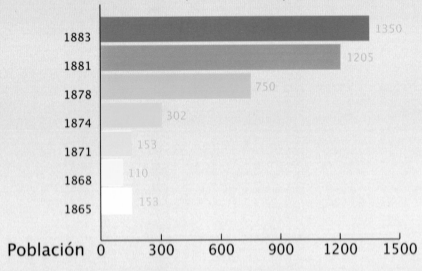

Año	Población
1883	1350
1881	1205
1878	750
1874	302
1871	153
1868	110
1865	153

Población   0   300   600   900   1200   1500

Fuente: GAVIRATI, J. M.; DE BELLA, L.; JONES, N.N.: Complementariedad económica entre Galeses y Tehuelches en el Valle Inferior del Río Chubut (1865-1885); en base a datos de Lewis Jones; Revista "Argentin Austral" N° 405, Julio de 1965; Richard Berwyn, Censos de 1880, 1882, 1883; y Revista "Camwy" N° 5, Julio de 1965.

Capilla Berwyn ubicada cerca del Río Chubut, en la ciudad de Rawson. Las primeras construcciones realizadas por los galeses en la capital provincial resul-taron destruidas por la inundación de 1899 que incluso arrasó con el edificio original de la Gobernación.
Berwyn Chapel lies near the Chubut River in Rawson. The first buildings erected by the Welsh in Chubut's capital city were washed away by the 1899 flood, including the original Government House.

52

CARTA DE MICHAEL D. JONES A T. BENBOW PHILLIPS

A LETTER FROM MICHAEL D. JONES TO T. BENBOW PHILLIPS

Bod Iwan, Bala, Marzo 12, 1867

Estimado Señor,

Me aventuro a enviarle las últimas noticias de la Colonia Galesa en el Valle del Chubut. Ud. probablemente ha visto en el Buenos Aires Standard que algunos de los colonos han pensado en irse a Patagones. Estaban descorazonados porque la cosecha falló un tanto debido a que el verano fue extremadamente seco. Sin embargo la sequía en Patagones fue tan mala como la del Valle del Chubut. El ganado vacuno se está multiplicando, y es una tierra de primera clase para la leche, la manteca y el queso. Los caballos se están multiplicando también, igual que los cerdos y las aves de corral. Lo malo hasta ahora es que los colonos no han tenido dinero para comprar ovejas, y un número suficiente de vacas lecheras. Estos problemas parecen ser resueltos ahora por la Providencia a través del comercio con los Indios que han comenzado. Cerca de 200 Indios han bajado, para trocar quillangos, plumas de avestruz, perros, caballos y cabras por pan, harina, mate, té, café, tabaco, etc. De acuerdo a las cuentas que hemos recibido, esta visita trajo a los colonos una ganancia de aproximadamente 1.000 libras. Sea esto correcto o no, es evidente que la visita de los Indios ha pagado bien a los colonos. Mostraron una conducta muy amigable, y debían retornar este mes (marzo). Con este dinero los colonos han empezado a traer ovejas desde Patagones. Creo que es mejor no decir nada de este Comercio Indígena, ya que la publicidad puede traer españoles y otros a la colonia. Cuando algunos de los colonos escribieron solicitando que los sacaran de allí, parece que no conocían el valor del Comercio Indígena.

Además, dos individuos, Evan Ellis Jones de Australia y W. Hughes de Winsconsin, Estados Unidos, han viajado hasta allí con ovejas. Tienen capital, y han comenzado con en-

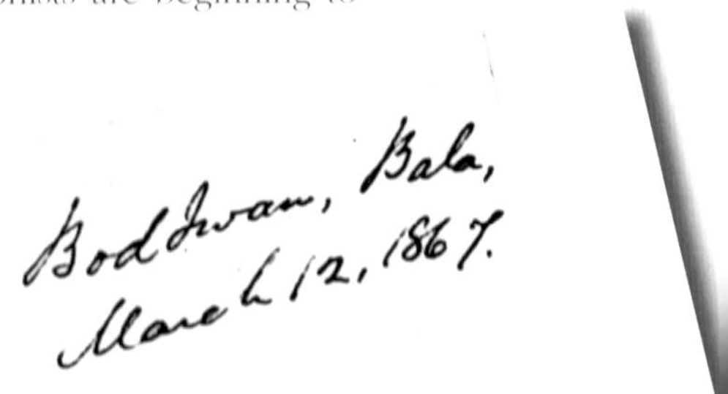

Bod Iwan, Bala, March 12, 1867

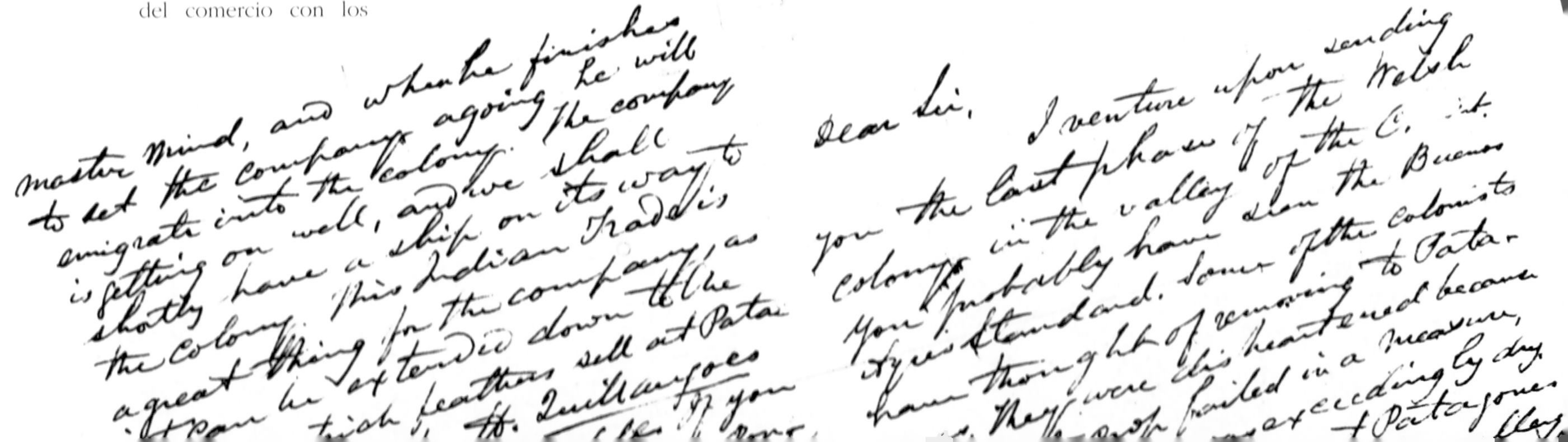

Dear Sir,

I venture upon sending you the last phase of the Welsh Colony in the valley of the Chubut. You probably have seen the Buenos Ayres Standard. Some of the colonists have thought of removing to Patagones. They were disheartened because the wheat crop failed in a measure, as the summer was exceedingly dry. The drought however at Patagones was quite as bad as in the valley of the Chubut. The cattle are multiplying, and it's a first rate country for milk, butter & cheese. The horses are multiplying also, as well as the pigs and fowls. The evil this far has been that the colonists had no means to purchase sheep, and a sufficient number of milk cows. This thing Providence seems likely now to remedy, by the Indian Trade which has been commenced. About 200 Indians came down and barter quillangoes, ostrich feathers, dogs, horses and goats for bread, flour, matti, tea, coffee, tobacco, etc. According to the accounts we have received, this visit brought a profit to the colonists of about 1,000, (one thousand pounds). Whether this is correct or not, the visit of the Indians has evidently paid the colonists well. They were most friendly in their conduct, and were to come again this month (March).

With this money the colonists are beginning to

tusiasmo a llevar ovejas allí. Cuando los colonos vean a estos inmigrantes, se van a sentir alentados, no tengo dudas de ello. El Sr. W Hughes cuenta con un capital de aproximadamente 3.000 libras. Hay otro inmigrante en camino desde Nueva York, W. D. Williams, un hombre rico y con experiencia como poblador en un país nuevo. Tiene una buena provisión de utensilios agrícolas de todo tipo. También lleva consigo un molino. Para el tiempo que Ud. reciba esta nota, probablemente ya haya llegado a Buenos Aires.

Creo que el Sr. Lewis Jones volverá a viajar hacia allí. Estoy totalmente convencido de la honestidad de sus intenciones, y que las acusaciones que le han hecho algunos colonos son injustas. Sus errores gruesos de manejo se han debido en parte a la falta de experiencia. Él es un hombre de talento, pero no un buen administrador de dinero. Es demasiado entusiasta, pero no suficientemente calculador. Le ha prestado gran servicio a la Colonia. Pero en todos sus consejos alguien más prudente debería estar pegado a él. Tiene algunos amargos enemigos en la Colonia. Sin embargo, estoy totalmente convencido de que sus intenciones han sido honorables. Se deja llevar por sus sentimientos, y actúa de forma diferente en diferentes circunstancias, y su curso no es siempre uniforme por falta de firmeza.

Sería muy beneficioso si una mente directriz surgiera entre los colonos, y una que fuese suficientemente conciliadora entre todas las partes.

El Sr. Dr. Lloyd Jones es una mente directriz, y cuando termine de encaminar la compañía emigrará a la Colonia. La compañía avanza bien, y pronto tendremos un barco encaminándose hacia la Colonia. Este Comercio Indígena es una gran cosa para la compañía, ya que es posible extenderlo hasta el Cabo. Las plumas de avestruz se venden en Patagones a 4/- por libra. Los Quillangos son muy valiosos. Si Ud. piensa ir hacia allí, lleve ponchos, mate, harina, tabaco y monturas para los Indios.

La gran cosa para los colonos es conseguir ganado vacuno y enviarlo allí. Con el curso del tiempo, mediante el riego pueden siempre asegurarse una cosecha de trigo. Durante esta cosecha, la inundación por parte del río ha sido muy pequeña. El trigo que se regó con el río fue bueno. En Patagones sucedió lo mismo. Es de mi parecer que, mientras los Indios sean amigables, el éxito de la Colonia está asegurado. Es ahora una buena oportunidad para llevar mercaderías inglesas a la Colonia para intercambiar por mercadería de los Indios.

Esperando que Ud. y su familia se encuentren bien, permanezco

patrióticamente suyo,
Michael D. Jones

De la colección de la familia de Ricardo Williams; original en inglés. Carta enviada desde Gales al Brasil a T. B. Phillips, quien posteriormente se trasaldó al Chubut.

get sheep down from Patagones. I think that it is best that nothing be said about this Indian Trade, for publicity may bring Spaniards and others into the colony. When some of the colonists wrote about being removed, they did not seem to know about the value of the Indian Trade.

Also, two individuals, one Evan Ellis Jones from Australia, and W. Hughes from Wisconsin, United States have gone down there with sheep. They are possessed of capital and are beginning in earnest to carry sheep down there. When the colonists see these emigrants, they will be encouraged I have no doubt. Mr. W. Hughes is worth about 3,000. There is another emigrant on the road from New York, Mr. D. Williams, a rich man, and experienced as a settler in a new country. He is well supplied with farming utensils of every kind. He also takes a mill with him. By the time this note reaches you, he probably will be in Buenos Ayres.

I think that Mr. Lewis Jones will go down there again. I am fully convinced of the honesty of his intentions, and the charges brought against him by some of the colonists are unfair. He blundered in managing from want of experience partly. He is a talented man, but no manager of money. He is too enthusiastic, and not sufficiently calculating. He has done great service to the Colony. But in all his counsels some one more prudent than himself ought to be at his elbow. He has his bitter enemies in the Colony. I am however fully convinced that his intentions have been honourable. He is carried by his feelings to act differently in different circumstances, and his course is not always uniform, for want of firmness.

It would be highly desirable if some master mind rose amongst the colonists and one that is sufficiently conciliating to all parties. Mr. Dr. Lloyd Jones is a master mind, and when he finishes to set the company agoing he will emigrate into the Colony. The company is getting on well, and we shall shortly have a ship on its way to the Colony. This Indian Trade is a great thing for the company, as it can be extended down to the Cape. Ostrich feathers sell at Patagones at 4/- per lb. Quillangoes are exceedingly valuable. If you feel inclined to go down, take Ponchoes, matti, flour, tobacco, saddles for the Indians.

The great thing for the colonists is to get cattle and sheep down there. In course of time by irrigation they can always secure a crop of wheat. The overflow of the river was exceedingly small this harvest. The wheat that was watered by the river was good. It was the same at Patagones. There seems to me, as long as the Indians are friendly, that the success of the Colony is certain. It is now a good opportunity to take English goods into the Colony in exchange for Indian goods.

Hoping that you and your family are well, I am,

Yours patriotically,
Michael D. Jones

From Ricardo Williams' family collection. Phillips later moved from Brazil to Chubut.

Más allá de las circunstancias cambiantes, las ovejas han sido siempre una fuente de riqueza en la Patagonia, ya sea en campo abierto como en las chacras del valle.

Beyond changing circumstances, sheep have always been a dependable source of income in Patagonia, be it at a large farm on the open steppe or at a small one in the fertile valleys.

JORGE MIGLIOLI

El tradicional Chalet Pujol es hoy la sede del Museo Provincial de Ciencias Naturales y Oceanográfico de Puerto Madryn.

The traditional Pujol Chalet today houses the Provincial Natural Science and Oceanographic Museum.

JORGE MIGLIOLI

Yo te canto Chubut, con la simpleza
que requieren tus cosas perdurables.
Yo te canto Chubut, porque eres gesta
de una gran generación, inolvidable.

Canto al Chubut
Camwy P. Jones

This is a simple song, Chubut,
As everlasting things only require.
I sing to you, Chubut; for you are the feat
Of an unforgettable generation.

A Song to Chubut
Camwy P. Jones

Por qué busco en tus remansos
el arrullo de mi cuna celta,
si una blanca nube atraviesa
el celeste de tus aguas.

Owen Tydur Jones *(al Río Chubut)*

Why do I seek in your eddies
The lullaby of my Celtic cradle,
Though a white cloud sails across
The light blue of your waters.

Owen Tydur Jones *(to the River Chubut)*

GENTILEZA: ESTEBANA GALLO

La Compañía del Ferrocarril construyó el Puente Hendre para unir
las chacras del sur del Río Chubut con la Punta de Rieles de la
línea a Puerto Madryn. "Hendre" significa "pueblo viejo", ya que
allí hubo un asentamiento anterior al que luego originó la ciudad de
Trelew alrededor de la estación terminal del tren.

The Railway Company built the Hendre Bridge to give the farms on
the southern bank of the Chubut River an easy access to the railhead
of the line to Puerto Madryn. "Hendre" means "old town" in Welsh,
as this place was settled earlier than the town of Trelew, which started
to grow later around the new train terminus.

El edificio de la Estación Trelew del ferrocarril es hoy la sede del Museo Pueblo de Luis.
The former Trelew railroad station now houses the "Pueblo de Luis" (Lewis Town) Museum.

La antigua Capilla Tabernacl, hoy rodeada por los edificios modernos de Trelew.
The old Tabernacl Chapel is surrounded by modern buildings in today's downtown Trelew.

Plaza San Martín, Trelew.
San Martín Square, Trelew.

Los proyectos de colonización en la Patagonia Argentina

El proceso colonizador que trajo a las galeses no contó con el marco más adecuado para su mejor contención y aprovechamiento, fuera del entusiasmo del Ministro Rawson. La Argentina recién estaba procurando consolidar su organización institucional y empezaba a vislumbrarse el problema de la delimitación definitiva de la Patagonia que seguía siendo una gran desconocida. Recordemos que Francisco P. Moreno, quien como explorador y perito sería un importante protagonista de ese conflicto, tenía apenas once años cuando se inicia la Colonia Galesa, que el propio Moreno visitará aún antes de convertirse en 1876 en el primero en llegar desde el Atlántico a la región de Nahuel Huapi.

Sin pretender forzarlas, algunas comparaciones son inevitables. Cuando los galeses arribaron a la Patagonia, tenía lugar la emigración alemana al sur chileno. Este proceso estuvo mejor planificado y contó con el apoyo del estado a través de un agente oficial. En forma continua y a lo largo de 30 años (1845-1875), unas 8.000 personas se instalarían en la región de la Araucanía chilena, dando origen a ciudades como Valdivia y Osorno. Es verdad que allí había otras ventajas como la feracidad de las tierras cordilleranas, a las que los galeses accedieron recién veinte años después de llegar a la Patagonia, pero tampoco en Chile faltaron problemas ya que los colonos sufrieron el abuso especulativo de algunas compañías de inmigración.

Lo que procuramos plantear con esta observación es que la colonización galesa en Chubut, aún siendo el proceso más importante de su tipo impulsado en la Patagonia argentina, no llegó a alcanzar la continuidad ni la escala que alcanzó la alemana en el sur de Chile. Y algo parecido sucedió con los boers (emigrados de Sudáfrica) en la zona de Comodoro Rivadavia. Más tarde, ya resuelto en 1902 el conflicto con Chile –en gran medida gracias al protagonismo de los colonos galeses en la frontera– otras iniciativas incluso mejor organizadas se verían frustradas: una impulsada por los galeses de la Cía. Fénix en Santa Cruz y otra del Ministro Ramos Mexía para crear una Provincia Cordillerana entre Neuquén y Chubut. Sí crecerían en cambio, ya desplazados los indígenas en los '80, las concesiones de tierras "a la marchanta" (según Clemente Onelli) a algunos particulares por parte del Estado Nacional.

Por todo ello, son muy meritorios los logros alcanzados por la Colonia Galesa del Chubut en apenas veinte años, durante los cuales la política oficial hacia la Patagonia, salvo algunas excepciones, pasó de la indiferencia a la especulación con la aspereza de la

The colonization projects in Argentine Patagonia

Aside from Minister Rawson's enthusiasm, the Welsh immigrants were not provided with the best framework to encourage their colonisation venture in Patagonia. At the time, Argentina was just trying to consolidate its institutions, while the problem posed by the final delimitation of Patagonia –a region still largely unknown– started to loom on the horizon. We must mention that Francisco P. Moreno, who would later play a major part in the ensuing conflict with Chile as an explorer and geography expert, was only eleven years old when the Colony was founded. Some years later, Moreno would pay a visit to the Welsh settlers, even before becoming the first white man to reach Nahuel Huapi lake from the Atlantic in 1876.

By the time the Welsh arrived in Patagonia, the German emigration to southern Chile had been taking place for years. There are some inevitable comparisons that come to mind: in Chile, the immigration process was better planned and benefited from the Chilean state support through an official agent; over a period of 30 years (1845-1875) about 8,000 people would settle in the Araucania region, giving rise to cities such as Valdivia and Osorno. Albeit they could readily capitalize on the fertile soil of the Andean valleys, which the Welsh only reached twenty years after their arrival, in Chile the Germans had their share of troubles too, having to put up with the abuse of the immigration companies. It is important to point out that, even if it was the greatest process in its kind in the Argentine Patagonia, the Welsh colonization did not reach the scale nor the continuity of the German immigration in southern Chile. Something similar happened with the Boers (that emigrated from South Africa) in the Comodoro Rivadavia area. Moreover, once the border conflict with Chile was resolved in 1902 –largely through the role played by the colonists in the frontier– other much better organised initiatives would be thwarted: one impelled by the Welsh of the River Fenix Company in Santa Cruz territory, and another by National Government Minister Ramos Mexía seeking to create a new Cordillera Province from Neuquén to Chubut. However, once the Natives were displaced in the 1880's the National Government recklessly (in Clemente Onelli's words) awarded great tracts of land to a few individuals and companies.

Considering all this, the goals achieved by the Welsh Colony in just twenty years are extraordinary. Especially, when taking into account that this was a period during which the official policies towards Patagonia, with a few exceptions, went from the initial indiffe-

mano dura que empujó la ocupación del desierto.

Para 1885 los galeses ya se habían consolidado junto al Camwy, donde surgieron los asentamientos de TreRawson y Gaiman. Allí, luego de los primeros años tan difíciles, mantuvieron sus tradiciones y organizaron la vida comunitaria bajo un sistema democrático de administración de justicia y de sus asuntos comunales, mientras que aprendieron a convivir y comerciar con los indios exportando al mundo los productos de ambos. Organizados los Territorios Nacionales en 1884, impulsaron y concretaron al año siguiente la marcha al lejano oeste de la Patagonia, al mismo tiempo que supieron atraer inversiones privadas para tender la primera línea férrea de la Patagonia entre el Valle y la Bahía Nueva, en cuyos extremos surgieron las ciudades de Trelew y Puerto Madryn.

El tango no había florecido aún en la vieja Buenos Aires, que empezaba a poblarse de inmigrantes que la llenarían de nuevos colores. Pero los galeses ya habían dejado letra escrita para uno, si pensamos que al cabo de la singular y vertiginosa epopeya que protagonizaron en la Patagonia, seguramente ellos sí habrán sentido que "veinte años son nada".

rence to plain speculation, including a tough-handed drive to occupy the desert lands. By 1885 the Welsh had firmly established themselves beside the Camwy, and had founded the towns of Tre-Rawson and Gaiman. They were able to keep their traditions and language and to organize their community life under a municipal democratic system, while peacefully coexisting and trading with the Natives and exporting the produce of both cultures to the outside world. Once the national territories were organized in 1884, they pressed for an expedition to explore the far west, which finally materialised in 1885. Simultaneously, they were able to attract private capital to build the first railway in Patagonia, at whose railheads the towns of Trelew and Puerto Madryn emerged.

The tango had not yet flourished in old Buenos Aires, a city increasingly populated by a colourful wave of immigrants from all over the world. But the Welsh had unknowingly left the lyrics of a famous one written on Patagonian soil: at the end of their somewhat vertiginous saga from Wales to Patagonia, surely they too might have felt that "twenty years are nothing," as the famous tango goes.

JORGE MIGLIOLI

La alegre Capilla Bethesda, ubicada en la margen norte del río entre Bryn Crwn y Dolavon, es una muestra de las hermosas construcciones diseminadas a lo largo del Valle Inferior del Río Chubut.
On the northern banks of the river, between Bryn Crwn and Dolavon, bright Bethesda Chapel is a good example of the beautiful Welsh buildings that dot the lower valley of the Chubut River.

Sembrando de chacras y capillas el valle
La arquitectura de la colonia Galesa en la Patagonia

A valley dotted with farms and chapels
Architecture in the Welsh colony in Patagonia

Fernando Williams

En el contexto de la arquitectura construida por los inmigrantes de distinto origen que poblaron las numerosas colonias agrícolas de la Argentina hacia la segunda mitad del siglo XIX, el conjunto de construcciones erigidas por los colonos galeses en la Patagonia se destaca por haber permanecido relativamente al margen de ciertas influencias en los modos de construir y de organizar el espacio que, durante el período mencionado, se consolidaron en el área pampeana y se extendieron hacia otras regiones del país. En efecto, el relativo aislamiento de la Colonia Galesa determinó que los edificios construidos conservaran, por un lado, ciertas características propias del país de origen de los colonos y adoptaran, por otro lado, materiales de construcción propios del particular medio en el que se asentaron. Sin embargo, la integración con el medio patagónico, la pervivencia de imágenes arquitectónicas propias del país de origen y la influencia de otras tradiciones constructivas y urbanas son tres variables que se articularon de muy diferente manera a lo largo de la historia de la Colonia. Veamos como se produce este proceso, desde el momento en que el primer contingente llega de

JORGE MIGLIOLI

La casa de Tommy Davies en Hyde Park, una de las más antiguas del Valle.
Tommy Davies' house in Hyde Park farm is one of the oldest in the Valley.

JORGE MIGLIOLI

Antigua casa de piedra en las lomas de Gaiman, construida fuera del alcance de las temibles inundaciones de los primeros años.
This very old house made of stone was built on the Gaiman hills, out of reach from the dreadful Chubut floods.

Compared to the architecture of the buildings erected by the immigrants of many nationalities that settled in the numerous agricultural colonies in Argentina towards the second half of the 19th century, the buildings of the Welsh colonists in Patagonia stand out as scarcely influenced by the construction and spatial organization methods that consolidated during that period in the Humid Pampas and then spread towards other regions of the country. Due to the relative isolation of the Colony their buildings preserved some of the characteristics of their home country while using the materials available in the places where they settled.. The assimilation to the Patagonian environment, the subsistence of architectural images from the home country, and the influence of other building and urban traditions conform three variables that acted in very different ways throughout the history of the Colony. We will see how this process evolved since the arrival of the first Welsh group in 1865.

During at least ten years, the Welsh colonists in the Chubut River valley just managed to subsist. They depended on external aid and made use of the scarce resour-

El autor es arquitecto e investigador. Ha publicado numerosos trabajos sobre la arquitectura de la colonia galesa en Chubut.
The author is an architect and a researcher. He has published many papers on the Chubut Colony architecture.

En este edificio funciona la Escuela de Música de Gaiman.
The building of the Music School of Gaiman.

Casa Harold Evans, en la zona rural
de Bryn Gwyn.
The Harold Evans house in Bryn
Gwyn rural area.

La Capilla Bryn Crwn, dedicada a la unidad
religiosa entre las diversas congregaciones protestantes
de los colonos galeses.

Bryn Crwn Chapel was devoted to unity among the
many religious congregations of the Welsh settlers.

JORGE MIGLIOLI

JORGE MIGLIOLI

De paseo por una vereda típica de Gaiman.

Having a stroll along a typical Gaiman sidewalk.

La Capilla Moriah de Trelew, inaugurada en 1880, es un sitio histórico. Junto con la "capilla vieja" de Gaiman es una de las dos más antiguas del Valle. Ubicada muy cerca del puente de la Ruta Nacional 25 sobre el río, posee un cementerio donde se encuentran las tumbas de varios de los primeros colonos, tales como Abraham Matthews (su primer pastor), Lewis Jones y John Murray Thomas.

The Moriah Chapel in Trelew is located near National Highway 25's bridge over the Chubut River. It was inaugurated in 1880, and is a historic site. Along with Gaiman's "old chapel," it is one of the oldest in the Chubut Valley, and the only one with a graveyard where many of the first settlers were buried, such as Abraham Matthews (its first pastor), Lewis Jones, and John Murray Thomas.

67

Gales en 1865.

Al menos durante los primeros diez años, los colonos galeses asentados en el Valle del Chubut vivieron en un estado de virtual subsistencia, dependiendo de la ayuda externa y del aprovechamiento de los contados recursos que el medio ponía a su disposición. Este contexto es útil para comprender la naturaleza de las construcciones que estos colonos erigieron en un

principio. Así, los primitivos cottages, simples estructuras de dos habitaciones de frente por uno de fondo, fueron construidos con paredes de bloques de barro secados al sol (adobe) y con techos compuestos por un armazón de madera de sauce criollo y una cubierta de juncos, materiales que podían conseguirse con relativa facilidad en las orillas del río. En forma frecuente, estos techos se cubrían con

ces the natural environment offered them. This context is important to understand the nature of the buildings they erected at first. These primitive cottages were simple structures with two rooms in front and one at the back. Their walls were built with sun-dried adobe blocks, and their roofs were made with "criollo" willow rafters covered with reeds. All of these building materials could be easily

obtained on the river banks. Frequently these roofs were covered with mud to prevent the wind from damaging the reed covering. Windows, doors, and furniture were very scarce and modest during this period.

In the 1870s the settlers' economy consolidated through the construction of watering canals, and the arrival of new immigrants from Wales lent new life to the Chu-

JORGE MIGLIOLI

La Iglesia Anglicana "San David", ubicada en la zona rural cercana a Dolavon, es la única con campanario.
Saint David's Anglican Church lies in the rural area around Dolavon, and is the only one in the Valley with a belfry.

una capa de barro para impedir que el viento dañara la cubierta de juncos. En este periodo, tanto aberturas como mobiliario fueron muy escasos y modestos.

Durante la década de 1870, la construcción de canales de riego para el cultivo y la llegada de nuevos inmigrantes desde Gales dieron nueva vida al asentamiento, contribuyendo con la consolidación de la Colonia. Ello se manifiesta en el plano material: por un lado, las chacras son subdivididas, plantándose los primeros árboles a lo largo de sus límites; por otro lado las familias, ante las mejores perspectivas, emprenden la construcción de viviendas permanentes en sus chacras respectivas. Así aparecen los primeros cottages dobles, es decir, viviendas cuyas plantas tenían dos habitaciones de fondo por dos de frente. Estas estructuras, de

but Colony. As a result of this, the land was subdivided and the first trees were planted along the borders of the farms. The families, now foreseeing a better future, started to build permanent homes on their farms. The first double cottages appeared, with two rooms at the front and two more at the back. These structures, more compact than the first ones, stand out due to the symmetry of their facades. Adobe was still used for building, but at that time two other materials were added: sandstone they extracted from some of the hills bordering the valley, and brick, which in time would be the typical material used by Welsh colonists for building in this region.

A new, more prosperous stage began when in 1886 the construction of the railway between the Chubut Valley and New Bay was started, which

Una fiesta de color frente a la Casa de Sofía Owen en Bryn Gwyn.
Glorious flowerbeds in the front yard frame Sofia Owen's house in Bryn Gwyn.

JORGE MIGLIOLI

naturaleza mas compacta que las primeras, se distinguen por la simetría de su fachada de frente. Si bien el adobe continuaría utilizándose, se incorporan en esta época dos materiales: la piedra arenisca que se extraía de algunas de las lomas que bordeaban el valle y el ladrillo que con el tiempo caracterizaría al conjunto de las construcciones levantadas por los colonos galeses en esta zona.

Una etapa de mayor prosperidad dio comienzo al construirse en 1886 una línea férrea entre el Valle del Chubut y el Golfo Nuevo que permitió exportar la producción triguera desde el puerto de Madryn. Como parte del mismo proceso, el ferrocarril permitió también la importación de bienes manufacturados, entre ellos una gran variedad de materiales de construcción. Se acentúa de esta manera la difusión de materiales como la chapa acanalada y distintos elementos de madera aserrada como tablas y tirantes así como también puertas y ventanas. Entre estas últimas merecen mencionarse las típicas ventanas ferrocarrileras o sash windows que tipificarían las simétricas fachadas de los cottages dobles. Como en otras regiones, el ferrocarril puso en circulación un variado repertorio de elementos de origen industrial que en el caso de la Colonia incluía máquinas trilladoras, molinos y otros implementos agrícolas que permitieron incrementar la productividad de las tierras bajo cultivo. Este proceso influyó también en forma decisiva en la confor-

Aquí se logró concretar con éxito por primera vez el riego salvador.

This small monolith marks the spot where the first successfull attempt at watering the crops was made.

JORGE MIGLIOLI

JORGE MIGLIOLI

in time would enable the Colony to export their wheat through Port Madryn. Later, imported manufactured goods also came on the railway, among them a great variety of building materials. This included corrugated iron sheets and timber products such as boards and rafters. Wooden doors and windows were also introduced, including the typical "railway" sash windows that would epitomize the symmetric facades of the double cottages. Just as in many other places, the railway also brought a variety of manufactured items, that in rural settlements included threshing machines, mills, and other farm implements and machines that contributed greatly to increase productivity. This import process also had a decisive influence in the making and furnishing of the homely interiors of the colonists' houses as we know them today. Iron fireplaces, lamps, clocks, and other elements were added. And, although there were good cabinet makers in the Colony, the furniture that arrived since the 1880s played a very important role in the transformation of these interiors. In those years most of the cupboards (cwpwrd) where the wives and mothers of the Colony still keep the valued china they use to set their tables for tea arrived.

These houses and the families living in them formed real productive units which contributed greatly to the Colony's economy. Most of the staples in the colonists' diet such as flour, bread, butter, cream,

mación de los acogedores interiores de las casas de los colonos tal como los conocemos hoy. Se incorporaron, así, elementos tales como fogones de hierro forjado, lámparas y relojes de pared. Y si bien existían en la Colonia hábiles carpinteros, los muebles llegados a partir de la década de 1880 tuvieron un lugar destacado en la transformación de estos interiores. Es en ese momento que llegan la mayoría de los

cwpwrd (aparadores) en los que las madres de la Colonia guardaban con celo su vajilla de porcelana para el té.

Estas viviendas eran la sede de familias que constituían para la economía de la Colonia verdaderas unidades productivas. Por ello, gran parte de los ingredientes que formaban parte de la dieta de los colonos como la harina, el pan, la manteca, la crema y el queso eran producidos

and cheese, were homemade. But once the subsistence years were over, large scale food production started to develop both for internal consumption and export. Then specific buildings were built to these ends: flour mills and cheese factories that dotted the whole Valley.

But beyond domestic architecture, the buildings in the Colony that deserve special attention are the chapels. They

belonged to a series of Protestant denominations, including Methodists, Baptists, and Congregationalists, but their importance exceeded the religious plane. Aside from their use as schools and community centres, in the Valley the chapels gradually evolved into the heart of new rural neighbourhoods that usually became known by their same names. The materials used for their construction were basically

A pocos kilómetros de Gaiman, en La Angostura, se encuentra la Capilla Salem. Es la única en todo el Valle construida totalmente con chapas de hierro acanaladas, lo que le da una apariencia semejante a muchas construcciones típicas de la Patagonia sur.

Salem Chapel lies a few kilometres away from Gaiman, at La Angostura (The Narrowing). It is the only one in the Valley that is totally lined in corrugated iron sheets, which lends the building the typical look of many buildings further south in Patagonia.

JORGE MIGLIOLI

en forma casera. Sin embargo, superados los primeros años de subsistencia, comenzó a desarrollarse la producción de alimentos en grandes cantidades ya sea para consumo interno o para exportación. Es en este contexto que aparecen construcciones específicas tales como molinos harineros o queserías construidos a lo largo de todo el Valle.

Pero por fuera de la arquitectura doméstica, el tipo de edificio que merece una atención especial es el de las capillas ya que a pesar de pertenecer a una serie de denominaciones protestantes como la metodista, la bautista y la congregacionalista, su importancia excedió el plano estrictamente religioso. En efecto, además de ser utilizadas como escuelas y como ámbitos de interacción social, las capillas se transformaron gradualmente en centros de las emergentes vecindades rurales del Valle, determinando que varias de estas últimas fueran conocidas por el nombre de las mismas capillas. Los materiales utilizados para construirlas fueron básicamente los mismos que los de las viviendas. Sin embargo, sus proporciones, sus techos más empinados, sus porches de acceso y una serie de detalles como los arcos ojivales sobre las aberturas las hace fácilmente identificables. Dentro de la austeridad que caracteriza el interior de estos templos sobresale el trabajo en madera de los asientos, el púlpito y el armonio. La cantidad de capillas aún en pié asciende hoy a 16, localizándose la gran mayoría en la zona rural.

Las ventanas ferrocarrileras fueron muy comunes en las casas de la Colonia.

"Railway" sash windows were very popular in the Colony.

Frente del edificio histórico de la Compañía de Riego, Gaiman.

The Colony's Irrigation Company emblem decorates the front of its historic building in Gaiman.

the same as those that were used for the houses. However, their proportions, their steeper roofs, their access porches, and a series of details like the pointed arches over the windows and doors, make them easily identifiable. Within the characteristic austerity of their interiors, the woodwork on the pews, pulpit, and harmonium stands out. There are 16 chapels still standing in the Valley, most of them in rural areas.

The houses built in the urban centres of the Colony were originally the same as the ones on the farms, that is, the double cottage we mentioned before. In the towns, the groups of houses and other buildings were distributed following the natural lay of the land. This was the case in Tre-Rawson and Gaiman, where the first buildings followed a line above the high water mark that ensured some protection against the frequent floods; a precaution which nevertheless did not prevent the Chubut from completely destroying Tre-Rawson during the great flood of 1899. Later, the uniform grid of blocks and streets the national authorities marked out for those two towns created a gap between what was already constructed in an asymmetrical way, and the regular design that was planned for the future. This gap was gradually closed as new cottages were set following the new geometry of the town. Around the turn of the century, some cottages were built without their classic sloped roofs and adopted the

JORGE MIGLIOLI

En cuanto a los núcleos urbanos de la Colonia, el tipo de vivienda fue originalmente el mismo que en las chacras, es decir, el mencionado cottage doble. La particularidad de las localizaciones urbanas radicaba en que el agrupamiento de viviendas y demás edificios se producía tomando como referencia ciertas líneas propias del terreno natural. Este es el caso de Tre-Rawson y de Gaiman cuyos primeros edificios se alineaban a lo largo de las cotas que marcaban la elevación de terreno, buscando de esta manera cierta protección frente a los periódicos desbordes del Río Chubut. En el caso de Rawson ello no impidió que una inundación la destruyera por completo en el año 1899. La grilla uniforme de manzanas y calles trazada por autoridades nacionales para estos dos pueblos supuso la existencia de una brecha entre la irregularidad de lo construido y la regularidad de lo planeado. Esta brecha se fue cerrando gradualmente a medida que la ubicación de los nuevos cottages comenzó a guardar relación con la geometría del trazado. En un segundo momento, ya hacia el cambio de siglo, algunos cottages suprimieron el techo a dos aguas e incorporaron la fachada alta, típica de las viviendas urbanas erigidas en ese período por constructores italianos. Este proceso es observable en Gaiman y en Trelew, asentamiento surgido a partir de la creación del ferrocarril.

Un capítulo aparte merece la arquitectura del asen-

high facades typical of the urban houses that were erected at the time by Italian builders. This process can be observed both in Gaiman and in Trelew, a town that emerged after the railway was built.

Settled in the late 1880s and located more than five hundred kilometers west of the lower Chubut Valley, the Andean colony in Cwm Hyfryd (Pleasant Valley) brought a significant change in the colonists' buildings architecture: with readily available timber, the regional architecture adopted a characteristic style. But wood was used in different ways, following mostly cultural rather than geographic influences, revealing not only the frontier quality of the Andean settlement but also the greater diversity of its people. Thus, the first log cabins and balloon frame houses reveal the presence of Welsh immigrants from the United States; the wooden shingles on exterior walls and roofs came from southern Chile (especially from Chiloé island); finally, the popular "French wall," combining timber and mud, came from further north in the Andes. In short, even though the floor plans of the Andean houses closely resembled the ones in the Chubut Valley, their construction included a complex combination of diverse building traditions.

The Andean climate, much colder and damper than in the Chubut Valley, also meant that the houses were built with steeper roofs and set at a higher levels above the ground. Fireplaces and

Con el tiempo, algunas construcciones suprimieron el techo a dos aguas e incorporaron la fachada alta, típica de las viviendas urbanas edificadas por los constructores italianos.

Around the turn of the century, some cottages were built without their classic sloped roofs and adopted the high facades typical of the urban houses that were erected at the time by Italian builders.

Típica cabaña de troncos de los primeros tiempos en la Cordillera. Familia Freeman.

A typical scene of the early years in the Andes: the Freeman family posing on the doorstep of their log cabin.

GENTILEZA MUSEO DEL MOLINO DE TREVELIN

tamiento andino de Cwm Hyfryd que comenzó a poblarse a fines de la década de 1880. Su surgimiento, a mas de 500 kilómetros al oeste del Valle del Chubut, significó para la arquitectura construida por los colonos un cambio significativo, debido a las especiales condiciones que brindaba el medio cordillerano. La amplia disponibilidad de madera imprimió desde un principio un sello particular a la arquitectura de esta región. Pero las distintas formas en que la madera fue utilizada a través del tiempo remite a determinaciones mas culturales que geográficas, reflejando no sólo el carácter fronterizo del asentamiento andino sino también la mayor complejidad de su composición demográfica. Así, tanto las primeras cabañas construidas con troncos (log cabins) como el uso de cerramientos entablonados (tipo balloon frame) daban cuenta de la presencia de galeses procedentes de los Estados Unidos; el uso de tejuelas de alerce en techos y paredes exteriores era elocuente respecto de la influencia de la arquitectura del sur de Chile (especialmente Chiloé) y finalmente la gran difusión de la "pared francesa", técnica constructiva que combina madera y barro, daba cuenta de la difusión de un modo de construir propio de zonas andinas más septentrionales. En suma, si las plantas de las viviendas de la Cordillera guardan una relación cercana con sus pares del Valle, su materialización, en cambio, evidencia una compleja situación de su-

perposición de distintas tradiciones constructivas.

El clima cordillerano, más húmedo y más frío que el del Valle del Chubut, también se reflejó en las construcciones mediante pendientes más pronunciadas de los techos, elevación de los pisos respecto del terreno natural, uso mas frecuente de fogones e incorporación de estufas y salamandras en las distintas habitaciones.

Finalmente, el relieve montañoso determinó ciertos cambios a nivel del patrón de asentamiento. A diferencia de la colonia de la costa atlántica, en la que la totalidad de las tierras distribuidas a los colonos se ubicaban en el piso predominantemente llano del valle, las tierras de la colonia cordillerana se distribuyeron sobre un territorio de relieve

La pequeña Capilla Glan Alaw, de Bethesda, sólo mide 50 metros cuadrados.

The surface area of little Glan Alaw Chapel at Bethesda is only 50 square metres (550 sq. ft.).

Desprovista de revoque con los años, en el Valle del Río Corintos la pared francesa de una casa deja ver su entramado de cañas.

Time has left the cane-grid inner structure showing in one of the peeling "French" mud walls of a house in the Corintos River valley.

74

muy variable. Por esa razón las tierras altas y más expuestas al frío y la nieve fueron generalmente destinadas al pastoreo en los meses del verano y las ubicadas en terrenos más bajos fueron destinadas al cultivo y al pastoreo en los meses del invierno. Estas últimas, cercanas a los cursos de los ríos Corintos y Percy sufrieron un proceso de mayor subdivisión y albergaron un mayor número de viviendas. Es en esos terrenos más bajos donde surgió Trevelin, pueblo ubicado dentro el trazado de la colonia cordillerana. Su nombre que en galés significa "pueblo del molino", evidencia hasta que punto, la arquitectura tuvo, junto con la agricultura, un rol de primer orden en la transformación del paisaje que la colonización trajo aparejada en la Patagonia.

iron stoves were also placed in most of the rooms. While in the Chubut Colony all the farms were located on the valley floor, in the Andes they were on rolling, even mountainous ground. The higher, colder lands were generally used as summer pastures, while the lower ones were cultivated and used for the livestock's winter grazing. Later on, the lower farms near the Corintos and Percy rivers were subdivided into smaller plots, where many houses were built. In this low area Trevelin grew, its name meaning "the town of the mill," as an evidence of the extent to which architecture, as well as agriculture, influenced the landscape change the Welsh colonisation brought to Patagonia.

Actualmente en Gaiman existe una gran conciencia del valor cultural de la arquitectura de los primeros tiempos de la Colonia. Esta se ve reflejada en el tratamiento de la fachada de los edificios transformados en comercios y hasta en los barrios de viviendas construidos por el Estado.

In Gaiman today the cultural value of the early Colonial architecture is widely appreciated. Examples of this can be seen in the renovated facades of some old buildings and in the design of modern ones, even in government housing projects.

JORGE MIGLIOLI

75

La cadena Pujol y el hotel por donde a veces pasa El Principito

The Pujol chain and the hotel of the Little Prince

Un gallego emprendedor de apellido catalán llegó a la Patagonia en 1893 buscando nuevos horizontes. Se llamaba Agustín Pujol y, aunque inicialmente se instaló sobre el lejano Oeste, en Ñorquinco, en 1904 se radicó definitivamente en Puerto Madryn concentrando allí su actividad comercial.

Pujol tuvo una visión empresaria notable creando una importante cadena de establecimientos ganaderos, boliches y almacenes de campo en Telsen, Paso del Sapo, Colán Conhué y Súnica, con encargados que hicieron historia como Ildefonso Cabada y Ricardo Clarke.

En 1908 se casó con Anita Howell Jones, hija de John Howell Jones, pionero galés arribado en el segundo contingente para radicarse en la zona de Tre-Rawson, que trabajó en la construcción de los canales de riego y en el tendido del ferrocarril entre Trelew y Puerto Madryn, para luego ser el primer comisario y Jefe de Estación en Trelew.

Pujol se casó con la hija del comisario y, entre 1915 y 1917, construyó un hermoso chalet con materiales traídos mayormente de Europa. Falleció en 1927, y su viuda decidió dejar el chalet como lugar de residencia. Desaparecida ella en 1955, sus sobrinos lo donaron a la Provincia del Chubut. Desde 1972, este clásico edificio de

Puerto Madryn es la sede del Museo Provincial de Ciencias Naturales y Oceanográfico.

Pujol y su esposa también dejaron otra joya: el Hotel Touring Club de Trelew. Está ubicado cerca de la Estación del Ferrocarril, en un solar que perteneció a la compañía inglesa. Pujol había comprado en 1908 dos hoteles linderos, el Globo y el Argentino (que se había incendiado) y decidió anexarlos; en 1918 inició la construcción de un nuevo Hotel cuyo ambiente tradicional aún disfrutan los habitantes y visitantes de la ciudad.

Tuvo abierto hasta hace poco un hermoso salón comedor con cubiertos de plata, vajilla de porcelana, copas de cristal y un balcón desde donde se escuchaban las notas del piano. Y por la majestuosa escalera de granito, se subía a un gran salón con balcones a la calle que fue testigo de las fiestas y acontecimientos más importantes de la ciudad.

Este centro de reunión política, cultural y social de Trelew, mantiene vigente su encanto desde 1962 de la mano de la familia Fernández, luego que la Sra. Anita Jones, entonces viuda de Norzagaray, les vendiera la propiedad. El Hotel se fue ajustando a los tiempos, y hoy la vida social se concentra en su clásica confitería, un verdadero Museo vivo, con paredes plagadas de fotos y obje-

Searching for new horizons, an enterprising Galician with a Catalonian surname appeared in Chubut in 1893. His name was Agustín Pujol, and soon he spread westwards founding a series of farms. In 1904 he moved to Puerto Madryn, and made this town the hub of his commercial activities.

Pujol was a visionary: he created a chain of rural stores and bars in Telsen, Paso del Sapo, Colán Conhué, and Súnica, managed by memorable men such as Ildefonso Cabada and Richard Clarke. Today, the mayor of Colán Conhué (a small town) plans to turn the adobe building that housed Pujol´s old hotel & bar into a regional museum.

Pujol married Anita Howell Jones in 1908. She was a daughter of John Howell Jones, a Welsh pioneer that arrived with the second group to settle in Tre-Rawson area and worked in the construction of the canals and the railroad, later becoming the first Police Commissioner and stationmaster of Trelew. Pujol and Anita built a beautiful house in Puerto Madryn, bringing most of the materials from Europe. But he died in 1927, and his widow decided to reside at this big house no longer. When she died in 1955, her nephews donated the property to the Province of Chubut. This classic

building houses the Provincial Natural Science and Oceanographic Museum since 1972.

This married couple also left another jewel: the Touring Club Hotel in Trelew, close to the old railroad station on grounds that formerly belonged to the English company. In 1908 Pujol bought two adjacent hotels that occupied that land, "El Globo" and "El Argentino" (which had recently caught fire), and turned them into one. And in 1918 he started the construction of a new hotel whose traditional atmosphere is enjoyed today by Trelew´s residents and visitors alike.

Until not long ago, the hotel had a charming dining room where dinner was served with silver cutlery, beautiful china, and crystal drinking glasses. From a dais came the sweet notes of a piano. On the other side of the building, a splendid granite stairway led to a grand ballroom with balconies overlooking the street, a place that witnessed the most important parties and events in town.

Since they bought this property from Anita Jones (then Norzagaray´s widow) in 1962, the Fernández family runs this veritable political, cultural, and social meeting place. The hotel has slowly adapted to current times in Argentina, and today most of its social life concentrates around its classic coffee

tos históricos.

Por alguna de sus habitaciones pasaron Butch Cassidy, Sundance Kid y Etha Place, y por sus mesas pasaron grandes políticos como Palacios, Balbín y Frondizi; deportistas como Fangio y Gálvez; bohemios, locos con ideas luminosas que alguna vez se concretaron, polemistas de toda clase y poetas que han dejado versos como éstos:

"Con generosos muros y vastas escaleras, con festivas mayólicas y mágicos espejos, el Touring nos reúne para ser más amigos." (Virgilio Zampini).

"La vida se siente cómoda aquí adentro, y anda por las mesas como si fuera un lustrasueños que acaricia los pasos de la gente. Y uno la ve tan bonita que agarra la servilleta de papel y no tiene más remedio que escribir... y si uno juntara estos papelitos podría reconstruir el alma de la ciudad." (J. Spíndola).

Antoine de Saint Exupery inauguró en 1930 los vuelos de la Aeroposta y se alojó varias

Preparando el salón para la clientela de la tarde.
Tidying up the room for the afternoon clientelle.

veces en el Touring. Dicen que fue sobrevolando la Península Valdés, y observando sus formas, que imaginó ese elefante tragado por una boa –parecida a un sombrero– del que nos habló El Principito. Cómo no sentirnos niños otra vez, pensando que quizás Saint Ex los haya dibujado sobre esta misma mesa, luego de alguna jornada a bordo de su Laté. Y cómo no imaginarnos, admirando muros y espejos, que el niño de los rizos de oro aparecerá en cualquier momento para pedirnos –como a él– que le dibujemos un cordero patagónico.

bar, a true living museum with its walls covered with historical photographs and objects.

Butch Cassidy, the Sundance Kid, and Etha Place stayed at some of its older rooms, and at its tables sat great politicians such as Palacios, Balbín and Frondizi: sportsmen like Fangio and Gálvez; bohemians; madmen with brilliant ideas that sometimes came true, all kinds of polemicists, and some poets that left behind lines like these:

"Generous walls and vast stairways; festive wall tiles and magical mirrors. The Touring joins us to foster our friendship." (Virgilio Zampini)

"Life feels easy inside here, and flows among the tables as if it were a dream-shiner, caressing the people's steps. And one sees it's so beautiful that one grabs a paper napkin and can't but write...and if one

could gather those little pieces of paper one could recreate the soul of the town." (J. Spíndola)

Antoine de Saint Exupery inaugurated the Aeroposta flights in 1930, and often lodged at the Touring. They say it was while flying over Valdés Peninsula and observing its shape that he imagined that elephant swallowed by a boa –its contour so much resembling a hat– he told us about in The Little Prince. We can feel as children again, and wonder at the thought that maybe Saint Exupery drew them on this very same table, while resting after a day's flight on his Laté plane. Admiring these walls and mirrors, we also imagine the Little Prince will soon be back to ask us –as he did to Antoine– to draw a Patagonian lamb for him.

Josefa y Rafael, dos integrantes de la familia
Fernández, propietaria del Hotel Touring.
Josefa and Rafael, two members of the Fernández
family, who own the Hotel Touring.

TRADICION, CANTO Y POESIA
TRADITION, SINGING AND POETRY

Todos los años se lleva a cabo en Gaiman el Eisteddfod de la Juventud.
The Junior Eisteddfod is held annually in Gaiman.

La lengua galesa, un símbolo de identidad

The Welsh language, a symbol of identity

JORGE MIGLIOLI

Ana Ester Virkel

Practicando danzas galesas en la Escuela de Música de Gaiman.
A Welsh dancing practice at the Gaiman School of Music.

Motivados por salvaguardar su lengua, su religión y sus tradiciones, sucesivos contingentes de migrantes galeses afrontaron el desafío de afincarse en una región remota e inhóspita, habitada únicamente por grupos aborígenes seminómades. Muy pronto establecieron con ellos un vínculo cooperativo que, a la vez que contribuyó a la superación de los innumerables obstáculos que debieron enfrentar, convirtió a la inmigración galesa en paradigma de colonización pacífica.

La inexistencia de núcleos de población hispanohablante en vastas porciones del espa-

Driven by the wish to preserve their language, religion, and traditions –all endangered by the growing English influence at home– successive groups of migrants faced the challenge of settling in a remote and inhospitable region, where only semi-nomadic Natives roamed. Remarkably, they very soon established a cooperative relationship with them, which not only helped them to overcome the many obstacles posed by their isolation, the arid lands and scarce food, but also turned the Welsh immigration saga into a paradigm of peaceful colonization.

La autora es profesora de la Universidad Nacional de la Patagonia y miembro de la Academia Nacional de Letras.
The author is a professor at Patagonia National University and a member of the National Academy of Literature.

No hay límites de edad ni origen para el interés que demuestra la gente en Chubut por aprender los secretos del idioma galés.

Age or ancestry pose no limits to Chubut people's interest in learning the secrets of Welsh language.

80

cio geográfico elegido para establecerse conllevó una crucial implicancia lingüística: la primera lengua no indígena hablada en gran parte del mismo no fue el español, sino el galés, lo que explica en gran medida su arraigo y el alto grado de vitalidad que aún posee. A continuación abordaremos sintéticamente ambos aspectos.

Del arraigo da cuenta, especialmente, la huella que esa lengua celta ha dejado en el vocabulario regional. Uno de los campos léxicos donde su influencia se manifiesta en mayor grado es la toponimia; la geografía chubutense abunda en denominaciones de localidades, parajes rurales y accidentes topográficos de origen galés: Trelew, 'pueblo de Luis'; Trevelin, 'pueblo del molino'; Dolavon, 'prado del río'; Bryn Crwn, 'loma redonda'; Bryn Gwyn, 'loma blanca'; Bryn Teg, 'loma bonita'; Drofa Dulog, 'rincón del piche'; Glyn Du, 'valle negro'.

La antroponimia contiene también un importante caudal de nombres de pila galeses de uso corriente; por ejemplo, Eurgain, Gweneira, Neved, Tegai, Valmai, Clydwyn, Glyn, Iewan, Osian, Owen, Tydur, entre muchos otros. Es interesante señalar que todos ellos poseen aceptación no sólo social sino también legal, aun cuando no se hayan adaptado fonológicamente al español.

Existen, además, galesismos que designan elementos o actividades pertenecientes al patrimonio cultural; es el caso de Eisteddfod y Gorsedd (ver artículo siguiente). En lo que

The absence of a Spanish-speaking population in this vast region also implied an important linguistic fact: the first non-Native language spoken in most of it was not Spanish, but Welsh. To a great extent, this explains why it took root so strongly in the new land, and the reason for its vitality even to this day.

The imprint of the Celtic language in the regional vocabulary is quite evident. One of the lexical aspects where this influence is greater is in place-names: many cities, small towns, rural areas, and sites in Chubut carry Welsh names. As examples, we can mention Trelew, "town of Lewis"; Trevelin, "town of the mill"; Dolavon, "river meadow"; Bryn Crwn, "round hill"; Bryn Gwyn, "white hill"; Bryn Teg, "placid hill"; Drofa Dulog, "corner of the piche (armadillo)"; and Glyn Du, "black valley."

Furthermore, many people carry Welsh names which are currently in use and readily accepted by the rest of society, as for instance Ergain, Gweneira, Neved, Tegai, Valmai, Clydwyn, Glyn, Iewan, Osjan, Owen, Tydur, among many others. Their acknowledgement is not only social, but legal too, even if they have not been phonetically adapted to Spanish.

There are also some words of Welsh origin that name elements and activities pertaining to the ethnic cultural heritage; that is the case of the Eisteddfod and the Gorsedd, which have been assimilated by the regional speaking.

La primera escuela a la vera del Río Chubut fue destruida por la gran inundación de 1899; en 1906 se colocó la piedra fundamental del edificio del actual Instituto Camwy, perteneciente a la Asociación Galesa de Educación y Cultura del mismo nombre. Las palabras inscriptas en el frente de la escuela son un verdadero resumen de la singular importancia que, junto con el culto religioso, el pueblo galés y sus descendientes patagónicos le han dado a la educación.

After the first school the settlers built near the banks of the Chubut River was washed away by the devastating 1899 flood, in 1906 the cornerstone was laid for the building of the Camwy Institute, which operates to this day and belongs to the Camwy Welsh Association for Education and Culture. The inscription on its façade "Education is the Bread of the Soul" bears witness to the great importance the Welsh people and their Patagonian descendants gave to education, on an equal standing with religious worship.

Escultura ejecutada en hierro por David Palmer, artesano que vive en Gales. Las que allí fabrica representan al dragón tocando el arpa, instrumento típico en ese país. Pero construyó la de esta fotografía con una guitarra criolla en sus manos, especialmente para los galeses patagónicos.

This iron sculpture was crafted by David Palmer, an artist who lives in Wales. He usually models them with the dragon holding a harp, an instrument widely used in that country. Yet, as a present for the Welsh descendants in Patagonia, he appropriately put a "guitarra criolla" (native guitar) in this quite engaging dragon's hands.

JORGE MIGLIOLI

respecta a la vitalidad actual del galés, se manifiesta en un bilingüismo considerablemente extendido, particularmente en aquellos núcleos urbanos asociados históricamente al movimiento colonizador; así, en las localidades del valle inferior del Río Chubut –Trelew, Gaiman, Dolavon– y en las poblaciones cordilleranas –Trevelin, Esquel– existe un porcentaje significativo de descendientes de inmigrantes que maneja el idioma tanto en su modo oral como escrito.

Es decir que, a más de noventa años de la interrupción de la corriente inmigratoria, la comunidad galesa –constituida prácticamente en su totalidad por argentinos nativos– continúa aprendiendo y transmitiendo su lengua ancestral de generación en generación. En consecuencia, se emplea habitualmente en la mayoría de los ámbitos de interacción comunicativa: familia, relaciones sociales, actividades culturales, religión, educación.

El cuadro de situación que hemos descripto esquemáticamente configura un caso de conservación lingüística que puede calificarse como atípico, ya que la mayoría de las comunidades inmigratorias de la Argentina perdieron su lengua de origen en el transcurso de tres o a lo sumo cuatro generaciones. Tal fenómeno es el resultado de múltiples factores, entre los cuales pue-

And bilingualism is considerably extended in the towns and places associated with the colonising movement –for instance, in Trelew, Gaiman, Dolavon, Trevelin, and Esquel there are a significant proportion of Welsh descendants who can read and write in this language.

In sum, more than ninety years after the immigration flow ceased, the Welsh community –now practically 100% native Argentines– keep on learning and transmitting their ethnic tongue to the younger generations. Therefore, it is regularly used in most spheres of communication: family, social relations, cultural activities, religion, and education.

All these facts depict quite an uncommon situation in Argentina, a country where most of the immigrant communities have lost their original language in three or four generations. But in the Welsh immigrants' case, many factors contributed to its preservation: the union their descendants managed to keep through time; their strong links with Wales, permanently offering opportunities for social and cultural interchange; and the

Más de 250 alumnos estudian en la Escuela de Música de Gaiman.
Over 250 students attend classes at the Gaiman School of Music.

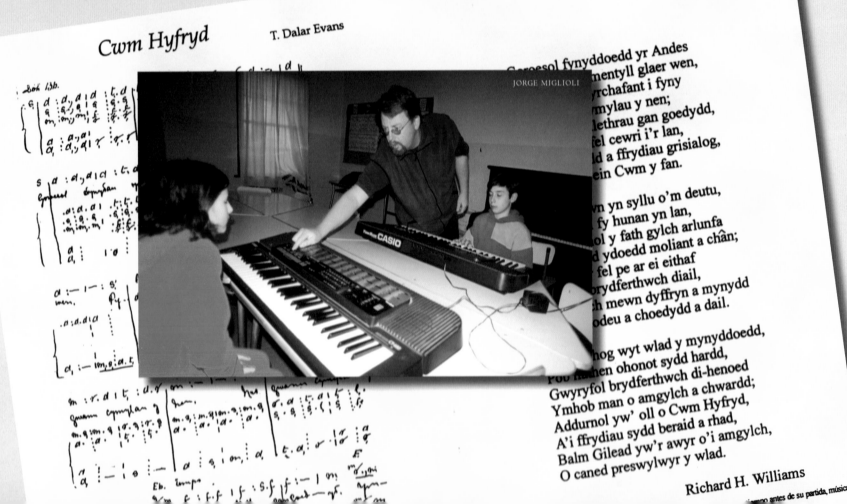

Cwm Hyfryd

T. Dalar Evans

JORGE MIGLIOLI

Coroesol fynyddoedd yr Andes
mentyll glaer wen,
yrchafant i fyny
mylau y nen;
lethrau gan goedydd,
fel cewri i'r lan,
d a ffrydiau grisialog,
ein Cwm y fan.

wn yn syllu o'm deutu,
fy hunan yn lan,
ol y fath gylch arlunfa
d ydoedd moliant a chân;
fel pe ar ei eithaf
rydferthwch diail,
ch mewn dyffryn a mynydd
odeu a choedydd a dail.

hog wyt wlad y mynyddoedd,
hen ohonot sydd hardd,
Gwyryfol brydferthwch di-henoed
Ymhob man o amgylch a chwardd;
Addurnol yw' oll o Cwm Hyfryd,
A'i ffrydiau sydd beraid a rhad,
Balm Gilead yw'r awyr o'i amgylch,
O caned preswylwyr y wlad.

Richard H. Williams

den destacarse la cohesión grupal que los descendientes de inmigrantes han logrado mantener a través del tiempo; su fluida vinculación con Gales, que se traduce en un permanente intercambio social y cultural; y las acciones que, con el apoyo de organismos gubernamentales de ese país, desarrollan las instituciones culturales galesas, las cuales incluyen programas conjuntos de reforzamiento y difusión de la lengua.

Sin embargo, creemos que la clave de tan prolongado mantenimiento se encuentra en el lugar preponderante que la comunidad galesa de Chubut ha otorgado a la lengua de sus antepasados, a la que considera un componente fundamental del patrimonio cultural heredado. Su importancia se ve acentuada por el hecho de ser el principal instrumento de expresión de experiencias relevantes, como la práctica de la religión, el Eisteddfod, el canto coral, que forman parte esencial de la vida de la comunidad. Conservar el idioma implica, pues, la posibilidad de conservar y transmitir valores ancestrales, reeditando de algún modo el espíritu y la conducta de aquellos primeros colonos, que afrontaron las vicisitudes de la emigración para preservar su lengua y su cultura.

Desde esta perspectiva, el galés adquiere una significación que trasciende la función comunicativa que le es inherente, ya que es valorado como marcador de identidad nacional. La asociación subjetiva entre lengua e identidad se traduce en una actitud positiva hacia el galés, que los miembros de la comunidad –tanto bilingües como no bilingües– comparten. En este tipo de actitud subyacen la lealtad y el orgullo por haber cumplido el mandato de sus antepasados, sentimientos que por lo general se hacen extensivos a la cultura celta en su conjunto.

"El galés es una marca de identidad. Me gusta porque me une a mis raíces culturales, activities of the local ethnic institutions that, with Welsh Government support, include joint programmes for the strengthening and dissemination of the language.

Nevertheless, we believe the real clue to such permanence lies in the pride of place the Chubut Welsh community has given to their ancestor's language, which they consider a fundamental part of their cultural heritage. And this is reinforced by the fact that Welsh is the main expressional instrument in the most relevant ethnic experiences, as are religious practice, the Eisteddfod, and choir singing, all of which are an essential part of their community life. To keep the language alive means, therefore, to be able to preserve and transmit ancestral values, re-enacting, in some way, the spirit and behaviour of the first colonists who faced the uncertainties of emigration with the same purpose in mind.

From this point of view, Welsh transcends its communicational function and is valued as an ethnic identity marker. This subjective association of language and identity entails a positive attitude towards Welsh, shared by both the bilingual and Spanish-speaking members of the community. This attitude reflects the underlying loyalty and pride of having accomplished their ancestor's mandate, a sentiment they extend to the Celtic culture as a whole. Some statements we have collected will illustrate this point:

"I feel the need to search my roots, to meet my ancestors again through their legacy, the language, the singing...." (Lucy P., 40).

"Welsh is an identity mark. I like it because it bonds me to my cultural roots, and I don't want it to be lost." (Vilma J., 31).

"We try to recover the language in a playful way, with a joke, or through a greeting, or singing a hymn in Welsh....It's a way to keep faithful to one's own heritage." (John H., 58).

JORGE MIGLIOLI

Una verdadera joya fuera de lo común por su alzada. Este armonio fue donado por la familia Berwyn al Museo del Molino en Trevelin.

This beautiful, high-framed harmonium was quite uncommon in the early years of the Colony. It was donated by the Berwyn family and is exhibited at the Mill Museum in Trevelin.

y no quisiera que se pierda. (Vilma J., 31 años)".

"Tratamos de recuperar la lengua lúdicamente, a través de un chiste, de un saludo ... o se canta un himno en galés ... Es una manera de no traicionar el propio origen. (John H., 58 años)".

Los ejemplos transcriptos ponen de relieve el papel primordial que desempeña la lengua en la construcción social del concepto de etnicidad, una noción compleja que incluye tres valores: la paternidad, el patrimonio y la pertenencia al grupo.

Entendida como paternidad, la etnicidad está ligada al sentimiento de continuidad, ya que se experimenta como un bagaje heredado, adquirido de los padres del mismo modo en que ellos lo adquirieron de los suyos, y así sucesivamente, remitiéndonos a un punto remoto del pasado. En el sentido de patrimonio, se asocia con el legado de la colectividad, que en este caso comprende el conjunto de expresiones culturales trasplantadas por los primeros inmigrantes desde su país natal. La etnicidad concebida como pertenencia se refiere al significado que la colectividad atribuye a su ascendencia étnica, significado que se manifiesta a través de las actitudes de los individuos hacia los valores que conforman su herencia cultural.

Si proyectamos una mirada sobre la historia de la inmigración galesa, la valoración positiva de la lengua nacional se explica por su capacidad de condensar las tres dimensio-

Las hermanas Roberts, "dos bellezas nacidas en Chubut".
The Roberts sisters, "two beauties born in Chubut."

nes de la identidad. En efecto, da cuenta de la paternidad, es vehículo transmisor del patrimonio, y constituye uno de los pilares que sustentan el sentimiento de comunidad compartido por los descendientes de los colonos venidos de Gales en la segunda mitad del siglo XIX. Su empleo permite, pues, tender un puente que vincula el presente y el pasado, conservando al mismo tiempo los lazos entre la tierra de origen de los migrantes y la lejana Patagonia; y es esta propiedad, precisamente, la que confiere a la lengua celta el carácter de símbolo por excelencia de identidad.

These examples reveal the essential role the language plays in the social construction of the ethnicity concept, a complex notion including three factors: parentage, heritage, and belonging.

Through parentage, ethnicity associates with the concept of continuity, and is experienced as an inherited baggage acquired from parents that had in turn inherited it from theirs, and successively so, leading to a remote point in the past. In the heritage sense, it associates with the community's legacy, in this case composed of all the cultural expressions that were

transplanted by the early settlers from their native country. Ethnicity and belonging associate through the importance the community attributes to its ethnic ancestry, which is also expressed through the individual attitudes towards the values that compose their cultural heritage.

If we take a look at the history of Welsh immigration, we find that the positive attitude towards its ethnic language can be explained through its capacity for condensing identity's three dimensions. Indeed, it recognises its parentage, it acts as a vehicle for transmitting its heritage, and constitutes one of the pillars of community feeling –the "belonging"– shared by the Welsh settler's descendants. Thus, the language acts as a bridge uniting the present with the past, at the same time preserving the bonds between the immigrants' homeland and faraway Patagonia. And it is precisely this property that gives this Celtic tongue its quality as a symbol "par excellence" of identity.

¿Un revivir cultural y linguístico?

Robert Owen Jones

Mientras que en América del Norte y otros países los inmigrantes galeses pronto se integraron al medio angloparlante, el idioma galés ha sobrevivido en Chubut, Argentina, por 140 años. ¡Chubut es el único lugar del mundo donde el galés se usa más que el inglés!

Esto obedece en gran parte a los principios de la Sociedad de Emigración a la Patagonia, que buscaba establecer una "Nueva Gales" donde los inmigrantes pudiesen mantener su idioma y cultura.

Sus ideales se cumplieron en Chubut. En cuarenta años los colonos transformaron el desierto en praderas, chacras y jardines. Construyeron caminos, un ferrocarril, pueblos, ciudades, capillas, un sistema de educación, uno de riego y una sociedad cooperativa. Los diarios publicados y las actas del consejo local eran en galés. Los Eisteddfod y las reuniones literarias florecían.

En 1904 se creó una escuela galesa en Gaiman, la primera escuela secundaria en esta parte del país. En la Patagonia los niños galeses aprendían aritmética, geografía, álgebra e historia en su lengua materna, pero en Gales tuvieron que esperar 50 años más para ello. Las primeras escuelas primarias y secundarias en idioma galés de la era moderna se originaron en la Patagonia, no en Gales. El sistema decimal que se enseña desde los años cincuenta en Gales fue desarrollado en el Valle del Chubut en 1870, cuando en Gales usaban el sistema de numeración inglés.

Pero en 1896 el gobierno argentino tomó a su cargo las escuelas e impuso el castellano, y ya para 1930 surgía una nueva tendencia. Los niños asociaban el galés con el hogar y la capilla, pero manejaban las demás situaciones en castellano. El galés también se convirtió en un marcador generacional: los chicos sólo usaban el galés para hablar con los mayores. El uso del galés declinaba, y los padres comenzaron a dejar de transmitir el idioma a sus hijos. En los años cincuenta la escuela de Gaiman ya había cerrado y el Eisteddfod se dejó de hacer.

Desde 1912, con dos guerras mundiales de por medio, el contacto con Gales había sido mínimo. El galés continuó siendo el lenguaje de la religión, de alto significado para algunas familias, pero también era sinónimo de vejez y se asociaba con ciertas localidades.

Afortunadamente las celebraciones del centenario en 1965 fueron un catalizador para reestablecer el vínculo entre la Colonia y Gales. El renovado contacto con la cultura galesa y los visitantes de Gales generaron un mayor interés, pero aún sólo entre los mayores. Al final de los ochenta *Cymdeithas Cymru/Ariannin* (la Sociedad Galesa-

A linguistic and cultural revival?

In North America and in other countries Welsh emigrants quickly integrated culturally and linguistically into the English-speaking environment but in Chubut, Argentina Welsh has survived as a community language for 140 years. Chubut is the only place in the world where Welsh has greater currency than English!

This survival is largely due to the ideological tenets of the Patagonia Emigration Society, who aimed at establishing a 'New Wales' where immigrants could retain their Welsh identity and religion.

In Chubut these ideals were realised during the forty years following the initial settlement of 1865. Out of a desert settlers created fields, meadows, orchards and gardens. They built roads, a railway, villages, towns, chapels, an education system, an irrigation system and a co-operative society. Welsh newspapers were published and the minutes of the local council were kept in Welsh. The eisteddfodau and literary meetings thrived. In 1904 a Welsh Intermediate School was established in Gaiman –the first secondary school in this part of Argentina. While the settlers' children were learning arithmetic, geography, algebra, and history in their mother tongue, Wales had to wait another 50 years for this. In the modern age the first Welsh primary and secondary schools in the world originated in Patagonia, not in Wales. The "new" Welsh numeral system used in the schools in Wales since the 1950s was adopted in the schools of the Chubut Valley in the 1870s, when in Wales an English-based numeration system was in use.

But in 1896 the Argentine government took over the schools and a monoglot Spanish policy was implemented. Consequently, by the 1930s a new pattern emerged: children now associated Welsh with home and chapel but handled all other situations in Spanish. It also became a generation marker –children spoke Spanish amongst themselves and only used Welsh with the older generation. The use of Welsh started to decline and Welsh-speaking parents increasingly opted not to transfer it to their offspring. By the 1950s the school in Gaiman had closed and the annual eisteddfod had ceased.

Since 1912 contact with Wales had been minimal, mainly due to the two World Wars. Welsh had remained the language of religion and hence had retained a high status within some families but it had also become synonymous with old age and with specific locations. Fortunately, the centenary celebrations in 1965 acted as a catalyst and re-established a link between "Y Wladfa" and Wales. Greater contact with Welsh culture and with visitors from Wales generated more interest, but

El autor es Profesor e Investigador de la Universidad de Cardiff, a cargo del Proyecto de Enseñanza del Idioma Galés en la Patagonia.

The author is a Research Professor at the University of Cardiff, in charge of the Welsh Language Teaching Project in Patagonia.

JORGE MIGLIOLI

Profesoras de idioma galés en el local de la Asociación Galesa de Esquel. Desde que comenzó en 1997 el Proyecto de Enseñanza de Idioma Galés, con respaldo oficial del País de Gales, se han matriculado un promedio de 600 alumnos anuales en todo Chubut.

The Welsh language teachers at the Esquel Welsh Association. Since the Welsh Language Teaching Project started in March 1997, supported by the Welsh government, an average of 600 pupils have registered annually in all Chubut.

Argentina en Gales) alentaba a pastores galeses a que pasaran un período predicando en las capillas del Valle del Chubut. Luego una profesora universitaria de Bangor, Catherine Williams, pasó un año sabático en Gaiman, ofreciendo clases para adultos que hablaban el idioma pero poco sabían de la cultura y literatura galesas. Ante la demanda de clases de personas que no hablaban galés, la Sociedad buscó un profesor con experiencia que quisiera trabajar en Chubut a cambio de los gastos de viaje y estadía. La estadía se consiguió en Gaiman, y el viaje se financió con una beca del Consejo Británico. Así, Gwilym Roberts estuvo su primer año en Chubut en 1991/2. Siguieron Pedr MacMullen, Gwilym por otro año, luego Gruffydd y Eifiona Roberts y otra vez Gwilym en 1995/96. Ya entonces había clases en Gaiman, Dolavon, Trelew, Rawson y Puerto Madryn. A pesar del interés demostrado, era imposible organizar clases en Esquel y Trevelin. Cuando Roderick Richards, el Secretario de Estado para Gales, visitó el Valle del Chubut en 1994, se le pidió ayuda para extender el programa de educación galesa. En marzo de 1996 se hizo un estudio de factibilidad, comenzando el Proyecto de Enseñanza de Idioma Galés en marzo de 1997.

Se enviaron tres profesores desde Gales para trabajar en Trelew, Gaiman y la Cordillera. Desde entonces, se registra un promedio de 600 alumnos por año y se han formado en Chubut y Gales 18 tutores locales para enseñar galés como segunda lengua. También se han otorgado seis becas anuales para un curso intensivo de 8 semanas en Gales. El alumnado es cada vez más joven: mientras que en 1997 el 52% tenía menos de 25 años, en 2003 esa cifra trepaba al 75%. Hoy existen 5 grupos de preescolares en Gaiman, Dolavon, Trelew, Esquel y Trevelin. En Gaiman es posible tener educación contínua en galés desde el jardín de infantes hasta la entrada a la universidad. El galés forma parte de los programas del Colegio Camwy y es extra-curricular en las escuelas primarias de Bryn Gwyn y Gaiman.

De un sólo programa semanal de radio en galés en 1997, en 2002 se transmitieron once. Mediante el actual proyecto, se han formado bibliotecas y se han comprado computadoras y televisores. El futuro desarrollo de este programa socio-linguístico y cultural dependerá de un continuo apoyo del País de Gales.

mainly among the older generations. By the late 1980s Cymdeithas Cymru/Ariannin in Wales (Wales/Argentine Society) encouraged pastors to spend periods serving the chapels in the Chubut Valley. Then a college lecturer from Bangor, Catherine Williams spent a sabbatical year in Gaiman and offered classes for Welsh-speaking adults who knew little about literature and culture. The Wales/Argentine Society responded to calls for classes for non-Welsh speakers by advertising for an experienced teacher who would work in the Chubut Valley for a year in exchange for free accommodation and travel costs. Accommodation was provided in Gaiman and a travel scholarship was awarded by the British Council. Gwilym Roberts spent his first year in Chubut in 1991/2. He was followed by Pedr MacMullen, then Gwilym for another year, then Gruffydd and Eifiona Roberts 1994/5 and Gwilym once more during 1995/6. By now classes were held in Gaiman, Dolavon, Trelew, Rawson, and Port Madryn. Many more were interested but it was impossible to put on extra classes or extend to Esquel and Trevelin in the Andes. When the Secretary of State for Wales, Roderick Richards, visited the Chubut Valley in 1994 the Welsh groups implored him to grant help so that Welsh education could be extended. He set up a feasibility survey in March 1996 and the Welsh Language Teaching Project started in March 1997.

Three teachers from Wales were sent out to Trelew, Gaiman and the Andes. Since then, an average of 600 students have registered annually and 18 local tutors have been trained locally and in Wales to teach Welsh as a second language. Every year the project has awarded scholarships for six students to attend an 8-week intensive Welsh course in Wales. Students became progressively younger. In 1997 52% were under 25 years old, reaching 75% by 2003. Today, there are 5 pre-school playgroups at Gaiman, Dolavon, Trelew, Esquel and Trevelin. In Gaiman there is a continuous provision for children from the nursery stage up to college level. Welsh is offered on the curriculum at Colegio Camwy and it is extra-curricular at Bryn Gwyn and Gaiman primary schools.

In 1997 there was only one Welsh radio programme per week but in 2002 eleven weekly programmes were transmitted. Libraries have been developed and computers and television sets have been provided through the current project. The development of this socio-linguistic and cultural programme will depend upon securing continued support from Wales.

El Eisteddfod

The Eisteddfod

Owen Tydur Jones

Eisteddfod (léase Eistéd-vod) es una palabra galesa que significa "estar sentado". Así se denomina al festival literario-musical posiblemente más antiguo de la Colonia del Chubut. El mismo tiene una vigencia aproximada de doce siglos, desde el tiempo en que los druidas celtas se reunían en lugares apartados, por lo general a la sombra de alguna arboleda, orillando algún río de los valles de Gales. Sentados en rueda recitaban sus composiciones literarias.

En los comienzos esta costumbre era privada, más tarde fue aceptada la presencia de algunos entusiastas de la poesía y luego se dio acceso al publico. Con el correr del tiempo se anexaron otros tipos de competencias, primeramente la música y el canto en todas sus formas, luego las artesanías y los bailes regionales folclóricos. Esta costumbre se hizo hábito en todos los lugares del mundo donde hay un asentamiento considerable de galeses.

Hay diversas opiniones con respecto al año que comenzó a practicarse en el Chubut (único evento de este tipo en la Argentina). Lo que sí sabemos es que fue en los al-

Eisteddfod (pronounced ay-sted-vod) is a Welsh word meaning "being seated". It is the name given to an ancient Welsh literary and musical festival which is also held in the Chubut Colony. It came to be some twelve centuries ago, when the Celtic druids gathered in isolated places, generally under the shade of a grove, close to some river in a valley somewhere in Wales. While seated in a circle they would recite their literary compositions.

At first these events were private, but later the presence of a few poetry enthusiasts was accepted, until they finally became public performances. As time went by, other categories were added to the competition, starting with music and singing, then handcrafts and regional folk dancing. Today these festivals are held all over the world wherever there is a substantial Welsh community.

In Argentina this festival is only held in Chubut province. There has been much speculation over the date of the first festival, but it is clear that it was held early on in the colonisation process and that it became the mainstay of Welsh culture in the area, to

JORGE MIGLIOLI

Jurado internacional en el Eisteddfod del Chubut 2003.

The Welsh adjudicators at work during the 2003 Chubut Eisteddfod.

bores de la colonización y que era el primordial sostén de la cultura, a tal punto que de una de sus competencias, aparece el primer libro de textos escolares, que se usó por muchos años en las escuelas, obra del maestro Richard Berwyn.

Nos narra la historia que tampoco aquí se le daba importancia al lugar en que se realizaba, sino al hecho. Un ejemplo es el de aquel salón improvisado con maderas de un barco encallado en las cercanías de Rawson o el que se hizo en los galpones donde se almacenaban los cereales, utilizando las bolsas como asientos. Hubo en "Eisteddfod de los Repollos" en 1891, organizado en Trelew, el día de San David (1° de marzo) en homenaje al patrono de Gales, en un recinto donde también se exponían productos agrarios. El evento se mantuvo anualmente, aunque a mediados de siglo (1951-1964), tuvo una tregua.

Este festival bilingüe, galés-castellano, incluye competencias en otros idiomas y se desarrolla en torno a un eje principal que es la entronización del bardo, certamen de poesía en galés y cuya ceremonia se caracteriza por la espada desenvainada a medias y luego a cubrir, por ser espada de paz. Los descendientes de galeses en el Chubut han adosado a este evento una competencia paralela, en la que se corona al mejor poeta en castellano.

El Eisteddfod se siente protegido por los tres rayos que adornan su escudo y que simbolizan amor, verdad y justicia.

the extent that the first school textbook issued in the Colony was a result of one of the competitions, the winner of which was school teacher Richard Berwyn.

History tells us that here in Chubut what mattered most was the festival in itself, rather than the place where it was held. One of them was held in a makeshift hall built with wooden planks from a shipwreck near Rawson. Another in a shed where grain was stored and the grain sacks were used as seats for the audience. In 1891 a "Cabbage Eisteddfod" was held on the first of March, St. David's day, in a hall where farm produce was also on display. Since it began the event has been held regularly, year after year, with the exception of a period between 1951 and 1964 when it was suspended.

This bilingual (Welsh-Spanish) festival also includes competitions in other languages. But the main event is the Welsh poetry competition, the winner of which is enthroned as a bard. During this ceremony a sword is half-drawn and then sheathed, representing the sword of peace. The Welsh descendants in Chubut have added another event which runs parallel to this one, where the best Spanish language poet is crowned.

The Eisteddfodd is protected by the three rays that ornament its shield, symbolising love, truth, and justice.

THE GORSEDD

Gorsedd means "throne" in Welsh. With great conviction, in 1792 Iolo Morganwg

JORGE MIGLIOLI

No sólo el Eisteddfod sino también los elementos que lo componen y organizan la reunión cultural, —el acto de coronación del poeta, el reglamento de las competencias, las obras premiadas— constituyen aportes culturales a la identidad regional. En las fotos, se aprecia la conjunción de culturas expresada en la danza galesa y criolla.

The Eisteddfod in itself, and its constituting elements —as for instance the cultural assembly, the poet's coronation ceremony, and the prize-winning works— are all cultural contributions that play a significant part in the construction of the regional identity. In these photographs, Welsh and Native culture meet through dancing at the festival.

JORGE MIGLIOLI

EL GORSEDD

El significado de la palabra galesa Gorsedd en castellano es "Trono".

Con el firme propósito de conservar el idioma y asentar las bases para la cultura de su país, Iolo Morganwg fundó "Cylch y Gorsedd" (Círculo del Trono) en Bryn y Briallu (Loma de la Prímula) –Gales– en el año 1792, aduciendo que su inspiración se basaba en las viejas tradiciones de los druidas celtas.

En el predio elegido, grandes columnas de piedra señalaban los cuatro puntos cardinales; también marcaban las dos estaciones principales del año (verano e invierno). Pétreo era el sillón o asiento donde el bardo de turno era entronizado o coronado. El pueblo galés consideraba que la poesía debía ocupar un lugar preponderante en el alma humana. Sentían la necesidad de exteriorizar su lirismo literario, hábito que perdura a través del tiempo y las distancias.

Arraigada costumbre que se sigue practicando en todos los países donde se establecieron comunidades galesas, llevando como emblema los tres rayos que simbolizan: Amor, Justicia y Verdad, que Morganwg llamara "Nod Cyfrin" (signo místico), y que estaba impreso también en la espada, "Espada de Paz", sólo desenvainada a medias y vuelta a cubrir cuando por tercera vez el pueblo ovacionaba con su grito: ¡PAZ! en la ceremonia

founded the "Cylch y Gorsedd" (Circle of the Throne) in Bryn y Briallu (Primrose Hill), Wales. He endeavoured to preserve the language and lay the foundations for his nation's culture, alleging that he had been inspired by the ancient traditions of the Celtic druids.

On the selected site, great stone pillars marked the four cardinal points and the two main seasons, summer and winter. The bard was enthroned or crowned on a throne carved out of stone. The Welsh believed poetry occupied a very important part of the human soul. They also felt a strong need to express their literary lyricism, a habit that has survived time and distance.

This strong-rooted tradition is still alive in all countries where Welsh communities have settled, always under the emblematic three rays that symbolise love, truth, and justice, which Morganwg called "Nod Cyfrin" (Mystic Sign), also engraved on the "Peace Sword."; during the main ceremony, only after the people cried out "PEACE!" for the third time, would the half-drawn sword be sheathed and put to rest.

La ceremonia de entronización del bardo, ganador del premio al mejor poema en galés, con la presencia de los druidas del Gorsedd.

The Gorsedd druids witness the ceremony of the enthroning of the bard. This prize, the Esteddfod's highest, is awarded to the author of the best poem in Welsh.

JORGE MIGLIOLI

culminante del evento.

El Gorsedd tiene la misión de reunir a quienes se han destacado por sus obras literarias, musicales, científicas o personas comunes que se hayan destacado por sus obras humanitarias. Es el cuerpo responsable de nombrar druidas, que luego autorizan, presiden y fiscalizan el Eisteddfod. Vale recordar también que el Eisteddfod ya se había oficializado en Gales en el año 1176, con fines totalmente culturales, sin discriminación de razas ni de credos.

The mission of the Gorsedd is to bring together individuals that have excelled in their literary, musical, or scientific work, and those who have been outstanding in humanitarian activities. It is responsible for appointing the druids that will later authorise, preside, and control the Eisteddfod. We must keep in mind that the Eisteddfod is an ancient institution, given official status in Wales in 1176 for purely cultural ends and devoid of race or creed discrimination.

Finalizado el festival, durante el asado del domingo, dos jóvenes descendientes de la colonia galesa despiden a participantes, jurado y público con una zamba criolla.

Once the festival is over, during the Sunday "asado" (barbecue) some young members of the Welsh community say farewell to the public, competitors, and adjudicators by singing a Native "zamba."

El coro galés de Trevelin.
The Welsh choir of Trevelin.

La Corona del Eisteddfod es el premio más importante para los poemas escritos en español. Aunque responden a convocatorias de tema libre, la mayoría de las composiciones premiadas en el Eisteddfod de Trelew aluden al escenario patagónico. La comunión hombre-naturaleza es un tratamiento recurrente ya que de esa relación el hombre patagónico adquiere características propias que modelan su carácter.

The Eisteddfod Crown is the highest prize awarded to the best Spanish language poem. Although the poems entered can refer to any subject, most of the ones that have been awarded this prize in the Chubut Eisteddfod refer to the Patagonian scene. The man-and-nature communion is a recurrent topic, as it is from that relationship that the Patagonian man acquires the particular characteristics that mould his character.

JORGE MIGLIOLI

JORGE MIGLIOLI

Margarita E. Jones de Green

UN SILLÓN BÁRDICO CORDILLERANO

Hywel Ap Cynan Jones, mi padre, más conocido como "Jones Correo" por los amigos que no podían pronunciar su nombre, nació en Gaiman en 1929 y se radicó en Esquel a los 20 años, como telegrafista del Correo Argentino. Era también un excelente ebanista y carpintero, por lo que le fue encargada la construcción de un sillón bárdico como premio mayor para el poeta en idioma galés del Eisteddfod de Trelew. Papá aceptó el reto y, siendo un amante de la cordillera que lo adoptó, vio la oportunidad de mostrar uno de sus productos más nobles, soñando una obra que reuniera belleza e historia. Así fue que buscó en su pequeño taller trozos de distintas maderas: radal, abedul, ciprés, lenga, alerce, calafate, cadenita de oro, que provenían de los bosques y jardines de sus vecinos galeses (Freeman, Thomas, Roberts, Griffiths, Green) que alguna vez le regalaran para sus artesanías. Era normal escucharle decir: "esa cajita la hice con madera que me dio tío Alun" (Alun Coslet Thomas). Cuando luego de muchos días la Comisión del Eisteddfod recibió el sillón en Trelew, a tiempo para la significativa ceremonia, se sorprendió por la belleza de la armonía, color, historia y amor que transmitía esta pieza, que contenía la esencia de un tiempo de colonización, trabajo, cuidado y valorización de los recursos naturales. Sus miembros decidieron, entonces, guardar el sillón para ser usado desde allí en adelante en las ceremonias de coronación del bardo, entregando una réplica al Poeta. Es así que en Trelew, todos los años en octubre, este sillón cordillerano está presente en la máxima expresión de la cultura galesa del Chubut.

AN ANDEAN BARD S CHAIR

My father, Hywel Ap Cynan Jones, was better known to those friends who could not pronounce his name as "Jones, Correo" (Jones, Mail). He was born in Gaiman in 1929 and moved to Esquel at the age of 20 as a telegraph operator with the Argentine Mail. He was also an excellent cabinet maker and carpenter, so once the Trelew Eisteddfod organisers placed an order for a Bard's Chair from him, as the top prize for their annual Welsh-poem competition. Father accepted this challenge, and as he loved the Andes so much, he decided to display in it its noblest products and thus create a piece that would combine local beauty with history. He rummaged about his workshop for blocks of different kinds of wood: "radal," birch, "ciprés," "lenga," "alrce," "calafate," and laburnum. They had all come from the forests and gardens of his Welsh neighbours (Freeman, Thomas, Roberts, Griffiths, Green) who throughout the years had given them to him as gifts to make his crafts –we would often hear father say things like "that small box I made with the wood uncle Alum gave me (Alum Coslet Thomas)." When the Eisteddfod board finally received the chair in Trelew many days had passed, but nevertheless it came in time for the oncoming festival. The board members were very pleased with the beauty contained in the harmony, colour, history, and love this work transmitted, which reflected the essence of the colonisation years: work, care, and value of the natural resources. Fittingly, they decided they would keep the chair for the association and use it for the main ceremony every year, giving a replica to the Poet as a prize. And so it was since then that this Andean chair takes pride of place every year in October during the highest expression of Welsh culture in Chubut.

La autora es una activa dirigente comunitaria de la localidad de Trevelin.
Margarita E. Jones de Green is an active community leader in Trevelin.

El Museo Regional de Gaiman funciona en la casa que fue la Estación del Ferrocarril. Tegai Roberts (centro), su directora, tiene a su cargo un tesoro constituido por documentos, imágenes y objetos relacionados con la historia de la colonización galesa en el Chubut. Allí es posible apreciar el valor de esta gesta comenzada en el siglo XIX.

In Gaiman, the former railway station now houses the attractive Regional Museum. Its director, Tegai Roberts (centre), is in charge of a real treasure of written documents, vintage photographs, and objects related to the Welsh colonization in Chubut. This is an ideal place to grasp the courage behind this saga that began in the 19th century.

JORGE MIGLIOLI

La torta galesa y la ceremonia del té

The Welsh black cake and an exceptional tea service

LA TORTA NEGRA GALESA, UNA TRADICIÓN ARGENTINA DE ORIGEN PATAGÓNICO

En 1999 el Instituto Nacional de Alimentos de la República Argentina efectuó un histórico reconocimiento de la torta negra galesa, clasificándola como Producto Argentino de Origen Patagónico.

Para fundamentar esta decisión, en el transcurso del trámite respectivo, se recurrió a testimonios de viejos pobladores, a documentación existente en diferentes museos y a la propia contribución del código alimentario galés, que no hace mención alguna acerca de este producto típico de la Colonia Galesa de la Patagonia.

Como ya se ha dicho, a partir de 1865 los primeros colonos galeses sufrieron en muchas ocasiones la escasez de alimentos, como consecuencia de su asentamiento sobre un territorio aislado y desconocido, en el que enfrentaron las más adversas condiciones para subsistir.

Los galeses necesitaban un buen alimento, fácil de conservar y de larga durabilidad, condiciones éstas que anteriormente habían logrado en las tortas de Navidad y casamiento que conocían en Gales. Pensando en ellas, pero utilizando los escasos insumos que lograban traer principalmente desde Buenos Aires, los colonos lograron producir un

nuevo alimento de características únicas.

Se la conoce con el nombre de torta negra galesa, por haber sido producida por los colonos galeses y se la considera un producto típico patagónico argentino. Se han registrado solamente dos sistemas de preparación: hervido y

THE WELSH BLACK CAKE, AN ARGENTINE TRADITION BORN IN PATAGONIA

In 1999 the National Food Institute of Argentina acknowledged the Welsh black cake as an Argentine product of Patagonian origin.

The procedure implemen-

ted by the government agency prior to this decision included research that meant going through old settlers accounts, existing documents in several museums and, finally, the Welsh food code itself, where no mention of this typical product of the Welsh Colony in Patagonia can be found.

As we have mentioned before, after arriving in 1865 to an unknown, isolated territory, the first Welsh colonists had to face hardship and often suffered from lack of food. They needed nourishing foodstuffs that could be preserved easily and for a long time, such as the Christmas and wedding cakes they remembered their folk used to bake in Wales. With these in mind, albeit with the scarce resources at hand, including some ingredients they managed to bring from distant Buenos Aires, they succeeded in producing a new, unique type of cake.

Everybody in Chubut knows the popular Welsh black cake, which is considered a typical Argentine Patagonian product. Only two methods have been registered for its preparation: boiling, and soaking in liquor, as it was originally done by the colonists. It is a natural, preservative-free product that can be kept for many years with its properties unaltered. It takes pride of place at the tea table, and —symbolizing long-lasting love— it is

macerado en licores, como en su origen. Se logra así un alimento natural sin conservantes que dura muchos años sin perder su condición.

Ocupa un lugar de privilegio en la mesa de té y además basada en el sentido de perdurabilidad que la inspiró, se la utiliza como piso de las tortas de bodas, que luego se guarda para abrirlo, según diferentes tradiciones, en sucesivos aniversarios, acontecimientos importantes como las Bodas de Plata o el nacimiento del primer hijo. Además la torta negra galesa se ha convertido en un producto típico ampliamente reconocido, consumido por miles de habitantes y visitantes de la Patagonia.

Teniendo en cuenta que la colonización galesa fue ante todo una empresa de preservación cultural que pretendía resguardar la identidad de un pueblo amenazado en el mantenimiento de su idioma, su religión y sus costumbres,

puede entenderse que algunos de sus descendientes no revelen –aún hoy– los secretos de algunas de sus propias tradiciones, entre ellas las de origen culinario.

Pero más allá de su reserva, las recetas de las abuelas se transmiten sí de generación en generación manteniendo inalterable como sello de calidad, el bouquet y el toque familiar propio de cada una. Gracias al respetable secreto de la tradición familiar, podemos disfrutar hoy de las más variadas combinaciones de ingredientes en la preparación de diferentes tortas que compiten habitualmente en el marco de algunos eventos, por el mejor gusto y la mayor aceptación.

LA CEREMONIA DEL TÉ GALÉS, NACIDA EN CHUBUT

Mucho antes de llegar a la Patagonia, obviamente los galeses ya tomaban el té, siguiendo antiguas y reconoci-

used as the base for wedding cakes, which is put away to be consumed over the years at special occasions: when children are born or even at the couple's silver wedding. The Welsh black cake is now a popular product, widely consumed by Patagonians and their many visitors.

The Welsh colonization effort was, above all, a culture-preservation one, carried out by a people whose very identity was threatened. Taking this into account, the fact that, even to this day, some of their descendants jealously keep the secrets of some of their traditions –including the culinary ones– can be readily understood..

However, beyond this inclination, grandmothers always transmit their unique recipes from generation to generation, so that there are many different versions of this tasty cake, each with its own particular flavour. Thanks to this

tradition of keeping the family recipes secret, we can now enjoy it in its many variants, which frequently participate in baking competitions at the community events.

THE WELSH TEA SERVICE, BORN IN CHUBUT

It`is obvious that, a long time before coming to Patagonia, in their home country the Welsh relished their cup of tea just as people did in many other places in Europe. Nevertheless, once in Argentina, the colonists developed other customs that, with time, created a new way of serving tea –locally known as the Welsh tea service– that has reached present times and is increasingly popular.

When the Welsh occupied the banks of the Camwy (Chubut River), they were dispersed throughout the valley, with no other meeting place than the chapels. In these

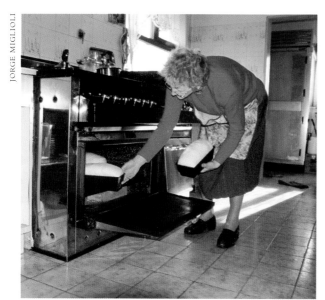

En la casa de té Nain Maggie, Trevelin.
At Nain Maggie´s tearoom, Trevelin.

das tradiciones europeas. Sin embargo, al trasladarse a la Argentina, los colonos y sus familias introdujeron modalidades tan particulares que, con el tiempo, dieron lugar a una nueva y verdadera ceremonia –el té galés– que ha llegado hasta nuestros días con creciente difusión.

Como ya se ha visto, al principio los galeses –dispersos y alejados entre sí a lo largo del Camwy– se enfrentaron con dificultades de todo tipo para ocupar la nueva región. No existían verdaderos asentamientos consolidados ni otros sitios de congregación que no fueran las capillas, donde se reunían habitualmente, no solamente para atender el desarrollo de las actividades religiosas y educativas, sino también para organizar los asuntos generales de la Colonia.

Las amas de casa, excelentes reposteras por tradición, llevaban hasta allí un aporte de diferentes tartas y tortas, que se servían con el té y que era realmente abundante. Fue justamente esta diferenciación, caracterizada por la variedad y la abundancia, la que con el tiempo contribuyó a otorgar

una personalidad especial y una denominación propia a esta forma de tomar el té que tuvo su origen en la Colonia Galesa del Chubut.

Antiguamente, cuando los galeses terminaban sus reuniones en las capillas y todos se retiraban, se juntaban y repartían los sobrantes no comidos, para que los concurrentes pudieran llevarlos a sus casas. Así surgió entonces esa hermosa costumbre que hoy todavía vemos en las casas de te galés tradicionales, que consiste en entregarle a los visitantes, antes de que se retiren, especialmente envueltas en un papel las porciones sobrantes que queden sobre su mesa. Con lo cual el placer de la ceremonia se amplía y se prolonga.

LAS CASAS DE TÉ GALÉS

Para saber un poco más acerca del origen de las casas de té, nos acercamos a conversar con la señora Marta Roberts de Rees, dueña de Plas y Coed, la primera casa de té de Gaiman. La misma fue conformada por su suegra Dylis Owen de Rees y su segundo esposo Evan Jones, nacido en

buildings they congregated for their religious and educational activities, and also to discuss and organize general matters pertaining to the Colony.

Housewives were excellent at baking, and they always took an ample selection of cakes and pies to these meetings which they served with tea. The way the colonists used to have their tea, accompanied by a great variety and abundance of delicious food, gave birth to what is known as the "Welsh tea service" in Chubut.

Before leaving the chapel at the end of their meetings, the food that was left over was distributed and taken home by the families. This tradition is kept today at the many tea-houses in Chubut, where guests take home, specially wrapped, the unconsumed delicacies from their tables.

THE WELSH TEA-HOUSES IN CHUBUT

Marta Roberts de Rees owns the oldest tea-house in Patagonia. It is Plas y Coed, next to the main square in Gaiman, which was founded

by her mother-in-law Dylis Owen and her second husband Evan Jones. Evan was born in Wales, the eldest son of Walter Jones who would afterwards be the first Welshman to settle in Colonia Sarmiento, in southern Chubut.

Marta told us that it all began around the 1940s and 50s. In those years, she said, Dylis's friends would never fail to pay her a visit when coming in from their farms for their weekly shopping in Gaiman. Dylis always offered them a hefty Welsh tea, and this was invariably an excellent opportunity for these somewhat isolated people to socialize. As they very often did, before returning to their farms they left Dylis eggs, milk, cream, or some other produce in compensation for her hospitality. Until at some point in time they got the idea of putting up shop as a tea-house, which in turn inaugurated a new service which caters to the local population and an ever-increasing number of visitors. Today there are many tea-houses all over Chubut, each with its own Welsh name and distinct charm.

Gales y, a su vez, hijo mayor de Walter Jones, primer poblador galés de Sarmiento. Marta, cuya casa está ubicada justo frente a la Plaza de Gaiman, nos contó que todo empezó allá por los años mil novecientos cuarenta o cincuenta.

En ese entonces, nos explica, cuando venían de compras al pueblo, las amigas de la dueña la visitaban en su casa para tomar el té, ofreciéndole a cambio productos de sus chacras. Se fue extendiendo así la costumbre adquirida por la colectividad galesa, trasladándola desde las tradicionales y ocasionales reuniones en las capillas, a diferentes ámbitos físicos construidos en nuevas casas, los que a su vez permitían albergar nuevos y diferentes espacios sociales según cada ocasión. Así, ya fueran estas pequeñas celebraciones más o menos concurridas, todas las mujeres traían invariablemente sus tortas que primero compartían y luego repartían entre ellas.

Y un día surgió la idea de ofrecer un servicio permanente destinado a los visitantes que llegaban de diferentes sitios. Actualmente existe una gran cantidad y diversidad de casas de té, diseminadas en diferentes ciudades del Chubut, cada una con su nombre y su encanto particular.

Se estima que miles de personas pasan anualmente por ellas; en muchas ocasiones la gente debe aguardar en las calles antes de poder sentarse a disfrutar de sus manjares: la torta negra, la torta de queso y tantas otras, además de los infaltables scones y del pan casero acompañado de manteca y dulces de cada lugar y del queso tipo Chubut. Por todo eso, la gente no sólo espera, sino que además regresa, recreando su propia tradición.

Thousands of people sit at their tables every year. On busy days some may even have to wait, chatting on the sidewalk, for their turn to come, looking forward to a feast of delicacies that includes the traditional black cake, cheesecake, cream cake, the classical scones, homemade bread, butter and jam, and the Chubut-type cheese. And many people return time after time, recreating their own tradition around this very Patagonian Welsh tea service.

En Gaiman, Esquel, Trevelin y otros lugares, existen numerosas casas de té.
There are many Welsh tea-houses in Gaiman, Trevelin, and other places in Chubut.

EL RÍO CHUBUT Y SUS VUELTAS
DOLAVON Y 28 DE JULIO

THE MEANDERING CHUBUT RIVER
DOLAVON AND 28 DE JULIO

Todas las provincias patagónicas ubicadas al sur del Río Colorado (Neuquén, Río Negro, Chubut y Santa Cruz) llevan por nombre el de los ríos principales que las atraviesan, a excepción de la más austral de todas que –rodeada de agua sobre el confín de la Tierra– debe su nombre al fuego (Tierra del Fuego).

No debe sorprendernos entonces que los sucesivos procesos de poblamiento de las provincias continentales patagónicas estén muy ligados –como en todas las civilizaciones– a la relación de sus diferentes comunidades con las aguas de los ríos principales que nacen en las zonas de cordillera y precordillera y luego descienden buscando el mar.

Habitualmente se identifican dos hitos principales en la evolución del riego del valle inferior del Chubut: uno es el descubrimiento del colono Aaron Jenkins y de su esposa Rachel en 1867 acerca del excelente efecto que podía tener el riego con agua del río, si ésta se lograba desviar de su curso para inundar controladamente la tierra negra más alejada de las riberas.

El otro evento histórico que se recuerda es la inauguración del embalse y central hidroeléctrica Florentino Ameghino que –casi un siglo después– puso fin a las inundaciones que arrasaban con todo lo construido en el Valle,

JORGE MIGLIOLI

Las norias de Dolavon nos muestran un ingenioso sistema para elevar el agua de riego sin utilizar otra cosa que la fuerza de la corriente.

The waterwheels at Dolavon show a creative way of elevating water for irrigation using the current in the canal to drive them.

The Patagonian provinces south of the Colorado river (Neuquén, Río Negro, Chubut, and Santa Cruz) bear the name of the main rivers that run through them, except the southernmost one which –surrounded by water at the world's end– has fire by name (Tierra del Fuego –Fireland).

It is not surprising, then, that, as in most civilizations, the settlement process of the continental Patagonian provinces has been closely tied to the relationship of their communities with these rivers, which have their sources in the Andes and its foothills, run across the continent and into the Atlantic Ocean.

Usually two mayor events are presented as the milestones in the development of irrigation in the lower valley of the Chubut river: one is the discovery, in 1887, by Aaron and Rachel Jenkins of the possibility of growing a decent crop by irrigating the dark earth furthest from the river, with its water, by means of a "controlled" flooding.

The other historical event is the inauguration of the Florentino Ameghino dam and hydroelectric power station which, after practically a century, put an end to the recurrent floods which washed away everything built in the valley, where the settlers' lives went through dramatic cycles

donde la vida de sus pobladores alternaba dramáticamente entre períodos de excelentes cosechas con otros de pérdidas incalculables.

Pero entre esos dos acontecimientos –separados por casi un siglo– y desde el segundo a la actualidad, hay muchas otras cosas que merecen ser mencionadas y recordadas, no sólo para visualizar gran parte de la historia de la colonia, sino también para comprender y enfrentar los complejos desafíos pendientes de resolución.

Un reciente y minucioso trabajo de los docentes e investigadores Jorge Barzini y Mirna Jones de Dolavon sobre la Compañía del Riego del Chubut, nos ha permitido extraer algunas consideraciones muy interesantes al respecto.

En un principio, con más tesón que conocimiento, los colonos construyeron canales primitivos que resultaron insuficientes para asegurar un riego regular, levantaron tres represas que sucumbieron a las aguas que debían controlar y realizaron un intento de tomar agua desde el extremo superior del valle –tratando que la misma corriera por los zanjones naturales que se hallaban entre el río y las lomas– que fracasó.

Pero con la llegada del ingeniero y topógrafo E. J. Williams a la región, y superadas las rivalidades entre los vecinos de las orillas norte y sur que pugnaban por ser los primeros en beneficiarse con las obras, a partir de 1882 se concretó en muy poco tiempo la construcción de unos 100 km de canales principales y muchos

En más de un sentido, pasado y presente se confunden en Casa Amarilla, sobre la ruta que une 28 de Julio con Comodoro Rivadavia.
At "Casa Amarilla" (Yellow House), close to 28 de Julio on the road to Comodoro Rivadavia, past and present mingle in more than one sense.

más de canales secundarios. De esta manera, las numerosas aberturas provisorias de riego fueron reemplazadas por tres canales permanentes que atravesaban todo el área de irrigación, cada uno perteneciente a

of prosperity and disaster.

But between these two events (almost a century apart) and from then to this day there have been many others that deserve to be mentioned and must be taken

into account, not only to illustrate an important part of the Colony's history, but also to have a better understanding of the complex issues that still remained unsolved.

A recent research on the "Compañía de Riego del Chubut" (Chubut Irrigation Company) by Jorge Barzini and Mirna Jones, from Dolavon, sheds light on many of these issues. We have been able to extract some very interesting data from their work:

During the early years the settlers, with more determination than engineering knowledge, dug a primitive irrigation canal network which was not able to secure regular irrigation, built three dams that were washed away by the waters they were supposed to control and embarked on a project to draw water from the higher end of the lower valley –which would flow, they expected, along the natural ditches that run between the river and the hills– and failed.

With the arrival of engineer and topographer E. J. Williams and once the rivalries between the colonists on the north and south banks –who vied for the privilege of being the first to benefit from the works– were settled, as from 1882 the construction of 100 Km of main canals and many more of secondary ones was completed in a relatively short time. Thus the many provisional water intakes were replaced by three permanent canals that ran through valley, each belonging to a separate irrigation company.

This project was a success

una compañía diferente.

La ejecución exitosa de las obras fue posible gracias a una adecuada dirección técnica y a un sentido de innovación tecnológica que permitió incorporar en primer lugar la pala a caballo –inspirada en diseños presentados en catálogos ingleses– que facilitaba las tareas de excavación, limpieza y mantenimiento de los canales; y luego, el excavador giratorio americano que permitía que un muchacho con su tiro de caballos, arado y excavador, hiciera el trabajo que antes demandaba de ocho o diez hombres fuertes, munidos de pico y pala.

El sistema de riego construido con tanto esfuerzo constituía una garantía de regularidad ya que evitaba que los chacareros debieran apresurarse para cosechar anticipadamente por temor al mal tiempo. Aún así, su funcionamiento tenía problemas ya que en las zonas alejadas de las bocas del canal solía faltar el agua, mientras que para los que vivían cerca del valle superior, donde el agua abundaba, el inconveniente era la lejanía al mercado. Y, además, había que secar con cierta frecuencia los canales para realizar su limpieza.

Pero estos pequeños inconvenientes eran minucias si los comparamos con la catástrofe que aconteció el 22 de julio de 1899 cuando el agua de la inundación llegó a Dolavon en la punta extrema del valle para después bajar en torrentes hacia Gaiman; todos los habitantes abandonaron sus hogares apresuradamente, huyendo para salvar sus vidas. Se

movilizaron en carros, a caballo, o a pie en dirección al faldeo del valle, aunque muchos de ellos sin llevar alimentos ni ropa adecuada. El 27 de julio el agua había inundado el valle superior íntegramente. Las casas y las capillas en Gaiman fueron destruidas, los canales de riego fueron arrasados por la correntada y el puente seriamente dañado. Desde allí la inundación continuó barriendo con todo hacia Rawson; la hasta entonces próspera colonia había sido devastada. En julio de 1901, antes que los destrozos de 1899 fuesen completamente saneados, sobrevino otra crecida de menor magnitud. Pero en junio de 1902 llego una tercera inundación, igual en volumen a la primera de 1899.

No obstante todas las dificultades señaladas, hacia 1909 funcionaban tres compañías distintas de irrigación que, para una mejor organización, fueron fusionadas en la Compañía Unida de Irrigación del Río Chubut a la cual el Ministerio de Agricultura concedió en 1914 el permiso necesario para derivar del río Chubut hasta 80.000 litros de agua por segundo con destino al riego de las tierras de propiedad de sus asociados.

Entre 1915 y 1920 Juan Crockett y la Compañía firmaron un convenio por el cual se autorizó al primero a construir un canal por la margen sur que, al llegar a sus tierras, caía unos siete metros accionando una turbina hidráulica de 50 caballos de fuerza y dos bombas centrífugas de 8 y 6 pulgadas respectivamente, instaladas para elevar agua a la

thanks to an adequate technical direction on the one hand, and the introduction of innovative technology such as the horse-drawn shovel –which were designed based on the illustrations on British catalogues– that made the digging, cleaning and maintenance of the canals much easier; and later the American-style rotary excavator which allowed a young boy with a team of horses to do the work of eight to ten strong men with picks and spades.

This new irrigation system now provided a dependable service to the settlers, who no longer had to harvest their crops as early as possible to avoid foul weather. Nevertheless, some problems remained unsolved: the farms that lay furthest from the water intakes usually lacked enough water, while for those near them water was abundant but they were far from the markets. Also, the system had to be dried up frequently to unclog and clean the canals.

But these were but minor inconveniences when compared to the disastrous flood on July 22, 1899. The swollen river waters first reached Dolavon and then gushed down the valley to Gaiman; everybody had to abandon their homes and run for their lives, on wagons, horseback, or on foot, towards the higher ground on the valley's edge. Many were forced to leave all their belongings behind and had no adequate clothing or food. On July 27 the water had covered the whole of the upper valley floor. In Gaiman all the houses and chapels

were washed away, the irrigation canals destroyed, and the bridge over the Chubut severely damaged. From there, the flood went down to Rawson and the sea. The flourishing Colony had been devastated. In July 1901, when the damage from the 1899 flood had not yet been fully repaired, another, less severe flood occurred. And in June 1902 another one came, this time as great as the 1899 flood.

Despite all these difficulties, towards 1909 the three irrigation companies were operating. These finally merged –to be able to administrate the business more efficiently– into a single one, the "Compañía Unida de Irrigación del Río Chubut" (Chubut River United Irrigation Company), which was granted a permit, in 1914, by the Argentine Agriculture Ministry to draw 80,000 litres per second from the river in order to provide water for the land of its members.

Between 1915 and 1920 the new company signed an agreement with Juan Crockett by which he was authorised to build a canal along the southern bank of the river to his land, where the canal had a 7-metre fall which drove a 50-horsepower turbine and two pumps, one 6-inch and one 8-inch, that elevated water to irrigate his crops on the plateau: hundreds of hectares of alfalfa, barley, and sugar beetroot.

The "Crockett Turbine" was inaugurated in 1919 (that year the new water intakes of "Boca de Zanja" at the head of the main canals were opened for the first time) and this

meseta a fin de regar los cultivos: cientos de hectáreas de alfalfa, cebada, y remolacha azucarera.

La "Turbina Crockett" fue inaugurada en 1919 (ese año se abrieron por primera vez las compuertas de Boca de la Zanja, de donde nacen los canales de riego) y de alguna manera marca un momento de apogeo en el desarrollo del Valle Inferior. El primer medio siglo de historia del riego en Chubut estuvo entonces animado por la iniciativa y el sentido de innovación de los colonos que superaron las enormes dificultades que debieron enfrentar.

A partir de esta época comienzan las quejas formuladas contra la Compañía Unida del Chubut ya que si bien la compañía desarrolló un plan de obras en beneficio de la zona de riego, la misma no tuvo el éxito esperado por falta de técnicos, capitales y conocimientos administrativos para organizar un sistema racional de distribución de las aguas.

A estas dificultades, desde la década del '30 se sumó el surgimiento de una relación conflictiva de los chacareros con el Estado Nacional, ya que éste último consideraba completamente deficitario el sistema de riego y ofrecía hacerse cargo de las inversiones que demandaba su modernización, a cambio de que los colonos cedieran las instalaciones existentes al manejo estatal.

En 1944 los accionistas de la Compañía quedaron divididos entre quienes fueron obligados a firmar dicha cesión bajo presión –en el transcurso de una asamblea donde fueron encerrados por las autori-

dades de la Gobernación Militar de Comodoro Rivadavia– y quienes se negaron, iniciando acciones legales que duraron casi veinte años. Y aunque las instalaciones fueron finalmente transferidas a la empresa estatal Agua y Energía Eléctrica de la Nación –paradójicamente poco tiempo antes de la provincialización del Territorio– puede decirse que las confrontaciones mencionadas se continuaron en juicios que tardaron tanto como las inversiones decididas que por otra parte resultaron incompletas, ya que no se construyó el correspondiente dique compensador.

En efecto, si bien el Dique Florentino Ameghino –actualmente en manos privadas– solucionó parcialmente el problema de las crecientes y la provisión de energía eléctrica, no resolvió el aprovisionamiento de riego y agua potable del Valle Inferior y de otras zonas que esperan todavía ser beneficiadas.

Simplemente concretando las demoradas tareas de limpieza y mantenimiento, podría lograrse una mayor erogación de agua. Con un asunto tan elemental sin resolver, no puede extrañar entonces la variedad de las iniciativas surgidas de un reciente concurso de propuestas destinadas al manejo integral del agua en el curso inferior del Chubut, incluido el Proyecto de Azud Derivador para la irrigación de la Meseta Intermedia.

El mismo fue formulado por técnicos israelíes en base a una idea de 1910 del ingeniero francés Juan Moreteau, antiguo colaborador del Perito

marks, in a certain way, the high point of development of the lower valley of the Chubut River. The first half century of the history of irrigation in Chubut was marked by the hard work, initiative, and innovation with which the colonists overcame the extreme difficulties that they came against.

As from then, settlers started complaining of the quality of the service given by the Chubut River United Irrigation Company. Although the company had embarked on a work plan to improve the area under irrigation, it was not successful mainly due to the lack of technicians, capital and the administrative skills required to organize a rational water distribution system.

These difficulties were compounded, as from the 1930s, by the growing conflict between the farmers and the National Government, because the latter considered the valley's irrigation system as inadequate and offered to make the necessary investments to upgrade it if the colonists agreed to transfer the facilities' ownership to the state.

In 1944 the Company's shareholders found themselves divided into two groups: those who were forced to sign that transfer under pressure (during a shareholder's meeting in which they were locked-in by the authorities of the Comodoro Rivadavia Military Government), and those who refused to do so and sued the state, which started a legal battle that lasted nearly twenty years. The facilities were eventually transferred

to the national state company "Agua y Energía de la Nación"(National Water and Power Facility) –paradoxically, only a short time before Chubut was given full Provincial status– but the legal actions dragged on for years, as did the investments that had been programmed, which turned out to be insufficient as the planned compensatory dam was never built.

Today the Florentino Ameghino dam is privately owned. Even though its construction put an end to the floods and it now provides electricity to the area, the irrigation and drinking water problems in the lower valley and other neighbouring areas are far from being solved.

Simply by starting with the necessary cleaning and maintenance works a much better water utilization could be achieved. If such a basic issue remains unresolved, it is not surprising that a large amount of new proposals were entered at a recent competition for projects for the integral management of water from the Chubut's lower course, including the "Azud Derivador" project for the irrigation of the intermediate plateau. This was put forward by Israel engineers, based on an idea that Juan Moreteau, a French engineer and one of Perito Moreno's collaborators, had come up with in 1910. After almost one and a half centuries since the Colony was founded, the use of the Chubut River waters remains a complex issue, and many of the old problems are still unsolved. The history of

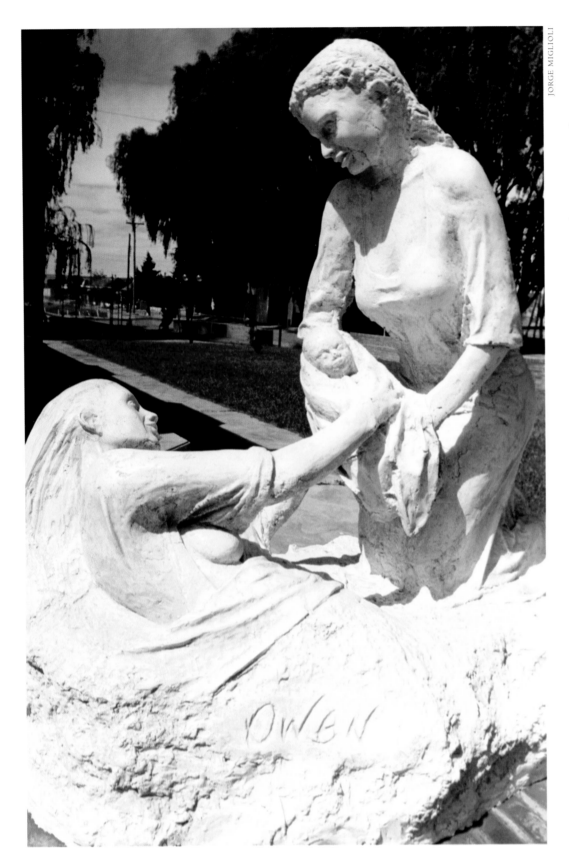

"Las parteras del Valle tienen más que merecido este homenaje que hoy les estamos brindando. De las conversaciones con familiares y descendientes de muchas de ellas, se pueden conocer relatos verdaderamente conmovedores acerca del oficio que les tocó en suerte. Para ellas no había horarios, ni obstáculos climáticos, ni distancias. En noches frías, en inclementes madrugadas, a veces bajo el viento o la lluvia, emprendían el viaje para responder al urgente llamado que tocaba a sus puertas. Tenían clara conciencia de que su presencia, más que necesaria, en algunos casos era imprescindible, y no dudaban en asumir esa responsabilidad con toda hidalguía."

Del discurso pronunciado por Carlos Dante Ferrari el 28 de julio de 2003, durante la inauguración del Monumento a las Parteras del Valle del Chubut en la localidad de 28 de Julio.

"Today, we pay a well-deserved tribute to the Valley midwives. In conversations with their families and descendants we have heard some really moving accounts of the job they were assigned by Destiny. They had no timetables and the weather or the distances were not obstacles. The cold nights, terrible dawns, sometimes even pouring rain or howling winds would not stop them from starting right away when the urgent call came to their door. They fully knew that their presence was always necessary, sometimes even essential, and they had no doubts in generously taking that responsibility."

Extracted from Carlos Dante Ferrari's speech during the unveiling of the Chubut Valley Midwives monument on 28th July, 2003.

Moreno, y es todo un emblema revelador de la complejidad y la vigencia que el uso del agua mantiene, cerca ya del final del tercer medio siglo de historia colonizadora.

Por eso, en el caso del Chubut y, aunque la afirmación resulte más provocativa que académica, bien puede decirse que desde el inicio de la colonización del valle inferior del "río de las vueltas", los galeses siempre anduvieron "a las vueltas" con el río, al que todavía hoy –casi un siglo y medio después– ni ellos ni nadie ha logrado todavía "encontrarle la vuelta".

irrigation has followed a meandering course, just as the one of the Chubut River and nobody, not even the Welsh, seems to have found a way around it.

Uno de los canales que se originan en la Boca Toma del río Chubut, próxima a la localidad de 28 de Julio.

One of the main irrigation canals that start at the water intakes, near the town of 28 de Julio.

Las compuertas originales reforzadas con materiales modernos.

The original sluice gates at the water intakes on the Chubut river have been reinforced with modern materials.

EL VALLE PRODUCTIVO

JORGE MIGLIOLI

La creciente urbanización en la Argentina es un fenómeno del que no escapó el Valle Inferior del Río Chubut; una situación general que en este caso se agravó por la salinización de parte de las tierras de cultivo. Aunque mucha superficie se destina hoy a la ganadería semiextensiva, aún existen chacras que producen alimentos para el consumo regional, incluyendo productos elaborados como quesos, dulces y conservas. Otras, han diversificado su actividad incluyendo el agroturismo. Una incipiente corriente de inmigrantes bolivianos, muy visible entre el alegre alumnado de los colegios en el Valle, también agrega impulso al sector agrícola local.

JORGE MIGLIOLI

JORGE MIGLIOLI

JORGE MIGLIOLI

de este galés se transformó en un verdadero infierno pues debió a cada paso hacer valer sus derechos como primer ocupante y propietario de la tierra que explotaba, ya no sólo frente a los intrusos, como él los llama, sino también ante el Gobierno con asiento en Viedma, que los protegía."

Un segundo contingente galés se asentó en Río Negro, de un modo mejor planificado, hacia 1902 y los buenos resultados perduran hasta hoy.

Todo comenzó en 1899 luego de la "gran inundación" que ocasionó nefastas consecuencias para los colonos y el desarrollo económico de la región: aparte de la caída de casas, capillas y escuelas y la pérdida de las cosechas y canales de riego, hubo un gran número de colonos que, abrumados por la seguidilla de catástrofes naturales que debieron soportar, abandonaron la región y se trasladaron a distintas zonas del país y del exterior como Santa Fe [1], la Isla de Choele Choel en Río Negro y una cifra importante que se radicaron en Canadá.

Eugenio Tello gobernó Chubut antes de ser gobernador del territorio de Río Negro. Su contacto con los galeses le había permitido apreciar sus cualidades para la agricultura y también para realizar obras hidráulicas y de canalización. Solicitó la ayuda del presidente Julio Argentino Roca quien por decreto de mayo de 1900 creó "una colonia agrícola, a cuyo efecto se subdividirá en lotes de cien hectáreas cuadradas, separadas por los caminos generales y vecinales que sean necesarios y cuidando en lo posible que todos los lotes tengan un frente adecuado al río".

Los contactos con los galeses se aceleraron; los colonos Hughes y el ingeniero Eduardo Owen visitaron la isla en abril de l902. Proyectaron un canal de riego y terraplenes. Debían construir bocatomas en el Río Negro y el proyecto contempló 30 kilómetros de canal y 15 kilómetros de terraplenes de defensa.

Un grupo de 41 galeses o descendientes de aquellos que habían arribado en el Mimosa, se trasladaron a la isla a la que llegaron el 24 de septiembre de 1902 y tardaron exactamente un año en la construcción del primer tramo del canal, ya que el 24 de septiembre de l903 se abrieron las compuertas, que posibilitó el riego en parte de la isla y permitió un amplio desarrollo de la actividad agraria, favorecido por la llegada del Ferrocarril Sud.

El humilde centro urbano, nacido en pleno corazón de la Colonia, era llamado Tir Pentre (Tierra de Aldea) por los galeses y más conocido como Villa Galense por los demás. Luego fue oficialmente denominado como Luis Beltrán.

[1] La Colonia Pájaro Blanco surgió del ofrecimiento del gobernador Nicasio Oroño, un gran luchador santafesino de la última mitad del siglo XIX, "parecido a Alberdi por su fe en la inmigración; a Sarmiento por su obsesión escuelera; a Roca por su afán en ampliar el territorio útil y a José Hernández por su defensa del gaucho."

"From the very moment the land this Welshman had settled ceased to be part of the frontier, his life turned into hell. He was constantly forced to assert his rights as the first settler and owner of the land he farmed; not only the usual battle against intruders, as he calls them, but then also against the Government in Viedma, who protected them."

But in 1902 more Welsh left Chubut to settle in Río Negro. Their venture was better planned and succeeded, and its good outcome lasts to this day.

It all started in 1899, after the "great flood." The swollen Chubut River had washed away the settlers' houses, their chapels and school buildings; their crops and the irrigation system were ruined. Overwhelmed by these calamities, a significant number of colonists decided to move away to settle at other places in Argentina or overseas. Some went to Santa Fe province [1], others to the Choele Choel island on the Río Negro, and many moved to Canada.

Eugenio Tello, governor of Río Negro in those years, had been previously the governor of Chubut. He was acquainted with the Welsh colonists, and knew of their qualities as farmers and irrigation-system builders. So he asked President Julio Argentino Roca for help, who issued a decree on May 9, 1900 which authorized "the creation of a farming colony, with 100-ha lots, which will be divided by the necessary main and secondary roads, and taking care that as many lots as possible have and adequate front on the river bank."

Contacts with the disappointed Welsh accelerated; some Hughes colonists and engineer Eduerdo Owen visited the island on April 6, 1902. After inspecting the land, they designed 30 kilometres of irrigation canals and 15-kilometre long embankments with water intakes on the Río Negro.

A group of 41 Welsh finally moved to the island. They arrived on September 24, 1902, and exactly one year later they had finished the first section of the canal: the sluice gates at the water intake were opened to irrigate part of the island on September 24, 1903. From then on, farming developed greatly in the new colony, especially when the Southern Railway reached the area.

The small town at the heart of the colony was named Tir Pentre (The Land of the Village) by the Welsh, and "Villa Galense" (The Welsh Village) by everybody else. Later, authorities officially named it "Luis Beltrán."

[1] The Welsh settlement at the "Pájaro Blanco" Colony was promoted by Governor Nicasio Oroño, a great man from Santa Fe province on the second half of the 19th century who "resembled Alberdi in his faith in immigration; Sarmiento in his obsession for education; Roca in his endeavour to widen the productive territories; and José Hernández in his defence of the 'gaucho.'"

Entrando a Luis Beltrán.
Entering Luis Beltrán.

LAS GALESES EN SARMIENTO

Desde su llegada al Chubut, los galeses exploraron el territorio en todas sus direcciones.

En 1869 John Murray Thomas y sus compañeros remontaron el Río Chico hacia el sur y fueron los primeros en llegar a los lagos Colhué Huapi y Otrón, al que luego en 1876 Francisco P. Moreno bautizaría con el apellido del viajero inglés Jorge Musters, que siete años antes había recorrido la Patagonia en su viaje junto a los tehuelches.

Vale la pena observar que Musters no pasó —en su trayecto de 1869-1870 que alcanzaría merecida notoriedad con la aparición del libro "Vida entre los Patagones"— por el lago que hoy lleva su nombre; en cambio sí lo hizo, al mismo tiempo, el viajero galés como parte de uno de sus frecuentes rocky trips.

En 1871, luego de seguir la costa del Atlántico hasta el Pico Salamanca y torcer hacia el oeste, el líder de la Colonia Galesa Lewis Jones llegó hasta el lago Colhué Huapi en busca de nuevas tierras para cultivar; también, en 1878 lo hizo el primer comisario del Chubut Antonio Oneto, remontando el Río Chico.

En enero de 1886, culminando su famoso viaje inaugural de exploración del territorio del Chubut, el gobernador Fontana y —una vez más— John Murray Thomas, comprobaron junto a los rifleros las buenas condiciones que ofrecía la zona para la producción agrícola y ganadera, tal como lo había anticipado Moreno diez años atrás.

La necesidad de colonizarlas llegó junto a los trabajadores del ferrocarril que pronto unió Puerto Madryn con Trelew. Para cumplir las promesas de tierras formuladas a los recién llegados, hubo que acelerar la expansión de la Colonia del Chubut.

Entre algunas alternativas que los galeses evaluaban para extender el proceso colonizador, figuraban el Valle de los Mártires y Paso de los Indios en Chubut, el valle del Río Deseado en Santa Cruz y el del Río Manso en Río Negro. Ninguna prosperó, aunque sí se concretaron las Colonias 16 de Octubre (Esquel-Trevelin-Corcovado) en 1885 y General Sarmiento en 1897.

En la creación de esta última tuvo un papel destacado Francisco Pietrobelli quien, luego de haber protagonizado durante ocho meses la primer vuelta circular completa al territorio del Chubut, vio llegar las primeras cinco familias galesas y otras pola-

THE WELSH AT "COLONIA SARMIENTO"

Shortly after arriving in Chubut, some of the Welsh immigrants set out to explore the land in all directions. In 1869 John Murray Thomas and his companions went south, up the Río Chico, becoming the first to reach the Colhué Huapi and Otrón lakes. The latter was renamed "Lake Musters" by Francisco P. Moreno in 1876 —after George Musters, the English explorer that had travelled across Patagonia with the Tehuelche natives seven years earlier.

However, during Musters' journey in 1869-70 (which later became widely known through his book "At home with the Patagonians. A year's wandering over untrodden ground from the Straits of Magellan to the Rio Negro") Musters never went near the lake that now bears his name. It was John Murray Thomas, the Welsh explorer, who reached this spot first during one of his many rocky trips.

Looking for new land to farm on, in 1871 Lewis Jones, the Welsh Colony's leader, followed the Atlantic coast south to the Salamanca peak (near today's city of Comodoro Rivadavia), and then turned west to the Colhue Huapi lake. A similar trip was made in 1878 by Antonio Oneto, the first Police Chief of Chubut, but he went along the banks of the Río Chico, a few kilometres inland from the Atlantic.

In January 1886, near the end of the famous Rifleros expedition through the recently established Territory of Chubut, Governor Fontana and —once again— John Murray Thomas confirmed that the area was very good for farming and stock breeding; a fact that Moreno had foreseen ten years before.

The need to expand the Chubut Colony was very urgent, as the workers that came to build the Madryn-Trelew railroad had been promised land to settle on once the line was completed. The options the Welsh considered included the Valley of the Martyrs and the Indian Pass (Paso de los Indios) in Chubut, the Rio Deseado valley in Santa Cruz, and the Rio Manso valley in Rio Negro. But none of these projects materialised; finally, the "Colonia 16 de Octubre" (covering Esquel, Trevelin, and Corcovado) and the "Colonia General Sarmiento" were founded in 1885 and 1897.

Italian Francisco Pietrobelli played an important part in the creation of the Sarmiento Colony. After being the first to encompass the whole of Chubut in an eight-month-long round trip, he was there to witness the arrival of the first five Welsh families

GENTILEZA ROSA JONES.

Walter Jones y su familia.
Walter Jones and his family.

cas, a las orillas del Colhué Huapi. Propiciando la salida al mar de la nueva Colonia, Pietrobelli fundó Comodoro Rivadavia en 1901.

Y así como hubo un *Lewis Jones* que fundó Trelew junto al *Río Chubut* y un *John Jones* que se instaló en la *Boca de la Travesía* sobre el *Río Negro*, también hubo un *Walter Jones* que fue el primer galés en hacerlo junto al *Río Senguer* en *Colonia Sarmiento*. Venía junto a su esposa y a sus dos hijos, en un carro de cuatro ruedas tirado por caballos que tardó meses en llegar, luego de pasar por la Cordillera, arreando al mismo tiempo vacas y ovejas. A su tercer hijo, el primer varón de la nueva Colonia, lo llamó *Guillermo Sarmiento*.

and some Polish ones that settled on the shores of the Colhue Huapí lake. Later, to provide an efficient outlet for the new Colony's produce, in 1901 Pietrobelli founded Comodoro Rivadavia on the Atlantic coast.

And coincidentally, just as there was a *Lewis Jones* who founded *Trelew* on the *River Chubut* and a *John Jones* who was the first to settle at the "*Boca de la Travesía*" on the *Río Negro*, *Walter Jones* was the first Welshman to settle on the *Senguerr River* in *Colonia Sarmiento*. He came with his wife and two children on a horse-drawn wagon and herding his cattle and sheep, a long journey that took him first from the Chubut Colony to the Andes, and only then south to Sarmiento. When his wife had their third child, the first boy to be born at the new colony, they named him "*Guillermo Sarmiento Jones*."

JORGE MIGLIOLI

Deborah Jones de Williams lleva sus 94 años con admirable frescura. Desciende de las primeras familias galesas que poblaron el Valle de Sarmiento. Siendo niño, su padre arribó en 1885 a Puerto Madryn a bordo del vapor Vesta; era hijo de uno de los trabajadores galeses que venían a construir el ferrocarril. Se instalaron inicialmente en el Valle del Chubut, pero la tremenda inundación de 1899 obligó a su familia a migrar hacia Sarmiento, recorriendo el Río Chico hacia el sur junto con otras familias (Deborah recuerda que así vinieron varios Jones, y las familias Williams, Coombes, Roberts, Jenkins, Lambert y Vaughan). En total llegaron a vivir en la Colonia unas 10 familias con aproximadamente 70 pobladores galeses que con el tiempo se fueron dispersando.

Finalizada la guerra anglo-boer, a partir de 1902 el poblamiento de la zona fue completado además con familias sudafricanas, principalmente de origen holandés, que luego de haber vivido por generaciones en ese país emigraron a la Patagonia.

A descendant of the Welsh families that settled early in the Sarmiento Valley, at 94 Deborah Williams (neé Jones) shows remarkable high spirits. Her father arrived to Puerto Madryn on the Vesta steamer in 1885, the young son of a worker that had come to build the railway to Trelew. The family first settled at the Chubut Colony, but the devastating 1899 flood forced them to emigrate south along the Río Chico to the new Sarmiento Colony (she recalls that the members of various Jones families also came this way, as did the Williams, Coombes, Roberts, Jenkins, Lambert, and Vaughan families). Welsh population reached about 70 at its peak, from ten to twelve families living in the area, but many of its members later dispersed. Today almost 10,000 people live in Sarmiento, but very few of them descend from the initial Welsh settlers.

As from 1902 the area was also settled by South African families, mostly of Dutch origin, who after living in that country for generations chose to emigrate to Patagonia at the end of the Anglo-Boer war.

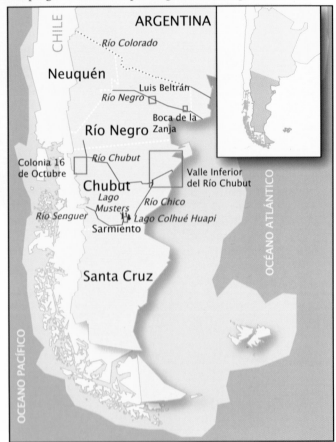

El Museo de 28 de Julio.
The 28 de Julio Museum.

El embalse del Dique Florentino Ameghino y su monumental entorno.
The Florentino Ameghino reservoir is set in monumental surroundings.

JORGE MIGLIOLI

"...son cosas que yo he visto."
"...I only speak of what I've seen with my own eyes."

Igual que esos arbustos que parecieran próximos a abandonar la tierra cuando el viento patagónico los sacude con furia, recuerdo a Tommy Davies esa tarde de marzo de 2003, con su espalda tan doblada por el peso de sus 97 años como erguida en su inmensa dignidad.

Lo estoy viendo al caer el sol frente a su casa de Hyde Park en las afueras de Dolavon tomándose la cintura con una mano mientras que con la otra se ponía y quitaba una y otra vez el sombrero para despedir a la pequeña comitiva que acababa de deleitarse con su lúcida y afectuosa conversación, diciéndonos "vuelvan pronto que los espero".

Todos nos retiramos verdaderamente conmocionados ese día. Por un lado Marcelo, quien ya lo había entrevistado varias veces junto con la Directora del Museo Regional de Gaiman Tegai Roberts, un trabajo que quedó reflejado

Just like those shrubs that seem about to be uprooted when shaken furiously by the Patagonian wind but still prevail, I remember Tommy Davies on that March afternoon in 2003, with his back bent by the weight of his 97 years, and yet with such an upright demeanour.

I can see him at sunset, standing in front of his house in Hyde Park, near Dolavon, one hand on his waist while repeatedly taking his hat off and putting it on again, bidding farewell to the small party that had just enjoyed his lucid, affectionate conversation. I remember him saying "Come again soon. I'll be waiting for you."

We were all returning a bit shaken that day. Even Marcelo, who had interviewed Tommy some time before with Gaiman Regional Museum director Tegai Roberts, (and later produced a beautiful video and a paper titled "All the Val-

"Ellos nos enseñaron a cazar y a sobrevivir en el desierto."
"They taught us how to hunt and survive in the desert."

en un hermoso video y en un escrito titulado "Todo el Valle sembraba trigo".

Y ni que hablar de los que acabábamos de conocerlo. Como la arquitecta Belén Goytía, que nos había guiado esa tarde por las capillas galesas del valle inferior para que Jorge tomara fotografías mientras yo manejaba o compraba dulces y budines caseros, esperando que llegara el momento de visitar a Tommy, despúes de la hora de la siesta.

Nos recibió contento, a pesar de no haberle anticipado la visita, y nos pidió disculpas porque desde hacía un tiempo sólo veía sombras. Igualmente, mientras nos acompañaba al interior de su casa, nos indicó de memoria que había un escalón, que el cerrojo de la puerta principal era el original de la casa levantada para sus padres por el constructor Tom Jones en 1877 o 1878, que los cielorrasos construidos con barro, carrizos y pintados

con cal nunca habían dejado pasar una gotera y que la viga del living era nada más y nada menos que ¡el palo del barco del Capitán Rogers!

En fin, de entrada sentimos estar ingresando a una casa-museo, guiados por un especie de duende gigante que la habitaba desde hacía casi un siglo y que con sólo abrir la boca nos trasladaba por el túnel del tiempo a lo largo de casi toda el proceso de la colonización galesa en el Chubut. Para hablarnos solamente, como se preocupó de reiterarnos un par de veces, de "cosas que yo he visto" dejando así bien aclarado que no le gustaba hablar por boca de otros.

De a ratos agregaba unas ramitas al fuego dentro de una pequeña estufa a leña que había pertenecido al ferrocarril, y de vez en cuando tomaba un viejísimo fuelle para avivarlo. Sentados en la cocina, pudimos observar sobre las paredes hermosos carteles pu-

ley Used to Sow Wheat").

Not to mention those of us who had just met him for the first time that afternoon, including Belén Goytía, an architect who had been our guide on a tour of the Welsh chapels in the valley so Jorge could photograph them, while I drove and stopped from time to time to buy some home-made jam or pudding. All the time anticipating the moment when we would meet Tommy, after the *siesta*.

Although we dropped in on him unannounced, he greeted us cheerfully, and begged pardon for his poor eyesight: nowadays, he said, he could only see shadows. Nevertheless, when showing us in, he pointed at the hefty lock on the door, and mentioned that it was the original one for this house that builder Tom Jones had erected for his parents in 1887 or 1888. Then he warned us to mind a step in the hall, remarked that the roof

was made of reeds covered in mud, and that the ceilings were also plastered with mud and whitewashed. "Never a trickle of water has gone through them in more than a hundred years," he proudly declared. And to top this off, he pointed at a round rafter in one of the rooms and told us that it had been made with, imagine our surprise...the mainmast from Captain Rogers' Ship!

We felt as if we had stumbled into a museum, our guide the resident ghost who had inhabited it for nearly a hundred years. When he spoke, it was like entering a time-tunnel that carried us back along the almost complete span of the Welsh colonization venture in Patagonia. He spoke only of "things he had seen with his own eyes" –first hand experiences– and took pains to make this clear to us: he disliked repeating other people's stories "like a parrot."

From time to time, while

blicitarios de casi 80 años de antigüedad, pertenecientes a las fábricas proveedoras de insumos de aquel tiempo.

Nos contó que su madre había llegado al Valle desde Choele Choel y que su padre había venido desde Pennsylvania. Nos explicó que, cuando levantaron su casa, en todo el trayecto que va desde Rawson hasta Gaiman por el llamado camino de los indios, no había ninguna otra y que apenas existían otras tres que estaban cerca del río.

Ese río que le provoca recuerdos dramáticos, como los de las terribles inundaciones que llenaban el valle de agua de lado a lado y cuya irrupción apenas si daba tiempo para salir corriendo. Lamenta todavía un poco enojado que no se hubiera construido el dique compensador del Embalse Ameghino y que en definitiva el sistema de riego diste mucho de ser óptimo. Nos aclara fastidiado que la instrucción no necesariamente conlleva inteligencia, en referencia a al-

we chatted in the old kitchen, he threw some thin branches into a small iron stove that had belonged to the old railway, and used an ancient bellows to liven up the fire. From where we sat at the kitchen table we could admire some fascinating examples of 80-year-old advertising graphic art that decorated the walls, most of them offering agricultural supplies of one sort or another.

He told us his mother had come to the Chubut Valley form Choele Choel and

his father from Pennsylvania. "When they moved here," he said, "there wasn't a single house on the whole stretch of the Indian road that came from Rawson; only three of them between here and there, but next to the river."

That same river that reminded him of dramatic experiences, such as the terrible floods that swamped the valley and came in so fast that there was barely time to run for dear life. Somewhat annoyed, he complains that the

A los 97 años todavía Tommy Davies mantenía su buen espíritu.
Lamentablemente falleció en 2004.

At 97, a good-spirited Tommy Davies. Unfortunately he passed away in 2004.

gunos técnicos que no supieron escuchar la palabra de los antiguos pobladores.

Entonces nos habló de los indios, diciendo que se trataba de gente buena y muuuy inteligente, para enfatizar con tremendo orgullo: "Mi padre era muy amigo del Cacique Chiquichano. Ellos nos enseñaron a cazar y a sobrevivir en el desierto".

Salimos un rato al patio de la casa para fotografiarlo junto a la vagoneta que usaba su hermano Will en sus viajes a la cordillera y Tommy nos recordó orgulloso que fue su padre quien trajo el primer carro Studebaker a la zona.

Tommy nos habló con total precisión de las cosas de ayer, y a veces su traslado al pasado era tan abrupto que resultaba cómico. Como cuando, por ejemplo, preguntó: "¿Qué saben de fulanita que no me ha escrito desde que se casó?" Nos miramos desorientados hasta responderle que, por ese tiempo, la mayoría de nosotros aún no había nacido. Igualmente nos mandó saludos por si llegábamos a verla a nuestro regreso a la cordillera.

Es que como bien nos lo dijo el propio Tommy "yo fui criado debajo de una palangana" haciendo referencia a que prácticamente toda su vida transcurrió en el Valle. "Una vez fui a Comodoro y hace cuarenta años me tomé el avión de LADE (Líneas Aéreas del Estado) y fui a conocer la cordillera." ¡Por eso aprovechaba nuestra visita para mandarle saludos a los amigos que hace tiempo no veía!

Tommy vivía solo en Hyde Park. El y su hermano, "los muchachos", vivieron solteros. Desde que murió Will, Tommy quedó al cuidado de los nuevos dueños de la que fue su casa, quienes viven en Comodoro y lo tratan muy bien. Nos explicó que a lo mejor pronto lo trasladarían a esa ciudad, ya que no podría seguir viviendo solo durante mucho tiempo debido a su ceguera.

Cada gesto suyo, cada palabra pronunciada con énfasis, cada explicación, cada reflexión, cada broma, cada referencia a los queridos objetos de su casa centenaria, todo constituyó una fiesta para nuestros ojos, para nuestros oídos y para nuestro espíritu.

Le dejamos un budín de regalo que recibió con gusto diciendo "Qué le vamos a hacer, habrá que comerlo nomás". Lo saludamos afectuosamente y nos fuimos satisfechos, dejando su sombra recortada sobre la noche que se aproximaba y prometiéndole volver pronto con la esperanza de reencontrarlo. Y, a decir verdad, desde ese tarde no he podido dejar de recordarlo, como parte de ese paisaje humano que bordea la Ruta de los Galeses.

complementary work on the Ameghino dam complex was never done, and that the irrigation system in the valley is far from ideal. "Some of the engineers paid little attention to what the old settlers had to say," he remarked, implying that formal instruction does not necessarily bring intelligence in its wake.

The he spoke of the Natives, told us that they were good and very intelligent people, and then proudly: "My father was a close friend of Chief Chiquichano. They taught us how to hunt and survive in the desert."

We went outside to take some photographs of him, standing next to the old wagon his brother Will used to drive on his trips to the Andes. With pride, Tommy told us that it was his father who had brought the first Studebaker horse-drawn wagon to this area.

Tommy was very precise when speaking of the past, and he sometimes jumped back in time so abruptly it was amusing, as when he asked "Any news from so-and-so? She hasn't written since she got married." We wondered for a short while and, glancing sideways at each other, we were forced to answer that in those days most of us hadn't been born yet. Anyway, he sent his regards just in case we should see her upon our return.

"Once I went to Comodoro Rivadavia, and another time I took a LADE (a regional state airline) flight to the Cordillera." Tommy said, but he spent most of his time in the Chubut Valley. "I was raised under a tub" is his picturesque description of the life he led. No wonder he seized the opportunity to send regards to his friends of long ago with us!

Tommy was living by himself in Hyde Park. Both he and his brother Will, "the boys" as they were referred to in the community, never married. After Will's death, the new owners of Hyde Park, who are from Comodoro Rivadavia, took care of Tommy. He admitted that maybe soon they would move him to that city, as he could not live alone much longer because of his poor eyesight.

Each of his gestures; each of the emphatic words he spoke; each explanation; each reflection; each of his many jokes; each description of his beloved objects in the centenarian house; our eyes, our ears, and our soul celebrated them all.

We gave him a pudding as a gift, which he gladly accepted: "Well, what can I do? I'll just have to eat it, then." We said our affectionate goodbyes and left, leaving his silhouette behind, cut against the darkening sky. We had promised Tommy we would come again soon and, to say the truth, since that evening he is always on my mind; a part of the human landscape on the roadside of the Route of the Welsh in Patagonia.

CALON LÂN

Corazón Puro

Yo no pido vida ociosa
perlas ni un galardón
pido un Corazón alegre,
un honesto Corazón

(Coro)

Corazón valiente y puro
Luce más que un jardín
sólo un Corazón honesto
canta y cantará sin fin

Si quisiera la riqueza
pronto pierde su valor,
más un Corazón bien limpio
cada día es mejor

(Coro)

Corazón valiente y puro
Luce más que un jardín
sólo un Corazón honesto
canta y cantará sin fin

Mi plegaria día y noche
la elevo al Señor
sólo pido al Dios clemente
un honesto Corazón

(Coro)

Corazón valiente y puro
Luce más que un jardín
sólo un Corazón honesto
canta y cantará sin fin

*Canción popular galesa, tradicional y vibrante, que
se entona a coro incluso al despedir a los muertos.*

A Clean Heart

I seek not life's ease and pleasures,
Earthly riches, pearls nor gold;
Give to me a heart made happy,
Clean and honest to unfold

Chorus:
A clean heart o'erflow'd with goodness,
Fairer than the lily bright;
A clean heart forever singing,
Singing through the day and night

If I cherish earthly treasures
Swift they flee and all is vain;
A clean heart enriched with virtues
Brings to me eternal gain

Chorus:
A clean heart o'erflow'd with goodness,
Fairer than the lily bright;
A clean heart forever singing,
Singing through the day and night

Morn and evening my petition
Wings its flight to heaven in song;
In the name of my Redeemer,
Make my heart clear, pure and strong.

Chorus:
A clean heart o'erflow'd with goodness,
Fairer than the lily bright;
A clean heart forever singing,
Singing through the day and night
(English Translation by Rees Harris)

*Calon Lân is a hymn well loved by children and
adults alike, which is even sung at funerals.*

II

Hacia el Oeste
Go West

Dryngo´r Andes

JORGE MIGLIOLI

En este tramo de la huella conocido como Rocky Trip, las ruedas enllantadas en hierro de los carros dejaron marcas indelebles, aún visibles en la dura superficie luego de cien años.

Still visible on the hard ground after a hundred years, these marks were made by the steel rims of the wagons' skidding wheels. This is the wearisome stretch of the old trail the pioneers called "Rocky Trip."

EN LA PATAGONIA, LAS HUELLAS DURAN PARA SIEMPRE

EVERLASTING TRACKS IN PATAGONIA

Puede decirse que al menos una condición del espacio patagónico ha permanecido inalterable desde siempre para los sentidos de la percepción humana: su persistente capacidad para sacudir nuestro asombro. Un asombro que, más allá de todas las bellezas naturales que alberga el territorio, se alimenta fundamentalmente de algunas inconfundibles sensaciones que se despiertan en nuestro espíritu frente a la desproporción, la desmesura, la diversidad y la excentricidad que el mismo exhibe.

Se trata de una permanente acumulación de contrastes que tantos viajeros describieron a lo largo de los siglos y que podemos verificar con sólo decidirnos a transitar por la Patagonia. Seguramente sea también de esos permanentes contrastes que ofrece este territorio tan bello e inmenso como escasamente poblado, de donde nace además la particular humanidad que todavía exhibe su gente, identificada en el desafío elemental de acortar distancias y superar adversidades, mediante la práctica obligada de una solidaria y distante vecindad.

Es que la personalidad particular de quienes habitan la región pareciera tallada por la rudeza del viento patagónico, un compañero inseparable que —con furia o en transitoria calma— sacude y acaricia alternadamente el mar, las mesetas, los desiertos, los ríos, los lagos, los bosques, las montañas y la vida, invitándonos a vivirla de un modo diferente.

Los contrastes afloran también frente a cualquier indagación temporal que intentemos realizar en la Patagonia acerca de ciertos hechos o circunstancias del pasado reciente, ya que muchas veces esa búsqueda puede remontarnos hasta otra era geológica, sobre todo si caemos cautivos de esa recurrente obsesión por obtener respuestas demasiado precisas. ¡Tanto le cuesta aceptar todavía a nuestra razón que hay respuestas que nunca le serán dadas con la exactitud que a veces pretende!

Pero aceptemos finalmente que es propio de nuestra incomprensible condición humana —eterna paradoja— este impulso irresistible de indagar todo pasado y anticipar el futuro, como parte de un juego con el que graciosamente dejamos escurrir —igual que el reloj de arena— las partículas de nuestro presente. Y permitámonos, una vez más, preguntarnos: ¿cuándo empezó a construirse el camino que conecta el mar y la Cordillera atravesando el desierto del Chubut?

Es una pregunta para la cual seguramente no haya una sola respuesta. Los galeses comenzaron a internarse hacia el desconocido oeste de la Patagonia poco después de su llegada en 1865, aunque ya en

We can say that at least one of the qualities of the vast Patagonian territory has always remained unaltered to human perception, and this is its unfailing ability to fill us with awe. Beyond the natural beauty of this land, this awe is inspired by the unmistakable sensations that the enormity, the diversity and the geographical eccentricity of this territory bring about in our souls.

There is a permanent succession of contrasts, that so many voyagers have described through the centuries, and which we can confirm only when travelling in Patagonia. Surely all these contrasts and the everyday experience of such a vast, sparsely-populated land, have also given birth to another of its trademark peculiarities: the kindness of its people, who acquired their identity through the very basic challenge of making distances shorter and overcoming adversity through the constant practice of an essential solidarity within a very extended and sparse neighbourhood.

The personality of the Patagonian people seems to have been carved by the harsh wind, a permanent companion that —with violence or transitory calmness— alternatively shakes or fondles the sea, the tableau, the desert, the rivers, the lakes, the forests, the mountains, and life itself, as an invitation to live it in a different way.

Contrasts also spring up every time we make an inquiry involving time in Patagonia. Often, when investigating facts or events of the recent past, we end up in another geological era, especially if we are obsessed in getting precise answers to our queries. It's still so hard for reason to accept that some answers will never be as exact as it demands!

But let us accept that this irresistible impulse to delve into the past and anticipate the future is part of our sometimes incomprehensible human nature and, in turn, part of a game in which we sometimes let flow —as in an hourglass— particles of our present. And, once again, let us ask ourselves: When did the road through the desert of Chubut province, connecting the sea and the Andes, begin to be built?

Surely there is more than a single answer to that question. The Welsh started to explore the unknown west of Patagonia not long after they arrived in 1865, but, long before them, in 1535 Simón de Alcazaba's expedition, starting from the southern Atlantic and later following the Río Chico, had reached Las Plumas and Los Altares. The "conquistadores" did not dare penetrate the new province of Nueva León any deeper and, after a troubled return, a mutiny put an end to the first Spanish at-

1535 la expedición de Simón de Alcazaba había llegado hasta Las Plumas y Los Altares, remontando el Río Chico desde el Atlántico Sur. No se atrevieron a seguir entonces la que parecía una desmedida aventura hacia el interior de la Provincia de Nueva León y, luego de un accidentado regreso, una sublevación terminó con el primer intento conquistador español del Chubut y con la vida de su jefe.

Los tehuelches siguieron siendo entonces dueños y señores de ese inmenso corredor durante tres siglos más, transitando sus rastrilladas como lo habían hecho por miles de años, trece mil hasta donde sabemos. Los galeses las exploraron y los siguieron en amistosa convivencia y abrieron después su propia huella –que luego fue camino– hacia el Oeste. Y muchos otros los siguieron detrás. Todos dejaron rastros.

Ahí están todavía las huellas que abrieron los carros tirados por las desaparecidas mulas, los senderos transitados por los audaces choferes de los primitivos automóviles que se atrevieron a seguirlas y las anónimas manos y pisadas humanas que siguen grabadas en la aridez de la meseta.

Son huellas que se resisten a desaparecer, desafiando el contraste final de la vida y de la muerte; que nos invitan a descubrirlas y transitarlas, tal vez como reafirmando esa secreta ilusión con la que aspiramos a vivir y permanecer en la Patagonia, imaginando que a lo mejor en ella, las huellas duran para siempre.

tempt to conquer Chubut, and to the life of its leader as well.

Thus, the Tehuelche remained as sole masters of this immense territory for a further three centuries, roaming the land as they had done for thousands of years; thirteen thousand, to the extent of our knowledge. Then the Welsh came, explored their trails and followed the Natives in friendly coexistence, and later on opened their own trail –that in time became a road– towards the west. And many followed. All left their own imprints on the track.

There they are, in many places still to be seen; the tracks opened by the mule trains, the ones made by the daring drivers aboard their primitive automobiles, and the anonymous human hands and footsteps still engraved on the arid plateau.

These tracks won't fade, defying the final contrast of life and death. They invite us to discover and travel along them, maybe as an affirmation of that secret dream of living and staying in Patagonia, fantasizing that maybe here, our tracks will last forever.

A pocos kilómetros de Paso del Sapo, esta doble visión nos muestra la desmesura del solitario paisaje patagónico y sus poco transitadas rutas.

This double vision of an empty gravel road a few kilometres from Paso del Sapo (Toad's Pass) shows the vastness and solitude of the Patagonian landscape.

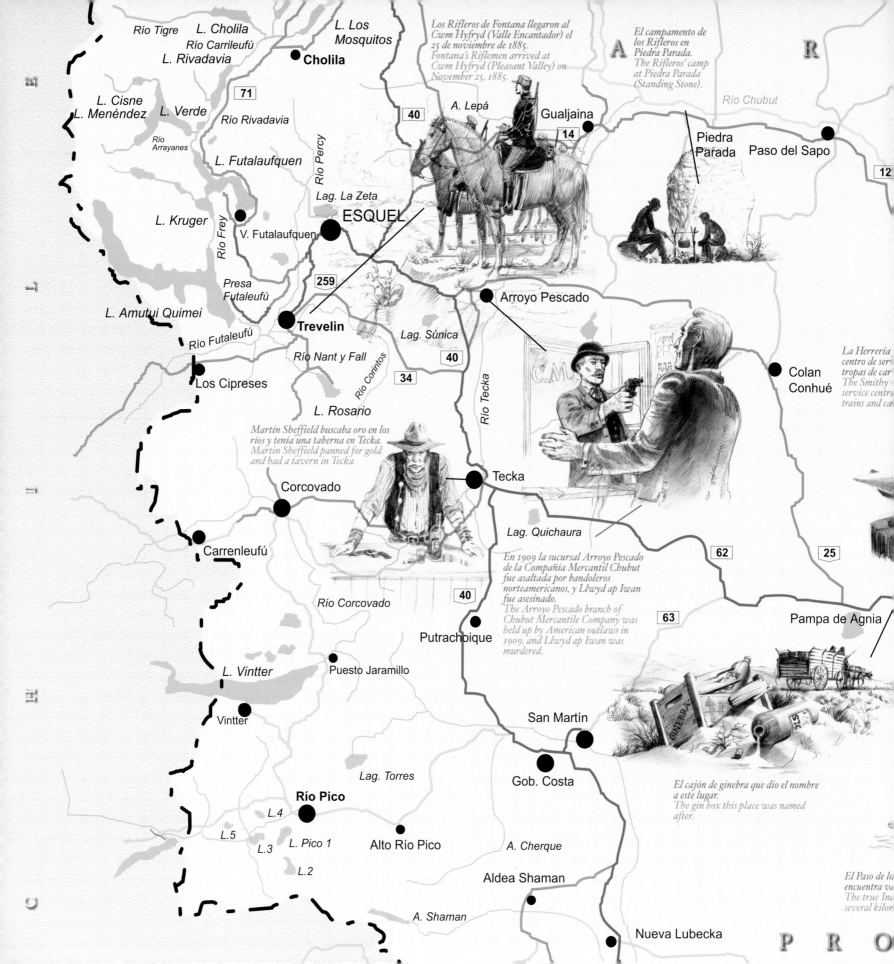

Río Tigre
L. Cholila
Río Carrileufú
L. Rivadavia

L. Los Mosquitos

Cholila

Los Rifleros de Fontana llegaron al Cwm Hyfryd (Valle Encantador) el 25 de noviembre de 1885.
Fontana's Riflemen arrived at Cwm Hyfryd (Pleasant Valley) on November 25, 1885.

El campamento de los Rifleros en Piedra Parada.
The Rifleros' camp at Piedra Parada (Standing Stone).

71

L. Cisne
L. Menéndez
L. Verde

Río Rivadavia

A. Lepá

40

Gualjaina

14

Río Chubut

Piedra Parada

Paso del Sapo

L. Futalaufquen

Río Arrayanes

Río Percy

12

Lag. La Zeta

L. Kruger

Río Frey

V. Futalaufquen

ESQUEL

Presa Futaleufú

259

L. Amutui Quimei

Arroyo Pescado

Trevelin

Río Futaleufú

40

La Herrería centro de ser tropas de car
The Smithy service centr trains and ca

Lag. Súnica

Colan Conhué

Los Cipreses

Río Nant y Fall

Río Corintos

34

Río Tecka

C.M.

L. Rosario

Martín Sheffield buscaba oro en los ríos y tenía una taberna en Tecka.
Martín Sheffield panned for gold and had a tavern in Tecka.

Corcovado

Tecka

Carrenleufú

Lag. Quichaura

62

25

En 1909 la sucursal Arroyo Pescado de la Compañía Mercantil Chubut fue asaltada por bandoleros norteamericanos, y Llwyd ap Iwan fue asesinado.
The Arroyo Pescado branch of Chubut Mercantile Company was held up by American outlaws in 1909, and Llwyd ap Iwan was murdered.

Río Corcovado

40

63

Pampa de Agnia

L. Vintter

Puesto Jaramillo

Putrachoique

Vintter

San Martín

Lag. Torres

Gob. Costa

El cajón de ginebra que dio el nombre a este lugar.
The gin box this place was named after.

Río Pico

L.4

L.5

L.3

L. Pico 1

Alto Río Pico

A. Cherque

L.2

Aldea Shaman

El Paso de la encuentra ve
The true In several kilo

A. Shaman

Nueva Lubecka

A R

A

L

H

C

P R O

La entrada este a Cañadón Carbón.
The eastern entrance to Cañadón Carbón (Coal Ravine).

JORGE MIGLIOLI

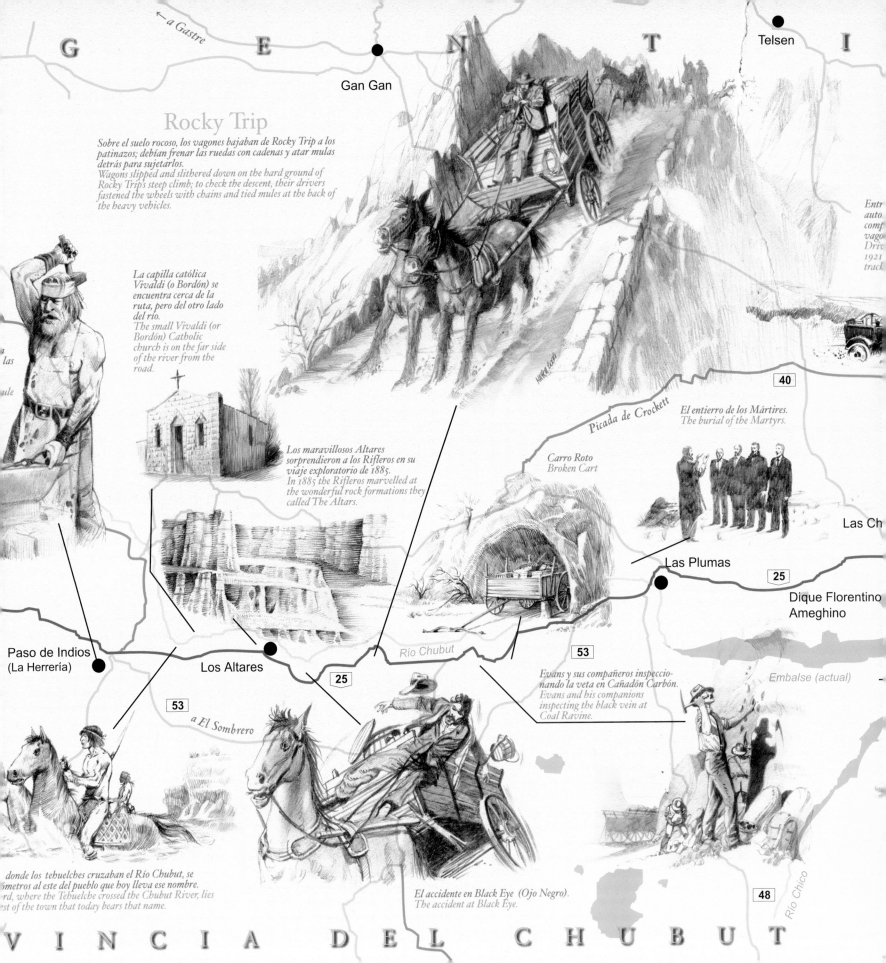

G E N T I

Telsen

Gan Gan

Rocky Trip

Sobre el suelo rocoso, los vagones bajaban de Rocky Trip a los patinazos; debían frenar las ruedas con cadenas y atar mulas detrás para sujetarlos.
Wagons slipped and slithered down on the hard ground of Rocky Trip's steep climb; to check the descent, their drivers fastened the wheels with chains and tied mules at the back of the heavy vehicles.

La capilla católica Vivaldi (o Bordón) se encuentra cerca de la ruta, pero del otro lado del río.
The small Vivaldi (or Bordón) Catholic church is on the far side of the river from the road.

Entr
auto
comp
vago
Driv
1921
track

40

Los maravillosos Altares sorprendieron a los Rifleros en su viaje exploratorio de 1885.
In 1885 the Rifleros marvelled at the wonderful rock formations they called The Altars.

Picada de Crockett

El entierro de los Mártires.
The burial of the Martyrs.

Carro Roto
Broken Cart

Las Ch

Las Plumas

25

Dique Florentino Ameghino

Paso de Indios
(La Herrería)

Los Altares

Río Chubut

53

25

Evans y sus compañeros inspeccionando la veta en Cañadón Carbón.
Evans and his companions inspecting the black vein at Coal Ravine.

Embalse (actual)

53

a El Sombrero

25

donde los tehuelches cruzaban el Río Chubut, se ...ómetros al este del pueblo que hoy lleva ese nombre.
...rd, where the Tehuelche crossed the Chubut River, lies ...est of the town that today bears that name.

El accidente en Black Eye (Ojo Negro).
The accident at Black Eye.

Río Chico

48

V I N C I A   D E L   C H U B U T

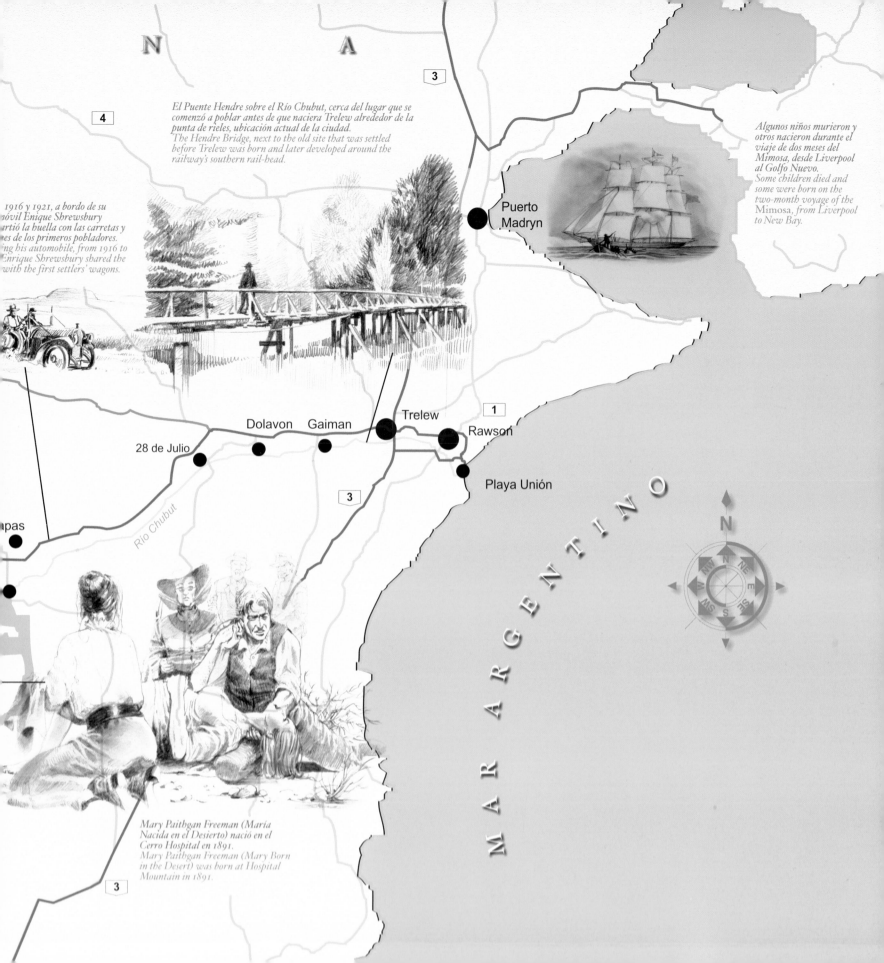

4

El Puente Hendre sobre el Río Chubut, cerca del lugar que se comenzó a poblar antes de que naciera Trelew alrededor de la punta de rieles, ubicación actual de la ciudad.
The Hendre Bridge, next to the old site that was settled before Trelew was born and later developed around the railway's southern rail-head.

*1916 y 1921, a bordo de su
...óvil Enique Shrewsbury
...rtió la huella con las carretas y
...es de los primeros pobladores.
...g his automobile, from 1916 to
...Enrique Shrewsbury shared the
...with the first settlers' wagons.*

Algunos niños murieron y otros nacieron durante el viaje de dos meses del Mimosa, desde Liverpool al Golfo Nuevo.
Some children died and some were born on the two-month voyage of the Mimosa, from Liverpool to New Bay.

Puerto Madryn

Trelew

1

Dolavon   Gaiman

Rawson

28 de Julio

3

Playa Unión

...pas

Río Chubut

3

M A R   A R G E N T I N O

N

Mary Paithgan Freeman (María Nacida en el Desierto) nació en el Cerro Hospital en 1891.
Mary Paithgan Freeman (Mary Born in the Desert) was born at Hospital Mountain in 1891.

3

KILOMETRAJES EN RUTA TRELEW – ESQUEL

Kilometrajes sobre la RN 25

38	Gaiman
56	Dolavon (izq)
74,5	Entrada 28 de Julio (izq)
97,5	Estación Campamento Villegas (der)
107,5	Terraplén del Ferrocarril cruza la ruta
134	Acceso Dique Ameghino (izq)
141	Casa del águila (izq)
168,5	Traza Ferrocarril cruza la ruta
190	Alto Las Plumas (izq)
203,7	Salida huella a sitio Mártires (der)
207	Las Plumas
224,5	Casa Quemada; tumba Jack Lewis (izq); salida camino a El Sombrero (izq)
250	Escondite de los Mártires (izq)
254,5	Monolito natural entrada a Cañadón Carbón (izq)
255,5	Cañadón Carbón (izq)
275	Cerro Cabeza de Buey (der)
281	A esta altura los carros comenzaban a subir a Rocky Trip (izq)
286	Comienza angostura entre la barda y el río
291	Bajada Oeste Rocky Trip (izq)
301	El molle sobre la piedra (izq)
303	Comienzo de la Media Luna
305	Pinturas rupestres (izq)
308	Fin de la Media Luna
310	Los Altares (der)
318	Arca de Noé (der)
331	Establ. María Julia (Iglesia Vi aldi o Bordón) (der)
345	El verdadero paso de los indios (der)
361	RP 12 a Paso Berwyn y Paso del Sapo (der)
366	Paso de Indios (La Herrería)
400	Cajón de Ginebra "Grande" (izq)
407	Cajón de Ginebra "Chico" (der)
419,5	Pampa de Agnia
419,5	RN 25 continúa de ripio a Colán Conhué (der). El asfalto sigue por RP 62, 108 km hasta Tecka

Kilometrajes sobre la RN 40

1608	Tecka
1576	RP 34. Ruta Turística de los Rifleros (izq)
1548	RN 25 a Arroyo Pescado y Colán Conhué (der)
1525	Rotonda RN 259. Acceso a Esquel, Trevelin y la frontera con Chile

TRELEW TO ESQUEL – MILESTONES (KILOMETRES)

Milestones on NH 25 (km)

38	Gaiman
56	Dolavon (left)
74,5	28 de Julio access road (left)
97,5	Villegas Camp railway station (right)
107,5	Highway crosses old railway embankment
134	Ameghino Dam access road (left)
141	Eagle house (left)
168,5	Highway crosses old railway embankment
190	Alto Las Plumas (The Feathers Heights) (left)
203,7	Martyrs site access road (right)
207	Las Plumas (The Feathers)
224,5	Casa Quemada (Burnt Down House); Jack Lewis's tomb (left); "outer" road through The Hat (left)
250	The Martyrs' hiding place (left)
254,5	Lone rock at the entrance of Coal Ravine (left)
255,5	Coal Ravine (left)
275	Ox Head Mountain (right)
281	Around this area the wagons started to climb towards Rocky Trip (left)
286	In this section, the river runs close to the bluff
291	Rocky Trip's western slope (left)
301	The "molle" bush on a rock (left)
303	Beginning of the Media Luna (Crescent)
305	Cave paintings (left)
308	End of the Media Luna (Crescent)
310	Los Altares (The Altars town) (right)
318	Arca de Noé (Noah's Ark) (right)
331	María Julia farm (Vivaldi or Bordón´s Church) (right)
345	The true Indians' Ford (right)
361	PR 12 to Paso Berwyn and Paso del Sapo (right)
366	Paso de Indios (formerly The Smithy) town
400	"Big" Gin Box (left)
407	"Small" Gin Box (right)
419,5	Agnia's Plateau
419,5	NH 25 (a gravel road) to Colán Conhué (right). Paved PH 62 continues 108 km to Tecka

Milestones on NH 40 (km)

1608	Tecka
1576	PH 34. "The Rifleros" tourist road (left)
1548	NH 25 to Arroyo Pescado and Colán Conhué (right)
1525	Road junction; NH 259 to Esquel, Trevelin, and Chilean border

RECORRER LA PATAGONIA

Cada vez más viajeros se trasladan entre Trelew y Esquel uniendo los asentamientos que los galeses denominaron originalmente Y Wladfa (Colonia Galesa junto al valle inferior del Camwy) y Cwm Hyfryd (Valle Encantador en la cordillerana Colonia 16 de Octubre) o, como simplificadamente se decía entonces, entre el Chubut y los Andes.

La mayoría lo hace –desde hace ya varias décadas– transitando por la ruta pavimentada que atraviesa el Chubut en dirección Este-Oeste y que lleva sucesivamente por nombre los números 25 (nacional), 62 (provincial), 40 (nacional) y 259 (nacional). Esta hermosa y panorámica ruta, a pesar de ser el sendero principal de todos cuantos hemos seguido para la edición de este libro, dista bastante de ser la única de las que originalmente siguieron los pioneros.

En efecto, la ruta pavimentada actual –finalizada a principios de la década del '80– lejos de haber seguido un proceso lineal en su construcción, es el resultado de sucesivas modificaciones de trazas tan antiguas como sinuosas, muchas de las cuales permanecen enripiadas y olvidadas a pesar de los interesantes circuitos turísticos que ofrecen, plagados de insólitos paisajes e historias fascinantes. Y algunos tramos del camino que orillaban el río han desaparecido, como uno que se denominaba Palermo Chico.

Más allá de establecer la edad de cada una de las partes que integran los más de 600 km que separan Trelew de Esquel, nos interesaba entender las diversas modalidades mediante las que fueron utilizados sus diversos tramos a lo largo de los últimos 120 años. Por eso mismo, presentaremos aquí distintos trayectos alternativos que hemos transitado, siguiendo las huellas de los pioneros de todos los tiempos.

CUATRO VIAJES DIFERENTES

El primer viaje que describimos es el que hicieron a caballo los Rifleros de Fontana en 1885 en su ruta exploratoria hacia el oeste. Este camino puede recrearse siguiendo la dirección general de la traza pavimentada actual de la ruta nacional N°25 desde Rawson o Trelew hasta poco antes de llegar a la localidad de Paso de Indios. A partir del km 361 actual, nos internamos hacia el noroeste por la ruta provincial N° 12 siguiendo el curso del Río Chubut, como originalmente lo hicieron los Rifleros.

Luego de pasar por parajes y localidades como Cerro Cóndor, Gorro Frigio, Paso del Sapo, Piedra Parada, Gualjaina (km 248) y –tomando la Ruta Provincial N°14– por Arroyo Pescado, y habiendo transitado unos 300 km por el ripio, llegamos al pavimento de la ruta nacional 40, distante unos treinta y tres kilómetros de la

An increasing number of people travel between Trelew and Esquel, joining the settlements the Welsh called Y Wladfa (the Welsh Colony in the lower valley of the Chubut River) and Cwm Hyfryd (the Pleasant Valley of the "16 de Octubre" Colony next to the Cordillera) or, as they used to say, between Chubut and the Andes.

For many decades now, most people travel on the paved road that crosses Chubut province from east to west, successively National Highway 25, Provincial Highway 62, National Highway 40, and finally a short distance on National Highway 259, into Esquel. This beautiful, panoramic road represents a modern version of the main trail we followed in this book, but is far from being the only one the pioneers used.

Today's paved road was finished in the early 1980s, and did not follow a linear construction process, but it was rather the result of successive additions and modifications to the old, winding roads. Many tracts of these old roads remain forgotten and unpaved, but they offer interesting tourist circuits full of striking landscapes and fascinating stories. On the other hand, some stretches along the banks of the Chubut River, as, for instance, the willow grove known as "Palermo Chico," have disappeared.

Beyond establishing the age of each of the roads that are now part of the 600 km paved highway that joins Trelew with Esquel, we really wanted to understand the ways in which they were used during the past 120 years. Accordingly, here we will describe the different routes we have travelled, following the tracks of pioneers of all times.

FOUR DIFFERENT JOURNEYS

The first journey we will describe is the one the Fontana Riflemen made on horseback in 1885, when setting off to explore western Chubut. This route can be recreated today by driving along paved National Highway 25, from Rawson or Trelew, towards the town of Paso de Indios. A few kilometres before that town, at the 361 km mark, we must leave the highway and turn northwest along Provincial Highway 12, a gravel road that follows the course of the Chubut River, as the Riflemen did.

This road takes us through several scenic spots, like Cerro Cóndor, Gorro Frigio, Paso del Sapo, Piedra Parada, and Gualjaina (at km 248), where we turn on to Provincial Highway 14 (practically a country lane) past Arroyo Pescado until, after driving over gravel roads for close to 300 Km, we reach the paved NH 40 just 33 km from Esquel. The Riflemen

ciudad de Esquel. Los Rifleros se tomaron 40 días y nosotros, varias veces uno. Esta ruta original de los colonos galeses pronto fue abandonada para la circulación de los carros, cuando ellos mismos advirtieron que podían acortar su paso por distintas vías que fueron conociendo y que más adelante explicaremos.

El segundo viaje que relatamos es el más habitual, el que realizamos decenas de veces transitando por la ruta pavimentada y que, en sus dos terceras partes, fue también el camino más utilizado por las tropas de carros, por lo menos durante los primeros tiempos. La ruta actual, como ya le anticipamos en nuestra introducción, guarda historias magníficas sobre las que bien vale la pena detenerse. Y sin necesidad de dejar el asfalto, uno se sorprende con un sinfín de curiosidades que habitualmente quedan a un costado del camino, entre las que podemos mencionar el paraje Rocky Trip que le da nombre a este libro.

El tercer viaje que le contaremos es el que hacían los primeros automóviles transitando por la antigua ruta nacional N° 25. Los mismos seguían desde Rawson hasta Las Plumas por una traza cuya dirección general era similar a la actual, aunque con interesantes variaciones que intentamos redescubrir con la ayuda de un formidable testimonio de viaje que hallamos en nuestro propio camino. A partir del paraje conocido como Jackie Lewis en el km 224.5 sobre el pavimento actual, tomamos la traza que utilizaban los automóviles

desde el año 1910 –actual ruta provincial N° 53– dirigiéndonos primero hacia el suroeste rodeando El Sombrero, para luego llegar hasta Paso de Indios en dirección noroeste.

Desde allí seguimos viaje por la ruta pavimentada actual hasta el km 419.5 correspondiente a Pampa de Agnia punto desde el cual la ruta nacional N° 25 continúa enripiada hacia el noroeste pasando por Colán Conhué y Arroyo Pescado, hasta empalmar con el pavimento de la ruta nacional N° 40 ya mencionado, desde donde continuamos viaje hasta Esquel. Este era el típico viaje que tantas personas y familias realizaban hasta hace unos treinta años en automóvil o en colectivo, y que les tomaba al principio tres días y luego dos. En nuestro caso, nuevamente tomamos varias jornadas para recorrer los diferentes tramos de ripio.

Este tercer recorrido nos ayudó también a rescatar los viajes de las tropas de carros de Pujol que, desde más al norte, partían hacia el oeste por la actual ruta provincial N° 4 saliendo directamente desde Puerto Madryn, pasando luego por Telsen y Gastre, antes de dirigirse hacia el sur por Paso del Sapo, Colán Conhué, Arroyo Pescado y entrar a la Colonia 16 de Octubre.

Finalmente el cuarto viaje que realizamos fue circulando desde Esquel a Trelew tomando por la picada de Crockett, la actual ruta provincial N° 40, por la que circulamos desde Paso Berwyn –paraje ubicado cerca de Paso de Indios– hasta Dolavon, localidad ubicada a unos cuarenta kilómetros de

took 40 days to span the total distance, and we covered it many times in one. The western section of this route was soon to be abandoned when the Welsh started travelling by wagon and the mule train routes were established, taking a shorter course we will describe later.

The second journey we will outline is the one people most frequently make on the paved road, two thirds of which was also the route the mule trains used, at least during the early years. As we have mentioned in the introduction, there are so many fascinating stories related to this route, that stops at some of the mentioned sites are, no doubt, worthwhile. Without leaving the pavement, one can see many curious and interesting places on the roadside. For instance, Rocky Trip, the site that gave this book its name.

The third journey we will describe is the one the first automobiles made, on the old National Highway 25. The drivers left Rawson and went to Las Plumas on a road that kept to the same general design of the present one –albeit with some interesting variations we rediscovered through a written account we stumbled on during our journey. At a place known as Jackie Lewis, at km 224.5 of the present paved road, we turned southwest towards El Sombrero on today's Provincial Route 53 (a gravel road), just as the old cars did as from the 1910s. From El Sombrero we turned northwest, until we reached Paso de Indios.

From this small town we followed the present paved

highway again to km 419,5 at Pampa de Agnia where we turned northwest on NH 25 –from there on, a gravel road– towards Colán Conhué and Arroyo Pescado, finally joining the pavement again (now NH 40) and turning north to nearby Esquel. This was the typical route for automobiles and buses until 30 years ago, which took them three days at first, and two later on. Once again, we travelled it several times, stopping on the way and exploring the old gravel roads.

This third journey also helped us reconstruct the route of the Pujol mule trains, that started from Puerto Madryn on what is now Provincial Highway 4, and then headed for Telsen and Gastre, later turning south towards Paso del Sapo, Colán Conhué, Arroyo Pescado, and finally reaching the "16 de Octubre" Colony in the Andes.

Finally, the fourth journey we made was from Esquel to Trelew taking the Crockett trail, today's Provincial Highway 40, which we took from Paso Berwyn, near Paso de Indios, to Dolavon, some 40 Km from Trelew. We travelled 350 km on gravel roads through a veritable, deserted Patagonian tableau.

At this point, we wish to warn our readers that these we describe are the main roads, but not the only ones one can take within the scope of what we have globally called "The Route of the Welsh in Patagonia." As you will find later on in this book, there are many other trails the Welsh colonists used; we have chosen the

JORGE MIGLIOLI

Trelew. Transitamos por ella trescientos cincuenta kilómetros de ripio que atraviesan una verdadera pampa patagónica.

Deseamos formular algunas advertencias acerca de estos viajes que describiremos, sin pretensiones de guías turísticos, por cierto. En primer lugar, queremos transmitirle que no se trata de los únicos posibles de realizar dentro de la que globalmente hemos denominado La Ruta de los Ga-

ones that are best remembered by the pioneers' descendants, who heard the stories of the epic journeys between Camwy and Cwm Hyfryd directly from their grandparents mouths.

As we have mentioned before, we believe that in Patagonia tracks last forever, which means that there must be many secondary roads that are yet unmarked on maps and guidebooks, and on which any number of alternate routes may be improvised. We would just

Luego del desierto, los montes de sauce criollo eran una fiesta para los viajeros, que risueñamente denominaron "Palermo Chico" a un verde paraje en la entrada de Cañadón Carbón.

After the desert crossing was over, the native willow groves by the river provided relief to the weary travellers. They humorously named this place at the entrance of Cañadón Carbón "Palermo Chico" after a lush, exclusive neighbourhood in the city of Buenos Aires.

ENRIQUE SHREWSBURY

leses en la Patagonia. Como podrá advertirse leyendo diversas partes de este libro, hay muchas otras sendas transitadas por los colonos galeses que escapan a estos itinerarios escogidos por el sentido casi épico con el que sus descendientes recuerdan todavía hoy las travesías entre el Camwy y el Cwm Hyfryd.

Como ya hemos dicho, sospechamos que en la Patagonia los caminos duran para siempre y eso significa, por lo tanto, que existen infinidad de rutas secundarias que ni siquiera figuran en guías o en mapas, por donde pueden improvisarse variantes originales para cualquiera de estos viajes. Simplemente nos permitiremos recomendarle que se tome responsablemente la libertad de seguirlas, consultando con los pobladores de la zona para evitar sorpresas desagradables. Los caminos patagónicos pueden resultar muy poco recomendables en ciertas circunstancias y, en invierno o primavera, directamente pueden quedar cortados por el agua o la nieve.

Porque además, detenerse a conversar con la gente de campo en la Patagonia, lejos de demorar el camino, permite vislumbrar otros en nuestras mentes y en nuestros corazones. Es lo que se descubre cuando algún percance lo detiene a uno en el camino y recibe el gesto solidario y espontáneo de la gente.

Pero mejor que esperarlo, es desarrollar el hábito de detenernos voluntariamente en cualquier puesto, casa, comercio o estancia para disfrutar de la conversación sobre temas e

historias sencillos y cautivantes, de ayer y de hoy, que los pobladores patagónicos saben contar tan bien, hablando sin prisa del tiempo y de la esquila, de sus proyectos y anhelos, de sus angustias y añoranzas, de cuándo fue que vieron el último puma o de cuál fue la nevada más brava que recuerdan. Esos cuentos son caminos que siempre nos quedan por descubrir y que suelen revelarnos el paisaje humano en toda su dimensión.

Como dice Marcelo Gavirati, uno de nuestros queridos compañeros durante este viaje: "Las grandes distancias patagónicas implicaron para sus primitivos habitantes, los tehuelches; y también para los pioneros de fines del siglo XIX y comienzos del XX, la necesidad de viajar, de recorrerla: para conseguir recursos, para conseguir tierras, para comunicarse, para aprenderla, para vivir. Está en la esencia –pues– de los patagónicos, los primitivos, los pioneros, y también los actuales, nativos o por opción; la de ser viajeros, la de transitar las distancias, para comprender las soledades y disfrutar los encuentros."

like to encourage you to contact the local inhabitants before taking one of these roads, to avoid unpleasant surprises. Travelling along these isolated Patagonian roads can be highly inadvisable under certain circumstances: in winter and in spring they may be directly cut off by snow or floods.

But then, by taking time off to stop and chat with the country folk in Patagonia, far from delaying our trip, we will often find other highways opening up in our minds and hearts. That is what one encounters if one runs into trouble or has a breakdown in the middle of nowhere, and these friendly people invariably stop to lend a hand.

But, rather than wait for such an occasion to occur, why not stop purposefully at any outpost, house, shop, or estancia to enjoy some conversation on simple matters, such as the weather and sheep shearing, or of these people's projects and hopes, their griev-

ances and anxieties, about the last time they saw a puma, or which was the toughest blizzard they remember. Those are roads that always remain to be discovered, and they often reveal the human landscape of Patagonia in its full dimension.

As Marcelo Gavirati, a dear fellow traveller in the making of this book wrote: "The great distances in Patagonia implanted in its first inhabitants, the Tehuelche, and later the pioneers at the end of the 19th and early 20th centuries the need to travel, to traverse: to tap its resources or fetch supplies, to get land, to communicate, to learn about the land, to live. It is, therefore, in the essence of all Patagonians –the primitive, the pioneers, and even the contemporary ones, whether native or by choice– to be consummate travellers, to cover great distances so as to understand the loneliness and enjoy the meetings."

Rastros de dos culturas que se encontraron en suelo patagónico.
Traces of the two cultures that met on Patagonian soil.

JORGE MIGLIOLI

JORGE MIGLIOLI

Estos altares
¿habrán sido cincelados por el diluvio
para el holocausto de los dinosaurios?
¡aquellos, que en las alocadas hecatombes
alcanzaron a ver el alba de los Andes!

A esta hora enmudece la Patagonia toda
al grito de los chenques.

Por eso
apoyo el oído para escuchar las rogativas
que repiten, que repiten sus mensajes
en extraños ecos guturales.

Todo es misterio...
la historia ha quedado sepultada
en las catacumbas del silencio.

Los Altares, del libro Eurgain de Owen Tydur Jones

Those altars
Have they been chiselled by the Flood
For the holocaust of the dinosaurs?
Those who, during the wild cataclysms
Could watch the dawn of the Andes!

At this hour all Patagonia is silenced
By the cries of the Tehuelche tombs.

That is why
I put my ear to the ground and hear the pleadings
That repeat, that repeat their words
In strange guttural echoes.

All is a mystery...
History has been buried
In the catacombs of silence.

The Altars, from the book "Eurgain" by Owen Tydur Jones

131

Un día de septiembre, decidimos pernoctar cerca de los altares, para acercarnos a los mismos al día siguiente transitando por la margen norte del río. Bien temprano, después de cruzar el río por la pasarela ubicada un par de kilómetros al este de la localidad de Los Altares, iniciamos la caminata orillando el río en dirección oeste. Sin mucha dificultad, superamos una angostura que nos obligó a realizar un breve "rocky trip" hasta llegar a una altura desde donde comenzamos a disfrutar de vistas hermosas y pintorescas: del pequeño pueblo que dejábamos detrás, de los recodos del Chubut, del fondo del valle que alguna vez abrió el río y de una de sus inmensas bardas desde cuyas alturas las bandurrias nos saludaban con sus graznidos. Después de caminar junto al río y subir apenas unos metros, aparecieron alineadas en primer plano esas moles cuyas formas y colores tanto cuesta capturar en las fotografías, ya que cambian todo el tiempo según demos un paso en uno u otro sentido. Pero ese día vimos bien claro, de izquierda a derecha, una iglesia, un altar y una catedral, "cincelados por el diluvio para el holocausto de los dinosaurios" y para el disfrute de quienes, a pié o a caballo, se animen a seguir las huellas de los Rifleros de Fontana, que bautizaron el sitio en 1885.

LOS ALTARES

FOTOS: JORGE MIGLIOLI

PATAGONIA, UN PARQUE GEOLÓGICO Y PALEONTOLÓGICO

PATAGONIA, A GEOLOGICAL AND PALEONTHOLOGICAL PARK

Jorge A. Berizzo

I. UNIDOS AL AFRICA. LA GRAN RUPTURA. A LA DERIVA.

El viajero que observa retozar las ballenas en el Golfo Nuevo jamás podrá suponer que a pocos cientos de kilómetros hacia el este de esa costa, ahora monótona y sin relieve, se produjo, hace 230 millones de años, es decir a comienzos del Período Triásico, uno de los episodios mas dramáticos de nuestra historia geológica. Por aquellos tiempos, nuestro territorio formaba parte del Sub-Continente de "Gondwana", integrado por Sudamérica, África, India, Australia, Nueva Zelanda y la Antártida, los que a la vez formaban parte de un Supercontinente denominado "Pangea" (Pan: Toda, Gea: Tierra) que reunía todas las tierras que emergían sobre las aguas.

Por causas que aún no comprendemos totalmente, el Supercontinente se fragmentó y comenzó el proceso que conocemos como "Deriva Continental", que aún continúa y cuyos efectos más notables fueron la creación del Océano Atlántico y nuestra independencia como Continente.

La deriva de los continentes ocurre debido a que éstos están fijados sobre placas rígidas que "flotan" sobre la Astenósfera, una capa viscosa del manto terrestre. Los procesos que existen en las profundidades de la tierra son capaces de mover, levantar y hundir continentes enteros. Por ejemplo, África y Sudamérica se separan a razón de 10 cm por año. No sólo eso, el sur de África se ha elevado unos 300 metros durante los últimos 20 millones de años.

Estos procesos tuvieron efectos catastróficos sobre los seres vivos, ocasionando la mayor extinción conocida, desapareciendo el 91% de los invertebrados, el 78% de los reptiles, el 67% de los anfibios y más del 60% de los insectos. En comparación, la extinción del Cretácico-Terciario que produjo la desaparición de los dinosaurios, fue más leve ya que "solo" eliminó el 47% de los géneros preexistentes.

Este episodio estuvo signado por una gran actividad volcánica a nivel planetario, y las cantidades de lava y cenizas sepultaron las rocas más antiguas de nuestro borde continental, ocultándolas. Sólo un pequeño afloramiento de este basamento antiguo aparece todavía a unos 50 Km al oeste de Puerto Madryn.

La historia posterior fue relativamente tranquila y relacionada con procesos de ascenso y descenso del nivel oceánico que se adentró profundamente en nuestro continente. Durante los últimos 25 millones de años estos ingresos marinos dejaron depósitos sedimentarios, sobre los que

I. JOINED WITH AFRICA. THE GREAT RUPTURE. ADRIFT.

Visitors who admire the whales in the Golfo Nuevo gulf would never imagine that, a few kilometres east of the somewhat plain and monotonous coast, 230 million years ago, at the beginning of the Triassic period, one of the most dramatic episodes of our geological history took place. At the time, our territory was a part of "Gondwana," a huge sub-continent formed by South America, Africa, India, Australia, New Zealand, and the Antarctic, which at the same time integrated a super-continent called "Pangea" (Pan: all; Gea: land) that held all the dry land on the planet.

Later, this super-continent fragmented and an ongoing process called "continental drift" started. We don't yet fully understand the causes of this phenomenon, its most remarkable effects being the creation of the Atlantic Ocean and America as a separate continent.

Continental drift results from continents being fixed to rigid plates "floating" on the astenosphere, a viscous layer of the Earth's crust. Events that take place deep in the planet can move, raise, and lower whole continents. For instance, Africa and South America are drifting apart at a rate of 10 cm a year. And southern Africa has risen about 300 metres during the last 20 million years.

These events had catastrophic effects on living beings. They caused the largest known extinction, including 91% of invertebrates, 78% of reptiles, 67% of amphibians, and more than 60% of insects. By comparison, the Cretaceous-Tertiary extinction that caused the dinosaurs to disappear was a gentle one, as it "only" eliminated 47% the genera living at the time.

There was great volcanic activity throughout the planet during this episode, that buried the older rocks on the shores of what today is Chubut province under a layer of lava and ashes. Only a small outcrop of the ancient base emerges 50 km west of Puerto Madryn.

History was later relatively untroubled, but with ocean levels rising and falling, and therefore penetrating deeply into our continent. These marine floods left abundant sediments during the last 25 million years, on which erosion carved the present landscape of coastal terraces.

II. THE GREAT CRETACEOUS BASIN. A DINOSAUR GALLERY.

As mentioned before, the plateaus around the lower valley of the Chubut River are

la erosión talló en nuestra costa su actual configuración de terrazas escalonadas.

II. LA GRAN CUENCA CRETÁCICA. GALERÍA DE DINOSAURIOS.

Las mesetas que rodean al valle inferior del Río Chubut están labradas en sedimentos marinos de unos 25 millones de años que recubren rocas volcánicas bastante más antiguas, del Jurásico.

A sólo 200 kilómetros de la costa del Atlántico y luego de atravesar estas mesetas, el viajero llega al primer umbral geológico. Allí comienza un rápido descenso hacia la pequeña localidad de Las Plumas ubicada en el valle del Río Chubut. El cambio de paisaje es brusco y llamativo. Hay una verdadera explosión de colores y de nuevas geoformas. Si bien el rojo es el color predominante, hay amarillos, verdes y violetas. Las formas talladas por el agua y el viento en estos sedimentos continentales son sorprendentes. Evidentemente estamos frente a algo "diferente"; estamos penetrando en la Gran Cuenca Cretácica característica de la provincia del Chubut.

De aquí hasta mas allá de "Paso de Indios", unos 170 km hacia el oeste, atravesamos una comarca geológica especial desde todo punto de vista. En este dilatado espacio alcanzó su apogeo, para luego desaparecer, una gran variedad de dinosaurios, reptiles y los primeros mamíferos. Durante un lapso que se extendió por unos 65 millones de años y aprovechando condiciones geológicas y climáticas relativamente estables, estas especies evolucionaron y predominaron. Los dinosaurios podían vagar entre el Pacífico y el Atlántico, atravesando serranías bajas, lagos y ríos, en medio de una flora selvática exuberante. En los museos de Rawson, Trelew y Puerto Madryn pueden verse restos de dinosaurios y otros reptiles, peces, invertebrados y plantas de aquella época. De aquellos tiempos son los grandes troncos petrificados que suelen encontrarse en la ruta. El período Cretácico culmina en nuestra región con una nueva penetración de los océanos aprovechando zonas naturalmente deprimidas. Los sedimentos dejados por este ingreso marino pueden verse en el valle medio del Río Chubut. Las costas de este mar fueron pobladas por una gran variedad de invertebrados marinos y terrestres, dinosaurios, reptiles marinos (plesiosaurios, grandes cocodrilos, etc.) y finalmente, los primeros mamíferos.

Poco antes de "Pampa de Agnia" el viajero alcanza el segundo umbral geológico dejando atrás el borde occidental de la cuenca cretácica. El paisaje adquiere nuevamente un carácter gris y monótono sólo interrumpido por la aparición de los primeros cordones montañosos de la Patagonia Central.

III. TERRENOS ANTIGUOS.

En ese punto, el viajero está atravesando la parte más carved out of 25 million-year-old marine sediments that cover much older Jurassic rocks.

Just 200 km from the Atlantic coast and after crossing this plateau, travellers going west reach the first geological threshold on their route. A quick descent towards the small town of Las Plumas, in the Chubut valley, offers a sudden, fascinating change. An explosion of colours and forms reveals itself to our eyes; predominantly red, but also yellow, green, and violet. These astonishing formations we see were sculpted by water and wind on the continental sediments. We are evidently facing something "different," and are about to enter the distinctive Great Cretaceous Basin of Chubut province.

From this point to beyond Paso de Indios, about 170 km west, the road goes through a unique geological area, where a great variety of dinosaurs, reptiles, and the first mammals thrived for 65 million years. Enjoying this period of relatively stable geological and climatic conditions, they evolved and dominated the land. Dinosaurs were able to roam between the Pacific and the Atlantic, crossing low hills, lakes, rivers, and surrounded by an exuberant jungle. The remains of some dinosaurs and other reptiles, fish, invertebrates, and plants of that period can be seen at museums in Rawson, Trelew, and Puerto Madryn. The large petrified trunks disseminated along the road belong to that era too. The Cretaceous period came to a close in this region with a new penetration of the ocean through the low lying areas, and the sediments this invasion left behind can be observed in the central valley of the Chubut River. The shores of this sea were inhabited by a great variety of marine and terrestrial invertebrates, dinosaurs, marine reptiles (plesiosaurs, great crocodiles) and, towards the end, the first mammals.

Before Pampa de Agnia, travellers leave the western border of the Cretaceous Basin behind and reach the second geological threshold. The landscape turns grey and monotonous again, only interrupted by the first mountain chains of Central Patagonia.

III. ANCIENT LANDS

At this point, we are crossing the oldest part of our region, that area that was the western coast of Gondwana, then bathed by a different, distant Pacific Ocean.

The post-Paleozoic history tells us that since the Jurassic period (-180 to -130 million years) this region has always remained as dry land. Its surface was only covered for short periods by local, shallow seas. Later, on this surface many different continental vegetal fossils accumulated, and a period of intense volcanic activity deposited great amounts of lava and ashes that contributed to form the landscape of a high plateau among low mountain chains that the area shows today.

antigua de nuestra región, aquella porción de nuestro continente que, cuando formaba parte del Supercontinente de Gondwana, constituía su "Costa Occidental", entonces bañada por un Océano Pacífico diferente y distante.

La historia post-paleozoica de la comarca indica que, desde el Jurásico (-180 a -130 millones de años) la región ha permanecido como un continente y solo ha sido cubierta localmente y por cortos lapsos por mares epicontinentales de muy poca profundidad y persistencia. Sobre esta superficie se acumularon posteriormente una gran variedad de sedimentos continentales con restos fósiles de vegetales y una potente serie de vulcanitas que contribuyen a otorgarle su aspecto de meseta elevada entre sierras de baja altura.

IV. LA COLISIÓN CON LA PLACA PACÍFICA Y EL NACIMIENTO DE LA CORDILLERA ANDINA.

Al iniciar el descenso hacia Tecka, el viajero abandona los terrenos antiguos y penetra el área de la Precordillera Patagónica y luego, nuestra Cordillera Andina. Estas montañas son el fruto la "colisión" entre la Placa Continental Sudamericana (más liviana) desplazándose hacia el oeste y la Placa Oceánica Pacífica (más densa) incrustándose por debajo del continente. Obviamente, esta colisión, con su tremenda generación de energía motivó, motiva y seguirá motivando una serie de eventos geológicos de gran magnitud continental y un marcado cambio en el paisaje, en la fauna y en el clima. Todos estos fenómenos se desarrollaron principalmente durante el Período Terciario (entre –65 m.a. y -2 m.a.). La Patagonia entró para ese entonces, en un activo vulcanismo. Las acumulaciones de cenizas (tobas) y lavas basálticas predominaron hasta el final del período. Mientras esto ocurría, al promediar el Terciario, en las áreas deprimidas ingresaba nuevamente el mar. Esta vez, el Océano Atlántico penetró hasta el pie de la por entonces incipiente Cordillera de los Andes. Estos depósitos marinos y continentales son fácilmente visibles en la margen sur del lago Nahuel Huapi. Hacia fines del Terciario la Cordillera de los Andes ya había sufrido un pulso de ascenso importante que le hizo ganar altura hasta el nivel actual. El resultado fue el creciente control de los vientos húmedos del oeste y el despuntar, aún lejano, de la desertización de nuestra Patagonia. La selva emigraba rápidamente hacia el norte del continente sudamericano y, en lo que ahora es la meseta patagónica, era reemplazada por corredores de bosque que alternaban con sabanas pastosas. Mientras tanto el vulcanismo no daba tregua y la lluvia de cenizas, arrastrada por los vientos del oeste, se depositó en partes en el fondo de lagunas de agua dulce pobladas de ranas y peces al lado de cañaverales, árboles y otras plantas. Disminuyó la humedad general sobre todo en el área de meseta patagónica mas ale-

IV. THE COLLISION WITH THE PACIFIC PLATE AND THE BIRTH OF THE ANDES.

When descending towards Tecka, travellers leave the ancient lands behind and enter the Patagonian foothills ("Precordillera Patagónica"), and later reach the Andes. These high mountains were formed by the clash of the lighter, westward-drifting South American Continental Plate against the dense Pacific Ocean Plate, which embedded itself under the continent. Obviously this collision generated a tremendous amount of energy. It has caused in the past –is still causing today, and will cause in the future– a series of great geological events on the continent and a marked change in the landscape, fauna, and climate. Most of these events took place during the Tertiary period (-65 to -2 million years), when volcanic activity was intense in Patagonia, and volcanic ash and basaltic lava accumulated. While this happened, during the middle of the Tertiary period the Atlantic Ocean penetrated the continent reaching the foot of the incipient Andes. These marine deposits are easy to spot on the southern shores of the Nahuel Huapi lake. Towards the end of the Tertiary period the Andes had already experienced an important thrust, reaching the altitude they have today and increasingly checking the damp western winds; the desertification process of Patagonia had slowly started. In what today is the Patagonian steppe, forest corridors and grasslands were replacing the jungle that quickly receded north. All the while volcanic activity was very strong, and ashes accumulated on the beds of forest-lined freshwater ponds that were inhabited by fish and frogs. Subsequently, at the end of the Tertiary period a glaciation period of two million years began, that during the Quaternary (-2 to 0 million years) gave the region its present landscape. Huge masses of ice covered ample areas and invaded the lower grounds. The glaciers broadened and deepened the valleys, and when the period ended these remained flooded with water; a constellation of lakes. The frontal moraines of the glaciers are still evident on their eastern borders, through which rivers have carved their way towards the Atlantic. The ice has also shaped the many low-altitude passes that now enable an easy communication between both sides of the Andes.

The great indigenous mammals and some naturalized ones such as the mastodon, glyptodon, and sabre-toothed tigers were extinct by the end of the Pleistocene (about 10,000 to 12,000 years ago). They were soon replaced by other mammal species from North América that migrated to these the southern lands and originated our present native fauna.

As the ice receded and the climate turned milder, man –the most aggressive of predators– came on the scene.

El Parque Paleontológico Bryn Gwyn

El Parque Bryn Gwyn (del galés, 'Loma Blanca'), pertenece al Museo Paleontológico Egidio Fereuglio, de Trelew. Está localizado inmediatamente al sur de una de los primeros asentamientos galeses en el valle inferior del Río Chubut, a escasos kilómetros de Gaiman. Allí tiene lugar una llamativa integración paisajística entre la estepa árida de las mesetas patagónicas, los 'bad lands' de las márgenes del valle del río Chubut y la verde vegetación de este último, configurando un notable contraste de colores y visuales.

Este paseo, con una extensión de aproximadamente 1.000 metros, ofrece un "viaje" de cuarenta millones de años hasta los confines del tiempo, recorriendo la historia biológica y geológica de esta parte del planeta y mostrando su fenomenal dinámica geográfica, climática, animal y vegetal. A través del mismo es posible sumergirse, a partir de las evidencias fósiles encontradas en el recorrido, en los antiguos paisajes marinos y continentales que dominaron alguna vez los desérticos y aislados territorios patagónicos actuales.

The Bryn Gwyn Paleonthological Park

The Bryn Gwyn (White Hill, in Welsh) Park belongs to the Egidio Feruglio Paleonthological Museum of Trelew. It lies just south of one of the first Welsh settlemets in the lower valley of the Chubut River, a few kilometres from Gaiman. There is a striking landscape change at this spot, from the Patagonian steppe at the top, to the "bad lands" on the sides of the valley of the Chubut River and the greenery near the river, which provide great colour and visual contrast.

This 1,000-metre tour is a journey through 40 million years of the biological and geological history of this part of the planet, showing its great geographical, climatic, animal and plant dynamics. The fossil evidences displayed through this short tour allow the visitor to delve into the age-old marine and continental landscapes that once prevailed where now we have the desert-like Patagonian territory.

JORGE MIGLIOLI

JORGE MIGLIOLI

Convenientemente protegido dentro de una pirámide de vidrio, un fósil de Arqtodictys sinclairi, mamífero extinto hace 25 millones de años. En los senderos del parque paleontológico de Bryn Gwyn, la posibilidad de ver fósiles en el lugar de su hallazgo y entender como fueron formados, preservados y extraídos, brinda una más profunda visión del significado de estos antiguos restos.

Conveniently protected under a glass pyramid, this fossil of Arqtodictys sinclairi (a mammal that was exctinct 25 million years ago) lies on the side of the trail. This opportunity to see the fossils right where they were found, and to learn the way they formed and how they were preserved and extracted, enables vistors to acquire a deeper knowledge of their significance.

La sede del Museo Paleontológico Egidio Feruglio en Trelew.
The Egidio Feruglio Paleonthological Museum in Trelew.

jada de la Cordillera, que continuaba ascendiendo. Hacia fines del Terciario comienza un período de glaciaciones que se prolongaron durante el Cuaternario (0 a -2 m.a.) por un par de millones de años más y fueron las que otorgaron su impronta actual a toda la región. Los glaciares cubrieron dilatadas superficies invadiendo los niveles mas bajos

ensanchando y profundizando los valles donde al terminar el período glacial, quedó alojada una constelación de lagos en cuyo extremo oriental es posible identificar las morenas frontales (terrenos de acarreo glacial) a través de los cuales han labrado sus cauces los ríos que vuelcan sus aguas hacia el Atlántico. La acción glaciar se manifiesta también en

la frecuencia de pasos de baja altura que facilitan la comunicación entre ambas vertientes andinas.

El final del Pleistoceno (hace unos 10 a 12.000 años) coincidió con la extinción de los grandes mamíferos autóctonos y de algunos exóticos como los mastodontes, gliptodontes, tigres "dientes de sable", los caballos sudame-

ricanos, etc. y la penetración desde América del Norte de otras especies de mamíferos que reemplazaron a los extintos y que configuran nuestra fauna autóctona actual.

Mientras los hielos se retiraban hacia posiciones más elevadas y el clima se tornaba mas benigno, aparecía en escena el mas importante y agresivo de todos los depredadores: el ser humano.

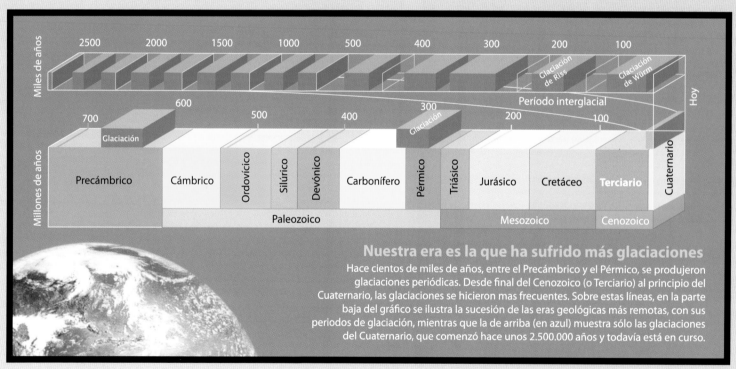

The blue boxes in this graph represent glaciation periods, which were much more frequent in the Quaternary, our era.

GALESES EN SENDAS DE TEHUELCHES

WELSHMEN ON TEHUELCHE TRAILS

Marcelo Gavirati

VIAJANDO POR LA MESETA PATAGÓNICA

La Patagonia "terra incognita" fue recorrida en el siglo pasado por viajeros que procuraron develar sus secretos y que en muchos casos quedaron anclados a ella, aunque más no fuera en el recuerdo, a su misterioso encanto. Cuando se habla de viajeros y exploradores de la Patagonia, se hace en general referencia a los ingleses Darwin y Musters, los italianos Pigafetta y Onelli, los franceses D'Orbigny y De la Vaulx, o los argentinos Moyano, Lista y Moreno. La atracción que este mundo desconocido provocara en la imaginación de los lectores transformó en verdaderos clásicos a muchos de los relatos de estos circunstanciales viajeros del desierto. Muy poco conocidas son en cambio —salvo dos honrosas excepciones— las exploraciones llevadas a cabo por un grupo de hombres que sintieron una atracción no sólo abstracta por estas tierras, sino que, cortando sus lazos con el viejo mundo, vinieron a éste a concretar su utopía: una Nueva Gales en Sudamérica.

Las dos excepciones a las que hacíamos referencia son la expedición que finaliza con el trágico episodio del Valle de los Mártires y la más célebre aún Expedición de los Rifleros del Chubut. Pero estas son sólo dos de la larga lista de viajes exploratorios realizados por los colonos galeses, desde 1870 hasta fines del siglo pasado, por tierras patagónicas. Sin pretender agotar el tema, daremos a continuación un panorama de los principales intentos, cuyo desarrollo podemos dividir en dos momentos, teniendo en cuenta el grado de avance de las exploraciones y el momento histórico en que éstas tuvieron lugar.

LAS EXPLORACIONES DE LOS GALESES ENTRE 1870 Y 1882

Luego de superados —implementación del riego e intercambio con los indígenas patagónicos mediante— los contratiempos y dificultades iniciales, los colonos comienzan a partir de 1870 a incursionar dentro de la geografía patagónica. En esta etapa de convivencia solitaria con pampas y tehuelches que se extiende hasta 1882, los avances no superan en ninguno de los casos el meridiano 69, es decir que solo llegan a conocer la mitad oriental de la actual provincia del Chubut:

a) Por el Norte y Noreste: luego del intento fallido de 1870 de llegar a Carmen de Patagones por la costa, ese mismo año tratan de alcanzar el mismo destino internándose en la meseta por las rutas

TRAVELLING ACROSS THE PATAGONIAN PLATEAU

Many explorers have travelled across Patagonia, the "terra incognita," in the 19th century, striving to discover its secrets. In doing so, many also became attached to this land and its mysterious charm, although some only so in their reminiscences. When mentioning these explorers, references are invariably made about Englishmen Darwin and Musters, Italians Pigafetta and Onelli, Frenchmen D'Orbigny and De la Vaulx or Argentines Moyano, Lista, and Moreno. Some of the accounts written by these temporary inhabitants of Patagonia later became classics in their own right, mainly due to the attraction this unknown land produced in their readers' minds.

However, the exploration by a group of people who had a permanent attachment to this land is little known, save for two expeditions about which there has been a lot written. These people had severed their bonds with the old world and settled in Patagonia following a dream: to found a New Wales in South America.

The two exceptions we have mentioned are the expedition that ended with the tragic episode of the "Valle de los Mártires" (Valley of the Martyrs) and the even more famous "Rifleros del Chubut" (Chubut Riflemen) expedition. But these are only two of the many journeys the Welsh settlers undertook to explore Patagonia between 1870 and the end of the century. According to their progress and the time of their occurrence, the following is a short list of their main ventures, which we can divide in two periods.

THE WELSH EXPLORATIONS FROM 1870 T0 1882

Once the initial difficulties were overcome, —after the watering of the crops and the "Indian trade" were secured— the settlers started exploring the land. During this stage, while peacefully coexisting with the Pampa and the Tehuelche, they never went past the 69th meridian, only covering the eastern half of what is now Chubut province.

a) To the north and northwest: after failing to reach Carmen de Patagones following the coast in 1870, they tried again later that year, but this time following the Tehuelche trails, passing through "Ranquilhuau," "Bannau Beido" (Risky Heights) and Gan Gan. But when they arrived at a place called "Kytsakl," Native chief Chiquichán advised them not to go any further, as it was almost impossible to reach Patagones by that route in

tehuelches que pasando por "Ranquilhuau", las "Bannau Beidio" (alturas arriesgadas) y "Gan Gan", llegando hasta "Kytsakl", donde son informados por el cacique "Chiquichán" que les resultaría prácticamente imposible alcanzar Patagones por esa ruta en época estival por lo cual desisten. Al año siguiente llegan hasta Telsen.

b) Centro-este: también en 1871, pero siguiendo el Río Chubut, llegan hasta su afluente, el Río Chico; ese mismo año otro grupo, siguiendo el mismo camino en busca de oro, atraviesa la travesía de "Kela", a la que denominan "Hirdaith Edwin", alcanzando "Kel Kein" (Las Plumas).

c) Sur: en 1877 siguiendo el Río Chico alcanzaron el lago "Colhue Huapi", en un segundo viaje realizado ese mismo año por la misma ruta llegan hasta el Río "Senguer" inferior. Sobre fines de esta etapa avanzando por el camino de la costa llegan hasta la rada "Tilly" en el Golfo San Jorge.

DE 1883 A 1897: EN BUSCA DE MINERALES Y BUENOS CAMPOS

En 1883 –en medio de las campañas de la "Conquista del Desierto– un grupo de jóvenes galeses se dirige hacia el oeste, más allá de lo alcanzado hasta el momento, en búsqueda del dorado metal. Durante el viaje se encuentran con los militares en "Valle de la Iglesia". Los militares que tenían indígenas prisioneros –algunos de los cuales ultiman allí mismo– intentan disuadirlos

de continuar, pero los jóvenes siguen hasta alcanzar "Hafn yr Aur" (Cañadón del oro). Allí John Daniel Evans y una parte del grupo querían continuar, en tanto que William Williams y otro grupo deciden volver. El primer grupo que llegó hasta el arroyo "Lepa", al regresar fue alcanzado por una partida indígena en el sitio hoy conocido con el nombre de Valle de los Mártires. Tres de ellos fueron muertos y el cuarto –Evans– efectuó una milagrosa escapatoria gracias a que el caballo "Malacara" que montaba saltó un tremendo barranco, logrando alejar a su jinete de los indígenas que lo perseguían.

Luego de la "Conquista del Desierto" los indígenas serían separados de sus lugares de origen, confinados en campamentos de reclusión, y en ciertos casos desterrados de la Patagonia. La Colonia Galesa se vio entonces privada del comercio que realizaba con ellos, fuente principal (ver Parte 1) de su economía de exportación. Debe entonces acrecentar su producción y exportación de trigo, y facilitar su salida comercial a través de su puerto natural, en el Golfo Nuevo, para lo cual hacía falta construir un ramal ferroviario de 60 kilómetros.

Por esa época las posibilidades de ocupar tierras en el acotado Valle Inferior del Río Chubut van llegando a su límite. Los colonos se deciden a buscar nuevas tierras para poder efectuar otros asentamientos en los que albergar la cantidad de compatriotas que proyectaban sumar al proyec-

the summer heat. They turned back, and the following year got as far as Telsen.

b) To the center-east: also in 1871, but following the Chubut River, they reached its tributary, the Río Chico river; that same year another group set off searching for gold, and crossed the "Kela" desert land, which they named "Hirdaith Edwin," and reached "Kel Kein" (today the small village of Las Plumas –The Feathers.)

c) To the south: In 1877, travelling up the Río Chico river, they reached the Colhue Huapi lake. That same year they made a second trip on this same route, this time as far as the lower Senguer river. At the end of this period, by a route along the coast they got to Rada Tilly (Tilly Roads) on the San Jorge gulf.

FROM 1883 TO 1897: LOOKING FOR MINERALS AND GOOD FARMLAND

In 1883 –when the "Conquest of the Desert" military campaign of the Argentine army was in full swing– a group of young Welshmen set off westwards, searching for gold in an area that was further from the Colony than any place the settlers had ever reached in this direction. During that trip they ran into a military detail at the "Valle de la Iglesia" (Valley of the Church.). The soldiers were in charge of a group of Native prisoners – some of which were executed at this spot– and the officer in command tried to convince them not to continue, but nevertheless the young men

carried on until they reached "Hafn y Aur" (Gold Creek.). From there, John Daniel Evans and some of his companions wanted to push further west, while William Williams and the rest of the group decided to return. Evans and his group continued for many miles, reaching the Lepa stream and, during their return, a party of Native warriors caught up with them at a place now known as the Valley of the Martyrs. Three of the white men were killed by the Natives and the fourth, Evans, narrowly escaped by jumping down a deep gully with his "Malacara" horse.

After the "Conquest of the Desert" campaign the Natives were displaced from their homelands, confined at prison camps, and in some cases banished from Patagonia. Consequently, the trading the Welsh had with them came to an end. As this activity was, until then, the most important component of their exports, the Welsh needed to compensate this loss by increasing their wheat production and export it through the natural harbour at Golfo Nuevo (New Bay). To speed up this process, a 60-km railroad had to be constructed.

By that time, land was getting scarce in the lower valley of the Chubut River. The Welsh then decided to look for new lands in order to found new colonies where many more of their countrymen and women could settle. They organized several expeditions to achieve this goal.

Probably the most famous

to colonizador. Para cumplir con este objetivo los galeses organizan innumerables expediciones.

Tal vez la más conocida de ellas, es la exploración a la región cordillerana llevada a cabo en el verano de 1885-1886 por 29 hombres, en su mayoría colonos galeses, conocida históricamente como la expedición del Cnel. Luis Jorge Fontana y los Rifleros del Chubut. En el transcurso de la misma los expedicionarios arriban a uno de los más hermosos valles cordilleranos al que llamarán, justamente, "Cwm Hyfryd", que en galés significa "Valle Encantador", donde luego instalarán la Colonia 16 de Octubre, origen de las actuales localidades de Trevelin, Esquel y Corcovado.

A partir de entonces, realizan numerosas expediciones que atravesando la meseta patagónica recorren la zona cordillerana, vaciada ya de presencia indígena, desde el lago Nahuel Huapi en Río Negro hasta el lago Buenos Aires en Santa Cruz, en busca de tierras aptas para la agricultura y la of them was the one that explored the Andes during the summer of 1885-1886 composed of 29 men, mostly Welsh colonists, historically known as the expedition of Colonel Luis Jorge Fontana and the Chubut Riflemen. During their exploration, they reached one of the most beautiful Andean valleys, which they justly named "Cwm Hyfryd," which means "Pleasant Valley" in Welsh. Later, they would establish the "16 de Octubre" Colony there, where the towns of Trevelin, Esquel, and Corcovado were founded.

From then on the Welsh organised many expeditions over the Patagonian plateau, towards the Andes –now empty of Native peoples. They covered a wide area, from Nahuel Huapi lake in today's Río Negro province to Buenos Aires lake in Santa Cruz, always looking for good farmland and minerals.

The few remaining Tehuelche now acted as guides for these expeditions. The Welsh followed their ancient trails and gathered informa-

En 1985, estos descendientes de los pioneros galeses recrearon el viaje de los Rifleros.
In 1985, these descendants of the Welsh re-enacted the Rifleros' journey across Chubut.

minería.

Para realizar sus viajes los galeses cuentan con las informaciones suministradas por los propios tehuelches, que actúan ahora como guías o baqueanos. Siguiendo sus viejas rutas van adquiriendo un conocimiento cabal y pleno de la región en cuanto a geografía, hidrografía, calidad de los suelos, etc. Entre los viajeros se cuenta al propio Lewis Jones, Aaron Jenkins, John Murray Thomas, John Daniel Evans, William Williams y Llwyd ap Iwan. Sus diarios de exploración aportan invalorables datos para la investigación histórica y etnológica.

Los viajeros galeses utilizan generalmente la ruta central –la Ruta de los Galeses– siguiendo el Río Chubut, travesía mediante, hasta Paso de Indios y de allí continúan bordeando nuevamente el río hacía el noroeste hasta el "Lepa", "Fofo Cahuel", etc., o bien, apartándose de su cauce, van directamente hacía el oeste atravesando la zona del "Tecka" o el "Sacmata" hasta la nueva Colonia de "16 de Octubre" o "Cwm Hyfryd" (Valle Encantador) como la llamaban los galeses, creada a partir de las 50 leguas cuadradas otorgadas por el Gobierno Nacional, de acuerdo a lo prometido a los integrantes de la expedición de Fontana y los Rifleros.

En 1887 Asahel P. Bell, gerente de la compañía ferrocarrilera que estaba construyendo el ferrocarril entre la Colonia y el Golfo Nuevo, encara una expedición desde el Valle Inferior del Río Chubut hasta sus nacientes en la zona cordillerana, con el objeto de verificar y evaluar las posibilidades de extender dicha línea férrea hasta esa región e inclusive, buscar un paso para conectar el Atlántico con el Pacífico (Ver Pág 217). De dicha expedición participa Llwyd ap Iwan, recientemente llegado al país como ingeniero de la compañia del ferrocarril.

Los galeses emprenden, para esta época, nuevas exploraciones para ubicar otras colonias y satisfacer así las necesidades de tierra para nuevos inmigrantes galeses, entre ellos los que habían venido con el vapor Vesta para trabajar en la construcción del ferrocarril, ya que la capacidad de ubicación en el Valle Inferior del Río Chubut había sido largamente agotada. Entre 1882 y 1896 William Williams realiza más de veinte viajes, recorriendo buena parte de la meseta y de la zona cordillerana desde el lago Nahuel Huapi en Río Negro hasta el lago Buenos Aires al norte de Santa Cruz, acompañando en este último caso a Llwyd ap Iwan quien dirigía las expediciones de la "Phoenix Patagonian Mining & Land Company".

Entre algunos colonos se da una pequeña fiebre del oro, y se forman algunas compañías para buscar el preciado metal. Así en 1891 "The Welsh Patatagonia Gold Field Syndicate" explora la zona de Corcovado y Tecka en busca de oro. Idéntico fin persigue "The Rio Corintos Gold Mine" que explora el Pico Thomas.

A partir de la "Conquista del Desierto" se abrieron a la tion about the region's geography, its water courses, and soil quality. Among the explorers were Lewis Jones, Aaron Jenkins, John Murray Thomas, John Daniel Evans, William Williams, and Llwyd ap Iwan. Their journals provide invaluable data for historical and ethnological research.

The Welsh travellers usually took the central route –The Route of the Welsh– following the Chubut River and crossing the "Travesía" (desert land) until they reached Paso de Indios. From there, they followed the river to the northeast until they reached Lepa, Fofo Cahuel, etc., or went directly westwards, away from the Chubut River and through the Tecka or "Sacmata" river area to the new "16 de Octubre" Colony at the Cwm Hyfryd. This colony covered an area of 50 square leagues (125,000 ha) which were allotted to the members of the Fontana Riflemen expedition by the National Government, as promised.

In 1887 Mr Asahel P. Bell, manager of the company that was building the railway between the Chubut Colony and the New Gulf, set off on an expedition that covered an area from the lower valley of the Chubut River to its source in the Andes. His goal was to explore the feasibility of extending the railway to that region and even find an adequate pass to join the Atlantic and the Pacific oceans (see page 217). Llwyd ap Iwan, a young engineer that had recently arrived to work on the railway, joined the expedition too.

The Welsh organised many other expeditions at that time, always on the lookout for land for the new immigrants, including the ones that had come aboard the steamer Vesta to work on the construction of the railway. Between 1882 and 1896 William Williams made more than twenty journeys and covered a large area of the tablelands and the Andes from Nahuel Huapi to the Buenos Aires lake. On this last trip he was accompanied by Llwyd ap Iwan, who directed the expeditions for the Phoenix Patagonian Mining & Land Company.

As a result of a little gold fever that erupted among the colonists, some prospecting companies were founded. In 1891 The Welsh Patagonia Gold Field Syndicate explored in the Corcovado and Tecka areas, while The Rio Corintos Gold Mine did the same on the Pico Thomas (Thomas Peak).

After the "Conquest of the Desert" military campaign vast tracts of land were open to occupation by white man. The National Government was in a position to grant them as a prize to the officers of the campaign, rent them, sell them to private investors (individuals or companies), or assign them to colonization projects; the Welsh were no longer alone in Patagonia with their "brothers of the desert." But during Juarez Celman's presidency (1886-1890) corruption contaminated the land allotment process, with vast areas being granted to companies that had been formed solely to

ocupación del hombre blanco vastísimas extensiones de tierra y el Estado Nacional pudo contar con ellas para ser entregadas como premio a los participantes de dicha campaña, entregadas en arrendamiento o vendidas a particulares, o asignadas a proyectos de colonización. Los galeses ya no estaban solos en la Patagonia con sus "hermanos del desierto". Pero durante el gobierno de Juárez Celman (1886-1890) se había producido en el país un gran negociado en el comercio de tierras, se habían formado compañías que obtuvieron importantes extensiones en la región, y, en fin, despilfarrado grandes concesiones a la marchanta, quedando una enorme cantidad de tierras en manos de unos pocos especuladores que no las ocupaban sino que esperaban la suba de su precio. Paradójicamente, gran parte de la Patagonia central y meridional permanecía a fines del siglo XIX y comienzos del XX prácticamente tan o más "desierta" que antes.

speculate on land prices. The absurd result of this "process" was that at the end of the 19th and beginning of the 20th centuries, central and southern Patagonia remained even more deserted than before the military campaign was carried out.

145

"JAMÁS NADIE TUVO AVENTURA TAN FELIZ HACIENDO A LA VEZ UN SERVICIO A LA NACIÓN CON TAN POCO RUIDO Y GASTOS."

"NOBODY EVER HAD SUCH A HAPPY ADVENTURE WHILE SERVING THE NATION WITH SO LITTLE SELF-PROMOTION AND EXPENSE."

Lewis Jones, 1898.

SAMUEL BOOTE Y VAN GORDER

Lewis Jones, fundador de Trelew, circa 1890.
Lewis Jones, the founder of Trelew, circa 1890.

POR LA RUTA DE LOS RIFLEROS DE FONTANA, JUNTO AL COMANDANTE THOMAS Y AL BAQUEANO EVANS

ON THE ROUTE OF FONTANA'S RIFLEMEN, SIDE BY SIDE WITH CAPTAIN THOMAS AND "BAQUEANO" EVANS, THE GUIDE

Estamos en Trelew frente a Juan Federico Thomas, uno de los nietos de John Murray Thomas. Es un ferroviario de 83 años que perdió el tren durante la década del 60; entonces se hizo fotógrafo como su abuelo galés, de quien guarda una magnífica colección de numerosos negativos tomados sobre placas de vidrio que atesoran una porción del patrimonio histórico y cultural del Chubut.

Juan nos cuenta que a poco de llegar al Chubut, el abuelo Thomas –que a los 18 años trabajaba en Gales como contador de una mina– se fue de la Colonia y se radicó en Buenos Aires donde aprendió el castellano y se convirtió en el primero de los inmigrantes galeses en adoptar la nacionalidad argentina. Se empleó en un puesto de confianza de un escocés y con su ayuda financiera, hacia 1874 logró desarrollar una empresa de transporte marítimo y comercial relacionada con el aprovisionamiento de la Colonia, a la que regresó finalmente.

Realizó numerosas exploraciones por todo el territorio del Chubut y en 1885 fue elegido por los colonos para convencer al flamante Gobernador Luis Jorge Fontana, un coronel con vocación exploradora y naturalista, acerca de la necesidad de emprender sin demora la marcha hacia el oeste, adonde el imaginario colectivo de los galeses había trasladado su propia utopía alimentada por los relatos de los tehuelches.

Sus descendientes explican que el dominio del castellano de parte de Thomas resultó fundamental, puesto que eran muy pocos los rifleros que lo hablaban fluidamente. Esto no debe resultar extraño, ya que los galeses hasta ese entonces estaban habituados a hablar en galés entre sí o a lo sumo en lengua tehuelche, aprendida en su convivencia con los pueblos nativos.

Juan F. Thomas, recientemente fallecido, con uno de los negativos de vidrio de la colección de su abuelo John Murray Thomas.

The late Juan F. Thomas holding one of the glass-plate negatives of his grandfather John Murray Thomas's collection.

In Trelew we met Juan Federico Thomas, one of John Murray Thomas's grandsons. He was then 83 years old, a former railwayman that lost his train during the 1960s, when the local branch was closed. He then became a photographer, just like his Welsh grandfather had been, and kept an excellent collection of JMT's glass-plate negatives. A real treasure that records a part of the historical and cultural heritage of Chubut.

Juan told us that his grandfather used to work as an accountant in a mine back in Wales when he was 18. An ambitious young man, not long after arriving aboard the Mimosa he left Chubut and went to live in Buenos Aires, where he learned Spanish and became the first Welsh immigrant to become an Argentine citizen. He was employed as a trustworthy assistant by a Scotsman who, several years later, around 1874, provided the financial assistance he needed to set up a shipping and commercial company that would be one of the Colony's main suppliers. He finally returned to Chubut.

John Murray Thomas made many exploratory trips across Chubut, and in 1885 he was the man the settlers chose to convince Colonel Luis Jorge Fontana –the recently appointed governor of Chubut, who had an inclination for exploration and Nature– of the urgent need to go west, where their collective imagination had transferred their own utopian dreams, now fuelled by the tantalizing Tehuelche descriptions.

Thomas' descendants tell us that his command of Spanish proved to be essential for this task, as very few among the colonists could speak this language; isolated as they were from the rest of the country, they were used to speaking in Welsh among themselves, and in Tehuelche with the Natives.

147

Dado que la aprobación de los recursos oficiales se demoraba, Thomas realizó un ofrecimiento en septiembre de ese año al Gobernador, en nombre de los colonos, consistente en caballos, herramientas y seis mil pesos necesarios para la el viaje exploratorio. Entonces la misma fue autorizada y Thomas designado Comandante de la Compañía de Rifleros por Fontana, que a su vez fue el Jefe de la expedición.

Así como el reverendo Michael D. Jones y su esposa financiaron la emigración desde Gales en 1865, veinte años más tarde John Murray Thomas recurrió a su propio capital para sostener financieramente, junto al resto de los colonos, la marcha al lejano oeste de la Patagonia, cuyo poblamiento promovió luego activamente impulsando nuevos viajes y todo tipo de gestiones a su favor. Antes de partir, la expedición se detuvo para una práctica de tiro en la Estancia Las Piedras de su propiedad, ubicada sobre la margen sud del Río Chubut.

Thomas dejó su testimonio acerca de la expedición en inglés, en un estilo que "tiene el sabor de lo escrito a la luz del fogón después del trajín del día", como señaló Frances Evelyn Roberts quien tradujo las centenarias libretas escritas por este "pequeño hombre pero gran héroe para la historia de Chubut" añadiendo al texto principal del Jefe las anotaciones de otro riflero, William Lloyd Jones Glynn.

In September of that year, as the approval of the official funds for the expedition was taking too long, Thomas, representing the colonists, offered the governor the horses, tools, and six thousand pesos that were necessary to finance the venture. The expedition was then duly authorised and Thomas was appointed Captain of Fontana's Rifle Company, better known as Fontana's Riflemen ("Rifleros de Fontana"). Fontana, in turn, was the Chief of the expedition.

Just as Reverend Michael D. Jones and his wife had financed the Welsh emigration in 1865, twenty years later John Murray Thomas resorted to his own funds to contribute, along with the other settlers, to the long march towards the Patagonian west, the population of which he later actively promoted. Before setting off, the Rifleros expedition stopped for shooting practice at Las Piedras (The Rocks), his farm on the southern bank of the Chubut River.

Thomas, a "small man but a great hero in the history of Chubut" left us his account of the expedition in English, in a style that has "the taste of what is written lit by the campfire at the end of a hard day," as Frances Evelyn Roberts commented in her Spanish translation of the centenarian notebooks. In the edition that came to our hands, she added Rifleman William Lloyd Jones Glyn's notes, enriching Thomas's text even further.

Another, very precise account of this expedition is included in the "baqueano" (guide) John Daniel Evans's memoirs, that have been translated from Welsh into Spanish and published less than a decade ago. But the best known account is the book "An Expedition to Southern Patagonia," written by Fontana in 1886, obviously in Spanish.

Before starting our trip we pored over all this information, plus many other descriptions

Campamento de la Expedición Fontana 1885.
At camp during the Fontana expedition of 1885.

Otro testimonio muy importante y preciso está contenido en las memorias del baqueano John Daniel Evans, traducidas del galés y publicadas hace menos de una década. Aunque el más conocido de todos ellos es el libro "Viaje de una Expedición a la Patagonia Austral" escrito por Fontana en 1886, obviamente en castellano.

Previamente a iniciar nuestro viaje, nos acercamos a todas estas visiones, como así también a varias descripciones de viajes a caballo de esa época, entre ellas una titulada "Del Océano a la Cordillera" publicada por el padre Bernardo Vacchina, referida al viaje de Gobernador Tello a la Cordillera en 1895.

Finalmente, comentamos diversas cuestiones referidas a estos viajes con varios de los jinetes contemporáneos que reeditaron la marcha a caballo en 1985, al cumplirse el primer centenario de la histórica expedición de los Rifleros.

LA TRAVESÍA DE EDWIN Y EL ÁGUILA QUE SALUDA

Como ya dijimos, recorrer hoy la ruta original de los rifleros, aunque más no sea en automóvil como en nuestro caso, significa trasladarse por la Ruta Nacional N° 25 hasta poco antes de la localidad de Paso de Indios para luego tomar por la Ruta Provincial N° 12, remontando el curso del Río Chubut con rumbo noroeste.

Este río sufre un fuerte desvío hacia el sur al principio de su recorrido al atravesar la Patagonia desde la Cordillera hacia el Atlántico. Pero el Río

John Murray Thomas.

Chubut no sólo toma rumbo al sureste en su curso superior, sino también en su curso inferior, donde hace un desvío que hoy está parcialmente inundado por el embalse Florentino Ameghino.

Entre Dolavon y Las Plumas, el camino carretero abandona este desvío hacia el sur del valle por ser más larga la distancia y estrecho y quebrado el terreno, y se interna, siguiendo hacia el oeste, en un llano que por carecer de agua y por su longitud (unas 70 millas ó 112 kilómetros) recibía el nombre de travesía de Edwin, Hirdaith Edwin en galés, o travesía del Kela, para los tehuelches.

La travesía se iniciaba en

of trips made on horseback in those years, including "From the Ocean to the Andes," an account of Governor Tello's journey to the Andes in 1895, written by Father Bernardo Vacchina. And, finally, we had long, juicy conversations about these trips with many of the horsemen who re-enacted the Rifleros expedition in 1985 to mark its 100th anniversary.

EDWIN'S CROSSING AND THE WAVING EAGLE

As we mentioned before, to travel on the original route of the Rifleros by car today, we must take National Highway 25 from Rawson or Trelew until just before the town of Paso

de Indios, and then turn right on Provincial Highway 12, going up the Chubut River course towards the north west.

The Chubut River flows south and southeast on a long stretch of its upper course, before turning east near Paso de Indios, towards the Atlantic. Further downstream, the river turns southeast again in a section of its lower course, describing a long curve now partially flooded by the Florentino Ameghino dam. Between Dolavon and Las Plumas the road that previously ran near the river cuts west, away from this bend. Aside from the shorter distance, the reason for this layout is that the ground along this long curve of the river is too narrow and rough for a road to be built. But on the other hand, the level land the straighter road crosses is a waterless desert; it meant a difficult 70-mile stretch for horses and mules. It was called "Hirdaith Edwin" (Edwin Crossing) by the Welsh, and "Kela" or "Kel-la" by the Tehuelche.

The crossing starts at a place alternatively called "Tierra Salada" (Salty Land), "Cañadón Salado" (Salty Ravine), El Salado (The Salty), or "Zanja Salada" (Salty Ditch, or "Ffos Halen" in Welsh), depending on the text one refers to. This place lies between Dolavon and Campamento Villegas, on the northern bank of the Chubut River, close to the intakes that supply the whole irrigation system of the lower valley with water, the "Boca de Zanja" (Mouth of the Ditch).

In the middle of this steppe-like crossing, on the left-hand side of NH 25 (km 141,

un sitio conocido como Tierra Salada (Tir Halen), Cañadón Salado, El Salado o Zanja Salada (Ffos Halen), según diversos testimonios literarios a los que hemos podido acceder. Está ubicado entre Dolavon y Campamento Villegas, sobre la margen norte del Río Chubut, muy cercano a lo que se conoce como "Boca de la Zanja", donde están las tomas principales que proveen agua de irrigación a todo el Valle Inferior.

En plena travesía, sobre la margen izquierda de la Ruta N° 25 (km 141 a la altura del paraje Las Chapas) encontramos el casco de una estancia patagónica que exhibe un águila blanca de cemento que saluda al pasajero desde una cumbrera. Jorge insistía en averiguar su significado intuyendo que tal vez debía su origen a alguna antigua tradición o leyenda relacionada con los celtas. Después de todo, decía Jorge, el famoso parque nacional de Snowdonia de Gales se llama "Eryri" en galés, que significa "tierra de águilas" y una bandera separatista galesa llevaba la imagen de un águila blanca. El águila –se entusiasmó– también figura en poemas épicos de esa cultura.

Confieso que al principio yo lo escuchaba con indiferencia, más tarde con sorna y por último con resignación. Pero respetando la obsesión despertada por su nueva amiga, observé como se dedicaba a fotografiarla durante los sucesivos viajes que hicimos, enfocándola a gusto –como si fuera una modelo publicitaria– a distintas horas del día y con diferente luz.

Yo me divertía diciéndole que sospechaba que el águila como símbolo poco tenía que ver con la tradición celta, lo que Jorge tampoco pudo confirmar, un poco desilusionado, luego de consultar con un curador de la Biblioteca Nacional de Gales. Pero insistía en averiguar más, con lo cual nos vimos involucrados en una pesquisa que resultó muy divertida.

La estancia del águila había sido vendida hacía relativamente pocos años. Su encargado nos atendió muy amablemente y nos sugirió hablar con el dueño anterior, el contador Riba de Trelew, quien nos dio varias pistas y sugerencias que nos llevaron finalmente hasta el señor Espinel, dueño de la estancia El Puchero; un joven uruguayo de 85 años. El confirmó que la casa del águila había sido construida durante la década del '30 por un constructor italiano llamado Marcos Zulián, y que la estatua en cuestión había sido fabricada en Gaiman. En ese momento, pensamos que el golpe de gracia a la teoría estaba dado y, sinceramente, a pesar de que mi suposición parecía confirmarse, empecé a sentir pena por el águila sin sentido.

Hasta que un día, el encargado de la estación de servicio de Las Chapas nos dijo que frente a ese águila, solían detenerse los micros llenos de turistas que vienen cada año desde Gales.

Quien los lleva hasta allí es Elvey Mac Donald, un argentino que vive en Gales desde hace varias décadas y acompaña cada año a diver-

near Las Chapas), there is an "estancia" homestead. On one of its gables, the main house exhibits an eagle sculpted in white cement that seems to wave at the passersby. Jorge was curious about it, an insisted on finding its meaning in case it were related to some old Celtic tradition or legend. After all, Jorge surmised, the Welsh name for the famous Snowdonia National Park is "Eryri," meaning "Land of Eagles," and, what's more, one of the Welsh Separatist flags depicted a white eagle. "The eagle," Jorge finally remarked with growing enthusiasm, "is also mentioned in some Welsh epic poems."

At first I listened to him with some indifference, later with a bit of sarcasm, and finally with resignation. I watched him photograph the small statue on every trip we made, each time from a different angle and with different lighting, as if it were a fashion model.

I poked fun at him, remarking that I feared the eagle as a symbol had little to do with Welsh tradition, a fact Jorge –somewhat disappointed by then– could not fully confirm with a curator at the National Museum of Wales either. But he insisted in inquiring further, and in this way we ended up being involved in an enjoyable investigation.

The man in charge of the estancia welcomed us kindly, and suggested we should contact the former owner of the property, as the new owner had bought it only a few years ago and knew little of its history. The previous owner turned out to be a person in Tre-

lew we knew well, Mr Riba, who gave us some leads that finally took us to Mr Espinel, a "young" Uruguayan of 85 who owns "El Puchero," a farm near Los Altares. He told us that in the 1930s his family had owned the "eagle" estancia at Las Chapas. They built the main house in those years, and the builder was an Italian named Marcos Zulian, who decorated one of its gables –the one facing the road– with the white eagle. The sculpture had been made in Gaiman, he added. On hearing this, we decided it was time to drop our inquiries; even if what I had supposed seemed to be true, I started to feel sad about the meaningless eagle.

Until one day the man in charge of the Las Chapas gas station told us that buses full of Welsh tourists frequently stopped at that house to admire and photograph the eagle.

We found that their guide was Elvey Mac Donald, an Argentine of Welsh descent now living in Wales. Elvey brings several groups of tourists to Patagonia every year. When showing them the white eagle, he explains that the Tehuelche called this desert crossing "Kel-la," meaning "eagle" in their language, as translated by Burmeister, the renowned naturalist.

But other scholars like Harrington and Casamiquela say otherwise: Kel-la is the Tehuelche word for "martineta" (a crested partridge). Fittingly, we afterwards found an unpublished account of a traveller who had been in the area in 1916, and mentions that near "Campamento Villegas" (km

JORGE MIGLIOLI

Con la última luz de la tarde, una tormenta se cierne sobre la casa del águila. El camión estacionado en su frente revela la aridez de la Travesía, que obliga a los establecimientos a acarrear agua para consumo humano y de la hacienda.

A storm looms over the eagle's house in the late afternoon. The tanker in the foreground is used to haul water from the river for both human and livestock consumption, illustrating the aridity of this place on the Desert Crossing.

sos grupos de viajeros. El les explica, al mostrarles el águila, que los tehuelches denominaban a la travesía con el topónimo Kel-la.

El naturalista Burmeister traduce esta voz como águila, aunque otros estudiosos como Harrington y Casamiquela indicaron luego que Kel-la es la forma con que los tehuelches llamaban a las martinetas. Por

eso, cuál no sería nuestra sorpresa al encontrar el testimonio de un atento e inédito viajero, quien informa que para 1916, cerca del sitio denominado Campamento Villegas (km 97.5) –un lugar árido ubicado a unos 15 km del río– "era tal la cantidad de martinetas en los alrededores, que el dueño del boliche tuvo que hacer un cercado con techo de alambre

97.5, an arid place 15 km away from the Chubut River) "there were so many "martinetas" that the owner of the local bar-cum-store had to roof his chicken run with wire netting to prevent them from eating all the chicken feed."

The truth is that when you drive your car comfortably along the highway –running just a little north of the original

crossing that the Tehuelche recommended Edwin Roberts should make by night to avoid desert fatigue– you will certainly see this eagle and almost surely some "martinetas," in a re-creation of that "metaphor of tolerance" of the Welsh and the Tehuelche, as someone called the previously unheard-of saga of peaceful coexistence they composed together.

En este solitario paraje descansan los restos de los Mártires de 1884.

The 1884 Martyrs' remains were buried in this solitary place.

tejido para poder dar grano a las aves de corral".

Lo cierto es que cuando usted circule cómodamente en automóvil por la ruta, que corre apenas un poco más al norte de esta travesía que los tehuelches enseñaron a Edwin Roberts a transitar de noche para combatir la fatiga del desierto, verá también un águila y seguramente alguna martineta, recreando esa bucólica "metáfora de la tolerancia" que compusieron galeses y tehuelches, como alguien llamó a la inédita y pacífica epopeya de convivencia colonizadora que juntos supieron construir.

También a lo largo de toda esa parte del trayecto, que solía parecernos como una de las más aburridas cuando aún no habíamos aprendido a mirar estos detalles, es posible observar varios boliches de vieja data (km 110 y 134), numerosas perforaciones realizadas en

busca de agua, señaladas por pequeños montículos de tierra blanca (km 178), dos monumentos que recuerdan un penoso accidente que hace una década le costó la vida a un joven ministro de la gobernación y a su acompañante (km 179), algunas viejas estaciones abandonadas del ferrocarril clausurado a principios de los '60 y sus terraplenes que atraviesan varias veces la ruta, ahora despojados de las vías de trocha económica de 0.75 m que llegaban hasta Alto Las Plumas (km 190).

PLUMAS, MÁRTIRES Y ALTARES

Desde allí se bajaba hacia el río donde terminaba la travesía. Los viajeros llegaban normalmente extenuados y Evans apunta en sus memorias de la expedición que "Fontana estaba tan cansado que no

Until we learned to look for details, this part of the route seemed to us the most uneventful. Now we could observe many old country stores (km 110 and 134); the white clay heaps that remain beside some unsuccessful perforations in search of water (km 178); two monuments erected at the place where a young Government official and his companion died in a car accident a decade ago (km 179); some old, abandoned stations of the railway that was closed at the beginning of the 1960s; and its winding embankments –now devoid of their 0.75m narrowgauge rails that went as far as Alto Las Plumas (km 190) crossing the straight highway many times.

FEATHERS, MARTYRS, AND ALTARS

The crossing ended once

the travellers descended from Alto Las Plumas towards the river. They were very tired by the time they reached this spot, as Evans remarked in his memoirs of the Rifleros expedition: "Fontana was so tired he couldn't get off his horse." On that trip they recovered at a place near Las Plumas Valley (Valley of the Feathers), name given to this place by a party of Argentine soldiers who found a load of several tons of "ostrich" (rhea) feathers there in 1882. Another version has it that the name came from the abundant rhea feathers scattered in the area, as this spot was used by the Natives for their rituals, and spent many days camping there.

From there, the expedition, always keeping to the northern bank of the Chubut River, climbed to the plateau towards nearby Valle de los Mártires (Valley of the Mar-

podía bajar del caballo". Esa vez repusieron fuerzas en un sitio ubicado cerca del Valle de Las Plumas, denominación que responde al hallazgo de un cargamento de varias toneladas de plumas de avestruz por parte de soldados argentinos en 1882. Otra versión indica que el nombre le fue dado por la abundancia de plumas dispersas en los alrededores, ya que éste era un lugar donde los indígenas realizaban sus ceremonias, y permanecían varios días acampando allí.

Desde allí los expedicionarios –manteniéndose siempre en la margen norte– subieron hacia la meseta y se trasladaron al vecino Valle de tyrs, km 203.7 of the road, on its right side), named that way by Fontana. They spent some time at the site where the three Welshmen had been killed the previous year, tidying up their tombs and covering them with stones. They also sang a religious hymn. ◑ This valley was known to the Tehuelche as "Kel Kein," meaning "to make a shortcut" or "straighten the curve / the hook." Scholars suggest that it was named that way because at that point the Native trail to the "Chupat" (Chubut River) mouth climbed the high Las Plumas plateau, cutting many miles off the way.

El barranco que saltó el Malacara, hoy.
The dry gully the Malacara jumped, as seen today.

El salto del Malacara, en la versión de Juan A. Castro.
John D. Evans's narrow escape on the Malacara horse,
as illustrated by Juan A. Castro.

los Mártires (km 203.7 a la derecha de la ruta), bautizado así por Fontana. Allí se dedicaron a arreglar las tumbas de los tres galeses asesinados un año atrás y entonaron el himno "Millar de Maravillas"  . Este último valle entonces era conocido por los tehuelches con el nombre de Kel Kein, voz tehuelche que significa "acortar la distancia o hacer una cortada" y que puede traducirse también como "enderezar la curva o enderezar el gancho". Se ha sugerido que este nombre podría aludir al hecho de que allí, en su centro, el camino o huella india hacia la desembocadura del río Chupat subía a la alta planicie de Las Plumas, acortando muchas leguas el trayecto.

Alguna vez se pensó colonizar el valle del Kel Kein, distribuyendo sus tierras entre los inmigrantes —mayormente italianos— llegados para trabajar en el tendido del ferrocarril de Madryn a Trelew. Mucho después se pensó en regarlo con las aguas del Dique Florentino Ameghino, proyecto que tampoco llegó a concretarse. Sus tierras conservan hasta ahora el sino de los mártires que allí yacen enterrados desde 1884. Tal vez algún día puedan dar el mismo salto que un famoso jinete y su caballo dieron aquella vez, superando la adversidad.

Acampados sobre el extremo oeste del Valle de los Mártires, William Lloyd Jones Glynn anotaría optimista el 28 de octubre en su diario "No habrá falta de comida para el hombre ni sustento para los

Many years ago there was a project to colonise the Kel Klein valley by granting land to the immigrants —mostly Italian— who had arrived to work on the construction of the Madryn-Trelew railway, but it never came to be. Years later another project, this time to irrigate the valley with water from the Florentino Ameghino dam, was also dropped. To this day, these lands share the fate of the martyrs that were buried there in 1884. Maybe some day they can leap forward, just as a famous horseman and his horse did that time, overcoming adversity.

At the camp on the western border of the Valley of the Martyrs, an optimistic William Lloyd Jones Glyn noted down in his diary on October 28: "We will not lack food for the men nor nourishment for the animals while we travel along the banks of the Chubut." But following the winding course of the river was not an easy task. Two days later, when they reached a place called "Valle Montoso" (Dyffryn Coedlog –Bushy Valley) Thomas would write in a different mood: "Friday 30th. Started at 9 a.m., up the hill, passed by the foot of a hill, top of the last. Went down to the river, then up hill again, the pass down hill very bad, went down to river again, then up hill again passing by two peaks. Camped by river side ay 4 p.m., felt very tired."

William Lloyd Jones Glyn, probably after replenishing his strength, added some colour: "We travelled for approximately four leagues on a rocky

El Cerro Pico de Gallo, en la "Media Luna" del Río Chubut, cerca de Los Altares.
The "Pico de Gallo" (Cock's Beak) Mountain on the "Media Luna" (Crescent) bend of the Chubut River, near Los Altares.

cial N° 12 con rumbo noroeste. Llegamos a paso Berwyn y nos internamos un poco más en la meseta para conocer el campo de uno de nuestros guías, Chuquin. El nos cuenta que, cuando joven, lo apodaban "el galenso payanquero". Esto se debía a la forma en que arrojaba desde abajo, paralelo al suelo, el lazo para pialar animales en el corral, haciendo lo que se denomina "una payanca". Con este nombre bautizó su estancia.

Era un tarde muy calurosa y, antes de retornar al Río Chubut descansamos y bebimos agua, aliviados por la sombra de los sauces de su casa. Pasamos un hermoso rato, admirando el milagro que un ojo de agua y la constancia pueden lograr en plena meseta árida, y los hermosos colores de las piedras regionales que Lucía, su esposa, pule en un pequeño taller.

Retomamos la Ruta Provincial N° 12, siguiendo siem-

hard work and perseverance can wring an oasis from the arid steppe! In this isolated place, Lucía, Chuquin's wife, spends part of her day in her small workshop polishing stones from the area that have beautiful colours and patterns.

We returned to PH 12 and, always driving along the southern bank of the river; went past "Cerro Cóndor" (Mount Condor –km 57), a place Fontana named Condor's Nest "because there was a fa-

mily of that species with three young birds," even though we understand that the condor only hatch a single chick every other year.

Then we tried to find the site where the true Gold Gully was, the sands of which allured Evans and his young companions in 1884, but only merited a sceptical glance from Fontana and Thomas the following year. However, we were sorry we didn't have an adequate wooden washing

Lugar donde los indios solían cruzar el Chubut. El río aquí describe una gran curva, lo que permitía
encerrar dentro de ella la caballada antes o después del cruce.
The Natives used to ford the Chubut River at this place. Before or after crossing, the wide bend on the
river allowed them to round up their horses and keep them in with ease.

JORGE MIGLIOLI

pre por la margen sud del río; vimos aparecer primero el Cerro Cóndor (km 57), sitio que Fontana denominó Nido de Cóndores "porque en él vivía una familia de esa especie con tres pequeños polluelos" aunque tengamos entendido que esta especie sólo cría uno año por medio.

Tratamos luego de identificar cuál era el verdadero cañadón del oro, cuyas arenas desvelaron a los jóvenes que acompañaron a Evans en 1884 y que merecieron, al visitarlas el año siguiente, la opinión escéptica de Fontana y de Thomas. Lamentamos no tener a mano un plato adecuado para poner en práctica el secreto artesanal del baqueano: quemar previamente el plato para que la grasa o la suciedad depositada en el mismo no haga resbalar alguna "chispita" del mineral que pueda recogerse en las frías aguas de un arroyo cristalino.

Siguiendo las caprichosas e imprevisibles vueltas del Río Chubut, admiramos la aparición del Gorro Frigio (km 83) para el cual, tal como apuntó Fontana, "no se encontraría un nombre más adecuado". Poco después (km 111) cruzamos por primera vez las enormes torres de la línea de alta tensión que, desde el oeste cordillerano, transporta la energía de sus "aguas cayentes" hasta Puerto Madryn, uniendo de esa manera los mismos puntos de partida y de llegada de los colonos galeses.

Hasta Paso del Sapo, las formaciones rocosas que rodean el río nos sorprenderán todo el tiempo. Thomas apunta que "tienen una aparien-

JORGE MIGLIOLI

Ricardo "Chuquin" Berwyn y Sra.

JORGE MIGLIOLI

Cerro Cóndor.

Lavando oro (H. Marras).
Panning for gold.

pan at hand to try our luck at panning for gold, following the baqueano's old method: burning the pan's surface thoroughly before using it, to eliminate any greasy deposit that might let any spec of gold slip away with the water.

After following the winding course of the Chubut for a while, at km 83 we admired the "Gorro Frigio" (Phrygian Cap) mountain which, as Fontana remarked, "could not be named in a more appropriate way." A few kilometres later, at km 111, we passed under the great twin power lines that cross the province from the Andes to Puerto Madryn conveying the energy of the "falling waters" to the industries on the coast, thus joining the same starting and ending points of the Welsh colonists' saga.

All the way to "Paso del Sapo" (The Toad's Ford), the rocky formations along the river are fascinating. Thomas wrote: "The appearance of rocks round about is very peculiar, in some positions looking like an ancient amphitheatre, in others like churches or cathedrals. Do not think I came as high as this (before)."

This valley enjoys a microclimate that allows alfalfa (lucerne), vineyards, aromatic plants, and many types of fruit trees and vegetables to be grown. We made a stop at Mr Julio Simeoni's farm. This is a man who works the land hard and who —with Italian passion— claims that, as in the pioneer's times, in his valley everything still remains to be done; that today only a few

cia muy peculiar: en algunas posiciones parecen antiguos anfiteatros, en otras iglesias o catedrales. No creo que haya llegado aquí en mi viaje anterior".

Nos detuvimos en la casa de un chacarero emprendedor de este formidable valle con un microclima que lo torna excelente no sólo para el cultivo de alfalfa, sino también de viñedos, especies aromáticas y todo tipo de frutales y productos de huerta. Su propietario, el señor Simeoni, nos

dice con pasión que, como en la época de los primeros colonos, todo está por hacerse en este valle. Nos cuenta que en la zona quedaron pocos de los antiguos pobladores y que son muchos los que actualmente están comprando grandes extensiones. Pese a estar relativamente alejado, a casi doscientos kilómetros del asfalto, conserva el espíritu de los pioneros y la esperanza de que su establecimiento se integrará –alguna vez– a un corredor productivo de excelencia

of the old settlers linger there, and that some affluent people from the cities are buying large tracts of land. His homestead is 200 km from the nearest paved road, but nevertheless his pioneering spirit and hopes remain intact. "Sometime in the future," he said, "I might be part of a chain of organic farmers." As Douggie is a long-time friend of his, Julio treated us to a short tour of a nearby cave where he showed us some wonderful cave-paintings he keeps secret to pro-

tect them from vandalism.

Somewhat tired from the trip, we had dinner that night in Paso del Sapo (km 155) at "Magalí," the small, neat inn that belongs to Nilda Sierra. She reminded us that many years ago, Pujol's mule trains used to come to this place on their way down from Gastre, where this man with vision had his main livestock farm. She said this area used to be known as "Rincón de los Leones" (The Lions' Corner) because it was teeming with pumas back

JORGE MIGLIOLI

La línea de alta tensión que cruza la provincia del Chubut desde el dique Futaleufú en los Andes hasta Puerto Madryn sobre el Atlántico. En el fondo, el Cerro Gorro Frigio.

The power line that crosses the province of Chubut from the Futaleufú dam in the Andes to Puerto Madryn on the Atlantic. In the background, the "Gorro Frigio" (Phrygian Cap) Mountain.

JORGE MIGLIOLI

ecológica. Para nuestro regocijo, nos muestra las pinturas rupestres existentes en un alero, en secreto, para protegerlas de posibles depredadores.

Cansados, cenamos esa noche en Paso del Sapo (km 155) en el hospedaje Magalí, de Nilda Sierra, quien nos recordó que por allí bajaban desde el norte las tropas de carros de Pujol que venían desde Gastre, lugar donde este hombre visionario centralizaba los trabajos de su hacienda. El lugar era conocido anteriormente como Rincón de los Leones, en referencia a los numerosos pumas que poblaban la zona. En cambio, el nombre actual del pueblo proviene del apodo —sapo— con el que los viajeros identificaban a un poblador costero de apellido Dichiara ubicado junto al paso.

Hasta por los años '60

sobre el río —siempre el Chubut— había una balsa; y en su margen sur, otro balsero —el colono de origen franco-argelino Pedro Mustafá Grenier— que acudía al escuchar el tañido de un sonoro trozo de riel colgante que batían los viajeros al llegar a este pequeño pueblo, cuyos caminos —de Norte a Sur o de Este a Oeste— cortan o siguen al río, igual que a la esperanza.

Continuando nuestro viaje, en plena soledad nos sorprendió un inmenso campamento cuyas potentes luces iluminaban la famosa Piedra Parada (km 205), a la que antiguamente algunos llamaron La Madre y la Hija, en referencia a otra roca similar mucho más baja que yace a un costado de la principal.

Anteriormente siempre habíamos visitado el lugar de

then. The town's current name derives, apparently, from the nickname —Sapo (Toad)— given to a man called Dichiara who lived on the river bank. As recently as the 1960s, there was no bridge across the river at this point and those who needed to were crossed over on a raft. The operator was a Franco-Algerian settler, Pedro Mustafá Grenier by name, who had a piece of rail suspended from a wire in lieu of a bell, the clanging of which summoned him to fetch the travellers who needed to cross over.

We had to reach Esquel that same night, so we kept on going after dusk. Later, having travelled in dark solitude for some time, we were suddenly dazzled by powerful lights from a big camp, that illuminated the famous "Piedra Parada" (Standing Rock –km 205).

The great rock loomed on the side of the road, like a ghost in the pitch-black night. We had visited this place before by day to photograph the 300-foot high natural monument, standing right in the middle of the Chubut River Valley. Formerly called "The Mother and the Daughter" as the main rock has a smaller one standing next to it, they are the remains of a low volcanic crater. On one occasion, near this wonderful place we walked along the bottom of the narrow, high-walled "Cañadón de la Buitrera" (Vulture's Gully), and also through another, shorter one, that ends at a remarkable natural bridge of stone.

When the Rifleros arrived at this place, Thomas wrote: "Saturday 14th. Started at 9.15 a.m., travelled until 2.10 p.m., making some 7 leagues, very

Entre Paso del Sapo y Gualjaina el paisaje natural y cultural es singular. El valle ha estado poblado por 5.000 años, y en su arte rupestre existen tres etapas: una inicial con motivos geométricos simples; una intermedia donde se agregan grabados; y una final con el desarrollo del "estilo de grecas" (líneas quebradas con ángulos rectos).

Between Paso del Sapo and Gualjaina the natural and cultural landscapes are unique. There has been human presence in this valley for the last 5,000 years. The cave art evolved in three stages: an initial one, with simple, geometrical motifs; an intermediate one, where carvings were added; and a final stage with patterns of broken lines at right angles —also known as "grecas" style.

JORGE MIGLIOLI

día, fotografiando desde distintos ángulos este gigantesco monumento natural de casi 100 metros de altura ubicado en medio del valle del Río Chubut.

Aprendimos que son los restos de una impresionante caldera volcánica. Una vez recorrimos hasta el final el formidable Cañadón de la Buitrera y, otra, uno vecino, más corto y bajo, que conduce a un llamativo y enorme puente de piedra natural.

Thomas había apuntado en su diario al llegar a este lugar: "Hemos armado nuestras camas bajo los árboles, hasta ahora el único árbol que hay en el valle es el sauce. De noche es muy pintoresco ver los fogones y los hombres sentados a su alrededor, me hace pensar en los viajes del Dr. Livingstone en Africa o en las historias del lejano oeste nor-

teamericano".

Al mirar esa noche por el espejo retrovisor las luces que, opacadas por el polvo, se alejaban de nosotros en ese valle mágico, sentimos una mezcla de nostalgia y confusión. Nostalgia por haberlos dejado y no haber podido acampar con ellos. Confusión porque, a esa altura, ya no sabíamos si atrás nuestro habían quedado los Rifleros de la expedición de Fontana o los aventureros de la televisiva expedición Robinson. Pero nos fuimos tranquilos porque —ya casi como en un lindo sueño— sabíamos que un buen guía galés —el baqueano John Daniel Evans ayer o Germán "Loli" Roberts hoy— los estaría acompañando.

Como los rifleros, remontamos el Río Chubut hasta su confluencia con el Río Gualjaina, donde los galeses advirtie-

bad ground for travelling, bushy and sandy, camped by a lone rock situated in the middle of the valley on South side of the river. It has been a very hot day, horses and dogs very tired. Thermometer marked 28 °C. We have our beds in amongst the trees, so far the only trees in the valley are willows, it is very picturesque to see the fires at night and the men sitting around them. Looking through the trees reminds me of Dr. Livingstone's journeys in Africa and the back-woodmen's tales of North America."

Glimpsing through the rear-view mirror, I saw the lights dim and finally disappear behind the cloud of dust the truck raised on the gravel road. We realised that what we had seen was the camp of the TV crew that were filming one

of those open-air reality shows —the Robinson Expedition, we recalled— and that a friend of ours, Loli Roberts, a great athlete from Esquel, was acting as a guide for these people in the area. It was very late and we were very tired after a long trip with many stops, so we were a little confused: were they the Robinson, or the Fontana expeditionary? Anyway, we could rest assured that in either case a good Welsh guide —Roberts or Evans— would be there to take care of them.

As the Rifleros did, we continued along the Chubut until its confluence with the Gualjaina River. At this spot, the Welsh could see that the Native trails turned towards the west, now going up the Gualjaina's course. So they left the Chubut, the sources of which are away to the north. We did the

El agreste paisaje del valle central del Río Chubut al amanecer.
The rugged, wild landscape of the central valley of the Chubut river at dawn.

ron que las sendas indígenas acortaban el paso hacia el oeste siguiendo el curso de este último río: recién entonces abandonaron el Río Chubut cuyas nacientes, como sabemos, están ubicadas bastante más al norte. Los seguimos y, apartándonos un poco de su camino, esa noche decidimos seguir hacia Esquel por el camino más transitado.

Ya regresaríamos de día desde Esquel, distante apenas unos pocos km, para rehacer con tiempo el tramo final de la ruta de los rifleros, recorriendo la angosta Ruta Provincial 14 por el valle del Río Gualjaina, cuyas aguas reciben las del Río Tecka y las del Arroyo Pescado, punto clave de acceso a las actuales ciudades de Esquel y Trevelin.

Pero, por ahora, permítasenos detener este relato en el recuerdo de esa noche mágica, en la que luego de pasar por Piedra Parada, desde el pueblo de Gualjaina decidimos regresar a dormir a Esquel; Jorge y Douggie me despertaron al llegar. Me costó ubicarme. Ninguno de nosotros sabía si le pesaban más los kilómetros o las emociones.

same but, when we arrived at the town of Gualjaina, we decided to turn towards Esquel, a few kilometres away along the main road.

We would return another day to continue the Riflero's path, driving on narrow Provincial Highway 14 through the Gualjaina valley to Arroyo Pescado., where the Tecka River and the Pescado Creek merge and form the Gualjaina, a key point of access to Esquel and Trevelin. But for the time being, we ask readers to please allow us to stop this story here, with the memory of that magic night when we saw a ghostly Piedra Parada, and finally decided, at Gualjaina, to go directly to Esquel following PH 12 to the end.

Jorge and Douggie woke me up when we arrived. I had difficulty in knowing where I was; none of us knew if the kilometres or the emotions weighed most on our body and soul.

Piedra Parada se levanta entre la ruta y el Río Chubut a tan solo 130 kilómetros de Esquel.

Piedra Parada (Standing Rock) lies between the road and the Chubut River, just 130 kilometres from Esquel.

Confluencia entre el Río Gualjaina, de aguas claras, y el más caudaloso y turbio Chubut.

The confluence of the clearwatered Gualjaina and the wider, murky Chubut.

El camino entre Paso del Sapo y Gualjaina recorre un paisaje lleno de atractivas formaciones geológicas.

There are many attractive rock formations along the road from Paso del Sapo to Gualjaina.

LOS CARROS Y SU ROCKY TRIP

THE WAGONS' ROCKY TRIP

LOS PRIMEROS VIAJES CON CARROS, VAGONES Y FAMILIAS

Durante los años posteriores a la Expedición de los Rifleros, se sucedieron diferentes viajes hacia el oeste que quedarían fijados en el imaginario colectivo a través de relatos orales y de memorias escritas por distintos viajeros. Hemos tratado de hacer aquí una reconstrucción aproximada acerca de cómo los carros y los vagones fueron dejando sus marcas en la ruta que hoy transitamos, y también de cómo la ruta fue marcando a su vez el destino de quienes por ella pasaron.

John Daniel Evans, el baqueano, guió a los primeros pobladores con sus vagones a la Colonia 16 de Octubre a fines de 1888 y lo cuenta así:

"Con mucha anticipación preparamos las cosas más necesarias y con nuestro ingenio preparamos bulones especiales que se utilizarían cada vez que los vagones debían cruzar el río; al llegar a la orilla, sacábamos las cajas de dos vagones, las uníamos con los bulones, con este acoplamiento quedaba construida una balsa fuerte y resistente que podía soportar una tonelada si era necesario. Para poder completar esta maniobra teníamos que llevar un fuelle, carbón, dos pares de roldanas dobles suficientemente fuertes para arrastrar tres toneladas, 1000 metros de piola, además de palas, mar-

Campamento durante un viaje a la Cordillera.
Camping during a trip to the Andes.

tillos, picotas y herramientas adecuadas para romper rocas y abrir caminos.

"Comenzamos el viaje a una vida nueva llena de incertidumbre, en el valle de la esperanza. Redactamos un reglamento a seguir que ayudaría a la comitiva a viajar con mayor comodidad y a respetarse mutuamente. El primer artículo establecía que el día domingo era para descansar y reconfortar el espíritu mediante la oración. El sitio de descanso debía tener buenos pastos y agua, ya que nuestra estadía era prolongada. Se eligió como Jefe al señor John Murray Thomas y a tres personas que colaborarían con él. El artículo segundo consistía en que el vagón puntero debía seguir al guía o bien la dirección marcada por él, y si había zanjones debía taparlos, si eran matorrales debía cortarlos, todos los vagones y el carro de bueyes

THE FIRST CROSSINGS WITH CARTS, WAGONS, AND FAMILIES

During the years that followed the Riflemen expedition many trips were made to the west. Through the oral and written accounts of travellers, these early journeys would later become a part of the collective imagery. Based on these accounts, we have tried to build a picture of the way the carts and wagons left their mark on the route we travel today, and also how the route itself marked the fate of those who travelled on it.

In late 1888, "baqueano" John Daniel Evans guided the first settlers towards the new "16 de Octubre" Colony. In his memoirs, he wrote:

"We started to prepare the necessary items with plenty of time. With some creativity, we developed some special bolts

to use every time we had to cross the river; on the bank we would take the wagon bodies and bolt them together to make a strong raft that could carry as much as a ton, if necessary. For this operation, we had to take with us a bellows, coal, two pairs of double-pulleys strong enough to draw three tons, and 1,000 metres of rope. Also spades, hammers, pickaxes, and other adequate tools to break rocks and open the road.

"We set off on our trip towards a new, uncertain life in the valley of hope. We drew up a set of rules we would follow during the trip in order to help the party travel more comfortably and with mutual respect. The first rule was that Sundays were strictly for resting and strengthening our spirit through prayer. The place to be chosen for these stops had to have good pastures and water, as we would be staying there for a while. Mr John Murray Thomas was elected Chief, and three other persons were chosen to help him in his duties. The second rule stated that the leading wagon had to follow the guide, or the direction he marked, and that it was responsible for filling up the gullies and cutting down the bushes it found in its way. All the wagons and the ox cart had to follow in the tracks of the leading wagon, so as to deepen the ruts and clearly mark the road. The lead wagon of one day was the tail wagon

tenían que seguir por el rastro del vagón puntero con el fin de profundizar el camino y dejar las huellas marcadas. El vagón que durante un día era puntero, al día siguiente debía ir a la cola, de esta forma todos tenían la parte buena y la parte mala."

Recordemos que viajar con carros resultaba más lento y, para más seguridad en los primeros viajes con vagones y familias, se elegía marchar el mayor tiempo posible cerca del río, a fin de asegurar el aprovisionamiento de agua para los animales y los viajeros. Por ello, una variante practicada respecto de la ruta original de los Rifleros, consistió en marchar desde el principio por la margen sur del río, a fin de evitar la travesía de Edwin. Se seguía así el mismo camino que el baqueano Evans había realizado al regresar del episodio de los mártires en 1884.

Para seguir este itinerario, se cruzaba el Río Chico antes de su desembocadura en el Chubut. Cerca de este lugar, una original formación rocosa se utilizaba de campamento y pronto comenzó a ser conocida con el nombre de Hospital (*Y Clafdy*), ya que a su cobijo fueron atendidos varios enfermos. En 1891 se detuvo allí una caravana de carros que transportaba a las primeras familias hacia los Andes y se produjo un nacimiento. La niña fue llamada Mary Paithgan (María nacida en el desierto). Su madre, Mary Ann Thomas, sería una partera legendaria de quien tendremos luego oportunidad de hablar. Ella y su esposo William Freeman, dejaron sendos diarios

de viaje inéditos que hemos tenido oportunidad de traducir por primera vez al castellano en el curso de este trabajo. Algunos años después, los carros volvieron a la Travesía cuando el señor Cecilio Crespo (un óptimo señor argentino de Carmen de Patagones, como lo describiera Francisco Pietrobelli, fundador de Comodoro Rivadavia), realizó el primer trazado de un camino de carros sobre la travesía, rumbo al Valle de las Plumas.

Hablando de los viajes de carros en general bordeando el Chubut, diremos que sus protagonistas tuvieron que enfrentar muchísimas peripecias para circular cerca del río entre el Valle de los Mártires y el Paso de los Indios, donde debían sortear estrechas angosturas y peligrosas barrancas. Los mejores relatos de viaje acerca de esta parte del trayecto, están referidos a las desventuras que protagonizaron los primeros sulkys, carros y vagones en las recurrentes subidas y bajadas que efectuaban entre el río y las lomas rocosas en diferentes partes del mismo. Volviendo al viaje de 1888, en esa ocasión además de ocho vagones, los colonos llevaban también un sulky y un carro que no llegaron a destino, pero que dieron sus nombres a dos sitios del camino.

CARRO ROTO

El carro roto era uno tirado por bueyes que pertenecía a William Jones Kansas y que, conducido por su hijo David junto a otros dos muchachos, venía muy demorado respecto del resto de la expedición.

JORGE MIGLIOLI

El paraje Carro Roto.
"Carro Roto" (Broken Cart).

on the next, so in this way all would experience both hardship and easy travel."

We must bear in mind that travelling with wagons was a lot slower than riding on horseback. On the first trips with the families, to ensure the water supply for both animals and people and for security reasons the caravans stayed close to the river as much as possible. Therefore, to avoid the waterless Edwin's Crossing, they took a different route than that of the Riflemen and followed the southern bank of the Chubut River from the start. In this way, they travelled along the same path "baqueano" Evans had followed when returning home after the Martyr's episode in 1884.

To do this, they forded the Río Chico river just before it joined the Chubut. Near this place a rock formation that offered shelter to the tra-

vellers started to be known as the "Hospital" (Y Clafdy). During one of the journeys to the Andes a girl was born there, and she was named Mary Paithgan (Mary born in the desert). Mary Ann Thomas, her mother, would later be a legendary midwife. Mary Ann and her husband, William Freeman, each left their family a yet-unpublished diary of their early journeys, which we took the opportunity to translate into Spanish during our research.

Some years later, the wagons started taking the shorter route through Edwin's Crossing, once the first visible cart-tracks towards Las Plumas were traced by Cecilio Crespo "an optimal Argentine man from Carmen de Patagones," in the words of the Italian Francisco Pietrobelli (the founder of Comodoro Rivadavia).

But after passing Las Plumas they had to return to the river bank, and from the Valley of the Martyrs to the Indians' Ford the wagons had to travel through many difficult places, narrow passes and on dangerous cliffs. Some colourful accounts of these journeys tell of the misfortunes of the first carts, wagons (and even traps!) when climbing from the river up the rocky hills and down again time after time. On the 1888 trip, the caravan was composed of eight wagons, a cart, and a trap. The last two didn't make it to the Andes, but they nevertheless gave their names to two sites on the road.

BROKEN CART

The "broken cart" was a

Entrando a Cañadón Carbón desde el oeste.
The western entrance to Cañadón Carbón (Coal Ravine).

Como los bueyes eran mansos y seguían solos los rastros de los vagones, ellos venían más atrás charlando tranquilamente. En un momento el carro tomó velocidad en una pendiente fuera de las huellas y rompió una rueda. El carro tenía mucha mercadería y, como el resto de los viajeros estaba alejado, sólo pudieron llevar algunas cosas y debieron guardar las restantes dentro de una cueva muy alta que se tapó con piedras. Tres meses después William Kansas Jones volvió a buscar las mercaderías con un carro y las encontró intactas. El lugar se llamó desde entonces Carro Roto.

Está ubicado sobre el lado sur de la ruta sobre la entrada a Cañadón Carbón, y hasta 1912 funcionó allí un boliche que atendió el señor Rádice a quien todos llamaban "El Rubio Carro Roto", pensando incluso que el carro se le había roto a slow ox cart that belonged to William Jones (Kansas). It was driven by his son David and two other boys, and had fallen behind the rest of the caravan. As the oxen were very tame and followed the ruts on their own, the boys followed, chatting along, some distance behind, until suddenly the oxen left the path and the cart sped downhill finally breaking a wheel. The cart was heavily loaded with provisions but, as the rest of the expedition was far ahead and the boys could only carry a small part of them, they stashed the rest in a high cave and blocked the entrance with stones. Three months later William Jones came back on another cart to fetch his goods, which he found intact. Since then, this place is known as "Carro Roto" (Broken Cart).

It lies on the southern side of the highway, on the entrance to "Cañadón Carbón"

él. La familia Tolosa, propietaria de campo, nos explica que la cueva donde se guardó el Carro Roto quedó luego tapada por un desmoronamiento, mientras nos invitan a regresar pronto para recorrer los elevados cañadones desde los cuales los vagones se acercaban al río. Más adelante, puede verse claramente una veta negra; Evans y sus infortunados compañeros se demoraron un día al explorarla la tarde anterior a la tragedia de 1884. Desde entonces, el sitio fue llamado Cañadón Carbón. A partir de allí,

se presenta una sucesión de curiosos atractivos. Enseguida cruzamos la Ruta Provincial N° 53 que saliendo hacia al sur, pasa por El Sombrero y llega en dirección sudeste hasta muy cerca de Comodoro Rivadavia. Luego de este cruce llegamos a la población de la familia Baroni, muy cerca del cerro Cabeza de Buey, cuyo nombre surgió en la expedición de Fontana.

CABEZA DE BUEY

Está anocheciendo y don Dante Baroni y su esposa me reciben en la casa de su hijo. Como era invierno, pensaba que lo encontraría en Trelew pero, con algo más de setenta años, se explica diciendo que, mientras pueda, quiere seguir "poniéndole el hombro" al hijo en el establecimiento donde trabajaron toda una vida.

Cuenta que su padre llegó a la zona a principios de la década del '10 para trabajar con un galés llamado Ronald Leslie, del mismo modo en que su esposa informa que el suyo había llegado a la zona a trabajar con otro galés llamado Jack Lewis. Ambos padres luego se independizaron y poblaron sus propios campos en Cabeza de Buey y Cañadón Carbón. Dante y su esposa se casaron muy jóvenes, hace más de me-

(Coal Ravine), and until 1912 there was a bar and country store there belonging to a Mr Rádice. Everybody knew him as "The Carro Roto Blond," as most people assumed that the cart that broke down was his. A member of the Tolosa family, who own the land today, told us that the Broken Cart cave's mouth is now buried under a landslide. After driving a short distance west of this place, a black vein appears on a cliff on the southern side of the road; during their 1884 trip Evans and his unfortunate companions spent the afternoon before their tragedy exploring it. Since then, the place is known as Cañadón Carbón. This is a most captivating stretch on the highway, and from there on there are many attractive places to be seen. Shortly after, we cross Provincial Highway 53, which branches off south towards "El Sombrero" (The Hat) and eventually the oil city of Comodoro Rivadavia. A few kilometres further on we reach the homestead of the Baroni family, near "Cabeza de Buey" (Ox Head) mountain, named in such way by Fontana's expedition.

OX HEAD

It was almost dark when Mr Dante Baroni and his wife greeted me at his son's house. As they are over seventy, I had expected they would spend the winter in Trelew, but he told me he would help his son

JORGE MIGLIOLI

El Cerro Cabeza de Buey.
Cabeza de Buey (Ox Head) Mountain.

dio siglo. Sus familias son las más antiguas de las que pueblan hoy los campos de esta zona del Valle Medio.

De Rocky Trip, Dante dice solamente que subir o bajar diez o doce carros por allí, más que una operación, era una verdadera odisea que no sólo sufrieron los troperos, sino también los choferes de las primeras caravanas de Ford T y Ford A que también pasaban por allí durante la década del veinte. Luego, explica, esta ruta fue olvidada cuando en la década del ´30 construyeron la ruta nacional por El Sombrero y, más tarde, durante las décadas del ´40 y del ´50, estuvo incluso cortada muchas veces por el río por largos períodos.

Para su familia ése fue todo un golpe, ya que quedaron bastante aislados y debieron cerrar el boliche y el hotel que generalmente atendía su madre, una gallega que no descuidaba ni un detalle. Era frecuente que las caravanas de camiones (las tropas se detenían en sus dobladeros para que pudiera pastar el mulaje) se demoraran días enteros cuando la nieve y el agua cortaban el camino. Una vez se quedaron hasta que no hubo más animales para carnear y debieron trasladarse obligadamente hasta el boliche siguiente. Sucedió un 25 de Mayo de 1925, fecha que quedó grabada por los camioneros en una piedra de su estancia.

En la misma estancia donde, justo encima del fogón, conservan una espada que algunos le dijeron que era de la Campaña del Desierto mientras otros aventuraron que habría pertenecido a la Expedición de Alcazaba. Dante la encontró cerca de la costa del río, con su vaina y su empuñadura de hierro. Es una pieza histórica que ellos guardan con el cuidado que esa condición le merece y con el respeto con el que habitualmente atendieron al viajero tantas veces. Simplemente porque saben que, tanto hoy como ayer, cualquiera que llega a ellos –y a nosotros– lo hace desafiando su propio Rocky Trip.

ROCKY TRIP

Dicen que el nombre se le ocurrió a John Murray Thomas. Y para entenderlo, nada mejor que leer el testimonio de William M. Hughes durante su viaje de 1905-1906, tomado de su propio libro "A orillas del Chubut":

"Viernes 30 de diciembre. Salir a las 8 de la mañana. Tuvimos que volver de nuevo a las lomas. Un camino malo por cañadones hasta llegar a la meseta. Allí estaba regular, pero muy tortuoso. No había agua para quedarnos con los caballos. Seguir viajando. Nuestro estómago clamaba. Apretar el cinturón un poco más. El valle arbolado está abajo, en alguna parte, al norte. Lo vimos de lejos, de a ratos, con los sauces verdes de las orillas del sinuoso Chubut. No hay otros árboles, sólo espinas, espinas y espinas sin fin. De pronto se paró el vagón que nos precedía y la familia bajó. ¿Qué pasa? Fuimos a ver. El conductor del vagón estaba atando las ruedas con una fuerte cadena. ¿Qué pasa? le pregunté. ¿Qué pasa? me dice. 'Vaya a ver, dé un paso para adelante y mire'.

with the sheep farm as long as he could; after all, it was what he had done all his life.

He told me that his father came to this area in the early 1910s to work for a Welshman called Ronald Leslie, just as his wife's father came to do the same for another Welshman, Jack Lewis. Later they both acquired their own land and settled in Cabeza de Buey and Cañadón Carbón. Dante and his wife married very young, and are now past their golden wedding. Their families are the oldest in this part of the middle valley of the Chubut River.

About Rocky Trip, all he said was that the climb, up or down, with ten or twelve wagons was a real ordeal for the drivers, as it was also for those of the first automobiles, Model T and Model A Fords, that negotiated it in the 1920s. Later, he explained, this old road was forgotten when they built a new national highway in the 1930's through the El Sombrero route. Even later, in the 1940s and 1950s, the river often blocked it for long periods.

This was quite a blow to his family, as they became rather isolated and had to close down their store and the hotel that Dante's Spanish mother painstakingly managed. When stopping for the night, the mule trains had to camp at the "dobladeros" (turning places), so the animals could feed and drink, but the lorry caravans stayed at Baroni's hotel, sometimes for days when the road was blocked with water or snow. Once they stayed so long there were no more sheep left on the farm to feed them, so they had to move on to the next hotel. This happened in May of 1925. The truck drivers engraved the date 25th May, 1925 on a rock at Baroni's homestead to mark the occasion.

The same homestead where, over the mantelpiece, they keep an ancient sword that Dante found years ago, while working with the sheep, near the riverbank. Some believe it had belonged to a soldier from the Desert Campaign, and others even venture it might have belonged to one of the men in Simón de Alcazaba's Spanish expedition. Holding it in his hands, Dante proudly posed for a photograph in his back yard. He and his wife preserved this historical piece with care, the same care they have always shown travellers that reach this spot and stop to rest at their house. They knew that many of them, then and now, were on the road defying their own Rocky Trip.

ROCKY TRIP

They say the name of this place sprang to John Murray Thomas's mind. To better understand why, one can read William M. Hughes's account of a trip during 1905/1906 in his book "A Orillas del Chubut" (On the banks of River Chubut):

"Friday, December 30. We started at 8 in the morning. We had to return to the hills. A bad road through the gullies till we reached the plateau. It was better there, but quite a winding path. There was no water for the horses, so we kept on. Our stomachs were screaming. Just drew our belts a bit tighter. The

FOTOS: JORGE MIGLIOLI

Dante Baroni con su espada.
Dante Baroni holding his sword.

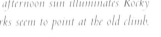

Con el sol de la tarde, al fondo de la ruta se destaca
Rocky Trip. La línea quebrada sobre el pavimento parece
apuntar a la vieja cuesta.
In the background, the afternoon sun illuminates Rocky
Trip. The road marks seem to point at the old climb.

173

EXPLORANDO ROCKY TRIP

Una noche en la parrilla de Los Altares, luego de terminar el delicioso asado de capón, conocí a Dante Baroni (h), quien se encontraba tomando una cerveza con un amigo en el bar contiguo. Dante es un hombre joven, de aspecto fornido y carácter entusiasta, y cuando le conté que estaba tomando fotos de la vieja huella, enseguida me propuso ir en su camioneta 4x4 al inaccesible Rocky Trip, que hoy se halla totalmente en tierras privadas.

La tarde siguiente dejé mi auto estacionado al costado del asfalto y, luego de inspeccionar la tumba de Alipio de la Lama, encaramos la rocosa subida hacia el este con la camioneta. A medida que trepábamos, no podía dejar de pensar en los viajeros que, atando mulas atrás para sujetar sus pesados "vagones" y con los rudimentarios frenos al límite, debieron bajar por allí a los patinazos. Imaginaba, también, la angustia de sus mujeres por la integridad de la preciosa carga que llevaban para el nuevo hogar. Una vez arriba, la huella de a ratos se desdibujaba, pero era posible encontrar aún los rastros de remotos carros y automóviles: la herradura incrustada de una mula allí, una lata de nafta importada más allá. Y sorpresivamente, como testimonio de la laboriosidad de los colonos, apareció a la vista una obra vial, hecha con las manos y sin cemento en una curva de la huella, seguramente para evitar que volcaran los carros, cargados hasta el tope.

Poco después, habiendo atravesado en total unos 10 kilómetros y con el Cerro Cabeza de Buey a la vista, comenzamos a bajar, ahora suavemente, hacia la ruta pavimentada.

EXPLORING ROCKY TRIP

One night in Los Altares, after having a delicious mutton "asado" at a roadside restaurant, I crossed over to the bar next door. There, I met Dante Baroni (Junior), who was having a beer with a friend. Dante is a young, strong man, with an enthusiastic disposition: when I casually mentioned that I was photographing the old wagon trail, he immediately proposed we should get his 4x4 truck and climb the inaccessible Rocky Trip, which now lies totally on private land.

On the following afternoon I parked my car on the side of the paved highway, where Dante was waiting for me. After inspecting the Alipio de la Lama tomb, overgrown with bushes, we got into his truck and started climbing the rocky path towards the west. While we kept on climbing I couldn't help but recall all those stories about the travellers that had to put some of their mules at the back of their heavy wagons to hold them while they skidded down on the steep incline, their rudimentary brakes at their limit. I also pictured the anxious women watching the precious load they were taking to furnish their new homes rocking wildly on top of the wagons. Once we reached the top the trail sometimes disappeared, but we could nevertheless find some old traces left behind by the remote wagons and automobiles: here the embedded remains of a rusty horseshoe; a discarded four-gallon fuel can over there. And then an unexpected road work came into view: the colonists had reinforced the side of a curve on the trail with a hand-made stone wall, surely to keep the top-heavy wagons from overturning at this tricky spot.

Shortly afterwards, having covered about 10 kilometres and with the Cabeza de Buey Mountain already in sight we started descending, now softly, to the paved highway below.

FOTOS: JORGE MIGLIOLI

175

Fui. La bajada rocosa (Rocky Trip). ¡Dios me libre! ¿Hay que bajar por ahí? De no poder volar, sí. No tenía aún esa habilidad. Se puso en marcha el vagón. Ni respirábamos. Las ruedas traseras patinaban mucho, pero la cuerda aguantó y se llegó abajo sin inconvenientes. Ahora nos toca a nosotros. Se soltó a los caballos de los costados, para depender solamente del March en las varas. 'Ahora March, si alguna vez en tu vida resististe, hazlo ahora'. Y lo hizo como un elefante, se sentó literalmente sobre la retranca y patinó la pendiente bajada de un modo seguro. Habíalo hecho antes y conocía el peligro de ser vencido por el vehículo. Pero, pobre de él. Temblaba como una hoja. Los señores Hunt y Thomas tenían vehículos más livianos que el nuestro y no tuvieron tanto problema. Nos quedamos al pie de la bajada. Por hoy no viajamos más. Hicimos 21 millas."

Hablando del significado de Rocky Trip, el profesor Rodolfo Casamiquela recoge en su Toponimia de los Galeses en el Chubut, las siguientes consideraciones de Tomas Harrington: "En su marcha hacia el poniente para poblar los valles andinos, los galeses abrieron el camino que atraviesa el territorio en un largo aproximado de 650 kilómetros. Los alojamientos de la primera caravana y los accidentes más notables del trayecto recibieron nombres entonces y en viajes posteriores. Casi todos los galeses hablan inglés y muchas veces emplean voces de este idioma, como lo prueban las dos de este nominativo. Se

JORGE MIGLIOLI

Don Juan Carlos Espinel frente a su casa en El Puchero.
Juan Carlos Espinel in front of his house at El Puchero (The Stew) farm.

trata de un tramo pedregoso del camino de la orilla sur del Río Chubut, al oeste de Cabeza de Buey. Rocky, rocoso; Trip, senda, pasaje. Correctamente es sólo pronunciado y escrito por pocas personas. Las desfiguraciones más usuales son Roque Triple y Roque Tripa, verdaderos acertijos con el andar del tiempo para quien

wooded valley lay below us, somewhere to the north. We saw it intermittently, far away, with its green willows along the winding banks of the Chubut. There are no other trees here, just thorns, thorns, and thorns without end. Suddenly the wagon in front of us stopped, and the family got down. ¿What had happened? We

went to find out. The driver was fastening the wheels with a strong chain. 'What's wrong' I asked him. 'What's wrong?' he retorted, 'Just take a step forward and see for yourself.' I went. The rocky slope (Rocky Trip). God help us! Do we have to go down that slope? Unless we can fly, yes and we have not acquired that ability yet. The wagon started down. We held our breath. The rear wheels slipped a lot, but the rope withstood the weight and they arrived down unharmed. Now it was our turn. We untied the horses at the sides, so we would only depend on 'March,' at the shafts. 'Now March, if you ever resisted such an effort, please do it again now.' And resist it he did, as if he were an elephant. He literally sat on his hindquarters and slipped safely down the steep slope. He had done this before, and knew the danger of being overpowered by the vehicle. But poor horse, he shook like a leaf. Messrs. Hunt and Thomas had lighter carts than ours, and did not have as much trouble as we did. We stopped at the foot of the slope. We would not travel further that day. We had covered 21 miles."

In his book "Welsh place-names in Chubut" Professor Rodolfo Casamiquela quotes Tomás Harrington's description of Rocky Trip: "On their way west to settle in the Andean valleys, the Welsh opened a road through the territory, about 650 km long. The stopping places and the most noticeable spots were named by the first caravan, and some on the subsequent journeys.

176

quisiera poner en claro la toponimia lugareña; en el mapa de la Gobernación de Chubut editado en 1920 por el Ministerio del Interior, aparece escrito Roque Tripp."

Enrique Shrewsbury, hijo de ingleses, observa que el nombre Rocky Trip, dado al lugar por los galeses, puede traducirse como viaje corto rocoso o viaje corto bamboleante, según el sentido que se le dé a la palabra "Rocky" y agrega que cualquiera de los dos nombres le cabía bien. Y dice algo mucho más importante todavía para cualquier viajero: que al pie de la bajada existía para esa época un boliche.

El boliche perteneció a don Alipio de la Lama, un español muy culto que tenía una notable biblioteca. Un día mantuvo un altercado con un viajero desconocido que le costó la vida. Dicen que fue un tal Barreto quien lo mató. Cerca del acceso oeste a Rocky Trip, nos detuvimos junto a su sencilla tumba que supo cuidar un amigo suyo, el tropero Inciarte.

Cuando se construyó la traza definitiva del camino a partir de los años '60, nuestro informante don Juan Carlos Espinel –propietario del establecimiento El Puchero donde se encuentran el acceso a Rocky Trip y la tumba– se aseguró que la misma no fuera tocada. Para que desfilemos con respeto frente a los que abrieron camino.

Luego hubo allí un puesto policial y un pequeño poblado conocido como Sol de Mayo. Entonces hasta los mismos presos trabajaron para mejorar Rocky Trip. Un empleado vial

nos cuenta que hasta hace no muchos años existía un cartel; ojalá que pronto lo volvamos a ver para que se conozca mejor la historia fascinante de este sitio casi olvidado.

BLACK EYE (OJO NEGRO)

Black Eye debe su nombre al ojo que tuvo en compota William G. Hughes, cuando se golpeó al perder el control del caballo que tiraba del sulky que conducía, durante el ya mencionado viaje de 1888. A causa del accidente, llegó muy tarde al campamento donde lo aguardaban ansiosos sus compañeros, quienes le aplicaron fomentos con vinagre. Algunos más experimentados ya habían puesto reparos acerca de la utilización de este tipo de

Almost all the Welsh spoke English and they often used words in this language, as in this case. It is a rocky stretch on the road along the southern bank of the Chubut River, west of Cabeza de Buey. 'Rocky Trip' is correctly pronounced and written by a few people. The most frequent deformations are 'Roque Triple' (Triple Roque) and 'Roque Tripa' (Bowel Roque), which with the passing of time turned into real riddles for those researching the origin of local place-names. On the official map of Chubut published by the Interior Ministry in 1920, the name is spelt 'Roque Tripp.'"

Enrique Shrewsbury, of English descent, wrote in his Patagonian memoirs that the name could be translated into

El paraje conocido como Black Eye.
This place was known as Black Eye.

ENRIQUE SHREWSBURY

Spanish as "a trip on a stony road," or "a swaying trip," depending on the sense one gave the word "rocky." Either name would adequately describe the place, he remarked. And then he added a piece of information that was much valued by all travellers: there was a bar and hotel at the foot of the slope at the time.

It belonged to a Spaniard called Alipio de la Lama, a well-read man who owned a well-stocked library. One day he got into a violent argument with an unknown traveller (some say his name was Barreto) and was killed in the ensuing fight. We visited his tomb, near the western end of Rocky trip, now overgrown with shrubs but once kept neat and tidy by a friend of his, mule-train driver Inciarte. Juan Carlos Espinel, owner of the estancia "El Puchero" (The Stew) where the western entrance to Rocky Trip is, made sure the tomb was left undisturbed when the present highway was built in the 1960's; so today we can respectfully pass by the resting place of one of the pioneers that opened the road for us.

Later there was a police outpost nearby, and a small hamlet known as "Sol de Mayo." The offenders imprisoned at the outpost where put to work to improve the road on Rocky Trip. A person from the highway administration told us that not many years ago there was a sign on the road marking this spot; maybe sometime in the future it will be replaced, so everybody can know the history of this forlorn site a bit better.

177

FOTOS: JORGE MIGLIOLI

Antiguos graffiti.
Old graffiti.

transporte de sólo dos ruedas. Esa noche hubo reproches y discusiones que originaron la versión de que el origen del accidente habría sido una gresca, algo que quedó desmentido al traducirse las memorias del baqueano Evans.

No fue fácil ubicar Black Eye que está ubicado cerca de lo que hoy denominamos La Media Luna, una enorme curva que se encuentra junto al río poco antes de ingresar al Valle de Los Altares. Pero La Media Luna es un sitio formado luego de la inundación de 1899, de modo que este sitio nunca fue fácil de ubicar, porque además un mapa galés anterior, menciona La Media Luna como el sitio donde el Río Chubut tuerce su rumbo al noroeste, cerca del "paso de los indios".

De ahí nuestra alegría cuando vimos aparecer en esta búsqueda una foto del lugar tomada por Enrique Shrews-

bury, mostrando el famoso sitio al que hace referencia en su testimonio de viaje Brychan Evans en 1894, cuando dice: "Bajamos por Rocky Trip, lugar horroroso para transitar con vagones cargados. De allí por Black Eye, huella angosta y peligrosa, entre la roca y el río. Resbaló el vagón de Bill Williams (América) por la barranca del río. El vagón se destrozó, se ahogaron algunos caballos y Bill cruzó a nado el río." Eso sí, con el ojo sano.

EL ARCA DE NOÉ

Disfrutamos una vez más del Valle de Los Altares y, ya saliendo del mismo en dirección al oeste, nos detuvimos junto a una extraña y hermosa formación rocosa ubicada junto al río, similar a la proa de un barco. Siempre escuchamos que la llamaban "el barco", hasta que nos enteramos que los galeses antiguamente la denominaban "El arca de Noé". Su imagen formó parte

BLACK EYE

When William G. Hughes lost control of the horse that was drawing his light trap on the 1888 trip to the Andes, it overturned and he banged his face. He therefore arrived at the camp very late, where his companions applied a towel soaked in vinegar to his black eye. Some of the more experienced men had warned against the use of two-wheeled vehicles for those trips, so that night there was criticism and an argument arose. One version of this account said it was really then that Hughes got his black eye, but the story was put straight when "baqueano" Evans's memoirs were translated from the original Welsh text.

It was not easy for us to locate Black Eye, which lies near a place that is called "La Media Luna" (The Crescent) today, an ample curve on the highway along a bend of the river just before getting to Los Altares

Valley. But La Media Luna was formed after the great flood of 1899, so the exact site of the accident is now unknown. Adding to the confusion, an old Welsh map places La Media Luna where the Chubut River bends northwards, near the Indians' Ford.

So we were very happy to find a photograph of the Black Eye site attached to the manuscript of Enrique Shrewsbury's Patagonian memoirs. And we also found a vivid oral account of an 1894 trip made by Brychan Evans (excerpts of the original recording, translated into Spanish, are included in the CD attached to this book): "We went down Rocky Trip, a horrible place to pass with loaded wagons. From there through Black Eye, a narrow, dangerous path between the rock and the river. Bill Williams's (America) wagon slipped from the cliff into the river, and was completely destroyed. Some of the horses drowned, and Bill swam to the

El Arca de Noé.
Noah's Ark.

de una conocida película filmada en 1994 –protagonizado por los reconocidos actores argentinos Héctor Alterio y Leonardo Sbaraglia– que narraba una fuga cinematográfica a través de nuestra ruta.

Un poco más adelante, y bajo un sol abrasador, entramos al Establecimiento María Julia donde cruzamos en una pequeña balsa hacia la margen norte del Río Chubut. Ese día lamentamos sinceramente no zambullirnos, pero nuestro objetivo era otro. Se trataba de fotografiar una pequeña capilla construida por un personaje muy singular.

LA CAPILLA VIVALDI

Siguiendo a Brychan Evans en su viaje de 1894, leemos: "En Los Altares cruzamos el río por tercera vez. Acampamos esa noche en la iglesia que había allí y estaba a cargo de un italiano. Bordón, creo recordar su nombre. Era el primer habitante que vimos desde que partimos de Tierra Salada."

Bordón era efectivamente quien estaba a cargo en ese momento, pero el protagonista principal de esta historia se llamaba Vivaldi. En palabras de Carlos Brebbia:

"El padre Carlo Alberto Pinavia de Vivaldi fue un personaje singular. Nacido en Niza (Francia) en 1824, era el segundo hijo varón del Marqués de Taggia, por lo que decidió tomar los hábitos y convertirse en el canónigo en la diócesis familiar de Ventimiglia. Pero era, a la vez, un partidario ferviente del Resurgimento italiano de 1848, y debió escapar de Italia cuando regresaron

FOTOS: JORGE MIGLIOLI

En la chacra María Julia.   *At María Julia farm.*

La iglesia Vivaldi.   *Vivaldi Church.*

other side of the river." Albeit, we hope, with his eyes unharmed.

NOAH'S ARK

Once again, we enjoyed the Los Altares Valley. When leaving it, we stopped at a strange, beautiful rock formation on the side of the river that resembles a ship's bow. We had always heard it called "the ship," but later we learnt that the Welsh called it "El Arca de Noé" (Noah's Ark). On this site some scenes of a popular Argentine film starring Héctor Alterio and Leonardo Sbaraglia were shot in 1994, as the script included a spectacular getaway through our route.

Shortly after, under a blazing sun, we entered "María Julia," a riverside farm. We crossed to the north bank of the Chubut on a small raft, longing for a dip but with a different schedule: we wanted to photograph a very small church, built many years ago by a peculiar man.

THE VIVALDI CHURCH

Following Brychan Evans on his 1894 trip, we read: "At The Altars we crossed the river for the third time. That night we camped at a church that was in charge of an Italian. I believe Bordón was his name. He was the first inhabitant we met since we left "Tierra Salada" (Salty Land).

Actually Bordón *was* the man in charge, but this story's main character is called Vivaldi. In his book "Little Wales Across the Sea," Carlos Breb-

179

Una vista de la zona de Los Altares.　　　*A view of the Los Altares (The Altars) area.*　　

los austriacos a Lombardía. En París conoció un obispo norteamericano y viajó con él a su país para ser un misionero entre los indígenas.

"Trabajó con dedicación y fervor, pero su mala administración y sus sueños utópicos terminaron en un desastre financiero y grandes deudas. Reaparece en los registros históricos en 1858, esta vez como periodista que peleaba contra la esclavitud y apoyaba la candidatura presidencial de

Abraham Lincoln. Ya era un ciudadano de los Estados Unidos, y en ese año fue miembro de la Asamblea Constitucional de Manhattan que estableció el estatuto contra la esclavitud. Cuando comenzó la Guerra Civil, se unió al ejército del norte, por lo que luego como premio fue nombrado Cónsul en el Puerto de Santos (Brasil).

"En 1865, como comerciante, se trasladó a Río de Janeiro llevando consigo a la familia que para ese entonces

bia wrote:

"Father Carlo Alberto Pinavia de Vivaldi was a very colourful character. Born in Nice in 1824, he was the second son of the Marquis de Taggia and as such decided to enter the priesthood to become Canon in the family diocese of Ventimiglia. In spite of that he was a fervent militant for the Italian Resurgimento in 1848 and had to escape from Italy after the return of the Austrians to Lombardy. In Paris he met an Ame-

rican bishop and travelled with him to become a missionary to the Indians, working with his customary passion and commitment. Bad administration and visionary dreams, which were beyond his power to achieve, led to financial disaster and substantial debts. He reappeared in records in 1858 as a newspaper reporter fighting against slavery and supporting Lincoln's candidacy. By then he was a USA citizen and became a member of the

había formado. Aunque le iba bien, lo atormentaba la pérdida de su vocación sacerdotal.

"Luego de la misa de Pascuas en 1883, abandonó negocio y familia para entrar en el Colegio de la Orden Salesiana de Buenos Aires, cuyos sacerdotes eran responsables de todo el trabajo misionero en la Patagonia. Tenía más de 60 años cuando decidió ser un misionero en el Sur, concentrándose en lograr este propósito con su acostumbrada pasión. Luego de tomar un barco hacia Carmen de Patagones, se trasladó a Rawson donde se hizo amigo del Gobernador Luis Jorge Fontana, quien le dio su apoyo para el establecimiento de una reservación indígena cerca del "paso de los indios". En 1889 solicitó 40.000 ha y construyó una capilla y una vivienda personal de tres ambientes.

"Empujado por una ambición totalmente desproporcionada a sus reales medios, Vivaldi decidió trasladarse a Roma para solicitar su nombramiento como Obispo del Chubut. Sin embargo, cuando se encontraba allí la Curia fue informada del hecho de que este sacerdote había vivido fuera de la Iglesia por 26 años. Tras el fracaso en sus gestiones, circuló en Buenos Aires la historia de que Vivaldi había fallecido en Roma. No obstante, se sabe que visitó México en 1893 y más tarde estuvo en Brasil para ver a su hija moribunda. Vivaldi luego partió hacia París, donde vivió con una orden de monjas, ocupándose en traducir al castellano a los clásicos franceses, hasta su muerte en 1902."

EL PARAÍSO DEL CAPITÁN DAVID RICHARDS

Dos años antes del viaje de Brychan Evans, en 1892, alguien había sido llevado hasta esa misma capilla, sabiendo que el señor Bordón disponía de algunos medicamentos para atender a los viajeros que circunstancialmente necesitaran de esos servicios. Se trataba del capitán David Richards, miembro de la sociedad "Fénix" de Gaiman, quien no obstante las atenciones que se le prodigaron, falleció en ese lugar. Sus restos fueron sepultados a unos trescientos metros al noroeste de la capilla.

David Richards era un experimentado explorador de minas y comandaba un grupo bien pertrechado de diez hombres que supuestamente lo seguían para explorar el sitio donde Richards imaginaba fundar la Colonia Paraíso sobre el Río Manso, más cercana a Nahuel Huapi, insistiendo sobre todo en hacer notar la ventaja de poder enviar los productos por el Pacífico, ruta Río Puelo, Chile. Pero no logró pasar más allá del "paso de los indios", donde enfermó gravemente.

Se dice que en los estertores de sus últimos momentos, el pobre Richards agonizaba con el nombre de su sueño "Paraíso". Después de su muerte, los colonos se dispersaron, probablemente presos de otra fiebre: la fiebre del oro.

El profesor Alberto Astutti, docente, periodista y un apasionado de la historia y la geografía regional, recorrió a pie la ruta entre Trelew y Esquel

1858 Constitutional Assembly for the district of Manhattan, which was to establish the anti-slavery statute. Furthermore at the start of the Civil War he joined the army and afterwards received, as a reward, a Consular appointment in the Port of Santos in Brazil. He moved to Rio in 1865 as a trader with the family he had by then acquired. Although well off, he was haunted by his lost vocation and, after Easter Mass in 1883, he abandoned his family and business and entered the Salesian Order College in Buenos Aires, priests of which were responsible for all missionary work in Patagonia.

"He was, by then, a man in his 60s when he decided to become a missionary in Patagonia, concentrating on this ambition with his usual strength of purpose. In 1884 he took a boat to Patagones where he left his Salesian companions. He proceeded to Rawson, where he made friends with the governor Luis Jorge Fontana and obtained his support to establish a reservation for the Indians in Paso de Indios. The land requested in 1889 was 40,000 hectares and after obtaining permission he built there a chapel and three rooms as his home.

"Driven by an ambition that was totally out of proportion to his resources, Vivaldi decided to go to Rome to pursue an appointment as Bishop of Chubut. Once there, however, his enemies brought to the attention of the curia the 26 years that the priest had lived outside the Church. Having failed in his efforts, the story circulating in Bue-

nos Aires was that Vivaldi had died in Rome. However, he is known to have visited Mexico in 1893 and later Brazil to see his dying daughter. Vivaldi then left for Paris where he lived with an order of nuns translating classical French books into Spanish, until he died in 1920."

CAPTAIN DAVID RICHARDS' PARADISE

Two years before Brychan Evans's trip, in 1892 a sick man was carried into that same chapel, where Mr Bordón stocked some medicines in case ailing travellers might need them. It was Captain David Richards, a member of the "Fenix" (Phoenix) society of Gaiman. In spite of all the care he was given, he died there. His remains were buried about 300 metres northwest of the chapel.

David Richards was an experienced mine prospector who was leading a group of ten well-armed men to a place on the Manso River, south of the Nahuel Huapí lake, where he intended to found the "Colonia Paraíso" (Paradise Colony). He wanted to prove that the route to the Pacific through the Puelo River (in Chile today) was an advantageous one for the colony products. But he never got past the Indians' Ford, where he fell ill. Some say he murmured "Paraíso," the name of his dreams, with his last breath. After his death, his group dispersed, probably victims of another ailment: gold fever.

Alberto Astutti is a teacher and a journalist, and has a pas-

El capitán Richards y sus hombres.
Captain Richards and his men.

en 1995 y publicó luego una pormenorizada crónica de esa hazaña que se titula "635 km a pie por la Ruta de los Pioneros Patagónicos", que hemos consultado varias veces a lo largo de nuestro viaje. En ella consigna que en 1981 visitó el Valle del Chubut una nieta del capitán Richards, que fue acompañada hasta el lugar donde descansaban los restos de su abuelo.

CAÑADÓN DEL HORNO

Es uno de los tantos cañadones que llegan hasta el río, bastante más ancho aunque menos excitante que cualquiera de los que hemos venido recorriendo. Aquí no se rompió ningún carro, nadie se lastimó, no hubo muertes memorables ni existen formaciones rocosas sorprendentes. De este cañadón ubicado poco después del verdadero "paso de los indios" (y poco antes de la localidad de Paso de Indios), sólo podemos decir que aún tiene los restos de un horno de barro dentro

del cual las mujeres cocinaban el pan. Y a pesar que hace ya décadas enteras que no se usa y está derruido, nos emocionó saber que seguramente alguna vez, mientras se escuchaban resonar los cantos dominicales en medio de la meseta, algún chico le habrá pedido "bara" recién horneado a su mamá.

Un poco más adelante nos despedimos del Chubut cerca de donde aparece el primer arroyito que fluye desde las montañas hacia el río y que tan poéticamente describiera la primera mujer –hasta donde sabemos– que fue cronista de un viaje al oeste: nos referimos a Eluned Morgan, hija del Lewis Jones y autora del maravilloso libro "Hacia los Andes".

LA HERRERÍA

Nunca será suficiente explicar de nuevo que el original "paso de los indios" no coincide para nada con la ubicación del actual pueblo de Paso de Indios, que al principio se llamó La Herrería. Y además,

sionate interest for the history and geography of the region. In 1995 he walked all the way from Trelew to Esquel and later published a chronicle titled "635 km on foot along the route of the Patagonian pioneers," which we have often consulted during our trips. In it, Astutti writes about a visit Captain Richard's granddaughter made to the Chubut Valley in 1981, when she was taken to see her grandfather's grave.

OVEN RAVINE

This Ravine is located shortly after the true Indians' Ford (and before reaching Paso de Indios town). It is only another of the many Ravines that descend to the river, quite wide but somewhat featureless. No wagon was broken here, no one was injured, there were no memorable deaths, nor are there any extraordinary rock formations. But not far off the road, on the left are the remains (the base) of an earthen oven, where the Welsh women stopped to bake their bread during

their trips between the Andes and the sea. A bit moved, we pictured a child asking her mother for a bit of freshly baked "bara" (bread) in the middle of the steppe, while the Sunday hymns filled the air.

Just a few kilometres west of this site, we left the Chubut River, near the place a small stream coming from the mountains joins the river, a place so poetically described by Eluned Morgan, Lewis Jones's daughter. She was reputedly the first woman to write an account of a trip from the Lower Valley to the Andes, published in her book "Hacia los Andes" (Towards the Andes).

THE SMITHY

As we have mentioned, the original Indians' Ford was not located at the site where today's "Paso de Indios" town is, but some kilometres to the east, at a place where the river takes a big bend, quite near the highway.

The site where Paso de Indios is today used to be ca-

que el asentamiento original del pueblo de Paso de Indios, con su escuela y su juzgado de paz, estaba ubicado en un punto intermedio que se llamaba Manantiales, donde hoy apenas existen unos álamos.

La Herrería, actual localidad de Paso de Indios fue el gran centro de servicio para las tropas de carros. En ese sitio –lejos del río y del paso– el herrero sueco Strobel enllantaba en hierro las grandes ruedas de madera de los pesados vehículos. Al principio había instalado su herrería cerca de Canadón Carbón, pero luego los hermanos López, dueños del campo donde se había ubicado el asentamiento original de Paso de Indios, lo invitaron a trasladarse a un sitio cercano que desde entonces justamente se denominó La Herrería.

Fue allí que los hermanos López construyeron un hotel y un almacén de ramos generales, impulsando luego el traslado de la escuela y del juzgado. Entonces La Herrería se transformó en Paso de Indios.

DE BOLICHE EN BOLICHE

La palabra boliche no tenía en esos tiempos el sentido un tanto despectivo que tiene hoy. Como dice Shrewsbury "los boliches de la huella, por

La vieja Herrería. (hoy Paso de Indios).
The old Smithy.

Atardecer de invierno en Paso de Indios.
Paso de Indios at dusk.

lled "La Herrería" (The Smithy) many years ago, while the town itself, then a hamlet with a school and an office of the Justice of the peace, was initially located at a nearby place called "Los Manantiales" where today only a few poplars remain

The Smithy was the service centre for all the mule trains and carts. At this place a Swedish blacksmith called Strobel had settled and one of his main chores was to fix the iron rims to the wooden wheels of the heavy carts. He had initially set up shop at Cañadón Carbón, but later the López brothers, owners of the land where the first Paso de Indios was located, invited him to move to the present site of the town, as from then known as La Herrería, where the López brothers built a hotel and a general store. Later the Justice of the Peace and the school moved there too, and so The Smithy turned into the present town of Paso de Indios.

BAR-CUM-STORES

The word "boliche" (a bar-cum-store) did not have the somewhat derogatory meaning then as it has now (as a low-quality operation). Quoting Shrewsbury: "The 'boliches'

ser casas de negocio, posadas y también despachos de bebidas, eran los lugares donde se recababan noticias sobre el paso de tropas y gente o de sucesos y acontecimientos en la huella. Eran puntos de referencia en cuanto a distancias y eran oasis en la inmensidad para la mayoría de los viajeros de monótonas e interminables jornadas".

Hemos registrado en nuestro viaje la existencia de más de veinte boliches cuya historia podría llegar a ser parte de otro libro. Pero si algún boliche tuvo nombre de tal, fue sin duda uno que se llamó Cajón de Ginebra Chico (km 405) que dejó su nombre a un paraje. El sitio está ubicado –separado por una lomada– cerca de otro conocido desde antes como Cajón de Ginebra. La designación de este último lugar provendría de un cajón vacío, cuya leyenda exterior denotaba haber servido de envase de botellas de ginebra, que fue dejado allí por uno de los colonos que se dirigía al Valle "16 de Octubre" y luego fue hallado por los que venían atrás con igual destino. Otra versión agrega que carros que transportaban mercaderías al oeste junto a un grupo de buscadores de oro, fueron sorprendidos por una nevada copiosa, que obligó a los conductores a detenerse varios días, en cuyo lapso se vieron obligados –para atenuar los efectos de frío– a consumir el contenido de un cajón de ginebra de la carga que llevaban. Para distinguirlo del sitio donde estaba el boliche –ubicado más al este– al sitio original donde fue hallado el cajón

se lo comenzó a llamar Cajón de Ginebra Grande (km. 407). Pero cuando la ruta fue pavimentada y señalizada, invirtieron la ubicación de los carteles correspondientes. Pese a que nos detuvimos varias veces en ambos lugares, no hemos podido hallar ningún otro cajón que nos explique el motivo de esta confusión..

POR TECKA, ULTIMA MORADA DE INACAYAL

Tecka es una pequeña localidad que posee una importante historia. Su nombre se atribuye al sonido de un ave que habita el lugar. Allí ubicó sus toldos alguna vez la tribu de Inacayal, el cacique tehuelche que supo ser muy amigo del Perito Francisco P. Moreno quien llegó allí en 1879. El trato inhumano que recibieron Inacayal y los suyos durante y después de la conquista del desierto, inspiró la protección de Moreno quien lo alojó en el Museo de La Plata. Ya fallecido, sus restos permanecieron exhibidos en dicho Museo hasta que en 1994, merced a una Ley Nacional impulsada por el Senador Nacional Hipólito Solari Irigoyen, fueron trasladados a un mausoleo especialmente levantado a un costado del camino.

Ya estamos cerca de los Andes. Seguimos nuestra marcha detrás de los primeros carros. Brychan Evans (1894) cuenta que "En Pocitos de Quichaura encontramos a Rhys Thomas y su compañía en viaje hacia el Valle. Fueron los primeros que encontramos, hasta ahora en el camino. Dos etapas más y llegamos a Tecka. En su casa-

on the rutted roads, acting as stores, inns and bars, were the places where news about the passage of droves, mule trains, caravans and people could be found, and where one could learn of recent events on the road. They were the reference points when speaking of distances, and were veritable oasis for the road-weary travellers in this immense, solitary land."

We have registered more than twenty boliches during our trips. Their history could be the matter of another book. But if ever a boliche had an appropriate name, surely it was the one named "Cajón de Ginebra Chico" (Small Gin Box), at km 405. The place where this boliche used to be (it is closed today) is on the eastern slope of a hill over which the road runs. Further west, on the other side of the hill, there is a spot that was called "Cajón de Ginebra" (Gin Box) many years before, and owes its name to a box of empty gin bottles left behind by a colonist on his way to the Andes and found by another caravan. Another version of this story tells of a mule train and some gold prospectors who, caught in a blizzard and forced to stay at this place for days, found little else to do than go through a box of liquor from the cargo to fight the cold. When the Small Gin Box bar opened to the east, they started calling the original place Big Gin Box (km 407). But by mistake, when the road was paved and the sign posts were put up, the workers inverted their order, and they are still so. We have stopped many

times at both stops, and could not find a reason for this confusion.

THROUGH TECKA, INACAYAL'S LAST RESTING PLACE

Tecka is a small town with an important history. Its name is attributed to the cry of a local bird, the bandurria (ibis). This area is where Inacayal's tribe used to set up camp with their guanaco-skin tents. He was a Tehuelche chief, who became a friend of Perito Francisco P. Moreno who explored the region in 1879. When Moreno learned that Inacayal and his tribe were been treated inhumanely after the "Campaña del Desierto" campaign, he protected the chief by lodging him at the La Plata Museum (in Buenos Aires Province). After he died his remains were on exhibition at the museum for many years until, in 1994, a national law was passed (promoted by Senator Hipólito Solari Irigoyen) by which his body was to be transferred to his native soil. This was done and he now rests in a dedicated mausoleum on the roadside in Tecka.

Brychan Evans's (1894) account tells that: "At 'Pocitos de Quichaura' (Little Wells of Quichaura) we met Rhys Thomas and his party who were travelling towards the lower valley of the Chubut River. They were the first group we ran into on our way. In two more stages we arrived at Tecka. There, we found Martin Sheffield at his tavern. It was the 25th of May (a national holiday) and Mr Sheffield had gathered all

taberna, encontramos a Martín Sheffield. Era el 25 de Mayo y el señor Sheffield había reunido a todos los indígenas de la zona para la conmemoración, agasajándolos con abundante bebida alcohólica. Algunos gritaban con todas sus fuerzas, otros cantaban felices, otros se lamentaban y lloraban descorazonados. Entre todos había allí un lugar extraño. Así ven ustedes que sólo dos pobladores había en el trayecto del Valle hasta aquí; un italiano que dirigía una iglesia y un norteamericano que tenía un boliche. Cinco días más de viaje y al sexto, la llegada."

Por su parte Eluned Morgan (1898) explica claramente como se efectuaba la parte final del viaje desde Tecka. Los vagones marchaban hacia el noroeste rumbo a Arroyo Pescado, para evitar las subidas más difíciles, mientras que los jinetes, como antes los Rifleros, cortaban directamente por Súnica hacia el Cwm Hyfryd.

"Llegamos a Tecka. Faltan dos días para terminar nuestro viaje. Un valle angosto de abundante pasto por el cual fluye rápidamente el Río Tecka por un lecho de fina gramilla hasta su afluencia llevando agua cristalina desde el hielo eterno. Aquí tuvimos una visión cercana de la majestuosidad de las montañas y sus boscosas laderas siempre verdes. A pesar de que era pleno verano las montañas estaban blancas y el viento terriblemente frío. Habíamos viajado contra el viento todo el día y llegamos a Tecka hacia la puesta del sol, cansados y con frío.

"A la mañana siguiente nos separamos, los vagones rodeando las montañas en un viaje de tres días mientras que nosotros las cruzamos en un viaje de un día y medio. Subir, subir cada vez más alto, ello fue lo que hicimos por largas horas el primer día. Alrededor del medio día llegamos a un hermoso lago, de azules aguas (laguna Súnica) escondido entre las montañas y los flamencos vestidos del color del sol gozaban con la belleza y altivez de su porte en su desfile alrededor del gran lago."

HACIA ARROYO PESCADO, POR LA CUESTA DEL ARBOLITO

Desde Tecka hasta poco antes de llegar a Esquel transitamos por la Ruta Nacional 40 bordeando el hermoso valle del Río Tecka. Hasta los años '70, la Ruta Nacional 40 -que hoy corta camino directamente hacia Esquel- seguía la antigua ruta de los carros, pasando por la denominada "subida del arbolito" hasta llegar a Arroyo Pescado, puerta de entrada de los pioneros al Cwm Hyfryd. Y hablando de carros, ya es hora de que nos ocupemos un poco de ellos y de sus tropas.

the Natives for the celebration, and had given them abundant liquor. It was quite a strange scene: some yelled at the top of their voices, others sang happily, while yet another moaned and cried in despair. There were only two white persons living between the Lower Valley and Tecka: an Italian who is in charge of a church and a North American who owns a bar. Five more days on the road, and on the sixth, arrival."

In her book, Eluned Morgan (1898) clearly explains how the final stages of the journey were made from Tecka to the "16 de Octubre" Colony. The wagons went northwest to Arroyo Pescado on level or soft-rolling land, while the horsemen, just as the Riflemen had done, cut straight to Súnica and the Cwm Hyfryd:

"We arrived at Tecka. Only two days left to finish our trip. A narrow valley lush with grass with the Tecka River running swiftly through it, carrying crystal-clear water from the eternal ice. We had a closer view of the majestic mountains and their evergreen, forested mountainsides. Although it was midsummer, the mountains were whitecapped and the wind terribly cold. We have travelled against the wind all day, reaching Tecka at sunset, tired and cold.

"The following morning we separated, the wagons circling the mountains in a three-day trip while we crossed them in a day and a half. During the first day we climbed and climbed, ever higher. Around midday we reached a beautiful Lake of blue water (Súnica lake) hidden in the mountains. The flamingos, dressed in their beautiful colours, basked in the sun and paraded proudly around the lake."

TOWARDS ARROYO PESCADO, ALONG THE "CUESTA DEL ARBOLITO"

Driving along National Highway 40, we skirted the beautiful valley of the Tecka river from the small town of Tecka to just before Esquel. Then the paved road cuts straight to Esquel, but before it was built in the 1970s NH 40 followed the old cart route, through the "Cuesta del Arbolito" (Little Tree Climb) to "Arroyo Pescado" (Fish Creek), the gate to Cwm Hyfryd in the pioneers' time.

And, speaking of carts, it's time we stop for a while to tell the reader what we found about them, the mule trains and the droves.

Un sinuoso tramo de la Ruta Provincial 62 cerca del pueblo de Tecka. Al fondo,
la inmensa y dorada estepa patagónica, semicubierta de nieve.

A winding stretch of Provincial Highway 62, near the small town of Tecka.
The snow-covered, golden Patagonian steppe unfolds in the background.

186

TROPAS Y ARREOS

Compartiendo su camino con las carretas y vagones de los primeros pobladores, Enrique Shrewsbury trajinó la huella entre 1916 y 1921. Fue un pionero de los viajes en automóvil por la Patagonia en los tiempos en los que, además de chofer, había que ser mecánico, cocinero y enfermero. Con menos de veinte años llegó a la Patagonia, donde pasó un lustro trabajando en una estancia inglesa y realizando además numerosos viajes por su cuenta. Conoció en Trelew a la que luego fue su esposa y con ella se trasladó a Buenos Aires donde transcurrió el resto de su vida.

Pero sin duda la Patagonia le dejó una marca tan evidente como las huellas de automóvil que él dejó sobre nuestra ruta. Seguramente por eso escribió para sus nietos un libro titulado "Patagonia en el Espejo Retroscópico" –inédito aún– al que hemos tenido la fortuna de acceder. Gracias a la gentileza de sus descendientes, ofrecemos

GENTILEZA JORGE BARZINI

Un pequeño accidente en la huella.
A small incident on the track.

–a modo de anticipo– un breve extracto de su relato junto a algunas de las treinta y cuatro fotografías que lo acompañan, que son las primeras tomadas de un automóvil transitando por nuestra Ruta, incluso por algunos parajes que desaparecieron de la misma a partir de su trazado actual.

SOBRE MULAS Y CARRETAS

"Trelew era el centro de recepción y distribución de todo el comercio con la zona

MULE TRAINS AND DROVES

On his automobile, Enrique Shrewsbury shared the Patagonian trails with the carts and wagons of the first settlers between 1916 and 1921. He was a real pioneer of automobile travel at a time when drivers were also mechanics, cooks, and nurses. He was not twenty years old yet when he arrived in Patagonia. He lived here for 5 years, where he worked on an English sheep farm and was later self-employed in the transportation business, conveying people, mainly, but also carrying a variety of unusual items, such as the dynamite the Welsh used in the construction of the irrigation canal system in the Lower Valley. He met his future wife in Trelew, and later moved to Buenos Aires.

But his years in Patagonia made a mark on his soul as deep as the imprints the narrow wheels of his cars left on our road. Probably that drove him to write a book for his grandchildren, still a manuscript, titled "Patagonia through the Rear-view Mirror," which we were fortunate enough to read. Thanks to his descendants' generosity, we include a brief excerpt of his narrations and a few of the 34 photographs that illustrate them. These are the first to show an automobile riding along our Route, and some have registered places that were later lost forever when the new highway was built.

GENTILEZA ERNESTO HOWELL NEUMAN

Tropa de carros de Agustín Pujol.
Agustín Pujol's mule train.

cordillerana; estaba ligada a Puerto Madryn, distante 14 leguas (70 km), por un ferrocarril de trocha angosta y un buen camino. En Trelew se abastecían lejanos y florecientes centros: Esquel, Colonia 16 de Octubre, Tecka, San Martín, etc. Todas las mercaderías eran transportadas las más de las veces en carros en tropa, tirados por mulas; por caminos que no eran tales sino simplemente huellas; huellas que en los valles y las hondonadas eran, en tiempo seco, sólo canaletas llenas de un polvo penetrante, fino como talco y con el olor característico de cada lugar. Aún hoy, después de tantos años, al sentir ciertos olores recuerdo tal o cual paraje. Cuando llovía eran indescriptibles barriales, que hacían casi imposible el tránsito. Hechas por los carros, vibo-

reaban continuamente según la naturaleza del terreno, ya para sortear una piedra grande, ya para esquivar un grupo de algarrobillos o piquillines. Al profundizarse, formaban tres canaletas o zanjas, dos hechas por las ruedas, y la del centro por la mula varera. Las demás mulas no hacían huellas profundas, pues tenían más amplitud de movimiento por la naturaleza de su enganche al carro. En el sur, hablar de La Huella, era referirse al camino entre Trelew y la Cordillera. Era tal la importancia para el bienestar y el progreso de todas esas zonas que se hablaba de ella como de una persona, inquiriendo por su estado como si fuera una enferma: '¿Qué tal está la huella?' '¿Cómo está la huella?' '¿Hay novedades por la huella?'

"El punto de partida para

ON MULES AND WAGONS

"Trelew was the reception and distribution centre for all commerce with the Andes; it was linked to Puerto Madryn, 14 leagues (70 km) away, by a narrow gauge railway and a good road. The distant and flourishing areas of Esquel, Colonia 16 de Octubre, Tecka, San Martin, and others were supplied from Trelew. Almost all the goods were carried on mule trains, through roads that didn't deserve that name, as they were only rutted trails; trails that, during dry weather, in the valleys and gullies were parallel gutters filled with a penetrating dust, fine as talcum powder, which had a characteristic smell that varied from place to place. Even today, after so many years, there are some smells that remind

me of particular spots. When it rained, they turned into indescribable, almost impassable bogs. Having been marked out by the carts on their way, they were not straight, but sinuously snaked past rocks and 'algarrobillo' or 'piquillín' shrubs. When the traffic deepened the ruts, there were three of them that became quite visible. The two on the sides were made by the wheels, and a central one was made by the shafts mule; the other animals that were tied to the cart could move more freely and did not leave such an evident trail. In the South, when speaking about La Huella (The Trail) one was referring to the road that joined Trelew and the Andes. It was so important to the well-being and progress of these remote areas that people talked about it as if it were a person,

188

la mayoría de las tropas de carros a mula era Trelew. Allí, al lado de una laguna, en las orillas del pueblo, se encontraba el lugar favorito para los campamentos. En este lugar amplio, de piso llano, liso y firme, cabían varias tropas juntas; se le llamaba El Dobladero. Con este nombre designábase también cualquier lugar por la huella, donde solían parar o acampar. En el dobladero se hacían las reparaciones a los carros y se cargaban y ponía

propensas a sufrir roturas. Casi todas las tropas tenían gente capaz de reconstruir y enllantar una rueda, en caso de necesidad.

"Algunas mercaderías eran acondicionadas especialmente para el viaje. Por ejemplo, nafta y kerosén, que eran importados de USA en cajones con dos latas de dieciocho litros cada una, y eran protegidas con arpillera alrededor de cada lata y también abajo y arriba. Esto reducía al mínimo

asking 'How is La Huella?' or 'Any news on La Huella?'

"Most of the mule trains started from Trelew. Near the town, beside a lagoon, there was an ideal spot for the camps. Its ground was firm and level, and there was ample space for many mule trains. It was called 'El Dobladero' (The Turning Place). This name was also given to any spot along the trail where the mule trains stopped to rest or camp for the night. At El Dobladero of Trelew the

kilos. They took along some spare wheels and shafts, these parts being the most prone to break down. Almost all the mule trains had people who, if necessary, were capable of reconstructing a wheel and afterwards fix its iron rim on it.

"Some goods had to be specially packed for the trip. For instance gasoline and kerosene, which were imported from USA in boxes containing two square four-gallon tins, and had to be wrapped

GENTILEZA ERNESTO HOWELL NEUMAN

todo en orden para la marcha. La mayoría de los carros eran del tipo de cuatro ruedas y con varas. Eran más bien livianos y ágiles, pero de construcción sólida. Cada carro llevaba una carga útil de tres mil a tres mil quinientos kilos. Como repuesto, llevaban algunas ruedas y varas, las dos cosas más

el roce y por ende la rotura de latas y fugas de líquido.

"Las tropas más importantes eran dirigidas por sus dueños o por un capataz. El capataz era supremo en la huella. Recibía instrucciones del dueño, pero no órdenes a la manera de un capitán de barco. Lo seguía en importancia el

carts were serviced and repaired, their cargo loaded, and everything was put in working order for the long march west. Most of the carts had four wheels and shafts in front. They were rather light and easily manoeuvred, but solidly built. Each could carry three to three and a half thousand

in burlap to avoid the leaks that would appear if they were allowed to rub together for a month.

"The main mule trains were led by their owners or a foreman. The foreman reigned supreme on the trail; he got his instructions from the owner but never orders, as if

mansero, a cuyo cargo estaban las mulas. Este, según el tamaño de la tropa, podía tener uno o más ayudantes. Era trabajo del mansero arrear las mulas de remuda y ponerlas a disposición de los carreros cuando fuera necesario. También era de su incumbencia amansar y preparar mulas para montar. A éstas se las llamaba silleras. Las tropas grandes tenían también un muchacho llamado el 'marucho', quien era un peoncito personal del capataz. Por último, cada carro tenía un conductor, a quien se conocía como el carrero o el peón.

"Las mulas, salvo algunas de montar, no se traían al dobladero de Trelew hasta que

he were a ship captain. The 'mansero' (tamer) followed the foreman in importance, being in charge of the mules. Depending on the size of the train, he could have one or more helpers. It was his job to drive the refreshment mules and deliver them to the cart drivers when necessary. He was also responsible for taming and fitting the mules which were used for riding. These were called 'saddle mules.' Big mule trains also carried a boy, called the 'marucho,' who acted as a personal aide to the foreman. And lastly, each cart had a driver, known as the 'carrero' or 'peón.'

Except for the saddle mu-

Michael Gough muestra un bozal de la tropa de su abuelo.
Michael Gough holding a bridle from one of his grandfather's mules.

La tropa de Juan Gough, atando sus mulas
luego del descanso del mediodía.
Juan Gough's mule train getting ready to go
after a midday stop.

todo estuviese listo para partir. A cada carro se ataban seis mulas, de tres en tres, es decir una en las varas, llamada la varera y una a cada lado de ésta y tres adelante. El conductor manejaba el conjunto montado sobre la mula a la izquierda de la varera, llamada la sillera.

"El trabajo en las tropas era muy duro y de muchas horas; una marcha normal de un día era de 6 a 8 leguas (30 a 40 km). Generalmente se trabajaba de sol a sol y a veces algo más. En algunas partes de la huella, especialmente en el valle del Río Chubut, donde se forma un polvillo blanco, fino como el talco, era muy común ver gente y animales tan cubiertos de polvo que solamente el movimiento los distinguía del paisaje. Alrededor de los ojos, nariz y boca se les formaba un ribete, como un recuadro, de color marrón, el color que tomaba ese polvo al ser humedecido. Esto sucedía cuando marchaban hora tras hora dentro de una nube de polvo, porque ese día no soplaba viento o éste soplaba en la misma dirección que la marcha. El pago de las tropas era por regla general $35 ó 40 por mes y la comida. Esta consistía generalmente en sopa de arroz o fideos y tumbas, que eran trozos grandes de carne y hueso, cortados sin miramiento de forma, clase ni tamaño. De vez en cuando, disponiendo de tiempo, se comía carne asada. En la Patagonia, en esos días, muy rara vez se comía carne de vaca.

"Recuerdo la mayoría de la gente de tropas como taciturnos y tristes, sin mayores aspiraciones de mejorar su vida.

En todos los años que los he conocido no recuerdo, ni en el dobladero de Trelew, ni por la huella, haber oído a uno de ellos tocar un instrumento musical o cantar. La única diversión en que recuerdo verlos participar, era alguna que otra cinchada entre dos mulas silleras. Los animales eran unidos con un lazo fuerte, atado al anillo de la cincha, del lado derecho. Una vez puesto en tensión, los jinetes animaban a sus mulas inclinándose repentinamente hacia delante y a la izquierda, acompañando estos movimientos con gritos. Era prohibido el uso de rebenque, látigo o espuelas. Era notable ver a estos animales agacharse casi de rodillas para afirmarse. Cinchaban hasta que una arrastraba la otra. Recuerdo haber visto, en una de esas cinchadas, romperse el lazo que las unía, haciendo que una de las mulas hiciera una rodada espectacular, afortunadamente sin lastimar al jinete.

"La mayoría de la gente de tropa eran bebedores de vino y caña pero en la huella no tomaban, no sé si por voluntad propia o por prohibición.

"La tropa más grande y mejor organizada era la del Sr. Juan Gough, un inglés con muchos años de residencia en la Patagonia. Se componía de trece carros, cada uno con doce mulas; seis atadas y seis de remuda. Además, las de montar, para el capataz, mansero y sus ayudantes y algunas de reserva. En total unas ciento setenta mulas. En un lugar de las cordilleras tenía otro lote similar. De esta manera, cada lote hacía un viaje redondo desde la Cordillera hasta

les, the other animals were not brought into the dobladero until everything was ready for departure. Six mules were tied to each cart in two rows of three. The middle one of the first row was tied to the shafts with a mule on each of its sides, and three in front of them. The driver rode on the saddle mule, which was the left one of the first row.

"Work on these mule trains was very hard and lasted many hours; a normal day's journey covered 6 to 8 leagues (30 to 40 km). The men usually worked from dawn to sunset, and sometimes more. On some stretches of the trail, especially in the valley of the Chubut River, where the trains raised a white cloud of fine dust, one could often see the people and the animals so covered in it that, save for their movement, they became almost indistinguishable from the landscape. That happened when there was no wind, or when the wind was blowing in their same direction. Around their eyes, nose, and mouth they sported a brownish trimming, the colour of this dust when wet. The men were paid around 30 to 40 pesos a month plus food. They usually ate rice or noodle soup and 'tumbas,' which were big chunks of meat and bone, roughly cut without any consideration to their shape, kind, or size. Every now and then, if the weather was good, they would have roasted meat. In those days, beef was rarely eaten in Patagonia, only mutton and lamb.

"I remember most of the people in the mule trains were sad and taciturn, without any

aspiration to better their lives. During all those years I can't remember any of them playing a musical instrument or singing, whether at the dobladero in Trelew or along the trail. The only fun I recall they had was when they set up a saddle-mule tug-of-war. The animals were tied to each other with a strong lasso fixed to the ring on the right side of their girth. Once taut, the riders urged their mules by crying loud and suddenly leaning forward and to the left side. Whip and spurs were forbidden. It was amazing to see the animals almost kneeling down when pulling at their full strength, till one succeeded in dragging the other. I remember I once saw the lasso break and one of the mules somersault spectacularly, fortunately without any harm to its rider.

"Most of the mule-train men were wine or 'caña' drinkers, but never on the trail. I never knew if this was a self-imposed rule or not.

Mr John Gough, an Englishman who lived many years in Patagonia, owned the largest and best-organised mule train. It was composed of thirteen carts, with twelve mules each; six tied and six for refreshment. There were also the ones the foreman, the mansero, and their helpers rode, plus a few more for emergencies. In total, one hundred and sixty mules. Somewhere in the Andes he kept a similar number, so each team did a round trip to Trelew in turn, covering about 1,250 km.

"It was the only mule train with so many animals, and because of this and its good

Trelew y vuelta; alrededor de doscientas cincuenta leguas (1.250 km).

"Era la única tropa con tantos animales y debido a eso y a su buena organización hacía, por lo menos, dos viajes por cada uno de cualquier otra. Las mulas de Gough eran muy bien tratadas. Era prohibido usar látigo, rebenques o espuelas. Únicamente el mansero, por la naturaleza de su trabajo, podía utilizar estos instrumentos.

"El capataz de la tropa de Gough, un criollo –creo que era de San Juan– de apellido Gómez, era notable por sus conocimientos de animales y sus pronósticos del tiempo. Todas las noches, antes de acostarse, estudiaba el cielo y luego daba órdenes para el día siguiente. Decía, por ejemplo: 'Mañana atamos antes de aclarar para salir con la primera luz, porque a media mañana va a haber viento fuerte, de tal o cual dirección, para que no nos agarre subiendo tal o cual cuesta'. O: 'Mañana hacemos una tirada de tantas leguas, para llegar en el día a tal o cual parte, no se come al medio día, se cambia la mulada nada más, si no nos agarra la lluvia en tal o cual hondonada'. O: 'Mañana hacemos medio día solamente, para descansar los animales para tal o cual subida'. Cada vez que yo acampaba junto a la tropa le pedía que me enseñara o me mostrara su sabiduría, pero su única contestación era 'y... se ve en el cielo'. En la huella era un hombre infatigable, iba y venía continuamente a lo largo de la tropa, vigilando la carga,

los carros y los animales. Hablaba poco. No se le escapaba ningún detalle de importancia para la buena marcha de la tropa. El fin de este hombre fue trágico. Durante algunos días, la gente en la huella lo notaba algo raro y un día desapareció a pie. Que yo sepa, nunca más fue visto, ni vivo ni muerto.

"La tropa que seguía en tamaño y en organización era de un norteamericano de nombre Juan Crockett. Este usaba solamente mulas altas de pelaje oscuro. Las mulas de Gough eran de menor alzada y de colores variados. En las tropas se elegía para cada carro animales parejos en tamaño, para obviar la necesidad de alterar correaje en los aperos. Las mulas de Crockett no sólo eran inconfundibles por su tamaño y pelo, sino también porque cada una tenía remachada alrededor del pescuezo una cadena en forma de collar.

Una de las carretas más grandes, en un campo de Río Pico.
One of the bigger carts, kept at a Río Pico farm.

organisation it made twice as many trips as any other. Gough's mules were well-treated. Whips and spurs were forbidden. Only the mansero, due to the nature of his job, could use them.

"Gough's foreman was a man from San Juan province called Gómez. He was admired for his knowledge of animals and for his weather forecasting. Every night, before turning in, he would study the sky for a while and then give the orders for the next day. He would say: 'Tomorrow we will tie up the mules before dawn, so we can start with the first light, because by mid-morning a strong wind will blow in such-and-such direction, and we had better have passed such-and-such climb by then.' Or: 'Tomorrow we must cover so many leagues, so we reach such-and-such place before dark. We are not ea-

ting at midday, just changing the mules. Otherwise, the rain might catch us in the middle of such-and-such hollow.' Or: 'Tomorrow we will travel only till midday, so the animals can have a good rest before we reach such-and-such climb.' Every time I camped next to their camp I begged him to teach me his forecasting knowledge, but his invariable reply was. 'But...you can see it in the sky.' On the trail he was an indefatigable man. He continually went back and forth along his train to check on the cargo, the carts, and the animals. He paid attention to even the smallest details. His end was tragic. For several days, people travelling on the trail noticed something strange about him, till one day he walked away and disappeared. As far as I know he was never found, either a dead or live.

"The next mule train in size and organisation belonged to a North-American called John Crockett. He only used tall, dark-coated mules, while Gough's mules were shorter and of various colours. On the mule trains, a team of mules of the same size was picked for each cart, so the harnesses wouldn't need to be adjusted when changing the animals. Crockett's mules were unmistakable not only because of their size an colour, but also because each had a chain collar around its neck.

"Neither in Trelew's dobladero nor anywhere else along the trail was there any fence or a yard to enclose the mules before catching them. The manseros would drive the ani-

"Ni en el dobladero de Trelew ni en lugar alguno de la huella había alambrado o corral donde encerrar las mulas para atraparlas. El proceder era el siguiente: los manseros arreaban los animales cerca de los carros y los mantenían en rodeo mientras cada carrero agarraba los suyos. La cadena en el pescuezo de las mulas de Crockett facilitaba esta tarea. Cada carrero usaba un alambre grueso, largo, con un gancho en la punta, con el cual enganchaba la cadena. La tropa de Gough utilizaba otro sistema. Mientras los manseros mantenían el rodeo, los carreros entraban entre los animales, munidos de un bozal, un poncho o simplemente una bolsa. Este (poncho o bolsa) lo tiraban para que cayera encima del animal, que al sentir el peso sobre cualquier parte de su cuerpo quedaba quieto para recibir el bozal. Era de admirar la ligereza con que se ensillaba, ataba, y se ponía en marcha una tropa bien organizada. Cada carrero conocía sus mulas y su posición de enganche al carro; también lo sabían las mulas que, a veces, caminaban solas hasta el carro para ocupar su lugar de enganche. Cuando se ataban antes de aclarar el día, era cuando se apreciaba el conocimiento de los animales que tenía el capataz Gómez. Parado en medio del rodeo distinguía los animales de cada carro y se los indicaba al carrero, quien no los hallaba por la poca luz.

"En las subidas grandes, cada carrero, con algunas de sus mulas, ayudaba a otro. Así se repartía el esfuerzo extra y también se perdía menos tiempo. Cuando las bajadas eran muy pendientes, además de los frenos se ataba una o dos mulas a la culata del carro, para tirar para atrás. A éstas se las llamaba culateras.

"He dicho antes que no había visto ningún instrumento musical en las tropas. Debo retractarme, pues en casi todas las tropas el huellero o puntero, como se llamaba al carrero del primer carro, llevaba una corneta. Esta se tocaba cuando se acercaba al dobladero, ya fuera al medio día para descansar y cambiar de mulas o para hacer noche. Las mulas, que venían aflojando por cansancio después de cuatro o cinco horas de continuo tirar, pues no habiendo trastornos no se hacían más paradas que la del medio día, recobraban bríos y apretaban el paso al oír las notas que les anunciaban el descanso.

"Entre la travesía entre el Valle Superior del Río Chubut y Las Plumas, donde la huella era apartada del río, las tropas paraban durante un día entre Campamento Villegas y Las Chapas para mandar la mulada al río a beber. Muy cerca de ese lugar, se está levantando el Dique Ameghino. En esta travesía tampoco había pasto, y los animales comían las chauchas de los algarrobillos y alguno que otro bocado de, para ellas, matas comestibles.

"Siempre era un momento de diversión cuando una tropa pasaba a otra acampada, yendo en la misma dirección. Y si esto sucedía estando ambas en marcha, era un acontecimiento para celebrar con gritos y mals near the carts and keep them rounded while the cart drivers caught their mules. The chain collar on Crockett's mules made this work easy; each driver had a thick wire with a hook on the end he used to catch his animals. In Gough's train, while the manseros kept the mules rounded, the drivers would enter carrying a halter and a poncho (or just an empty bag). They threw their poncho on the chosen animal which, feeling the weight on his back or neck immediately stood still and accepted the halter. It was amazing how quickly a well-organised mule train was ready and on the road. Each driver knew his mules and their position on the cart; the mules knew this as well, and they would often walk to the cart on their own and occupy their place. Foreman Gómez's expertise and his knowledge of animals was especially noticeable when they had to tie up before dawn. Standing in the middle of the roundup, he would point out the appropriate animals to each driver, when they could not find them in the pre-dawn twilight.

"On the long climbs the drivers used some of their mules to help each other. In this way, the extra effort was divided among all, and less time was lost. When descending on a steep climb, one or two mules were tied at the back of the carts to hold them back, reinforcing the brakes. They were called the 'culateras.'

"I have mentioned that I never saw a musical instrument on any of these mule trains. I must take that back, for in almost all of them the 'huellero' or 'puntero,' as the driver of the leading cart was called, carried a horn. When nearing the dobladero at midday or at the day's end, this driver would blow his horn announcing they were about to reach the resting place. By then, after four or five hours of dragging the heavy carts, the mules were tired; if all went well the only stops were at midday and at night. Hearing the sound of the horn, the animals would draw extra strength and hurry to reach their destination.

"On the desert crossing between the upper valley of Chubut River and Las Plumas the trail went far from the river. The mule trains used to stop for a day between 'Campamento Villegas' and 'Las Chapas' (The Iron Sheets) and send the animals to drink in the river. Very near that place they are building the Ameghino dam. On this crossing there was no grass, so the animals fed on some shrubs and 'algarrobillo' pods.

"It was always fun when a mule train overtook another one which had camped, when they were travelling in the same direction. Not to mention when this happened when both were on the move, an occasion that was celebrated with heavy jokes and cries. This was called to 'yantar' the other one.

"I have talked so much about mules, that I may have given you the impression that Patagonia was made 'a pura mula' (nb: this is a pun: 'mula' —mule— is also, in Argentine slang, deception or to cheat,

Ayer y hoy en la ruta de los galeses.   *Yesterday and today on the Route of the Welsh.*

burlas de toda índole. A esto se lo llamaba 'yantar' al otro.

"He hablado tanto de mulas, que da la impresión que la Patagonia fue hecha a pura mula (perdónenme el mal chiste). Pero si hay un animal que merece ser recordado con un monumento, en un escudo o en una estampilla de correo, por sus servicios a la patria, es sin duda la humilde mula."

———

so this phrase can be understood as 'by mule alone', 'by pure deception' or 'just by cheating') –sorry about that bad joke. But if there is an animal that deserves to be remembered with a monument, on a shield, or on a mail stamp, because of services rendered to our country, that is without doubt the humble mule."

194

El turismo aventura del siglo XIX

Nineteenth century adventure tourism

Hacia el fin de la década de 1890, un joven súbdito británico pasó unos años recorriendo la Patagonia a caballo. Poco después, en 1901, reunió sus conocimientos en un libro con recomendaciones para quienes se atrevieran a repetir la experiencia. El explorador se llamaba William Orr Campbell y tenía menos de 24 años; su libro es un verdadero precursor de las populares guías para viajeros de nuestros días.

Este "gringo loco" vivió innumerables aventuras, viajando sin más compañía que sus caballos y cazando su almuerzo de todos los días. Algunas veces debió confiar en el instinto de sus cabalgaduras para no perecer de sed, y otras utilizarlas para vadear ríos caudalosos. Y, como veremos más adelante, hasta debió ocuparse de dar respetuoso entierro a los restos de otro viajero solitario que lo había precedido en sus andanzas por el desierto.

Durante el verano de 2003, en Playa Unión, tuvimos la oportunidad de conocer a un grupo de tres muchachos ingleses que acababan de atravesar a caballo la provincia del Chubut, desde el Valle 16 de Octubre en la Cordillera hasta Rawson, en la costa. Hicieron más de 600 km por una ruta similar a la que los Rifleros de Fontana tomaron en 1885, aunque en forma inversa: partieron desde Trevelin con rumbo a Gualjaina y luego hacia el mar. Se trataba de dos hermanos y un amigo; los dos primeros, bisnietos de W. O. Campbell, se llaman Oliver (Ollie) y Julian (Jules) Campbell. El amigo es Harry Glass. Los tres, embarcados en la aventura de reincidir en el derrotero del bisabuelo. Y en hacer un video moderno para la TV británica, combinando lo histórico con la informalidad y diversión de un "reality show" de los de ahora. Nos contaron que habían publicado la guía de su bisabuelo en Internet, de cuyo rico contenido extractamos unos pocos –poquísimos– párrafos.

Quizás –comenzando por el final– resulte importante aquí transmitir la versatilidad que W. O. Campbell le quiso imprimir a su obra. Demostrando que su visión no se limitaba a la de un simple explorador, nuestro héroe cierra el texto de su libro de esta manera:

"Si el hombre de temperamento casero que lee este libro sentado al lado de un confortable fuego en su hogar, solamente importunado por el repiquetear de las gotas de lluvia sobre su ventana, ha sido capaz de concebir una imagen del gran continente que se dilata en su intacta soledad lejos del fragor y el tráfico de la gran ciudad, y de ponerse por una corta hora en el lugar de este trotamundos, con todos sus éxitos y desilusiones,

Towards the end of the 1890s a young British subject spent some years exploring Patagonia on horseback. Soon after, in 1901, he wrote a book in which he told about his experience and gave some advice to those who would follow in his tracks. The name of the explorer was William Orr Campbell, and he was not yet 24 years old at the time of his journey; his book was a true precursor of the modern travel guides.

With only his horses for company and hunting his everyday lunch, this "crazy Gringo" lived through countless adventures. Sometimes, almost dying of thirst, he had to trust his horses' instincts to find water, while at other times he relied on their strength to wade across swollen rivers. As we will see later, he had even to provide a respectful burial to the remains of another lone traveller who had preceded him on his horse-trek through the desert.

During a short visit to Playa Unión (a seaside resort near Rawson) in the summer of 2003, we got acquainted with three young Englishmen who had just crossed the Chubut province on horseback from the 16 de Octubre Valley in the Andes to the city of Rawson on the Atlantic coast. They came along the Fontana Riflemen route, but in the opposite direction. Two of them were bro-

William Orr Campbell.

thers, Oliver (Ollie) and Julian (Jules) Campbell, great-grandsons of the adventurous W. O. Campbell. Harry Glass was the third in the group, a friend of theirs. They were working on a project that included the re-enactment and filming of a part of the great-grandfather's travels, and the production of a modern video for British television, combining the historical facts with the fun of a "reality show". While we had dinner at a friend's home, they told us they had published their great-grandfather's engaging guide on the Internet, from which we have extracted just a few paragraphs. Obviously Mr Campbell was a man of many talents. Displaying a vision that far exceeded one of a simple explorer, he intended to make his book for would-be travellers an interesting ac-

y puede sentir en su interior la sorda tensión de la ansiedad o el rápido suspiro del alivio; si estas cosas resultan así evocadas, entonces pienso que este libro no ha sido escrito en vano."

Al principio de su guía, cuando se refiere a la "etiqueta" que es conveniente observar en el momento de acercarse a un toldo tehuelche, dice Campbell:

"...y se encontrará esta hospitalidad también entre las tribus indígenas, quienes, aunque de una disposición callada y taciturna por naturaleza, demostrarán al extranjero la más grande hospitalidad. Existen, sin embargo, formalidades a observar cuando uno entra a un toldo o toldería. Me acuerdo de una vez que llegamos a caballo con un amigo recién llegado de Inglaterra que, sin saber que su comportamiento resultaba ofensivo, bajó de su caballo de un salto y le dio un apretón de manos a todo el mundo, mientras hablaba hasta por los codos y convidaba tabaco a los estupefactos indios. Sucedió que yo conocía al cacique, por lo que pude explicarle que mi amigo ignoraba sus costumbres, causándome placer comprobar que éste tomó todo el asunto con buen humor.

"La manera correcta y amable es cabalgar hasta la entrada, pero bajo ninguna circunstancia desmontar antes de que uno sea invitado a hacerlo. El anfitrión luego se sentará, indicando a su visita que haga lo mismo, todo este tiempo transcurrido en un silencio total hasta que comienza la rueda del mate que, dicho sea de

Harry Glass, Julian Campbell y Oliver Campbell durante su travesía.
Harry, Julian, and Oliver relax during their crossing.

paso, no debe ser rechazado; ése es el momento en que comenzará la conversación y el tabaco será gratamente aceptado. No es necesario, como sucede en otros países, dejar el rifle y el revólver afuera antes de entrar; ni tampoco es inteligente hacerlo, ya que una pelea puede comenzar repentinamente entre ellos, momento en el que siempre es bueno tener las armas a mano."

Sus consejos en cuanto al equipo de "última tecnología" eran de este tipo:

"Una montura será, desde ya, la primera necesidad del viajero. Ella se transformará en su casa, su cama y su portaequipajes; por ello no debe ahorrarse ningún esfuerzo en la selección de este factor fundamental. Cualquier idea de llevar una montura inglesa común debe descartarse, ya que en primer lugar no se adaptará a las formas del caballo que se tendrá que usar, y, más importante aún, no sirve para llevar nada que se parezca a una cama. La alternativa es el recado, la montura que usan los nativos del país. Este

count that would appeal to a wider audience. Fittingly, his text ends this way:

"...if the stay-at-home who reads these same pages as he sits by his comfortable fireside, disturbed only by the rain which patters on the window panes or drips on the roof, has been able to picture to himself the great continent as it stretches in undisturbed solitudes far from the roar and traffic of the great city, and to put himself for one short hour in the place of the wanderer in all his successes and disappointments, and can feel with him in the dull strain of anxiety or the quick sigh of relief –if these things are brought about, then I think that this book will not have been written in vain."

At the beginning of his guide, when referring to the etiquette the traveller should observe when approaching a Tehuelche encampment, Campbell writes:

"And indeed this hospitality will be found even among the Indian tribes who, although naturally of a silent and taciturn disposition, will

show strangers the greatest hospitality. There is, however, a certain etiquette on entering an Indian toldo –or encampment– which it is well to observe, I remember once riding up with a friend who was only just out from England, and, unaware of offence, he jumped from his horse, shook hands all round, talked away, and distributed tobacco to the astonished savages. I happened to have known the cacique –or chief– before, and was able to explain to him how my friend was unused to their ways, and I was pleased to see that he took the affair in good part.

"The proper and polite way is to ride up to the door, but on no account get off the horse until invited to do so. The host will then seat himself and invite his guest to do likewise, all this time being passed in perfect silence until the 'matte cup' has been passed round, which, by the way, must not be refused, when conversation will begin and tobacco will be gratefully accepted. It is not necessary, as in some countries, to leave the rifle and revolver outside before entering the hut; nor, indeed, is it wise to do so, since the Indian is, I am sorry to say, far from trustworthy, and a quarrel very soon springs up amongst them, when it is always well to have one's weapons ready to hand."

His advice on the cutting-edge technology and equipment the explorers should take was as follows:

"A saddle will, of course, be his first and greatest want. It will have to become his home, his bed, and his lugga-

realmente cumple con todos los propósitos, y consiste de dos rollos de cuero que van uno a cada lado del espinazo del caballo. Ellos se aseguran con una cincha ancha, la que es atada mediante un nudo corredizo que permite un gran ajuste si es necesario. Encima, se colocan las mantas que conforman el asiento, que deben ser lo más livianas posible, pero confortables y abrigadas. Un quillango, o manta de piel, una matra (que se lleva mejor bajo la montura), para acostarse a la noche y un poncho grueso, o manta con un agujero en el medio para permitir el paso de la cabeza, es todo lo necesario. Una loneta impermeable es un lujo, ya que el suelo muchas veces está empapado y casi nunca se llevan carpas en la Patagonia, debido al fuerte viento."

Luego Campbell destaca la importancia de llevar siempre el abrigo en el caballo que se monta y nunca en otro caballo "pilchero", recordando cómo debió una vez sacrificar con tres tiros al animal que llevaba estas cosas, el que se había desbarrancado, con la última luz del día, hacia el fondo de una grieta casi inaccesible en plena Cordillera. La oscuridad le obligó entonces a pasar la noche sin abrigo, despierto y caminando sobre la nieve para no congelarse, hasta que la luz del nuevo día le permitió bajar a recuperar sus mantas donde estaba el pobre animal.

Más tarde enumera las provisiones que es necesario llevar, entre ellas la yerba:

"Esta yerba, o té paraguayo, se toma en toda la República, pero en ningún lugar resulta tan preciosa como cuando se está de viaje. Para el viajero el mate es tanto carne como bebida, sirviendo como un tónico cuando se encuentra agotado, y también como un sedante contra los aguijonazos del hambre."

Y aquí sigue una buena muestra del estilo literario que utiliza Campbell en su guía, seguramente con un ojo puesto en aquél lector apoltronado junto al fuego, una tarde lluviosa en Inglaterra:

"Sin intenciones de asustar al explorador en ciernes, pero para mostrar cuán importante es asegurarse que los caballos estén bien atados por las noches, quisiera mencionar que una vez me encontraba marchando al pie de los Andes cuando el vaso de mi caballo golpeó un objeto que traqueteó en forma ominosa. Desmonté para examinar de qué se trataba, y encontré un esqueleto humano atravesado en mi camino. Esto en sí no era una vista infrecuente, pero pude ver por la forma del cráneo que no se trataba de un indio el que había muerto en estas soledades. Unos pocos metros más lejos se hallaba el esqueleto de un caballo el cual, descubrí al examinarlo, tenía una pata rota por un par de 'bolas', las que se encontraban tiradas cerca de allí. A partir de estos pocos puntos triviales no era difícil reconstruir la horrible escena que había tenido lugar tal vez muchos años antes.

"Uno podía imaginarse un hombre vagando solo en estas inmensidades, quien, quizás por descuido en atar bien su yegua madrina por la noche,

ge earner; therefore he cannot take too much trouble in the selection of this all-important factor. All idea of the ordinary English saddle must at once be abandoned, it being in the first place unsuited to the shape of the horse which he will have to use, and, more important still, it is of no use in carrying anything in the form of a bed. Another alternative is the 're-cado,' or saddle used by the natives of the country. This really answers every purpose for which it is wanted, consisting of two rolls of leather placed on each side of the backbone of the horse. These are securely fastened on with a broad girth or synch, secured with a running knot, and capable of being done up very tight should the rider wish; whilst over this, so as to form a seat, are placed the rugs or bedding, which should be of as light a nature as consists with warmth and comfort, one 'quillango,' or fur rug, one horse cloth (which is best carried under the saddle), to lie on at night, and a thick poncho, or rug with a hole in the middle to admit the head, being all that is necessary. A mackintosh sheet is also a luxury, since the ground is often sopping wet, and tents are never, or very rarely, carried in Patagonia, owing to the high wind."

Later in his guide, Campbell stresses the fact that the traveller's bedding should always be carried on the ridden horse, and not on the one carrying the load. He remembers one occasion when, in the middle of the Andes "Cordillera" he had to shoot a badly-injured load-horse that

had slipped into a deep crevice, out of reach from him in the last light of day. He had to spend the night awake, constantly walking on the snow so as not to freeze, until the light of dawn allowed him to climb down to the dead horse and fetch his blankets.

Later, he specifies the provisions the travellers should carry, including the "yerba":

"This yerba, or Paraguayan tea, is drunk very largely all over the Republic, but nowhere is it so precious as to the traveller, to whom it is both meat and drink, serving as a tonic when thoroughly tired out and as a sedative against the pangs of hunger."

And the following is a good example of the delightful literary style that Campbell used in his guide, so as to arouse the interest of that reader sitting by his comfortable fireside on a rainy afternoon in England:

"Not to frighten the would-be explorer, but to show how all important is the continual care of the horse as to tethering, etc., I may mention that I was once travelling along at the foot of the Andes when my horse's hoof struck against something which rattled ominously. I got down to examine this, and found that there was a human skeleton lying across my path. This, in itself, is not an uncommon sight, but I could see by the shape of the skull that this was no wandering Indian who had died in these solitudes. A few yards away was the skeleton of a horse which, on examination, I found had had its leg broken by a pair of 'bolas,' which were lying clo-

perdió sus caballos. Probablemente persiguió su tropilla a pie todo un día, hasta que pudo acercarse a unos veinte metros de los animales. Impetuosamente, debe haber tomado sus boleadoras y con unos pocos, cortos, y precisos golpes de muñeca, las habrá enviado silbando por el aire como tantas veces había hecho antes, pero nunca, quizás, con una cuestión tan crucial en juego como entonces. Tampoco, aparentemente, fue mala su puntería, y debe haber visto con alegría los nudos fatales atándose alrededor de las patas del caballo, deteniéndolo. Pero cuando descubrió que las pesadas bolas de plomo habían –como a veces lo hacen– quebrado la pata del

caballo, debe haber comprendido que solo y a pie en esa tierra desierta nada, salvo un milagro, podría salvarlo. No resultaba difícil imaginar sus frenéticos merodeos ni tampoco como, finalmente, volvió junto a su caballo herido y allí, solo y sin ayuda, comenzó un viaje del que ningún hombre ha vuelto aún para señalar el camino. Logré cavar una tumba superficial y darle una suerte de funeral a los restos que había encontrado, y montando mi caballo seguí mi viaje, contento de alejarme de esa escena deprimente. Aún recuerdo el cuidado con que aseguré mis caballos esa noche y muchas de las que le siguieron."

se near. From these few trivial points it was not hard to guess at the awful scene which had been enacted there perhaps many years before.

"One could picture a man wandering alone in this great wilderness, and perhaps through carelessness in hobbling his bell mare he lost his horses. For a whole day he may have followed the troop, and at last managed to come within about twenty yards of one of them. Eagerly he must have unslung his bolas, and with a few short, sharp twists sent them whistling through the air as he had so often done before, but never, perhaps, with so heavy an issue at stake. Nor, apparently, was his aim bad, for he must have

seen with joy the fatal knots tie themselves about the horse's feet and bring it to a standstill but when he realised that the heavy lead balls had –as sometimes they do– broken the horse's leg, he must have known that, left alone and on foot in this deserted land, nothing but a miracle could save him. It would not be hard to picture his frenzied wanderings, nor how at last he had wandered back to his wounded horse, and there, alone and untended, had started on a journey from which no man has yet returned to point out the track. I managed to dig a shallow grave and give some sort of a burial to what I had found, and then remounting my horse I rode on, glad to get away from the depressing scene; but I can remember now with what care I hobbled out my own horses that night and for many nights to follow."

Cecil Mac Williams cubrió a caballo la distancia entre Esquel y Trelew en tan sólo 5 días. Llevaba dos caballos de refresco.

Cecil Mac Williams covered the distance between Esquel and Trelew (600 km) in only 5 days. He took two refreshment horses.

EXCURSIÓN A LA PATAGONIA Y A LOS ANDES

Cabalgando por la costa del Río Chubut.
Riding along the banks of the Chubut River.

AN EXCURSION TO PATAGONIA AND THE ANDES

El chalet estilo noruego del naturalista suizo Delessert.
The Norwegian-style house of Swiss naturalist Delessert.

En el año 1902 realizaron una excursión por la Patagonia los señores Aarón de Anchorena, Esteban Lavallol, Carlos Lamarca y un grupo de acompañantes guiados por George Hammond, natural de las Islas Malvinas. Anchorena publicó un álbum fotográfico acompañado de una memoria, algunos de cuyas citas son tan elocuentes como sus imágenes:

"Toda la parte irrigable del valle (del Río Chubut) es sumamente fértil y su principal producto el trigo, que es superior en calidad a los demás de la República."

"Por lo general acampábamos entre sauces a orillas del río, adonde abundan las truchas."

"En un paraje conocido por Carro Roto, habita en un chalet estilo noruego el naturalista suizo señor Delessert; dedicado por completo al reposo y al estudio de las ciencias naturales."

"En las altas barrancas que cierran el valle del río en el Paso de los Indios, cazamos el primer puma."

"Los guanacos rondan en tropillas de mil y más juntos."

"Pasando por el sendero que lleva a la Laguna del Cronómetro, llegamos a los famosos lavaderos de oro del Río Corintos, ya abandonados pues los resultados obtenidos han sido al parecer desastrosos. Se tuvo la idea de un nuevo Klondyke y la 'gold fever' fue tal que alcanzó a contagiar a los pacíficos colonos de 16 de Octubre, quienes se agregaron a los infortunados buscadores de oro, desatendiendo sus haciendas y sementeras."

Aarón de Anchorena, Esteban Llavallol, Carlos Lamarca, and a group of companions guided by George Hammond from the Malvinas Islands made a journey through Patagonia in 1902. Anchorena later published a photo album with a report on the journey. Some of its entries are quite descriptive:

"All the land in the valley (of the Chubut River) under irrigation is quite fertile. Wheat is its main produce and of a superior quality than elsewhere in the republic."

"We usually camped among the willows that grow near the river bank, where trout are abundant."

"There is a Norwegian-style chalet at a place known as 'Carro Roto' (Broken Cart), where a Swiss naturalist, Mr. Delessert, lives. He spends his time at leisure and studying natural science."

"On the tall bluffs that close the valley at 'Paso de los Indios' (Indians' Ford) we hunted our first puma."

"The guanaco roam in herds of a thousand, or more."

"Marching along the path that goes to the Cronómetro (Chronometer) Lake, we reached the famous gold-bearing sands at the Corintos (Currants) River. The panning sites were already abandoned, as it seems the outcome of this venture has been disastrous. Many dreamt of a new Klondyke, and such a gold fever erupted that it even infected the pacific settlers of the '16 de Octubre' Colony, who joined the unfortunate gold hunters and neglected their cattle and crops."

JORGE MIGLIOLI

Encaje y adobe en la soledad del centro del Chubut.
Lace curtains and adobe walls join in central Chubut's solitude.

POR LA PICADA DE CROCKETT

YANQUIS EN PATAGONIA

Decenas de ellos vinieron a la Patagonia Argentina a finales de siglo XIX y principios del siglo XX, alentados por la activa promoción con la que los hermanos George y Ralph Newbery –de profesión dentistas– entusiasmaron a tantos compatriotas suyos en los Estados Unidos de Norteamérica, hablándoles de la excelentes oportunidades que guardaban los campos vacíos del lejano sur argentino.

Ralph había combatido en su país junto al Ejército de la Unión, siendo condecorado por su participación en la batalla de Gettysburg. Ya en Argentina, Ralph se hizo muy amigo de José Hernández, cuya obra Martín Fierro hizo leer al mayor de sus hijos varones, Jorge Newbery, padre de la aviación argentina.

Los Newbery atendieron en su consultorio de la Capital Federal a las más granadas bocas de la sociedad porteña de la generación del ochenta, con cuyo aliento pudieron luego acceder a diversas concesiones de tierras en la zona de Nahuel Huapi. Intentaron conformar una colonia norteamericana solicitando extensiones de 625 has para cada colono procurando ocupar una franja ubicada al oeste de las 300 leguas que ya habían sido concedidas a una sola compañía inglesa. Y finalmente se instalaron en la Patagonia donde poblaron su campos iniciando además el negocio del tráfico de hacienda a Chile.

Algunos de los norteamericanos que llegaron silenciosamente hasta aquí eran ya muy famosos, como los integrantes del célebre trío de Butch Cassidy que vivieron muy tranquilos en Cholila entre 1901 y 1905, hasta que finalmente resultaron alcanzados por la carga de su pasado bandolero, que los reclamaba por el mundo entero "vivos o muertos".

Otro personaje, por cierto más virtuoso que los de esa banda, se hizo igualmente muy famoso. Fue el pintoresco tejano Martín Sheffield, quien decía haber sido sheriff en su país antes de iniciar su actividad vaquera en Nahuel Huapi. De allí pasó a atender un boliche en Tecka, donde además de vender bebidas y provisiones, comenzó a buscar oro en los ríos. 🎧

Amigo de los indios, se casó con una tehuelche y, aunque siempre tuvo una vida bohemia y aventurera, sacudió al mundo científico de la época cuando en 1922 anunció el hallazgo de un plesiosaurio vivo junto al lago Epuyén, que todavía no fue encontrado. Como la mayoría de los vaqueros que llegaban a la Patagonia, sobresalía por su fantástica puntería y por su habilidad con el lazo. Murió buscando oro en las nacientes del Río Chubut. Dejó once hijos, cuyos descendientes viven todavía en la zona.

Mucho menos conocido

ALONG CROCKETT'S TRAIL

YANKEES IN PATAGONIA

At the end of the 19th and beginning of the 20th century the brothers George and Ralph Newbery, American dentists living in Buenos Aires, encouraged dozens of their countrymen to come and settle on the empty lands of the faraway Argentine south.

Ralph had fought in the Union army during the Civil War, and was decorated for his bravery at the battle of Gettysburg. As a recently published novel points out, in Argentina Ralph became a good friend of José Hernández, whose emblematic book "Martín Fierro" Ralph gave his eldest son, Jorge, to read. By the way, Jorge Newbery was later the father of Argentine aviation.

At their surgery in the capital, the Newbery brothers looked after the most distinguished mouths in Buenos Aires. With their support, they would later acquire many land concessions in the Nahuel Huapi area. They tried to create a North American colony, so they requested from the government land grants of 625 ha for each of the settlers they estimated they would attract, which amounted to a very large strip of land that covered 300 square leagues (750,000 ha) on the yet-fuzzy western border of Argentina. That land, however, had already been granted to an English company. Finally, the Newbery brothers moved to their lands in Patagonia, stocked them with animals, and went into business exporting live cattle to Chile.

Some of the Americans that came did so discreetly, as they were already well-known in their own country. The notorious Butch Cassidy trio, for example, who lived a peaceful life in Cholila from 1901 to 1905, until their past finally caught up with them, as they were wanted "dead or alive" back in the States.

Another interesting character was a picturesque Texan, called Martin Sheffield. He did not end up being a legend as Butch Cassidy and his band did, but nevertheless became quite famous, telling everybody who would listen that back in the USA he had been a sheriff. Sheffield started his life in Patagonia working with cattle in the Nahuel Huapi area. Later, he settled in Tecka, where he managed a bar and country store and panned for gold in the rivers. 🎧

He befriended the Natives and married a Tehuelche woman. He always led an adventurous and bohemian life, but he once caused a great upheaval in the scientific world when he announced he had found a plesiosaur alive at Epuyen lake. The animal has yet to be found. Just like most of the cowboys that turned up in Patagonia, he was an excellent marksman and also very skilled with the lasso. He died while searching for gold in the

que todos ellos es Juan Crockett, un norteamericano emprendedor que también había nacido en la vaquera Texas, Estados Unidos de Norteamérica, en 1859. Algunas informaciones indican que cursó estudios de ingeniería y que, hacia la última década del siglo, junto con un amigo más joven, Jarred August Jones, cedió como muchos otros de sus compatriotas a la tentación de probar suerte en América del Sur.

Se habían conocido trabajando en el tráfico de hacienda, cuando Jarred compraba caballos en Texas y los vendía en Florida. Después de pasar por varios países latinoamericanos, juntos se dirigieron a Chile donde en 1895 John se casó con Elisa Walters con quien tuvo una hija llamada Alicia Blanc Crockett, que nació en Santiago de Chile en 1899.

Más tarde consiguieron trabajo en la estancia Curumalal, propiedad de una compañía británica. Allí se vincularon con Ralph Newbery y entre los tres formaron una sociedad para exportar ganado en pie a Chile. Jarred estaba encargado de conducir los arreos utilizando los pasos de la Cordillera del Neuquén y pronto se familiarizó con la geografía y los hombres de nuestra tierra. Algo parecido sucedió con Crockett que además había empezado a viajar hacia el Este.

Un día los negocios comenzaron a andar mal y Jarred decidió instalarse por su cuenta en Nahuel Huapi, mientras que Crockett organizó dos importantes tropas propias que atravesaban regularmente el Territorio del Chubut (ver pag. 192). Explotó además un lavadero de oro en el Río Corintos, en la cordillera, y en 1909 se radicó en Trelew, donde instaló un matadero modelo que abasteció las carnicerías de Puerto Madryn, Trelew y Rawson.

Dueño de una gran capacidad de observación, con mulas, rastrones y palas de buey construyó un camino alejado de la tradicional ruta que bordeaba el Río Chubut, acortando así las distancias y reduciendo a la mitad el tiempo que se necesitaba para llegar desde la costa hasta la Cordillera. A esa ruta, hoy Provincial Nº 40, se la conoce todavía como "La picada de Crockett" que hemos recorrido como parte de este trabajo.

Según el testimonio que dejó el señor Bruno Bruni, quien llegó a tratarlo personalmente, "Crockett era un hombre muy inteligente, un artista con el lazo y muy conocedor de todas las tareas del campo. En el Valle no había un hombre que utilizara el revólver como él. Don Juan no daba un tranco sin sacarle provecho. Pensaba muy bien las cosas. En 1914 trajo mulas desde Mendoza, para construir un canal en el valle. Los arrieros eran también mendocinos. Ese canal terminaba con un desnivel de siete metros; colocó una turbina y elevó el agua hasta la primera terraza del río, donde cultivó 300 hectáreas de alfalfa, trigo y cebada. Esa turbina, mediante un juego de poleas, ponía en funcionamiento un aserradero y las máquinas de la carpintería y herrería. Introdujo el cultivo de la remolacha

Chubut River sources. He had eleven children, whose descendants still live in the area.

Comparatively, John Crockett was an almost unknown man. This enterprising American was also born in Texas, in 1859. From some of our sources, we can infer that he had been studying to be an engineer, but, as many of his countrymen in the last decade of the century, he was finally tempted to try his luck in South America. He came to Patagonia with a younger friend, Jarred August Jones, who he had met while working in the livestock business, when Jarred bought horses in Texas to sell them later in Florida.

After travelling through many South American countries they went to Chile, where John married Elisa Walters. In 1899 a daughter was born to the couple in Santiago, whom they named Alice Blanc Crockett.

Later, they started working in Argentina at the Curumalal ranch, which was owned by a British company, and met Ralph Newbery. The three of them later went into business together to export live cattle to Chile. Jarred was in charge of taking the droves through the Andean passes in Neuquén, and soon the land and the local people became familiar to him. Something similar happened to John, who had started travelling east.

But one day the cattle business turned slack. They separated, and while Jarred Jones settled in Nahuel Huapi, John Crockett organised two important mule trains that crossed the Chubut territory on a regular basis (see Page 192). He

also worked a gold-washing operation on the Corintos River near the Cwm Hyfryd. Later, in 1909 he settled in Trelew, where he set up a model slaughterhouse that supplied butchers in Puerto Madryn, Trelew, and Rawson.

Crockett was a resourceful man. Using mules, heavy harrows, and ox-drawn shovels he built a road north of the traditional Chubut River route, and cut the time needed to cover the distance between the Andes and the Atlantic by half. That road is now Provincial Highway 40, but is still known to many as "Crockett's Trail."

Mr Bruno Bruni, who knew him personally, told us:

"Crocket was very intelligent; a real artist with the lasso, and a man that knew all the jobs on a farm thoroughly. No one in the Chubut Valley could shoot a revolver like he did. 'Don Juan' didn't take a step without reaping some benefit. He was very good at organising things. In 1914 he brought mules from Mendoza province to build a canal in the valley. The drivers were from Mendoza too. When finished, the canal's end was seven metres above the ground; he installed a turbine and with its power he elevated the water to the first terrace above the river, where he planted 300 hectares with lucerne (alfalfa), wheat, and barley. His turbine also powered a sawmill, a carpenter shop, and a smithy. He successfully introduced the forage beetroot, feeding hogs that he sold, processed, to places even as far as Punta Arenas (Chile). He also kept beehives and found the way to extract

forrajera, logrando un buen rendimiento para esos años; crió cerdos que, faenados, vendía hasta en Punta Arenas (Chile). También se dedicó a la apicultura y en unas instalaciones muy particulares logró utilizar la energía solar para sacar miel de los panales, y en algunos años llegó a tener más de 500 colmenas".

Administró la Estancia Madryn hacia 1915, etapa en la cual sufrió un accidente cuando una granada lanzada al mar por buques de guerra en sus ejercicios hizo explosión en su casa de ese puerto. Se trataba de municiones que quedaban tiradas en la playa y que algunos recogían. Un descuido hizo que el explosivo se cayera de una mesa, explotara y lo hiriera gravemente.

Crockett también construyó el terraplén para las vías férreas entre Trelew y Playa Unión y participó además activamente en el movimiento cultural del Chubut, habiendo sido socio fundador del Club Social de Trelew, que contaba con salones de baile, de lectura, billares y un elegante bar.

En la década del veinte obtuvo tierras al sur de la Colonia Galesa, cerca de Dolavon. Mantuvo siempre un espíritu inquieto e innovador, siendo el primero en introducir en la zona carneros de la raza Rambouillet. En otra oportunidad adquirió seis camiones con ruedas macizas en reemplazo de las tropas de mulas.

Fue un personaje singular. Falleció en 1938 en Buenos Aires donde vivía su hija. Aunque no quedaron descendientes suyos en la Patagonia, ha dejado una ruta de casi 300

kilómetros en constante uso, en plena meseta, que mantiene su nombre, además de los rastros semiborrados de aquel canal que él construyó con las mulas mendocinas y que le permitió, hace más de ochenta años, regar la terraza del Río Chubut.

Más allá de la admiración que su actividad pionera nos despierta, otros lo recuerdan además con especial afecto; como los descendientes de un hijo de Martín Sheffield que, distanciado de su padre, se instaló muy joven en la Colonia Galesa del Valle del Chubut, a la que llegó desde la Cordillera como "marucho" de la tropa de Crockett. Y todos ellos nunca dejaron de agradecer la oportunidad que don Juan le dio.

EL LEJANO SUR

Fue exactamente un día 9 de julio –Día de la Independencia Nacional en la República Argentina– el que elegimos con Jorge para recorrer esta ruta a fin de trasladarnos desde Esquel hasta Puerto Madryn. En cualquier año normal, la fecha hubiera sido de dudosa conveniencia para circular por una ruta siempre poco transitada, corriendo el riesgo de quedar encajados en la nieve o el barro.

Pero durante el tibio invierno del año 2003, eso no resultó ser un problema. No había nevado desde hacía tiempo y el día se presentaba radiante, de modo que luego de averiguar las condiciones del camino con Vialidad Provincial en Esquel, partimos por la ruta pavimentada rumbo a Paso de

the honey using solar energy. For several years, he had as many as 500 beehives."

Towards 1915 he administered the "Madryn" ranch. There, he suffered a nasty accident when a shell exploded inside his house at the port: during Navy manoeuvres in the area, a shell fell on the beach and didn't explode (an event quite common at the time) and someone carried it into the house and used it as an ornament. It fell off the table where it was on display and exploded, severely injuring Crockett.

He also built the embankment for the railway from Trelew to Playa Unión, and he participated actively in the cultural life of Chubut, being one of the founders of the Trelew Social Club, which had a ball room, a library, billiards, and an elegant bar.

In the 1920s Crockett acquired land near Dolavon, south of the Welsh Colony. He was the first to introduce fine-wool Rambouillet rams in this area. On another occasion, he bought six solid-wheeled trucks to replace the mule trains.

He died in 1938 in Buenos Aires, where his daughter Alice lived. There are no descendants of his living in Patagonia, but he left us a 300-km road still in use today, and the almost erased traces of the canal that allowed him, over eighty years ago, to irrigate the Chubut River terrace.

He was an admirable man. But many remember him more for his human quality than for his feats. Such is the case of the descendants of one of Martín Sheffield's sons, who had quarrelled with his father and

was taken on as a 'marucho' on one of Crockett's mule trains, finally settling in the Welsh Colony. They all remember 'Don Juan' with affection, and are thankful for the opportunity he gave their father in those hard times.

THE FAR SOUTH

It was on a 9th of July (Independence Day in Argentina) that we set off from Esquel to Puerto Madryn, planning to make a detour shortly after Paso de Indios and take Crockett's Trail from Paso Berwyn to Dolavon. On an average year this wouldn't have been a good idea, as the holiday almost guaranteed nobody would be travelling along this always sparsely travelled route. July is mid-winter, and we could always get stuck in the mud or –worse– in deep snow.

But this was not a problem during the winter of 2003. It had not snowed much, and it was a sunny day. So after getting the report on the state of the roads at the "Vialidad Provincial" (the Provincial Highway Administration) office in Esquel, we started our journey to the coast. As planned, after Paso de Indios we turned left on Provincial Highway 12 and after a few kilometres we would turn east and cross the Chubut at Paso Berwyn and then proceed into PH 40, or Crockett's Trail.

But just before reaching the bridge we stopped at a farm on the right side of the road, "Doña Dylis," which is owned by Luisa Reguera, a descendant of the Berwyn and

Indios, para tomar poco después la Ruta Provincial N° 12, y, a pocos kilómetros, desviarnos por paso Berwyn.

Pero antes del desvío entramos en un establecimiento llamado Doña Dilys que está a cargo de Luisa Reguera, una descendiente de la familia Berwyn y de la familia Pichinián. Llegamos a una sencilla construcción de adobe, afuera de la cual un generador eólico daba energía a la única lámpara que iluminaba el ambiente donde nos recibió la dueña de casa, mientras amasaba tortas fritas junto a una hija. Nos mostró fotos antiguas muy buenas, lamentando haber regalado tantas o otros visitantes, y nos contó la historia de su familia. por la que corre sangre galesa e indígena.

"Mi abuelo José Antonio Pichinián (en realidad es su bisabuelo) fue de muchacho soldado de Rosas y después baqueano de Roca, con la promesa de que le otorgarían veinte leguas de campo. Ellos venían arreando la hacienda desde Azul. Cada dos años hacían un campamento y cada dos años seguían arriando, hasta que llegaron a la costa del Río Chubut donde casi no había pobladores. Cuando mi abuelo Pichinián llegó a esta zona, ya estaba mi abuelo Berwyn, que llamó a este lugar donde estamos ahora Gre y Nos, que significa piedra de noche en 'galenso', porque mi abuelo Enyon Berwyn llegó de noche acá. Mi abuelo Pichinián se volvió a Buenos Aires y le avisó al Gobierno que habían encontrado campo para poblar. Cuando vinieron los de la oficina de Tierras a ver, le dieron veinte leguas de campo que llegaban desde un poco más allá hasta el otro lado del río. Pero de a poco lo fueron perdiendo y ahora, aunque hay muchos Pichinián, es muy poca la tierra que les ha quedado. Las tropas de carros pasaban por acá, la de Gaete, la de Velásquez y la de Torres, iban por esta ruta justo por esa arboleda que hizo mi papá ahí (señalando unos álamos). Y también decían que algún día iba a llegar el tren, pero nunca llegó. Se fue mi mamá, se fue mi papá, pero el tren nunca llegó."

Finalmente cuando le preguntamos por la ruta de Crockett nos dijo como la gran mayoría de la gente que no la conocía, ya que estaba del otro lado de su campo. Pero a los que sí conocía muy bien por las historias que le contaba su abuelo, era a Lucio Ramos Otero y Pío Quinto Vargas, éste último acusado de haber secuestrado al primero, integrante de una familia aristocrática de Buenos Aires. Luisa Reguera nos cuenta muy locuaz y segura estas historias retenidas desde hace casi un siglo en la memoria familiar.

"Solían pasar por acá. Eran amigos de mi abuelo aunque entre ellos dos estuvieran muy enfrentados. Una vez Otero llegó pidiéndole caballos para que pudiera seguir rumbo a Trelew. Mi abuelo le dio caballos y dejó que los de él se quedaran descansando y pastando aquí. Apenas se fue, la abuela le dijo que afuera en el leñero había un señor vestido de policía que preguntaba por él. Mi abuelo los hizo pasar. Era Pío Quinto Vargas que le

Pichinián families. After a short drive, we arrived at a simple adobe house. Outside, a wind generator turned lazily in the soft breeze, supplying power to the single lamp that burned in the kitchen. The lady of the house greeted us while kneading dough she would make "tortas fritas" (a sort of fried bread) with. With her was her daughter, holding a child. She washed her hands, and then fetched a box from which she took out some beautiful old black and white photographs for us to see. After regretting she had given away many other pictures, she started telling us the story of her family, where Welsh and Native blood have joined.

"Mi grandfather José Alberto Pichinián (he was really her great-grandfather) when very young was a soldier for Rosas, and later acted as a 'baqueano' (guide) for Roca, who promised him twenty leagues of land in payment for his service. When the campaign was over, they came all the way from Azul (in Buenos Aires province) driving their animals until they reached the Chubut River, which took them over two years, and found the area practically unpopulated. When grandfather Pichinián arrived, my grandfather Enyon Berwyn was already here. He had called this place 'Gre y Nos,' which means Stone at Night in Welsh, because he arrived here by night. Grandfather Pichinián returned to Buenos Aires to tell the government that they had found land where they could settle. When the people from the Land Bureau came to see, they granted them twenty leagues (50,000 ha) that covered an area from a bit further from there to the other side of the river. Unfortunately, they slowly lost it over the years, and now there are many Pichinián but not much land left for them. The mule trains passed along here, the ones of Gaete, Velásquez, and Torres, just by that grove my father planted (pointing at a group of poplars). They also said that someday the railroad would come this way, but it never did. Mi mother went, my father went, but the train never arrived."

Just as many others who live in this area, Luisa did not know much about Crockett's trail, which ran along the far side of her land. On the other hand, we were treated to stories of two interesting characters who her grandfather knew. They were Lucio Ramos Otero and Pío Quinto Vargas. The first was a member of an aristocratic family in Buenos Aires, and the other was the man the authorities accused of kidnapping him. Luisa told us these stories of almost a hundred years ago, which were preserved in the memory of her family:

"They used to drop in now and again. They were both friends of my grandfather, although they strongly disliked each other. Once, Otero arrived and asked my grandfather for fresh horses, so he could continue his journey to Trelew. My grandfather gave him the horses, and sent the tired ones to recover in a nearby paddock. Otero had just left when a man in a police uniform turned up near the

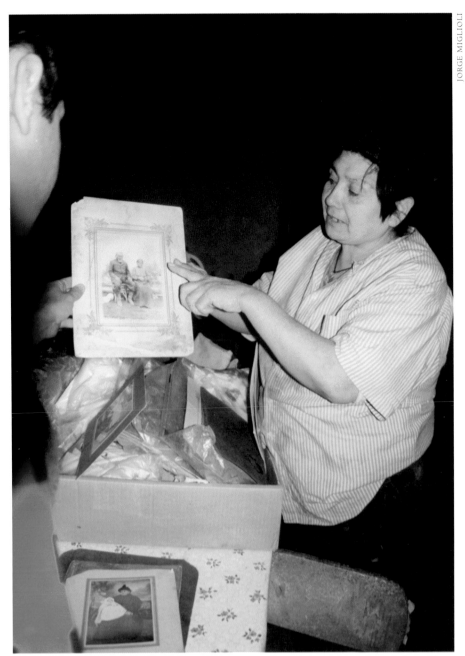

En la cocina de su casa en el campo, Luisa Reguera nos muestra sus fotos de familia.
In the kitchen of her small homestead, Luisa Reguera shares her family photographs with us.

explicó su versión de los hechos y le pidió también caballos para cambiar los suyos y seguir hasta su campo.

"Mi abuelo lo charló y le prestó los caballos también. Al rato llegó la policía de verdad a quien tuvo que explicarle las visitas anteriores y prestarle los caballos para seguir a Pío Quinto Vargas. Y por acá anduvo también la bandolera inglesa." "Dígame", nos dispara curiosa Luisa para nuestro asombro "¿Usted sabe quién era el hombre que andaba con la bandolera inglesa cuando la mataron? Porque mi abuelo le avisó que pocos días antes habían estado preguntando por ella diciendo que tenían vía libre para matarla. Pero ella no le hizo caso y se fue con un hombre que nadie puede decirme quién era."

Le prometimos consultar sobre el tema a don Elías Chucair, quien publicó un espléndido relato que forma parte de un libro que lleva por nombre La Bandolera Inglesa y a Virginia Haurie que se ocupó también del tema en su magnífico libro Mujeres en Tierras de Hombres. Era una historia que siempre nos había impactado. Pero debemos confesar que al escuchar la pregunta de nuestra entrevistada –formulada con la frescura y la inocencia de quien vive alejado de la radio y la televisión y sólo habla de las cosas que ha visto o que le han contado– viajamos hacia el pasado en un instante. Al salir de esa casa para ingresar por fin en la picada de Crockett, sentimos que estábamos asistiendo a la filmación de una película del lejano sur.

GENTILEZA LUISA REGUERA

Doña Dilys.   *Doña Dilys.*

UN VIAJE DIFERENTE

No puede decirse que la picada de Crockett sea un camino aconsejable para transitar. Salvo que uno tenga amigos en algunos de los campos de la zona, sería difícil encontrar buenas razones para recomendar a nuestros lectores este camino como trayecto alternativo a la ruta pavimentada.

Antes que eso, ya sea la relativa incomodidad que representa ir por un camino de tierra que corre paralelamente a otro pavimentado ubicado a muy pocos kilómetros, el menor atractivo de los paisajes que recorre, la falta de agua y de combustible y los evidentes riesgos de circular por más de 350 km en completa soledad sin cruzar un solo vehículo, deberían ser razones suficientes para desaconsejarlo.

Y sin embargo, es imposible decir que no hemos disfru-

woodshed and asked my grandmother if he could have a word with my grandfather. He was invited in, and turned out to be Pío Quinto Vargas. He told my grandfather his own story and also asked for fresh horses to reach his farm.

"They chatted for a while, then Grandfather lent him some fresh horses. Then, not long after he had gone, the real police arrived looking for him, so grandfather had to tell them what had happened and then lend the police fresh horses too, so they could follow Pío Quinto Vargas!

"And the English 'outlaw woman' used to come around too." "Tell me," she suddenly asked with curiosity "Do you happen to know the name of the man that was with her when she was killed? My grandfather had warned her that the authorities had been trying

to find her whereabouts and had let it be known that they were free to kill her. But she did not heed his warnings and left with a man; nobody is able to tell me who he was."

We promised we would ask Elías Chucair, author of a book on "The English Outlaw Woman," and also Virginia Haurie, who included a chapter about her in her book "Women in Lands of Men." The story of this woman had always fascinated us, and we must confess that hearing this question asked in such a naïve way by Luisa –with the freshness and innocence of a person who watches no TV and only speaks of things she has seen or heard– made us travel instantly to the past. When we said our goodbyes and finally started for Crockett's Trail, we felt as if we had been witnessing the shooting of a film about the Far South.

A DIFFERENT JOURNEY

Crockett's Trail –now PH 40– is a road one can hardly recommend to the average traveller. Unless you intend to visit friends at one of the farms along the way, it is difficult to find a good reason to use this road instead of paved PH 25. It runs a few kilometres from this highway and parallel to it, the landscape is relatively unattractive and you cannot get water or gasoline anywhere along it. If you add to these drawbacks the risk involved in driving over 350 km in absolute solitude on a road where you are probably the first (and last) vehicle that day, it will deter most people from taking it.

tado de su extraño encanto al cabo de la jornada que nos insumió finalmente su recorrido, de la sensación de atravesar una meseta interminable, de la impresión de no encontrar nada más en el camino que unos cuantos guardaganados y del descubrimiento de una extraña tapera construida de barro y piedra, desde cuyos ventanas y techos desaparecidos, pudimos imaginar el paso de las tropas del pionero norteamericano que abrió esta picada abandonada

La arena se arremolinaba sobre las paredes de la tapera buscando refugio en su primitiva arquitectura, que guarda todavía una pava renegrida y algunas botellas rotas que no nos atrevimos a tocar. Fuera de la arena volada por el viento y de las cintas atadas a los guardaganados, todo lo que vimos moverse esa tarde fueron unas pocas nubes, algunas ovejas y unos cuantos guanacos. Hasta el arroyo que bajaba de las sierras hacia nuestra picada, estaba quieto ese día.

Una abrupta curva nos sorprendió antes de subir al pavimento de la Ruta N°25 a la altura de Dolavon. Entramos al "prado junto al río", donde visitamos el canal que construyó Juan Crockett y el sitio donde ubicó su olvidada turbina. Finalmente el amigo Rubén Ferrari y su esposa nos recibieron en su casa de té de Gaiman; allí recuperamos las fuerzas mientras admirábamos un dispositivo utilizado por Crockett para sus mulas cargueras, que ellos guardan junto a otros objetos encantadores dentro de su pequeño pero auténtico Museo.

No encontramos ese día a lo largo del camino que algún día llevará su nombre, ningún cartel, ningún papel, ningún edificio, ninguna tumba, nada que nos hablara directamente de Crockett Pero reafirmamos nuestra convicción de que esas huellas patagónicas durarán para siempre, sencillamente porque por ellas transita –incansable– el espíritu del Sur.

GENTILEZA JORGE BARZINI

And yet we enjoyed crossing the endless plateau, past a few cattle-grids and the ruins of a strange house, with crumbling walls of mud and stone. Through its vacant windows and long-disappeared roof we could picture the passage of Crockett's mule train. Sand swirled in the wind and accumulated against the old walls, that still shelter a blackened kettle and a few empty bottles we left alone. Aside from the windblown sand and the ribbons tied to the posts of the cattle grids, all we saw moving that afternoon were a few clouds, some sheep, and many guanacos. Even the stream coming from the hills lay still that day.

After driving for a while on a straight, a sharp curve surprised us just before the road climbed suddenly to the pavement. We had reached NH 25, near Dolavon. We entered "the river meadow," (Dolavon) and visited Crockett's canal and the site where he had installed the now vanished turbine. Later we went on to Gaiman, where Rubén Ferrari and his wife received us at their tea-house. While we recovered from our long trip, we admired an iron device Crockett used to load his beasts of burden, and other interesting objects (including a small cannon from Simón de Alcazaba's expedition) they keep in their small museum.

During our long journey along this road, we found no sign, paper, building, or tomb bearing John Crockett's name. But again we could rest assured: his Patagonian tracks will last forever, because along them travels –indefatigable– the spirit of the South.

La turbina de Crockett.
Crockett's turbine.

207

Al volante de su automóvil, Enrique Shrewsbury recorrió la Patagonia entre los años 1916 y 1921, compartiendo la huella con las tropas de carros.
On his automobile, between 1916 and 1921 Enrique Shrewsbury shared the Patagonian trails with the mule trains and the wagons of the first settlers.

FOTOS: ENRIQUE SHREWSBURY

ENRIQUE SHREWSBURY Y SUS MÁQUINAS PINCHADORAS

ENRIQUE SHREWSBURY AND HIS PUNCTURING MACHINES

Junto con su detallada descripción de las tropas de carros, sus compañeras de huella a principios del siglo pasado, Enrique Shrewsbury nos cuenta también sus viajes en automóvil, describiendo unidades de diversos orígenes y diseños extravagantes, y enumerando las modificaciones y refuerzos que se les hacían para que soportaran las huellas patagónicas, finalizando:

"Por último, si el coche era utilizado para llevar pasajeros, es decir para alquiler, se les reforzaban también los estribos para llevar carga, porque sobre ellos se llevaba para el viaje nafta, aceite y agua, difíciles o imposibles de conseguir por la huella, además de las valijas y equipajes de los pasajeros. También formaba parte del equipo de viaje la comida (generalmente Corned Beef y sardinas), las pilchas, por si era necesario dormir afuera, algunas de las principales piezas de repuesto para el auto, una cuarta de soga o cable, una pala para puntear, cadenas para barro, dos o tres cubiertas y por lo menos ocho o diez cámaras de aire y un pequeño equipo para vulcanizar cámaras.

"Como podrán apreciar por lo expuesto, las puertas del auto quedaban clausuradas y los pasajeros entraban y salían trepando por sobre los bultos.

"Todos los que habitual-mente manejaban autos aprendían a hacer reparaciones de emergencia. Algunas de estas reparaciones, vistas a la distancia, parecerán imposibles o absurdas, pero no hay que perder de vista que las posibilidades de conseguir auxilio en la huella eran muy remotas, y que el factor tiempo no era lo que es hoy. Lo principal era llegar a destino, el tiempo era secundario.

"Era muy común coser una rajadura en una cubierta con alambre y usar un manchón (generalmente pedazo de tela de una cubierta inservible) en el interior para proteger la cámara y otro afuera para evitar la entrada de piedritas y tierra. También era muy común hacer una cámara de aire uniendo 3 ó 4 trozos de otras cámaras. Para esta operación usábamos una botella de litro cuyo diámetro era justo la medida para mantener la cámara durante el pegado.

"Un chofer de 19 años de edad, de apellido Johansen, mientras hacía uno de sus viajes con pasajeros desde José de San Martín en la Cordillera hasta Trelew, tuvo la mala suerte de romper un rulemán de la caja de cambios de su Studebaker. Se encontraba más o menos a 250 km de Trelew. No teniendo repuesto, desarmó la caja y con mucha paciencia hizo un buje del tamaño conveniente con un trozo de madera dura, con el

In addition to his excellent description of the mule trains –his companions on the trail at the beginning of the 20th century– Enrique Shrewsbury also left us a detailed account of his automobile journeys. He also described the many models of motorcars used in Patagonia at the time, and how their chassis and bodies were modified so they could stand the punishment they received on those rough, rutted roads. He ends a long report on this matter in the following way:

"Finally, if the car was to be used to carry passengers –that is, as a hired car– the running boards were also reinforced so they could carry a load, as on them the driver used to take gasoline, oil, and water which were almost impossible to get on the road, plus the passengers' luggage. Other items to carry were food (often corned beef and sardines), blankets in case it was necessary to sleep in the open, some of the main spare parts for the car, a strong rope or cable, a spade, tyre chains, two or three spare tyres, and at least eight or ten inner tubes and portable vulcanising equipment to patch them if they were punctured.

"As you may have already guessed, the doors remained blocked shut, and the passengers had to climb over all this luggage to get in and out of the car.

"Drivers had to learn how to make emergency repairs. Some of these repairs might seem impossible or downright absurd today, but we must keep in mind that the possibility of getting assistance on the road was remote. And time was not as important as it is today; the main goal was to make it to your destination, while the time it took was a secondary matter.

"We would often stitch up a ripped tyre with wire, and then place a patch cut out of an old tyre inside to protect the inner tube, and another one outside to keep the grit and dirt out. Also, we frequently had to reconstruct an inner tube by joining 3 or 4 sections of other tubes. We used a one-litre bottle for this operation, as it had the exact diameter we needed to hold the sections while they were glued together.

"I knew a 19-year-old driver called Johansen, who on one of his trips from José de San Martín in the Cordillera to Trelew broke a gearbox ball-bearing of his Studebaker. He was about 250 km from Trelew and didn't have a spare one, so he took the gearbox apart, patiently carved a bushing out of a piece of hard wood and fitted it in place of the broken ball-bearing. He reached Trelew without a problem and, as he could not find the proper spare there, he ordered one from Buenos Aires. Meanwhile, he made another trip to

cual llegó a Trelew. Como no había rulemanes de repuesto allí, lo pidió a Buenos Aires y mientras tanto hizo otro viaje ida y vuelta a San Martín, o sea otros 1.100 km, con el buje de madera.

"En un viaje que hice con un Ford T de San Antonio a Maquinchao, se me fundió una biela entre Aguada Cecilio y Pajalta. No teniendo repuestos, desarmé la tapa de cilindros y la tapa del carter, saqué el pistón y la biela, armé todo de vuelta y llegué en tres cilindros a Valcheta, donde conseguí el repuesto."

MI VIAJE MÁS DESAGRADABLE

"Durante el último viaje que hice desde la Cordillera a la costa, a principios del año 1921, tuve una experiencia un poco desagradable. Había estado trabajando en la estancia Pampa Chica, en Tecka y, queriendo bajar a Trelew, aproveché el paso de un Comisario Inspector en gira de inspección que iba de regreso a Rawson. Viajábamos en un Ford T manejado por un chofer. Hicimos un viaje muy tranquilo y cazamos alguno que otro guanaco, pues tanto el comisario como yo teníamos carabinas Winchester.

"Para poder saltar del auto con más facilidad yo había puesto el revolver, que siempre llevaba en el cinto, en mi valija y el comisario había entregado el suyo al chofer, quien también llevaba uno. En el Valle de los Mártires, un lugar muy desolado a más o menos 10 leguas (50 km) de Las Plumas, nos encontramos

de frente con una tropa de carros. Como la huella era muy honda, el Ford, cuyo eje casi tocaba, no podía desviarse. El comisario se paró y le gritó al carrero del primer carro que saliera de la huella para darnos paso. Naturalmente el hombre ni hizo la tentativa porque sabía que era imposible sin antes cortar la orilla de la huella a pala. Justo en el momento en que el comisario ordenaba al chofer dar marcha atrás para buscar una salida (porque el coche tampoco podía salir) saltó el tropero de su carro y vino caminando hacia el auto. Caminaba con las manos atrás, y nada hacía prever lo que iba a suceder.

"Cuando llegó al lado del auto llevó las manos adelante y empuñando un revólver con ambas manos le descerrajó dos tiros al comisario. El único que reaccionó fue el chofer, quien al primer disparo se tiró del coche para guarecerse abajo. El primer tiro atravesó el casco de corcho que llevaba el comisario, haciéndole un surco en el pelo sin tocar el cuero cabelludo. Al segundo tiro el comisario estaba tirado a lo largo del asiento delantero con las manos levantadas como quien se quiere defender. La bala lo tomó en el bajo vientre, del lado izquierdo, y quedó incrustada al lado de las costillas del lado derecho. No entró en el vientre, sino que pasó por entre la capa de tejido adiposo, pues era un hombre bastante grueso.

"A todo esto, yo estaba sentado en el asiento trasero, paralizado de susto. Enseguida del atentado el agresor me puso el revólver –del cual

José de San Martín and back, travelling another 1,100 km with his wooden bushing.

"On a trip I made from San Antonio to Maquinchao on a Model T Ford, I fused a connecting rod between Aguada Cecilio and Pajalta. As I did not have a spare I removed the cylinder head and the sump, extracted the piston and the damaged connecting rod, and assembled the motor again. I reached Valcheta on three cylinders, and got a new rod there."

MY MOST UNPLEASANT TRIP

"At the beginning of 1921, during a trip I made from the Andes to the coast, I had a most unpleasant experience. I had been working at the Pampa Chica ranch in Tecka and wanted to go to Trelew. So I seized the opportunity to travel with a 'Comisario Inspector' (Police Inspector) who had just finished a tour of inspection and was returning to Rawson in his car, a Model T Ford with a driver. We were in no hurry, so we travelled leisurely and, as we both had our Winchester carbines, we hunted a few guanacos on our way.

"I always carried a revolver on my belt but, to be able to get in and out of the car with more ease, I had put it away in my bag. The comisario had given his to the driver, who also carried one himself. At the 'Valle de los Mártires,' a desolate place about 50 km from Las Plumas, we met head-on with a mule train. The ruts were so deep at this place that the car's axle almost scraped along the ground, so it was almost im-

possible for us to turn off the track. The comisario stood up and shouted at the driver on the first cart to get out of our way. Naturally, the man did not even try to do so, as it was also impossible for him to turn away until a detour could be dug from the ruts with a spade. Just as the comisario was ordering our driver to back up and find a place to get out, the driver of the first cart jumped down and came walking towards the car, with his hands behind his back.

"When he reached the car, he put his hands forward with a revolver in them and shot the comisario twice. The first one to react was our driver, who flung himself out and took refuge under the car. The first shot pierced the comisario's pith helmet, just grazing his scalp without injuring his head. When the man fired his second shot, the comisario was lying flat on the front seat with his hands up, as if trying to defend himself. The bullet penetrated his belly on the left side, and ended up embedded in one of the ribs on his right side. Fortunately it didn't pierce his bowels, but travelled through his abundant fat tissue, as he was a rather stout man.

"Meanwhile, I was sitting on the rear seat, paralysed by fear. After shooting the comisario, the man pressed his smoking gun against my chest, and took my Winchester carbine from my side. He then did the same to the comisario. All the time he swore …as cart drivers did, but almost every word in English, as he turned to be an American. He did not

me parecía ver salir nubes de humo– en el pecho y me quitó el Winchester que tenía a mi lado. Lo mismo hizo con el comisario. Durante todo el tiempo usaba un lenguaje... bueno, digno de un carrero, casi todo en inglés, pues el hombre resultó ser Norte Americano. No explicó su actitud y parecía estar bajo los efectos de una consuntiva rabia, que no le permitía más que blasfemar e imprecar. Después de revisar el auto buscando municiones para las carabinas, se marchó a pie, abandonando su carro. Al chofer no lo desarmó ni lo molestó, y este hombre, con dos revólveres encima, no hizo nada a pesar de ser policía y haber tenido tiempo de sobra para reaccionar. El resto del viaje fue una pesadilla. En la comisaría de Las Plumas vendaron al comisario y le dijeron al chofer que apurara la marcha cuanto fuera posible pero evitando las sacudidas, porque no sabían, en realidad, el estado del herido.

"Los quejidos y lamentos del hombre eran interminables, mientras crecía la incertidumbre de si llegaba o no con vida. Hora tras hora pedía por favor que se apurara la marcha, para alcanzar a ver a su mujer e hijos antes de morir. Para colmo el camino de entrada a Valle Superior pasaba

por un costado del cementerio, y el comisario al verlo rogaba: 'Apúrese muchacho, no me deje morir sin ver a mi mujer; y pensar que mañana yo estaré en un cementerio'.

"En Valle Superior el chofer se comunicó por teléfono con la Jefatura de Policía en Rawson donde le dieron orden de llegar a la Sala de Primeros Auxilios en Trelew. Allí esperaba, entre otros, el Secretario de la Gobernación quien dirigiéndose a mí me recriminó diciéndome: ¿por qué no le pegó un tiro al tipo?' Mis pensamientos fueron, posiblemente, en ese momento los más criminales que he tenido en toda mi vida. Sin dudas nunca estuvo él con el caño de un revólver, aún caliente, en el pecho.

"El comisario sanó, pero yo perdí mi carabina Winchester. Porque, a pesar de que el criminal se entregó con las armas, entre las que estaba la mía, y a pesar de las gestiones que hice, la policía nunca me la devolvió. Años después, supe que el comisario falleció durante una operación que le hicieron para extraerle la bala."

give any explanation for what he had done, and seemed to be possessed by an irrepressible anger that only allowed him to swear and curse. After searching the car for ammunition for the carbines he walked away, abandoning his cart. He did not disarm or disturb the driver; who did nothing, even though he was a policeman, had two revolvers, and plenty of time to react. The rest of the trip was a nightmare. They bandaged the comisario at the Las Plumas police station, and ordered the driver to continue to the coast as fast as he could, but taking care not to bump the comisario along too much, as they really didn't know how serious his wound was.

"We were not sure if he would make it, as he moaned and complained endlessly. Hour after hour he asked the driver to go faster so he could see his wife and children before dying. To make matters worse, the road ran next to a cemetery as it entered the Chubut Valley, and when the comisario saw it he pleaded: 'Hurry up, my boy, don't let

me die before seeing my wife. Just to think that tomorrow I'll be buried in a cemetery!'

Once we entered the Higher Valley of the Chubut, he telephoned the Police Headquarters in Rawson, where they instructed him to go straight to the First Aid Infirmary at Trelew. When we arrived, there were many officials waiting for him. The Provincial Government's First Secretary walked up to me and said reproachfully. 'Why didn't you shoot the guy?' At that moment my thoughts were possibly as murderous as they'll ever be. Obviously, *he* had never felt a still-hot revolver barrel against his chest.

"The comisario healed, but I lost my Winchester carbine. Although our assailant eventually turned himself in and handed over the guns, including mine, and in spite of all my efforts to get it back, the Police never returned it. Some years later I heard that the comisario eventually died while he was being operated on to remove the bullet."

"...las puertas del auto quedaban clausuradas y los pasajeros entraban y salían trepando por sobre los bultos."

"... the doors remained blocked shut, and the passengers had to climb over all this luggage to get in and out of the car."

"MAMA VIENE EN EL ONIBUS", ACUARELA DE RODOLFO RAMOS.   "MAMA VIENE EN EL ONIBUS" (MA IS COMING ON THE BUS), WATERCOLOUR BY RODOLFO RAMOS.

MIGUELITO, MÁS QUE UN CLAVO, UNA CLAVE

Sobre la nieve y el hielo, contra el viento patagónico o bajo el sol abrasador, el nombre de la empresa que inició el inmigrante polaco Miguel Pacholczyszyn en la década del treinta, encarnada en su propietario, está guardado con frescura y calidez en los corazones de muchos chubutenses, casi como una leyenda.

Fue una empresa de transporte de pasajeros que resultó clave en la vida de mucha gente y, aunque llevaba el mismo nombre con el que se conocen esos infames clavos que revientan los neumáticos, en Chubut éste quedó asociado para siempre a un motor acelerado por el corazón generoso del hombre bueno y sencillo que todos llamaron Miguelito, un verdadero amante de la aventura del camino con gran vocación de servicio. La que sigue es una historia contada por Orlando Ibarra en su libro "Para que le viento no las borre", editado por el Círculo Policial y Mutual de la Provincia del Chubut en 2001:

"El sol del mediodía pegaba fuerte sobre la reseca meseta patagónica. El paisano había aflojado la cincha del recado para que el caballo tuviese un respiro, y con el cabestro lo tenía sujeto al molle. El arbusto le brindaba una mínima sombra y algo de reparo para evitar las molestias del incansable viento patagónico. Por el sol, calculó que debía faltar poco.

Miró a lo lejos, buscando la nube de tierra que le anunciara la proximidad de un vehículo. Hasta donde alcanzaban sus ojos acostumbrados a ver distancia, no vio nada.

"Por costumbre y otro poco para acortar la espera, sacó su tabaquera y armó un cigarro, que fumó lentamente, sentado en cuclillas al costado de la ruta, en esa incómoda posición que el hombre de campo utiliza sin mostrar ningún esfuerzo. Cuando comenzaba a sentir el calor de la brasa junto a sus labios, alcanzó a divisar la nube de tierra que se mantenía en suspensión sobre la ruta por varios centenares de metros, mientras el sol hacía brillar la carrocería del vehículo. El hombre se paró y haciendo sombra sobre sus ojos con las manos, intentó identificarlo. Finalmente tuvo la certeza de que su espera terminaba.

"El colectivo bicolor –amarillo en su parte inferior y verde en la superior, con un caballo alado sobre cada lateral– comenzó a reducir la velocidad, hasta detenerse cerca del hombre que esperaba. El conductor, un hombre rubio, de piel blanca, ojos claros y sonrisa fácil, descendió con un pequeño paquete y fue al encuentro del paisano. Después del apretón de manos, hablaron al costado de la ruta, mientras algunos pasajeros curiosos asomaban la cabeza por

MIGUELITO, THE GALLANT BUS DRIVER

Few men are remembered by the older people in northern Chubut as fondly as "Miguelito" (Mickey). His full name was Miguel Pacholczyszyn, a Polish immigrant that started a bus company in the 1930s. Driving on snow or ice, against the Patagonian wind or under a blazing sun, the "Miguelito" bus became almost a legend on the road that joined the Andes and the Atlantic coast, from Trelew to Esquel.

"Miguelito" is also the name given in Argentina to the three-pointed tyre spikes that criminals sometimes use to stop police cars during a getaway or by mobs during violent strikes or revolts. But in Chubut the name is associated with this honest, modest man, who loved the rather adventurous travel on the roads of years ago, and had a great sense of service. In his book "Para que el Viento no las Borre" (So the Wind won't Erase them) Orlando Ibarra tells this story:

"The midday sun scorched the Patagonian plateau. The 'paisano' (native man) had loosened the girth of his 'recado,' (gaucho saddle) to relieve his horse, and had tied the animal to a nearby 'molle' bush. He sat down under the scant shadow this shrub provided, sheltering as best he could from the perpetual Patagonian wind. From the position of the sun in the sky he estimated that he wouldn't have to wait much longer. Looking towards a faraway point, he tried to make out the cloud of dust that would announce that a vehicle was coming. As far as his keen eyes could see, there was nothing on the horizon.

"Partly by habit, but also to entertain himself while he waited, he took out his tobacco pouch and rolled a cigarette. He lit it, and then slowly smoked, squatting beside the road in that uncomfortable position that country men seem to assume without effort. At last, when the glowing cigarette was almost burning his lips, he could see a plume of dust far away on the road. Ahead of it, a tiny speck shined in the sunlight. He stood up, a hand on his brow shading his eyes, and tried to identify the vehicle. Finally, he was certain that his waiting was over.

"The two-toned bus –its lower part yellow and its top green, with a winged horse painted on each side– slowed down and stopped near the waiting man. The driver came down holding a small package. He was a fair-headed man, with light-coloured eyes and an easy smile. He walked towards the waiting 'paisano' and shook hands with him. After giving him his package, they chatted for a while on the side of the road, while some curious passengers stuck their heads out of the windows:

las ventanillas:

—Tome, acá están los remedios que me pidió, ¿cómo sigue su mujer?

—Sigue jodida nomá, le duele mucho la panza y se la pasa vomitando, vamo a ver si con los remedios mejora.

—Si ve que no mejora, el miércoles paso para Trelew, tráigala hasta la ruta y yo la llevo para que la vea un médico.

—Bueno, gracia, quedamo así entonce.

"Volvieron a darse la mano. El paisano guardó los remedios en un bolsillo de su bombacha y se dirigió hacia donde estaba su caballo. Miguel Pacholczyszyn —Miguelito para todos— volvió a ocupar su asiento frente al volante, colocó el cambio y el colectivo bicolor reinició la marcha. El paisano terminó de ajustar la cincha del recado, y levantó su brazo derecho contestando el saludo de los pasajeros. Después montó y comenzó a desandar las tres leguas que había hasta el rancho. El viaje de regreso fue distinto. Se sintió menos solo, más esperanzado.

"Unos kilómetros antes de llegar a Cabeza de Buey, Miguelito volvió a detener su colectivo, junto a un guardaganado. Cerca de uno de los postes del alambrado, al borde de la ruta, había un cajón con dos piedras encima, para que el viento no lo volase. Los pasajeros que viajaban por primera vez se preguntaron el motivo de la parada; los que conocían lo que era viajar con Miguelito ya lo sabían.

"Llegó hasta el cajón y sacó las piedras. Después lo levantó: en su interior encontró un papel y unos pesos. En el papel estaba el pedido, escrito por alguien cuyo fuerte no era precisamente la gramática. De todos modos se entendía que 'a vuelta de colectivo' esperaban la llegada de unas latas de leche condensada, en ese mismo sitio.

"Y así, a lo largo de los más de seiscientos kilómetros de la ruta Esquel-Trelew, a las paradas regulares que eran muchas –Arroyo Pescado, Languiñeo, Pampa de Agnia, Cajón de Ginebra, El Pajarito, Paso de Indios (La Herrería), Cabeza de Buey, Bajo y Alto Las Plumas, Las Chapas, Dolavon (Hotel Bonavía), Gaiman, para mencionar algunas– se

Miguel Pacholczyszyn era un hombre rubio, de piel blanca, ojos claros y sonrisa fácil.
Miguel Pacholczyszyn was a fair-haired man, with white skin, light-coloured eyes, and an easy smile.

'Here…these are the medicines you asked me for, how is your wife?'

'Oh, still in a bad way. Her belly aches a lot, and she vomits all the time. We'll see if these medicines help her get any better.'

'Next Wednesday I'll be going by again towards Trelew. If she's not better, bring her here and I'll take her to see the doctor.'

'Ok, thank you, I'll do that.'

"They shook hands again. The man put the medicine in his baggy trousers' pocket and went to fetch his horse. Miguel Pacholczyszyn –Miguelito to everyone– sat in front of the big steering wheel again, en-gaged gears, and with a jerk the two-toned bus continued its trip west. The dark man had already tightened the girth of his horse, and raised his right arm, returning the passengers' farewell. He mounted, and started back on his way to his hut, three leagues away. His return trip was different; he felt less isolated, and more hopeful.

"A few kilometres before 'Cabeza de Buey,' Miguelito stopped again, this time next to a cattle grid. Near one of the fence-posts, on the side of the road, there was a box with two stones on it, so the wind would not blow it away. The passengers who were travelling for the first time wondered why Miguelito had stopped; those who knew the driver understood.

"He walked up to the box, took off the stones and opened it. In it there was a piece of paper and some money. On the paper a note had been roughly written, asking Miguelito to bring some tins of condensed milk on his next trip and leave them at the same spot.

"Along the 600-plus kilometres of the route from Esquel to Trelew there were many stops –Arroyo Pescado, Languiñeo, Pampa de Agnia, Cajón de Ginebra, El Pajarito, Paso de Indios (La Herrería), Cabeza de Buey, Bajo y Alto Las Plumas, Las Chapas, Dolavon (Bonavía Hotel), Gaiman– but Miguelito added many more. All of them to cover the needs of the hardy settlers, who saw in him a generous man, always available when help was needed: to carry letters, buy things, send money,

214

sumaban muchas otras. Todas ellas surgidas de la necesidad de los sufridos pobladores, que veían en Miguelito al hombre generoso, siempre dispuesto a dar una mano, a hacer la 'gauchada' que le solicitaban: llevar cartas, pedidos de compra, dinero, repuestos para el molino, remedios, un cordero o un chivito para la familia que estaba en el pueblo... Para todo había lugar en el colectivo, nadie se quedó esperando en vano, nunca dejó una mano extendida sin atender. Primero estaba la gente, después el horario. Así era Miguelito."

Tanta generosidad fue recompensada por la gente que mejor lo conoció. Nunca tuvo una casa, siempre dormía en hoteles y, justamente, en el Hotel Touring de Trelew fue donde pasó sus últimos años, contando historias y jugando al ajedrez. En el trayecto Esquel-Trelew el nombre de Miguelito, mucho más que un clavo, es una clave para entender el espíritu de esta ruta patagónica.

spare parts for the windmill, medicines, a slaughtered lamb or goat for the family living in town…there was room for everything in his bus, no one ever waited for him in vain. People came first, then the timetable. That is how Miguelito was."

"So much generosity was rewarded by those who knew him better. He never owned a house, sleeping at hotel rooms instead. Precisely, it was at the Touring Hotel in Trelew that he spent his last years, telling stories and playing chess. On the road from Esquel to Trelew the name "Miguelito" rather than meaning a tyre spike, speaks of the untiring spirit of this Patagonian route.

Miguelito y su colectivo bicolor, amarillo en su parte inferior y verde en la superior, con un caballo alado sobre cada lateral.
Miguelito on his two-toned bus: painted yellow on the lower part with a green top, and a winged horse on both sides.

GENTILEZA ELIA FERNANDEZ

FOTOS: JORGE MIGLIOLI

Un túnel sin vías en Gaiman, y un corral de hacienda hecho con durmientes en Alto Las Plumas simbolizan la desaparición del ferrocarril que unía estas localidades.

A rail-less tunnel in Gaiman, and a stockyard made of wooden sleepers in Alto Las Plumas symbolize the demise of the railway that joined both places.

216

El tren que todavía no cruzó al Pacífico

"Mi poderdante se propone construir por su cuenta un Ferrocarril que partiendo de la Colonia del Chubut se interne en el territorio de la Patagonia, cruce los Andes y termine sobre un puerto del Pacífico, conforme a las direcciones indicadas en el croquis que acompaño y bajo las estipulaciones contenidas en el pliego de bases que adjunto. "Mi poderdante es el actual dueño de la concesión sancionada por el Honorable Congreso para construir una vía férrea desde Bahía Nueva a la Colonia del Chubut, obra que se halla en vías de construcción y cuya terminación está fijada por la Empresa para los primeros meses del año próximo. Como V.H. sabe, ese ferrocarril se ejecuta sin protección directa ni indirecta del Estado.

"Hasta aquí la República Argentina ha puesto en juego todos los sistemas protectores conocidos en Europa y América para impulsar la obra de los ferrocarriles: los ha garantido y dádoles tierras a los costados, los ha garantido solamente, los ha subvencionado en dinero, los ha sustentado con el apoyo de un crédito y los ha construido directamente.

"El Sr. Bell viene a proponer a V.H. un sistema nuevo, desconocido en otros países, porque no poseen vastísimas zonas desiertas e improductivas como éste. A este sistema podría denominársele

con propiedad, el 'Ferrocarril Colonizador'. Reposa sobre la concesión de tierras para cultivarlas y poblarlas, ubicadas en pleno desierto, con las que el Estado compensará las erogaciones que a la Empresa impone la construcción del camino de fierro en regiones hoy totalmente improductivas. De esta manera, el ferrocarril hace que el desierto costee su población, sin gravamen alguno para el Tesoro Público."

El que otorgaba poder era el ingeniero inglés Asahel P. Bell, quien ofrecía prolongar el ferrocarril de trocha 1 m varios cientos de km hacia el Oeste, a cambio de obtener –nada más ni nada menos– cinco leguas kilométricas de tierra (unas 12.500 ha) por cada kilómetro construido. Admitía que obtendría un lucrativo negocio aprovechando la concesión, pero afirmaba que mucho más ganaría el país y que, a diferencia de otros ferrocarriles que se proyectaron usufructuando progresos en poblaciones preexistentes, éste estaba destinado a poblar el desierto.

Bell argumentaba que "ningún sistema de colonización ofrece más garantías que las que propongo, puesto que la empresa del ferrocarril es la más interesada en el más rápido derrame de la población en las comarcas que la línea cruce: de lo contrario no haría sino labrarse su ruina. En los intereses de la empresa estará

The train that has not yet crossed to the Pacific

"The Company I represent proposes to build a railway at its own risk that will run through Patagonia and across the Andes, joining the Chubut Colony with a port on the Pacific, as outlined in the attached sketch and under the provisions contained in the specifications I am enclosing.

"The Company owns the concession to build a railway from Bahía Nueva to the Chubut Colony, as sanctioned by the Honourable Congress. This railway is presently under construction, and the Company plans to finish it early next year. As Your Excellency knows, this railway is built and will operate without any direct or indirect protection from the State.

"In order to foster the construction of railways, to date Argentina has adopted all the protection systems known in Europe and America: it has guaranteed them, granting them land along their sides; it has only guaranteed them; it has subsidized them; it has supported them with credit; and it has directly constructed them itself.

"Mr. Bell is proposing, Y. E., a totally new system, unheard of in other countries that do not possess vast, deserted, and unproductive areas as this one has. This system could be appropriately called the 'Colonising Railway.' It is based upon the concession of land

to be cultivated and settled, located in the desert, by which the State will compensate the Company for the cost of the construction of the railway across regions that are totally unproductive today. In this way, the railway makes the desert pay for its own settlement, at no cost to the Nation."

The above letter was written on behalf of Mr. Asahel P. Bell, an English engineer with the railway company that was building the Puerto Madryn –Trelew line. He offered to extend the 1-m gauge railway hundreds of kilometres west, in exchange for five square leagues (12,500 ha) –no less– for each kilometre built. While admitting that he would obtain great returns from this concession, he nevertheless pointed out that the country would get far more: other railways profited from the progress of pre-existing locations, while this one would populate the desert.

Bell claimed that "no other colonisation system offers better guarantees than this one, as the railroad will be the most interested in having the country it crosses settled as fast as possible; otherwise, it would bring about its own ruin. The railway will have its head at the best Argentine port on the Atlantic, Bahía Nueva (now Puerto Madryn), unquestionably one of the best bays in the world, and will end at another

siempre acelerar la población, pues esta es la condición primera de su existencia. El ferrocarril partirá del mejor puerto argentino del Atlántico, Bahía Nueva (actual Puerto Madryn), que es sin disputa una de las mejores bahías del mundo, y terminará en otro puerto cómodo y seguro del Pacífico cerca del Golfo Reloncaví. Así, los dos grandes océanos quedarían separados por un día de viaje. Los valles cultivables de la Cordillera se pondrían a disposición del agricultor y del pastor, cuyas cosechas tendrían una doble salida por el Atlántico y por el Pacífico, si las corrientes del comercio de esas regiones tomasen el camino de Panamá, después de cortado el Istmo".

Bell fue sin duda un personaje muy particular. Lewis Jones lo había conocido en 1885 cuando viajó a Gran Bretaña buscando fondos para la construcción de un ferrocarril que uniera la Bahía Nueva con el Valle del Chubut. Se cuenta que Lewis Jones conversaba con su hija Eluned Morgan en español cuando Bell, que entendía el idioma, se acercó a ellos mostrando un auténtico interés en el tema.

Muchos dudan de la casualidad del encuentro y de las inocentes intenciones de los socios ingleses que pronto desembarcaron en Chubut y que con el tiempo accedieron a importantes concesiones de tierras. Lo cierto es que inicialmente los auténticos proyectos de inversión empujados por estos hombres avanzaron rápidamente y tal era el agradecimiento que Jones sentía por Bell, que cuando el tren llegó

desde Madryn a la punta de rieles, propuso que dicho sitio fuera bautizado con el nombre de Tre-Bell (pueblo de Bell), aunque Bell insistió en denominarlo Tre-Lew en homenaje al líder pionero de la gesta colonizadora.

Y fue justamente allí, sobre la punta de rieles, donde finalmente se desarrolló la ciudad, aunque algunos opinan que hubiese sido más conveniente haberla ubicado junto al río donde luego la propia compañía del ferrocarril construyó el puente Hendre, nombre galés que justamente significa "pueblo viejo" en referencia a un asentamiento anterior a la punta de rieles que no llegó a consolidarse.

La Ley 1539 del 20 de octubre de 1884 había concedido a los Señores Jones y Compañía la autorización para construir y explotar un ferrocarril entre el valle del Río Chubut y el puerto de Madryn que fue el primero de la Patagonia. Un Decreto del 5 de enero de 1888 transfirió posteriormente dicha concesión al Señor Asahel P. Bell, siendo transferida en segundo término, a favor de la Compañía Ferrocarril Central del Chubut.

Debe recordarse que en 1885 y con el apoyo e iniciativa de los galeses, el designado primer gobernador del flamante Territorio Nacional del Chubut, Coronel Luis Jorge Fontana, había llegado por primera vez con sus famosos Rifleros a la zona cordillerana de donde regresó a principios de 1886. Y Bell, con mucho entusiasmo, inició enseguida en 1887 los relevamientos en la zona cordillerana, ubicando su centro

comfortable and safe port on the Pacific, near the Reloncaví Gulf. Thus, the two great oceans would be only a day's trip apart. The fertile valleys in the Andes will be at the farmers' and shepherds' disposal, whose crops and livestock would have a double outlet through the Atlantic and the Pacific."

Bell was a very special character. Lewis Jones had met him in 1885, when touring Great Britain to raise the funds needed for the construction of a railway from Bahía Nueva to the Chubut River Valley. It is said that Lewis Jones an his daughter Eluned Morgan were talking to each other in Spanish when they were overheard by Bell who, knowing the language, approached them showing a true interest in this matter.

Many doubt that this was a chance encounter. They are also sceptical as to Bell's English partners' true intentions, as they arrived in Chubut soon after and in time were granted large land concessions. What *is* true, is that the genuine investment projects these people impelled advanced very quickly, and that Mr Jones was so pleased with Mr. Bell's performance that when the train finally arrived at the railhead in the Chubut River Valley, he proposed that the placed should be named Tre-Bell (Town of Bell), but Bell himself insisted it should be named Tre-Lew as a tribute to the leader of the colonists.

And it was there, around the railhead some kilometres north of the river, where the town finally grew, even if some argued that it would had

been better to locate it on the river banks. The railway company later built a bridge at this spot, known as the "Hendre Bridge," the word "hendre" meaning "old town" in Welsh as a reference to the previous settlement that failed to consolidate.

Law 1539 passed on October 20, 1884 had authorised Messrs Jones and Co. to build and operate the first railway in Patagonia, from Port Madryn in New Bay to the Chubut River Valley. Later, on January 5, 1888, this concession was transferred to Mr Asahel P. Bell by a decree. In turn, he transferred it to the Chubut Central Railway Company.

We must keep in mind that in 1885, by the colonists' initiative and with their support, the first governor of the recently created National Territory of Chubut, Colonel Luis Jorge Fontana, had reached the Andean valleys for the first time with his "Rifleros," returning early in 1886. Bell enthusiastically set off to survey the Andean region in 1887, establishing his headquarters at the Fofocahuel (Mad Horse) area. Among other aides, he took Llwyd ap Iwan, eldest son of Reverend Michael D. Jones, spiritual leader of the Welsh movement to emigrate to Patagonia.

But the railway would never reach the Pacific, or even get to the Andes; not in Chubut, nor anywhere else in Patagonia. On one hand, the relationship between the railway company and the Welsh Colony deteriorated as soon as the company fixed freight prices with a swift capital return

de operaciones en la zona de Fofocahuel y siendo auxiliado entre otros por Llwyd ap Iwan, hijo del reverendo Michael D. Jones, líder espiritual de la emigración a la Patagonia.

Pero el ferrocarril nunca llegaría a la cordillera ni tampoco atravesaría al Pacífico; ni en Chubut, ni en ningún otro lugar de la Patagonia. Por un lado, las relaciones entre la Compañía del Ferrocarril y la Colonia Galesa dejaron de ser afables tan pronto como la primera –buscando el rápido recupero de la inversión ya concretada– fijó precios para los fletes que a los colonos les parecieron demasiado altos, y contra los cuales reaccionaron con vehemencia, intentando incluso el uso alternativo del transporte fluvial-marítimo para sacar la producción del Valle en competencia con el ferrocarril.

Por otra parte, y en medio de la fiebre especuladora de 1888-90, los mismos inversores de la compañía ferrocarrilera obtuvieron de las autoridades nacionales una buena porción de las concesiones de tierras entregadas en la zona precordillerana. Esto dio lugar al establecimiento, entre Río Negro y Chubut, de una verdadera "suite de estancias inglesas" de trescientas leguas (750.000 hectáreas) de superficie. Así las denominó con su habitual ironía Clemente Onelli, ese entrañable escritor y naturalista de quien se dijo que fue "el más italiano de los argentinos y el más criollo de los italianos", agregando "Esta compañía, cuyos accionistas lo son también del ferrocarril del Sur, podría ser una pequeña

Compañía de las Indias, con caminos, ferrocarriles y vapores, dando vida a la inmensa zona que rodea sus estancias: no hay nada de eso, sin embargo."

Los capitalistas ingleses habían advertido que la potencialidad de las tierras era ganadera y probablemente por eso abandonaron el proyecto del ferrocarril colonizador que suponía una inversión de otra envergadura, mayor riesgo y de muy largo plazo. Primero la Compañía del Ferrocarril fue dividida, creándose la Argentine Southern Land Company, propietaria de las tierras del oeste. Poco después le fue cancelada la obligación original de poblar dichas tierras pudiendo sus accionistas acceder directamente a la propiedad.

Pero Lewis Jones, que enseguida se desvinculó de la compañía ferrocarrilera, afirma que el proyecto del ferrocarril al Pacífico naufraga al fallecer A. P. Bell. Y una carta inédita que hemos rescatado, escrita en diciembre de 1890, agrega algo que abona su parecer y nos ilustra un poco más sobre la personalidad de quien concibió un proyecto tan interesante como polémico y olvidado. Está dirigida desde Buenos Aires por D. M. Davies a Thomas B. Phillips y dice en un párrafo:

"A. P. Bell ha salido del hospital, pero anda de malas. Lo vi esta mañana y parece quebrado. Su plan de Ferrocarril Metropolitano ha sido anulado. Debe haber invertido mucho dinero en eso. He escuchado también que tiene grandes dificultades financie-

in mind –the colonists reacted furiously and even contemplated setting up a fluvial-maritime route instead. On the other hand, during the land speculation fever of 1888-90 the railway company's main investors obtained a large share of the land grants at the foot of the Andes. This allowed them to establish, striding Río Negro and Chubut, a veritable "English suite of estancias," in Clemente Onelli's ironic words, covering 750,000 ha. The dearly loved writer and naturalist who they say was "the most Italian of Argentines, and the most *criollo* of Italians," added: "This company, whose shareholders also own the Southern Railway Company, could be a little 'India's Company,' with roads, railways, and steamers, bringing life to the immense areas around their ranches; however, there is nothing of the sort."

The English investors had noticed that the real potential of these lands was livestock breeding, and probably that was the reason they dropped the "Colonising Railway" project that implied a much larger and riskier long-term investment. The railway company was divided, and the Argentine Southern Land Company was created, which owned the western lands. Not long after this, the original commitment of settling these lands was waived by the government, and the shareholders were able to acquire this new (and large) property.

However, Lewis Jones –who had earlier severed his links with the company– claimed that the Pacific railway

project faded away after A. P. Bell's death. And an unpublished letter we have found, written in December 1890, seems to coincide with him and also contributes some information about the personality of this man who had conceived such an interesting and controversial project, now lost in time. It is addressed in Buenos Aires, and was written by D. M. Davies to Thomas Benbow Phillips. One of its paragraphs reads:

"A. P. Bell is out of the Hospital but down in his luck. I saw him this morning, he looks like a broken down Jew. His Metropolitan Railway scheme is annulled, he must have spent a deal of money on that affair. I also hear that he is in great financial difficulties, there are some bills of his protested, his end I am afraid will be the end of all adventurers in general."

Even though his life in the end became entangled in the irresistible net of the English capital, for some reason –maybe due to the sympathy Lewis Jones had for him, or because we appreciate his enterprising spirit and his enlightened vision of the still-pending railway to the Pacific– we choose to remember Bell with affection, accepting that "history is also made of people that put all they have at stake for their beliefs, and win or lose their fortunes, their lives, their families, their honours, because they follow a calling from an inner voice they can't ignore."

In 1908 the National Government fostered the construction of 1.676-m wide gauge railway network within a Deve-

ras, algunos documentos protestados. Su final me temo será el de todos los aventureros en general."

Por eso, y aunque su vida finalmente haya transcurrido enredada en la maraña de los intereses del entonces irresistible capital inglés, por alguna extraña razón -tal vez atendiendo la simpatía que le prodigara Lewis Jones o la que nos despierta su espíritu emprendedor y su elevada y hasta ahora fracasada visión que llegaba hasta el Pacífico- es que preferimos recordar a Bell aceptando que "la historia también está hecha de personas que se juegan por lo que creen y que ganan o pierden sus fortunas, sus vidas, sus familias, sus honores porque acuden al llamado de una voz interior que no pueden desoír".

El Estado Nacional impulsó en 1908 la construcción de ferrocarriles en trocha ancha de 1,676 m dentro de un Plan de Fomento y Colonización de la región Patagónica, que quedaron truncos al estallar la Primera Guerra Mundial. En 1922, intentó completar la red con el tendido de una trocha económica de 0.75 m, que tampoco se finalizó. Sólo dos trenes de aquella red todavía funcionan: el Tren Patagónico que une Viedma con Bariloche Bariloche en Río Negro y el Viejo Expreso Patagónico "La Trochita" que hoy une Esquel y El Maitén en Chubut con Ing. Jacobacci en Río Negro, atravesando la renovada e impactante "suite de estancias" que, para consuelo de Onelli, ahora es propiedad del italianísimo Grupo Benetton.

lopment and Colonisation Plan for Patagonia, which was cut short when the First World War broke out. Later, in 1922, the government tried to fulfil the plan with 0.75-m narrow gauge lines, a plan that eventually was also interrupted. Only two trains from that network still run: The "Tren Patagónico" from Viedma to Bariloche in Río Negro province, and the Old Patagonian Express "La Trochita," that today joins Esquel with El Maitén in Chubut and Ingeniero Jacobacci in Río Negro. The latter runs through a renewed and impressive "suite of estancias" that, as if it were a consolation for Onelli, are owned today by the *Italianissimo* Benetton Group.

La flamante capilla en el casco de la Estancia Leleque
The brand-new chapel at Estancia Leleque.

JORGE MIGLIOLI

220

El Viejo Expreso Patagónico "La Trochita" llegando a El Maitén.
The Old Patagonian Express "La Trochita" entering El Maitén.

*Rastros de guanacos en la antigua
bajada a Las Plumas.*

*Guanaco footprints on the old
road to Las Plumas.*

A SACARSE EL SOMBRERO: POR LA VIEJA RUTA NACIONAL 25

THROUGH "EL SOMBRERO," ON THE OLD NATIONAL HIGHWAY 25

JORGE MIGLIOLI

La bajada desde el Alto de las Plumas hasta Las Plumas era tan abrupta y sinuosa que siempre resultó una complicación tanto para los que iban a caballo, como para los primeros carros y automóviles que pasaban por este sitio y finalmente para el tren que nunca pudo bajar del "Alto".

La traza actual del camino no coincide con la original, que se internaba en un cañadón a lo largo de 10 km al que pudimos acceder fácilmente luego de consultar a los amables vecinos de este pintoresco rincón patagónico ubicado en la margen norte del Río Chubut.

Uno de los primeros automovilistas que lo atravesó, dejó escrita una descripción que nos había impactado, motivándonos a conocer ese lugar. Después de hacer las averiguaciones del caso frente al mostrador de un antiguo bar del pueblo de Las Plumas, caminamos hacia el Este en dirección al Alto, para comprobar el testimonio de Enrique Shrewsbury:

"Sus paredes de roca eran más altas a medida que se iba bajando. Era en partes tan angosto que el camino daba paso a un solo vehículo. Serpenteaba continuamente y algunas de sus curvas eran tan cerradas que parecía un callejón sin salida, hasta llegar casi al paredón, que en apariencia cerraba el paso. La acústica también era notable. Al entrar un auto en cualquiera de sus puntas, se oía claramente el retumbar en la otra. Quien ha atravesado este cañadón en una noche de luna clara nunca lo olvidará. La luna suavizaba todos los contornos y la luz y sombra hacía de ella un lugar encantado. Un corredor largo lleno de curvas, con puertas que se abren, por arte de magia, al aproximarse el viajero, dejando entrever lejanos patios alumbrados o algún lugar apropiado para el aquelarre."

Cuando al fin encontramos el cañadón, estuvimos casi dos horas caminando por él, sin más compañía que la de una verde culebra que nos dio un buen susto. Sencillamente nos parecía increíble que un auto pudiera transitar por allí ahora; ni pensar que alguien lo hubiera hecho en el año 1916. Estábamos caminando en el lecho de un arroyo seco que

From the "Alto Las Plumas" (Las Plumas Heights) down to the valley the descent on the old road was so steep and winding that it was an obstacle to all travellers, whether they were on a horse, a wagon, or an automobile. And, mostly, for the railway that never found a way down from the "Alto."

Enrique Shrewsbury, one of the first to cross it driving an automobile, left such an impressive description of his experience in his memoirs that we were strongly motivated to find the place. Today the paved road takes an easier course some distance to the west, but after inquiring with the locals at a picturesque bar in Las Plumas we were able to find the precipitous 10-km narrow gorge the old road went through. While we climbed east towards the "Alto," Shrewsbury's account came to our minds:

"The walls of the gorge got higher as one descended, and it was so narrow that in some places only one vehicle at a time could pass. It winded endlessly, and had such tight curves that some appeared to be a dead end against the rocky walls. Acoustics were also remarkable. When a car entered the gorge at either end, one could clearly hear the sound of its engine at the other. He who has crossed this place in a full moon will never forget it. Moonlight smoothed all it contours, and light and shade made it an enchanted place: a long, winding corridor with doors magically opening at each curve as the traveller approached, giving a glimpse of distant moonlit courtyards; an adequate place for a Witches' Sabbath."

We hiked for almost two hours along the remains of the old road, with only some guanacos and a green snake (which startled me!) for company. It seemed impossible that an automobile could go through this place, even more so when considering he did it in 1916! We were walking along the dry bed of a stream, which in those years was used as a natural lane to the river. We felt deep emotion.

For many years the automobiles and light wagons crossed the river on a raft, while the heavy mule trains forded it fur-

sirvió de camino natural hacia el río y sentimos una gran emoción.

Una balsa cruzó por años los automóviles y alguno que otro carruaje o carro liviano hasta la otra orilla del río. Las tropas de carros cruzaban por un vado aguas abajo, un poco retirado de la balsa. Con los años, en la década del '30, se construyó el primer puente sobre el río. Ahora el viajero cruza, generalmente sin siquiera advertir que lo está haciendo.

JACK LEWIS

Saliendo de Las Plumas hacia el oeste, nos detuvimos frente a una sencilla tumba ubicada a la altura del km 224 de la Ruta Nacional 25. Allí descansan desde 1916 los restos de Jack Lewis (Yaky Lui pronunciaban su nombre los pobladores del lugar), dentro de un ataúd construido con las maderas del piso de una vagoneta Studebaker.

Todos los testimonios recogidos acerca de este "galés solterón, pastor de ovejas" fueron coincidentes: se trataba de un hombre servicial y trabajador. En Trelew realizó diversos trabajos en el interior de la capilla Tabernacl. Posteriormente ocupó un campo ubicado justo frente al sitio donde hoy está su sepultura; allí supo tener una quinta y un jardín al lado del río, además de un rebaño de unas dos mil ovejas que perdió durante una creciente del río. Era además un buen lector. Leía hasta altas horas de la noche, a la luz de un candil.

Todo el paraje era conocido con el nombre de Jack Lewis y allí funcionó también un boliche durante algunos años. El establecimiento agropecuario actual, en el cual encontramos trabajando con entusiasmo a su dueño, se llama Casa Quemada en alusión al desaparecido boliche.

Entre los que recordaron afectuosamente a Lewis a lo largo de nuestro viaje, están los hijos de dos personas que, alrededor de 1910, trabajaron junto a él, compartiendo el cuidado de su ganado. Uno de ellos, el señor Saúl Luque, consiguió su primer trabajo con Lewis, antes de seguir su propio rumbo al oeste por Languiñeo, Esquel y Tecka. También trabajó con Lewis el señor Tolosa, antes de poblar su propio campo de Cañadón Carbón, cuyos descendientes viven todavía allí.

La tumba de Jackie Lewis.
Jackie Lewis's grave.

ther downstream. In the 1930's the first bridge was built. Today travellers cross the river in a jiffy, without even noticing they are doing so.

JACK LEWIS

West of Las Plumas we stopped at km 224 of NH 25. On the side of the road an iron fence enclosing a simple tombstone marks the place where Jack Lewis ("Jakee Luie" as he was known to local people) is buried. They say his coffin was made out of the wooden boards of an old Studebaker wagon.

By all accounts, this "bachelor Welshman, and shepherd," was a helpful and hard-working man. He worked on the construction of the Tabernacle Chapel's interior in Trelew. Later, he settled on a farm just across the road from his tomb. He had an orchard and a garden next to the river, and a flock of a thousand sheep he later lost during one of the great floods. He loved books, and stayed up reading by candlelight till late at night.

This spot was known by the name of Jack Lewis, and for some years there was a roadside "boliche" (country bar and store) there. Now it's known as "Casa Quemada" (Burnt-down House —referring to the bar's sad end). We found its present owners working the land hard, the same as they say Jack used to.

Among those who remember Lewis with affection, we have interviewed the descendants of two men that worked for him around 1910. One of these men was Saúl Luque, an immigrant who got his first job with Lewis, and afterwards continued his own way to Languiñeo, Esquel, and Tecka. The other man was Mr Tolosa, who afterwards settled not far west in Cañadón Carbón, where his descendants still live.

In his memoirs, Enrique Shrewsbury mentions Jackie Lewis as the place where the "outer road" started. It branched off southwest from the "riverbank road" towards "El Sombrero" (The Hat) then turning northwest until it reached the town of Paso de Indios. This route was taken almost exclusively by automobiles, as along the road there was no water for the animals to drink. Shrewsbury wrote:

"Car drivers preferred to take this route, even if it was longer. The road was always

Enrique Shrewsbury menciona en su memoria a Jackie Lewis, explicando que, justamente a partir de ese sitio, comenzaba lo que en esa época se denominaba el "camino de afuera", una senda que se alejaba del "camino de la costa" junto al río, efectuando un desvío hacia el sudoeste para luego empalmar con la ruta actual en el pueblo de Paso de Indios. Era usada casi exclusivamente por automovilistas, ya que en su trayecto no había agua, necesaria para que los animales de cualquier tropa pudieran beber.

Apunta Shwersbury: "Los automovilistas lo preferían, a pesar de que era más largo. Por él se viajaba más rápido y más cómodo porque siempre estaba en buen estado. En una parte, cerca de una laguna seca, había un pequeño y muy interesante bosque de árboles petrificados. Algunos tenían un diámetro de hasta 70 centímetros y un largo de hasta quince metros. No había ninguno en pie y lo que más me llamaba la atención, era que todos los troncos estaban acostados en perfecta línea normal, pero rotos en secciones de más o menos 60 u 80 centímetros de largo, como si se hubieran roto al caerse, ya petrificados. En todo este trayecto (Jackie Lewis-La Herrería) había un solo boliche conocido por El Sombrero, que estaba a 20 leguas (100 km) del valle del río."

POR LA VIEJA RUTA NACIONAL 25

Conversamos en Trelew con Fermín Urtizberea, quien

El Sombrero desde la Cuesta del Guanaco.
El Sombrero (The Hat) Mountain as seen from the Guanaco Climb.

fue durante muchos años Juez de Paz en El Sombrero, zona a la que viaja permanentemente ya que posee un campo ubicado más al sur, camino a Comodoro Rivadavia y Sarmiento. Don Fermín describe con claridad el gran movimiento que había en esa zona hasta hace algunas décadas, por la que además de automóviles y colectivos, recuerda que pasaban también tropas de carros hacia y desde el sur, cruzando esta ruta hoy prácticamente olvidada.

Fue seguramente esa relativamente importante actividad comercial y ganadera, sumada a las dificultades que inicialmente ofrecía el camino de la costa del río para su consolidación, la que impulsó la idea de construir la primera traza de la Ruta Nacional 25 por El Sombrero, allá por la década del '30. La recorrimos íntegramente durante varias horas hasta Paso de Indios; muy poco antes de llegar, apenas si cruzamos un par de vehículos que transitaban por las cercanías de esa localidad.

in a good state, and the automobiles could travel faster and more comfortably. Near the bed of a dry lake there was an interesting cluster of petrified trees. Some of the petrified trunks were as much as 70-cm in diameter and were up to 15 metres long. Not a tree was standing, but curiously all lied straight on the ground, but broken into 60 to 80-cm sections as if they had shattered when falling, already petrified. On the whole length of this 'outer road' (Jackie Lewis-La Herrería) there was only one 'boliche' known as 'El Sombrero,' 20 leagues (100 km) away from the Chubut River Valley."

THROUGH OLD NATIONAL HIGHWAY 25

Fermín Urtizberea, who now lives in Trelew, was for years the Justice of the Peace at El Sombrero. Now he travels there frequently, as he owns a sheep ranch further south on the road to Comodoro Rivadavia and Sarmiento. We interviewed him in Trelew, and he

told us that some decades ago there was great commercial activity in that area. He said that, besides the automobiles and buses, some mule trains went on a north-south direction along this now almost forgotten route.

Due to this commercial and livestock-breeding activity, plus the difficulties posed by the existing track along the river valley, in the 1930s National Highway 25 was originally built along the El Sombrero route. Drivers travelling to the Andes on this route then by-passed what today is considered its most scenic sector. They missed the spectacular Los Altares area, but also avoided Rocky Trip and many other difficult passages along the riverbanks.

We travelled along the old NH 25 for hours, driving all the way to Paso de Indios. It was only just before reaching this small town that we crossed a couple of cars, which probably were only making a short trip around its outskirts.

There were some surprising things about this route. Firstly, it goes across a varied landscape that –though not as spectacular as the scenery along today's paved NH 25– climbs up and down many slopes which in turn open the view towards hills of curious shapes. Once you negotiate the "Cuesta del Guanaco" (Guanaco's Climb), the El Sombrero mountain appears in the distance.

Secondly, it's a wide dirt road, but the ground is clayish and can get quite soggy and almost impassable with rain or snow. Although the road was clear and it was sunny, there

Varias cosas nos sorprendieron en este viaje. En primer lugar se trata de una ruta que atraviesa un paisaje variado, diferente y atractivo que, sin ofrecer la espectacularidad de la actual Ruta Nacional 25, resulta muy pintoresco, con numerosas subidas y bajadas que dan lugar a sucesivas apariciones de cerros de curiosas formas. Una vez superada la denominada Cuesta del Guanaco, se divisa por primera vez a los lejos, el famoso sombrero.

En segundo lugar, se trata de una ruta de traza ancha con un tipo de suelo gredoso que puede resultar muy pesado, ya que con facilidad acumula agua, nieve o barro. Aunque la ruta estaba muy bien mantenida y el sol nos acompañó durante casi todo el trayecto, el nuestro fue un lento y traqueteado viaje por huellas resecas que parecían transportarnos por el túnel del tiempo.

Porque inevitablemente uno se interna en el pasado cuando empieza a ver los mojones y los carteles señalizadores que permanecen colocados igual que el primer día. Son grandiosos mojones de cemento que exhiben en su pulida superficie la vieja numeración de la ruta que originalmente nacía en la ciudad de Buenos Aires. Los carteles señalizadores, íntegramente realizados en madera, permanecen tan erguidos como el primer día en que fueron colocados, firmemente asegurados por postes rodeados de piedras, que los sostienen de los embates de viento. El viento no ha podido arrancar ningún cartel pero borró todas las señales. Y aunque sólo el pálido

El viento no ha podido arrancar ningún cartel pero borró todas las señales.
The wind could not blow down these road signs, but it erased their surface.

were stretches of it where we had to drive slowly over the hard ruts some vehicles had made on a rainy day.

Inevitably, when seeing the old milestones and road signs, one starts to ponder over bygone times. Most are still there as if time had not passed. The massive concrete milestones still show the original kilometre numbering of the old NH 25 on their polished surface, indicating the total distance from the city of Buenos Aires as most of the National Highways in Argentina do. The signs are made of wood, their posts firmly reinforced with large stones against the wind. But the Patagonian wind has nevertheless left its mark on them: it erased what was written on their surface, sometimes leaving only the faded, yellow background; on some of them it went even further, erasing all the paint but leaving a sort of bass-relief where the lettering can still be read. We would love it if they could stay that way forever, so anyone could be surprised in a childlike way, as we were. Lastly, we reflected upon the fact that not even the persistent Patagonian wind is as violent as some people who –for reasons we cannot understand– still destroy road signs today.

THE GIN ROUTE

After passing "La Herrería" (The Smithy –the old name for Paso de Indios), vehicles would take the same (but not yet paved) route we take today, going along "El Pajarito" (The Small Bird), "Cajón de Ginebra Chico," (Little Gin Box) and "Cajón

226

FOTOS: JORGE MIGLIOLI

amarillo de los fondos resista casi ridículamente, por alguna razón desearíamos que quedaran siempre así, para que cualquiera pueda experimentar esa alegría infantil con la que fuimos sorprendidos. Comprobando además que ni la persistencia del viento patagónico es tan violenta en la ruta como la que a veces, incompresiblemente, exhibe el hombre que destruye las señales.

LA RUTA DE LA GINEBRA

Como ya hemos visto, quienes incluso desde antes de la década del '30 viajaban en automóvil hacia la Cordillera por la vieja Ruta Nacional 25, abandonaban el Río Chubut cerca de Las Plumas y no volvían a verlo hasta el regreso; evitaban así la que hoy es considerada la parte más pintoresca de la ruta, que era entonces simplemente la más accidentada. De modo que si bien los volantes se perdían el espectáculo de Los Altares, sorteaban Rocky Trip y diversas angosturas y accidentes considerados de difícil tránsito.

Luego de pasar por La Herrería (Paso de Indios) los vehículos empalmaban con la ruta actual, pasando –igual que hoy– por los parajes El Pajarito, Cajón de Ginebra Chico de Ginebra Grande," (Big Gin Box) until they reached Pampa de Agnia (Agnia's Plateau). From this point, there were three roads they could take: one went southwest to José de San Martín (now PH 63, a gravel road), another went west towards Tecka (now PH 62, paved), and another went northwest through Colán Conhué, and is the continuation of NH 25 (gravel). We continued our trip along the latter road.

Even if this part of NH 25 was not the one the authorities chose when they paved the route from Trelew to Esquel, it is a better road in winter than the road to Tecka, which they finally paved, and can at times become quite dangerous. With the exception of the short "Cuesta del Paisano" (Native Man's Climb) its slopes are not as steep, and snow accumulates less on it. On these grounds, many people living in the area still wonder why PH 62 was paved instead of NH 25. These decisions are always controversial, as they change the lives of many people. We were satisfied with an explanation an official volunteered stating that, at the time when the decision had to be made, the paving of NH 40 to Tecka was already assured. Therefore, in order to close the

Cerca de Paso de Indios, una majada bebe agua en el Chubut.
Near Paso de Indios (Indians' Ford) a thirsty flock drinks from the Chubut waters.

JORGE MIGLIOLI

Una vieja F-350, noble auxiliar del trabajo en las estancias de la Patagonia, con su orgulloso chofer. Cajón de Ginebra Chico.

The ubiquitous old F-350, a noble workhorse in the Patagonian farms, and its proud driver. Cajón de Ginebra Chico (Small Gin Box).

FOTOS: JORGE MIGLIOLI

Cerca de la precordillera, aparecen las avutardas.
Near the Andes, the avutardas (wild geese) thrive.

y Cajón de Ginebra Grande, hasta llegar a Pampa de Agnia. Desde allí se abrían tres huellas: una hacia el sur rumbo a José de San Martín (actual Ruta Provincial 63, de ripio), otra rumbo al oeste hacia Tecka (actual Ruta Provincial 62, pavimentada) y otra que se dirigía hacia Colán Conhué, por donde todavía sigue pasando actualmente la Ruta Nacional 25, de ripio. Por ella seguimos.

Se trata, paradójicamente, de una ruta mucho más amigable en invierno que la ruta pavimentada actual a Tecka, de pendientes más suaves y menos "nevadora", como suele decirse, a excepción de un solo tramo conocido como la "Cuesta del Paisano". Muchos pobladores se preguntan todavía cómo fue posible que se pavimentara la Ruta Provincial 62 en lugar de la Ruta Nacional 25 ya que su calzada resulta tan peligrosa para los que la transitan en invierno, como inconveniente para quienes quedaron marginados de sus beneficios. Son decisiones difíciles de tomar ya que, como suele suceder en estos casos, le cambian la vida a mucha gente. A nosotros nos conformó la explicación que dice que, al momento de pavimentar el tramo Pampa de Agnia-Esquel, ya estaba asegurada la pavimentación de la Ruta Nacional 40 hasta Tecka; por eso y, a fin de cerrar el famoso triángulo vial del Chubut, la decisión de pavimentar la Ruta Provincial 62, era correcta por resultar más rápida y económica. Pero entendemos que algunos manifiesten todavía que se trató de beneficiar a una estancia en

particular o que quien adoptó la decisión lo hizo después de beber una de las botellas que se cayeron de esos famosos cajones de ginebra. (NdeA. Está previsto que la RP 62 pase integrarse a la RN 25 y que el tramo enripiado de ésta última pase a jurisdicción provincial, tal como sucedió en el pasado con la RP 53 que pasa por El Sombrero).

HACIA COLÁN CONHUÉ, ENTRE POCITOS, MALLINES Y RECUERDOS

Llegamos pronto a un paraje denominado Cañadón Pelado, desde donde sale a la izquierda la antigua senda de tropas de carros que conducía a Pocitos de Quichaura y luego a Tecka. La recorrimos y pronto llegamos a un establecimiento rural donde, para nuestra sorpresa, nos encontramos con amigos.

Esa tarde conversamos a gusto con integrantes de la familia Escoin, cuyo abuelo llegó desde España a la Argentina en 1914. Pronto se trasladó al Chubut, donde se casó con una joven viuda alemana de apellido Brandt que, después de haber visto morir a su esposo y a su hijo en Punta Arenas, había llegado misteriosamente a Gaiman con una hija.

Tiempo después el nuevo matrimonio decidió marchar al oeste con sus hijos y sus pertenencias cargados en un carro; rompieron un eje del mismo durante una fuerte nevada y sus hijos estuvieron a punto de morir de frío. Obligados a interrumpir el viaje, encontraron un campo que tenía manantiales de agua y decidieron

Chubut province Paved Route Triangle as soon as possible, the decision of paving PH 62 was more economically sound. But, understandably, some of the people living along the still not-paved NH 25 claim that the decision was made to favour a big sheep ranch in the area, or even the small town of Tecka. Some even assume that those who made the final decision had drunk some of the bottles left behind in the famous Gin Box (nb: Soon PH 62 will be integrated to NH 25, and the gravel sector of the latter will become a provincial road, as it happened many years ago with El Sombrero's PH 53).

TOWARDS COLAN CONHUE

We soon reached a spot called "Cañadón Pelado" (Barren Ravine). From there, the old wagon track turned west towards "Pocitos de Quichaura" (Small Springs of Quichaura) and later reached Tecka. The old track is now a country lane, so we followed it for a few kilometres until we arrived at a homestead on a ranch. To our surprise, we found the owners were friends of ours from Esquel.

That afternoon we chatted with some members of the Escoin family, whose grandfather arrived from Spain in 1914, and came to Chubut soon after. Here he married a young German widow who, having lost her husband and son in Punta Arenas (Chile), had later mysteriously turned up in Gaiman with her daughter.

Some time after their marriage, they decided to move west with their children. Near

where we were at that moment, the axle of their wagon broke during a blizzard, and they nearly froze to death. Later they found the land they were stranded on had many water springs, so they finally settled there.

Doña Pilar Escoin de Vargas remembered her former neighbours affectionately; to her they were like an extension of her family: Torres, Meschio (Don Pedro Meschio used to own a celebrated barcum store in Pampa de Agnia), Rádice (known to everyone as "The Carro Roto Blond," who had also manned the "Mallín Blanco" post office) and many others we had found in various spots during our journeys.

Her grandsons took us to a place they called the "mallín redondo" (a round, large humid pasture), formerly used as winter pastures for hundreds of mules from the mule trains. Finally, we visited the springs that give Pocitos de Quichaura its name.

Later we returned to NH 25, and then followed our route northwest. We went by "Mallín Blanco" (White Meadow), a ranch belonging to the Gough family, and later, when going by the road to Colonia Epulef –a Native reservation created in 1923– I recalled the days I had spent at this place in 1983, as a member of a small group of university students doing voluntary social work. It was my first Patagonian experience, just before moving from Buenos Aires to Esquel.

We went on to Colán Conhué, a place many know by the name of Languiñeo. The latter is an Araucanian

poblarlo.

Doña Pilar Escoin de Vargas nos habló con afecto de sus vecinos de ayer en el campo, que fueron para ella como una extensión de su propia familia: los Torres, los Meschio (Don Pedro tuvo un memorable boliche en Pampa de Agnia), los Rádice (más conocido como el rubio Carro Roto que atendió también la estafeta de Mallín Blanco) y tantos otros que encontramos en diferentes partes de nuestro trayecto.

Sus nietos nos llevaron hasta el denominado mallín redondo, un sitio muy especial donde en invierno se alimentaban cientos de mulas usadas por las tropas de carros. Por último visitamos los ojos de agua que dan nombre al paraje Pocitos de Quichaura.

Regresamos a la Ruta Nacional 25 enripiada, desde donde seguimos en dirección oeste, pasando frente a Mallín Blanco, un campo de la familia Gough. Un poco más adelante, al cruzar el acceso a Colonia Epulef –una reserva aborigen creada en 1923– recordé mi permanencia de un mes en ese lugar como integrante de un grupo de estudiantes universitarios en 1983. Con ellos visité la zona por primera vez, dentro del marco de una experiencia de trabajo voluntario, poco antes de radicarme en Esquel.

Seguimos hasta Colán Conhué, que muchos conocen con el nombre de Languiñeo, voz araucana que significa "lugar del muerto" en referencia a una tremenda batalla que tuvo lugar a mediados de siglo XIX entre los tehuelches originarios y los araucanos que, persegui-

Un clásico "boliche de campo" en la meseta patagónica, ya desaparecido.
A former typical bar-cum-store at the Patagonian plateau.

dos en Chile, ingresaron desde el oeste al actual territorio argentino. Dura y tergiversada historia la de estos pueblos olvidados, que alguna vez advirtieron que "había lugar para todos" sin ser escuchados, excepción hecha –como ya se

Mallín Blanco. Al fondo, la sierra de Lonco Trapial
Mallín Blanco (White Meadow). In the background, the Lonco Trapial range.

word meaning "the place of the dead," a name that refers to a bloody mid 19th century battle between the Tehuelche, whose territory it was, and the Araucanians that, escaping from Spanish persecution, had migrated from Chile through the Andes into what today is Argentine territory. The history of these Native peoples is full of hardship but also of distorted facts. A long time ago one of their Chiefs exclaimed that in Patagonia "there was room enough for everyone," a maxim it seems only the Welsh heeded.

At Colán Conhué we were greeted by Miguel Daut, then the president of the rural commune, who twenty years ago used to house us students in a very old, mud-brick country hotel, now closed but –if Miguel has his way– a future

230

vio– de los galeses.

En Colán Conhué, nos recibió con alegría don Manuel Daut, entonces presidente de la Comuna Rural, que veinte años atrás solía recibirnos con su acostumbrada hospitalidad en un viejísimo boliche de campo hoy cerrado donde se propone instalar allí un museo, conciente del valor histórico que el sitio representa. Es que, antes que suyo, el viejo boliche perteneció a don Ildefonso Cabada, que llegó a la zona como empleado del legendario Agustín Pujol. Y este es el único de todos los boliches de campo de su larga cadena que aún sobrevive, puesto que los ubicados en Telsen, Gastre y Súnica desaparecieron. Pensar que en ese viejo boliche, escribió algunos versos el hijo del famoso escritor argentino Gregorio de Laferrere (ver recuadro).

Manuel nos presta nafta porque hemos andado más de lo previsto y nos damos cuenta que podemos tener problemas. Nos pasa datos de todo tipo con un entusiasmo que nos compromete a regresar a esta zona de la que nos vamos sintiendo que, de a poco, empieza a recuperarse junto con el precio de la lana que se mantuvo tan bajo durante casi quince años. Y siempre es bueno partir con esperanza.

A ESQUEL, POR LA PAMPA DE VON AHLEFELD

Seguimos viaje por la Ruta Nacional 25, bajando por la "Cuesta del Paisano" hasta llegar a la denominada "Pampa de Von Ahlefeld", ubicada sobre el valle del Río Gualjaina.

Verónica con la "Machi" Epulef en 1983.
Verónica and the "Machi" Epulef in 1983.

Don Ildefonso Cabada, quien solía pedirle a Gregorio de Laferrere (h) que dejara anotados sus versos ocurrentes en los márgenes de algún diario viejo para no olvidarlos.
Don Ildefonso Cabada, who used to ask Gregorio de Laferrere (Jr.) to write down the witty verses that came to his mind on the side of some old newspaper, so they wouldn't be lost.

GENTILEZA MARCELA CABADA

museum. He owns the place now, but before him it belonged to Mr. Ildefonso Cabada, who had come to this place working for the legendary Agustín Pujol. This is the only "boliche" of the Pujol chain that still survives, as the ones in Telsen, Gastre, and Súnica disappeared. The son of Gregorio de Laferrere, the famous Argentine writer, wrote some poems in this old hotel (see box).

We were running out of gasoline, so Manuel kindly supplied us some from his 220-litre drum. He is an enthusiastic man and, fortunately, his commune –as most of Patagonia– is now slowly recuperating after a 15-year spell of low wool-prices.

TO ESQUEL, CROSSING THE VON AHLEFELD PLATEAU

We kept on going along NH 25, down the Cuesta del Paisano and finally to the "Pampa de Von Ahlefeld," (Von Ahlefeld Plateau), that borders the Gualjaina River. The view when descending to the valley floor is fantastic. We must remember that the Rifleros came through this valley in 1885. At the beginning of the 20th century the road went by La Elvira ranch, then recently established, which belonged to Carlos Von Ahlefeld, who descended from German nobility. Until the 1920s there was a country hotel there, but now one can barely find its ruins. We headed towards nearby Arroyo Pescado.

Mr. Griffiths, who used to manage this farm, would later tell us "At the beginning of the

La vista cuando se desciende desde la parte alta de la ruta es fantástica. Recordemos que por este valle ingresaron los rifleros en 1885. A principios de siglo pasado, una traza más antigua de la ruta actual pasaba por la entonces Estancia El Centenario –luego La Elvira– fundada por Carlos Von Ahlefeld, descendiente de algún noble alemán. Desde allí, nos encaminamos hacia Arroyo Pescado.

El señor Griffiths, quien alguna vez fue encargado del establecimiento, nos explicaría más tarde en Esquel que "Von Ahlefeld obtuvo a principios de siglo concesiones por 50.000 has, aunque finalmente se quedó con 26.000. Se había casado y tuvo dos hijos: Elvira y Carlos. El viejo Von Ahlefeld falleció en 1919. Su hijo Carlos murió en Bs. As. donde anteriormente había tenido un accidente muy feo. Su hermana Elvira se había ido a Inglaterra a la edad de quince años para estudiar y allí se casó con el cónsul británico en San Remo, de apellido Golla. Nunca más volvió por aquí. No hace mucho tiempo, sus descendientes liquidaron todo lo heredado –que no era poco– incluyendo la vieja residencia de San Remo que habían convertido en un residencial".

20th century, Von Ahlefeld obtained the concession of 50,000 ha, although he finally kept only 26,000. He had married and had two children, Elvira and Carlos. He died in 1919. I knew his son Carlos, who died in Buenos Aires, where he had previously had a nasty accident. His sister Elvira went to study in England when she was 15, and eventually married a man named Golla, who was the English consul in San Remo, Italy. She never came down here again. Not long ago, her descendants sold all she left them –not an insignificance– including the old residence at San Remo which had been converted into a hotel."

Una tarde radiante de invierno, fuimos muy bien recibidos en La Elvira por sus dueños actuales. Recorrimos las renovadas instalaciones y encontramos curiosas historias en libros, correspondencia y objetos centenarios.

On a sunny winter afternoon, we were welcomed at La Elvira by its present owners. We toured the renovated facilities and found some curious stories in old books, letters, and hundred-year-old objects.

GREGORIO DE LAFERRERE (h)

Pilar Escoin de Vargas lo recuerda así: "Yo lo conocí a Gregorio de Laferrere, el hijo del famoso escritor, porque siempre iba a casa y se quedaba con su perrito Catriel. Era todo un personaje. Nosotros lo atendíamos como corresponde y, a pesar de que le tendíamos la cama, él se acostaba en el suelo y dormía con su recadito. Donde iba, dejaba un verso. Era muy andariego y divertido y muy buena persona. El me farreaba mucho a mí porque yo en ese tiempo era la más chica y me decía: –dicen que don bacalao se ha casado con doña sardina, y me hacía rabiar porque él era flaco y yo era flaquita en ese tiempo en que tendría unos 15 años, allá por 1934. Laferrere pasó muchos años en la zona actuando como Juez de Paz en Languiñeo. Otro vecino de la zona de Colán Conhué, don Juan San Martín, fue Juez de Paz allí varios años después y rescató y conservó dos piezas desopilantes que reproducimos textualmente, aclarando que cualquier parecido con la realidad es pura coincidencia.
La primera es una suerte de resolución firmada al dorso de una circular que un ex Gobernador –aparentemente sin demasiado conocimiento de la realidad del entonces Territorio Nacional del Chubut– envió a todos los Juzgados de Paz para que informaran acerca del inventario de "bienes muebles e inmuebles y semovientes que tuvieran a su cargo". Al recibir la circular Laferrere, que tenía la oficina arriba del caballo y su escritorio dentro de un saco de cuero, escribió de su puño y letra al dorso de la mencionada circular:

Languiñeo, Abril 20 de 1926
Visto y considerando: que es público y notorio que el Señor Gobernador don Domingo Castro se encuentra con las facultades mentales alteradas. Que aunque este Juzgado no tiene conocimiento oficial de tan lamentable circunstancia, esto no es óbice para que ésta sea tenida en cuenta "a verdad sabida y a buena fe guardada". Que el hecho de que aún no se haya comunicado oficialmente la demencia del Señor Gobernador por las autoridades a quienes corresponda, sólo puede deberse a la deficiencia de los medios de comunicación del Territorio. Que la demencia del Señor Gobernador, según es notorio entre todos los pobladores, consiste en suponerse capitán de un buque de guerra, el cual en tal caso, según su imaginación enfermiza sería el territorio del Chubut. Que con tal motivo lanza de continuo "órdenes y contraórdenes a través de las cuales se trasluce frecuentemente su condición de orate incurable –vulgo "loco de verano"– Que si dichas órdenes y contrórdenes fueran obedecidas por los funcionarios subalternos del Gobernador (más no del mentecato) el barco de referencia encallaría inevitablemente o se iría a pique.
Se resuelve: No darle beligerancia a lo ordenado en la circular precedente así como tampoco a ninguna orden emanada de la Gobernación mientras se encuentre a cargo de ésta el loco Domingo Castro (a) "Dominguito".
Comuníquese, publíquese, dése al Registro local y archívese. Firmado Gregorio de Laferrere, Juez de Paz.
Cabe aclarar que los jueces eran designados en ese tiempo desde Buenos Aires y que no dependían directamente del Gobernador del Territorio. Con el tiempo

JORGE MIGLIOLI

las comunicaciones y las condiciones de trabajo mejoraron, como puede apreciarse en estos versos que en 1934 Laferrere le dedicó a don Carlos Rivero Crespo quien lo sucedió en Languiñeo, advirtiéndole del malestar existente por alguna cuestión que ponía en peligro su continuidad al frente del Juzgado: "Batistín, chápate forte / te van a dejar colgado / sin Wipet y sin juzgado / sin Phillips y sin consorte / panza al aire y culo al norte / sin vaca para ordeñar / ni overo pa'compadrear / diciendo que es parejero / ¿Qué va a comer el overo / sin indios para enrolar?"

Wipet: la marca del automóvil
Phillips: la marca del aparato de radio
Overo: el pelaje de su caballo
Parejero: buena condición del caballo para las carreras cuadreras

Gregorio de Laferrere (h) vivió en la zona de Esquel hasta 1938 y ya de regreso en Buenos Aires publicó en marzo de 1939 en La Nación una interesante nota periodística acerca de la tráfico fronterizo con Chile en la zona de Futaleufú. Por largos años se mantuvo en contacto con sus amigos del Chubut a quienes con gusto procuraba devolver las atenciones recibidas durante sus andanzas por la Patagonia, desparramando el mismo espíritu risueño que había heredado de su padre.

GREGORIO DE LAFERRERE (Jr.)

Pilar Escoin de Vargas remembers him like this: "I knew Gregorio de Laferrere, son of the famous writer, because he often came home with 'Catriel,' his little dog, and stayed for a while. He was quite a character. He was always welcome and we always prepared a bed for him, but he preferred to lie on his small 'recado' (gaucho saddle) and saddle blankets on the floor. Wherever he went, he left a small poem behind. He loved to roam; he was fun to be with and a very good fellow. I was younger than he was, so he enjoyed poking fun at me: 'They say Mr Cod has married Miss Sardine,' he would say, as we were both quite thin. I was about 15 then, around 1934." Laferrere junior was Justice of the Peace at Languiñeo for a long period. Another neighbour of the Colán Conhué area, don Juan San Martín, also held that office many years later and fortunately recovered two very funny texts Leferrere wrote. After reading them, we must state that any resemblance to current reality is pure coincidence.

The first one was written and signed on the back of a circular a former governor —who apparently knew little of the realities of the then National Territory of Chubut— had sent to all the Justices of the Peace ordering them to send "a complete inventory of the real estate, goods and chattels, and animals they were in charge of." Laferrere's office was his horse, and his desk a leather bag. So, upon receiving such an order, he sarcastically wrote by hand on the back of the paper:

"Languiñeo, April 20, 1926. Considering: That it is public knowledge that the Governor, Don Domingo Castro, is out of his mind. That, albeit this Office of the Justice of the Peace has not yet received official communication of this regrettable circumstance, this should not prevent it from acknowledging this deplorable situation as true. That the fact the authorities have not yet officially informed of the Governor's lunacy to whoever it may concern can only be due to the Territory's deficient communications system. That this lunacy —as is common knowledge among the population— resides in his seeing himself as the captain of a warship; a ship which, in his infirm imagination, amounts to the Territory of Chubut. That due to this situation he constantly shoots orders and counter-orders, many of which reveal he is mad as a hatter. That if these orders and counter-orders were strictly obeyed by the Governor's (but not the fool's) subordinates, such ship would inevitably run aground or sink. "This Justice of the Peace resolves: Not to acknowledge what is ordered in the above circular, nor any other order from the Government of this Territory as long as mad Domingo Castro (alias 'Dominguito') is in charge. This resolution is to be communicated, published, given to the local Registry, and filed. Signed: Gregorio de Laferrere, Justice of the Peace."

We must explain: at the time, the Justices of the Peace were appointed by the Central Government in Buenos Aires, and therefore did not report directly to the Governor of the Territory. But later both the communications and the working conditions improved, as one can clearly see when reading some verses Laferrere dedicated to his successor, don Carlos Rivero Crespo, in 1934, warning him of some issue that caused unrest among the population and put his job in jeopardy: "'Batistín,' you better hold tight / they're going to wipe you out. / Without your Whippet or your office / without the Phillips or your wife / your belly and your backside uncovered / no cow to milk, nor piebald to brag about / telling everybody he is a racehorse. / Is your piebald going to eat at all / with no Indians to enrol?"

Whippet: an automobile brand
Phillips: a radio
Piebald: a horse coloured with large black and white patches.

Gregorio de Laferrere (Jr.) later lived in the Esquel area until 1938. Back in Buenos Aires, in 1939 he published an interesting article in "La Nación" newspaper, about trade with Chile in the Futaleufú area. He kept in touch with his friends in Chubut for many years, and always did his best to return all the hospitality people had shown him during his years in Patagonia.

Mapa trazado por Llwyd ap Iwan, hoy archivado en la Real Sociedad Geográfica en el Reino Unido. El catalejo y la cinta métrica también pertenecieron al autor.

This map was drawn by Llwyd ap Iwan, and is preserved today at the archives of the Royal Geographical Society in the UK. The telescope and measuring tape also belonged to him.

234

Arroyo Pescado, puerta de entrada de los pioneros

El Arroyo Pescado es tributario del Río Gualjaina que, a su vez, vierte sus aguas en el Río Chubut. Es un sitio al cual hemos llegado en este viaje de tres formas diferentes ya que está ubicado en el punto de convergencia de la ruta original de los rifleros, de las primitivas huellas de carros, de la vieja Ruta Nacional 25 y de la Ruta Nacional 40 que pasaba por allí hasta los años '70.

Para las tropas de carros, fue la puerta principal de acceso a la Colonia "16 de Octubre". Existe allí una estancia llamada Arroyo Pescado donde fue asesinado Llwyd ap Iwan. Y como suele suceder en estos casos, se trata de un lugar que ha quedado más asociado a los detalles de ese crimen y a la historia de los asesinos, que a la vida que ellos segaron.

Algo así ha pasado con Llwyd ap Iwan, uno de los más preclaros líderes del proyecto galés en la Patagonia. Marcelo Gavirati, a través de sucesivas investigaciones, se ha ocupado de poner las cosas en su lugar:

LLWYD AP IWAN: UN PIONERO PATAGÓNICO

"Finalizada la Campaña del Desierto, el territorio del Chubut permanecía prácticamente vacío luego de ser expulsados los habitantes nativos de sus antiguos paraderos. La Colonia Galesa, privada de su comercio con los tehuelches y no siendo posible ni conveniente económicamente la comunicación terrestre, intenta facilitar su salida comercial a través de su puerto natural, en el Golfo Nuevo. Para conectar al valle con Puerto Madryn hacía falta construir un ferrocarril de 60 kilómetros. En 1886 se empieza a concretar este proyecto. Un joven ingeniero galés recibido en Alemania, se une a la nueva empresa patagónica.

"Su apellido 'ap Iwan' significa en galés hijo de Juan, como el de su padre Michael Daniel Jones, sólo que éste lo llevaba en inglés reflejando las presiones que los ingleses ejercían sobre los habitantes del País de Gales para impedirles el uso de su idioma y la recreación de su cultura. Pero Jones con otros patriotas galeses promueve la emigración a la Patagonia como un movimiento liberador del pueblo galés que sueña con recrear sus costumbres y preservar su idioma en estas solitarias tierras.

"En 1887, al año siguiente de su llegada a Patagonia, ya participa de una expedición al noroeste del Territorio del Chubut, proyectada por el gerente de la empresa ferrocarrilera, Asahel P. Bell, para estudiar las posibilidades de extender la línea férrea hacia la región cordillerana y de encontrar un paso hacia Chile.

"En 1888 participa de otra expedición junto con Fontana,

Arroyo Pescado, the Pioneers' Gateway

The Arroyo Pescado (Fish Creek) flows into the Gualjaina that, in turn, is a tributary of the Chubut River. During our trips, we have arrived at this place in many different ways, as here the Rifleros' route, the original wagon trails, the gravel section of NH 25, and the old layout of NH 40 (abandoned as from the 1970s) converge.

For the mule trains, this crossroads was the gateway to the "16 de Octubre" Colony. There is a farm there that is also called Arroyo Pescado, and it was there that Llwyd ap Iwan was murdered. As it frequently happens, the site was later associated mainly with the crime's details and the history of the murderers themselves, rather than with the life story of their victim.

To some extent, this is what happened with Llwyd ap Iwan, one of the most enlightened leaders of the Welsh settlement project in Patagonia: most people have read about the bloody circumstances of his death, but few know of the outstanding work he accomplished during his short life. Through careful research, Marcelo Gavirati has endeavoured to remedy this situation by making the life of this remarkable man better known:

LLWYD AP IWAN: A PATAGONIAN PIONEER

"Once the Native peoples were banished from their homelands, after the Desert Campaign, the territory of Chubut remained practically empty. The Welsh colonists were deprived of their commercial partners, the Tehuelche, and now sorely needed an efficient channel to export their products. Doing this by land proved to be uneconomical, so they planned a 60-km railway to join the Chubut Colony with Puerto Madryn, its natural harbour at New Bay. Its construction started in 1886, and a young Welsh engineer that had graduated in Germany came to work on it.

"His surname was 'ap Iwan,' which means 'the son of John' in Welsh, his father —Michael Daniel Jones— used the English version of the surname, revealing the pressure the English exerted on the Welsh to suppress the use of their national language and culture. But Jones, a champion of Welsh identity, together with other patriots promoted the emigration to Patagonia to free his people, recreate their traditions, and preserve their language in this remote and solitary land.

"A year after arriving in Patagonia, in 1887 Llwyd ap Iwan joined the expedition to the north west of Chubut that Asahel P. Bell, manager of the railway company, had organised to explore the feasibility of

el gobernador del Territorio, y John Daniel Evans, el célebre "baqueano", para determinar el lugar donde se establecería la nueva colonia cordillerana. Llwyd ap Iwan comienza la mensura colocando el primer mojón en el lugar en el que hoy se encuentra el busto de Fontana, en la actual plaza principal de Trevelin. Se delimitan 50 lotes de una legua cada uno, para otros tantos colonos. Por dicho trabajo ap Iwan obtendría la legua 17.

"Actúa, además, como ingeniero hidráulico proyectando canales de riego en el Valle Inferior del Río Chubut y también en el Río Negro. Como geógrafo en 1888 confecciona el mapa del territorio del Chubut, donde se detallan varias exploraciones efectuadas por él mismo y otros colonos galeses, y las sendas indígenas aún no transitadas.

"En 1893 junto con otros trece galeses y el italiano Francisco Pietrobelli funda la Compañía Fénix, destinada a buscar tierras ricas en minerales o aptas para la producción agropecuaria para instalar una nueva colonia. Para esa época ap Iwan ya poseía una aquilatada experiencia como explorador de la Patagonia, conocimientos geográficos y de ingeniería que lo hacen la persona ideal para conducir los viajes de la nueva compañía."

AP IWAN Y LOS TEHUELCHES

"Durante sus tres campañas al norte de Santa Cruz, 1893-94, 1894-95 y 1897, ap Iwan, utilizando guías tehuelches, recorre sendas y territo-

Desde el camino que lleva a la presa hidroeléctrica Futaleufú, es posible observar nítidamente una de las líneas trazadas por ap Iwan en la demarcación de la Colonia 16 de Octubre.

One of the lines drawn by Llwyd ap Iwan to survey the land for the "16 de Octubre" colony can be clearly seen from the road to the Futaleufú dam.

FOTOS: JORGE MIGLIOLI

El catalejo que le regalaran sus alumnos de la escuela dominical de Bala (Gales).

The telescope that was presented to him by his Sunday School pupils in Bala (Wales).

extending the line to the Andes, and to look for a pass to Chile.

"In 1888 he joined another expedition, this time with Governor Fontana and "baqueano" John Daniel Evans, going west to find the place where the new Andes colony would be established. Once there, Llwyd ap Iwan started his survey by fixing the first landmark at the spot where Fontana's bust stands today, in Trevelin's main square. Fifty lots were marked, each covering an area of one square league (2,500 ha). As a retribution for his work, ap Iwan was allotted league No. 17.

"Acting as a hydraulic engineer, he designed irrigation canals at the lower valley of the Chubut River, and in the Río Negro area. As a geographer, in 1888 he drew the map of Chubut Territory, showing, in detail, the many exploratory trips he and other Welsh colonists had made to that date, and the Native trails that were still unexplored.

"In 1893, with another 13 Welshmen and Italian Francisco Pietrobelli, he founded the "Compañía Fénix" (Phoenix Company) to look for mineral-rich or arable land in order to establish yet another colony. By that time ap Iwan was already a seasoned Patagonian explorer, with a geographical and engineering knowledge that made him the ideal person to lead the exploratory trips for the new company."

AP IWAN AND THE TEHUELCHE

"During his three cam-

La sucursal de la Compañía Mercantil Chubut en Arroyo Pescado.
The C. M. C. branch at Arroyo Pescado.

rios aun no transitadas por el hombre blanco. Se detiene en los paraderos tehuelches, instala su carpa en las tolderías, allí percibe sus costumbres, presencia sus bailes y ceremonias, comparte sus comidas y excursiones de caza, y más de una amena conversación en la que escucha los relatos sobre sus creencias, leyendas y tradiciones. Los tehuelches aún se movían libremente dentro del ámbito chubutense y santacruceño, por lo cual los diarios de viaje de ap Iwan se constituyen en testimonios invalorables de la vida de los últimos tiempos de libertad de los indígenas patagónicos.

"Este beber sistemático entre los aborígenes es su ruina..." –se lamenta ap Iwan– agregando luego que "Los mercaderes no sólo arruinan a los indios vendiéndoles licor, sino que los empobrecen en gran manera demandando valores exorbitantes por las mercaderías que dan en trueque. Por media pinta de cerda o harina estos mercaderes reciben una piel de chulengo, trece de estas pieles son suficientes para hacer un quillango que en Buenos Aires vale 25 o 30 dólares. La misma cantidad se da por un ramo de plumas de avestruz. Por un quillango (manta de guanacos jóvenes) terminado el pobre indio solo recibe 12 yardas de una pobre tela de algodón estampada. Por 2 botellas de ginebra dan un potrillo de 2 o 3 años.

"Como entre las recomendaciones dadas por la Compañía Fénix a sus expedicionarios figuraba la no tan común de tratar de preservar en la medida de lo posible la denominación que los indígenas daban a los diversos sitios y accidentes geográficos, ap Iwan los anota cuidadosamente, tratando de reproducir lo mas fielmente posible –utilizando depende el caso fonética galesa, inglesa o castellana– los sonidos de los topónimos que escucha de sus interlocutores y guías en intrincada lengua tehuelche."

LA VUELTA DEL RÍO FÉNIX

"Durante sus viajes al servicio de la Compañía Fénix, ap Iwan descubre un río al que llama con el nombre de esta. Lo curioso era que este río, que nace en el monte ap Iwan, después de recorrer un largo trecho en dirección al Atlántico daba una vuelta repentina, a la altura de la actual localidad de Perito Moreno, dirigiéndose hacia el oeste para introducirse al Lago Buenos Aires, a pesar de que su cauce natural parecía continuar hacía el Cañadón del Río Deseado.

"El ingeniero galés imagina entonces que podía hacerse que el río volviese a fluir hacía el Deseado, y presenta un proyecto al gobierno nacional para la construcción de un canal de unos 57 kilómetros, un dique y otros canales menores de irrigación con el objeto de

paigns in northern Santa Cruz (1893-94, 1894-95, and 1897) ap Iwan was assisted by Tehuelche guides in exploring areas and trails that had not yet been surveyed by white man. He stayed at Tehuelche stopping places, pitching camp next to the 'tolderías' (Native encampments). He got acquainted with their customs and traditions, witnessed their dances and ceremonies, shared their food and hunting trips, and took part in many a pleasant conversation, hearing them speak of their beliefs, legends, and traditions. At that time the Tehuelche still roamed unhindered in the Chubut and Santa Cruz territories, so ap Iwan's diaries are invaluable accounts of the life the Natives led in Patagonia during their last years of freedom.

"'This drinking habit among the Natives will be their ruin...' ap Iwan grieved, and added: 'Besides ruining the Natives' lives by selling them liquor, the merchants greatly impoverish them by asking high prices for their goods; for half a pint of flour they demand the skin of a *chulengo* (young guanaco). Thirteen of these are enough to make a *quillango* (a fur bedcover) that sells in Buenos Aires for

25 to 30 dollars. A Native gets the same quantity of flour for a bunch of ostrich (rhea) feathers. For a finished *quillango* the poor Native only gets 12 yards of low-quality stamped cotton cloth. They give a 2 to 3-year-old colt in exchange for a couple of bottles of gin.'

"Rather unusually, the 'Fénix' Company recommended its explorers to preserve the Native place-names whenever this was possible. Ap Iwan carefully noted them down, trying to reproduce the intricate sounds he heard from his Tehuelche guides as truly as he could, using alternatively Welsh, English, or Spanish phonetics."

THE FENIX RIVER BEND

"During one of his trips for the 'Fénix' Company, ap Iwan named a river after it. Having its source on the ap Iwan mountain, this river flows towards the Atlantic for a long distance, but then –near where the town of Perito Moreno stands today– it suddenly bends westwards and runs into the Buenos Aires Lake, even though its natural course would seem to continue towards the Deseado River Ravine.

"The Welsh engineer imagined a way to make the Fénix river flow towards the Deseado again. He submitted a project to the National Government which involved the construction of a 57-km canal, a dam, and other smaller irrigation canals so as to found a new colony in the Deseado valley. The government initially authorised him to go ahead,

fundar una colonia en el valle del Deseado. Si bien el gobierno le autoriza el proyecto, luego se detiene porque la zona estaba en litigio con Chile.

"Unos años después el perito Francisco Moreno ve en el proyecto de ap Iwan la prueba de oro para argumentar en favor de la tesis argentina de las más altas cumbres, en lugar de la divisoria de aguas propuesta por Chile; y decide llevar a la práctica la idea del canal para encauzar el Río Fénix hacía el Deseado. El encargado de la construcción sería el italiano Clemente Onelli, que en la década del 20, siendo Director del Zoológico de Buenos Aires, adquiriría notoriedad por organizar la expedición en busca del plesiosaurio, que habría sido visto por su amigo, el yanqui Martín Sheffield, al que ap Iwan llamaba el cowboy - cacique, ya que el norteamericano comerciaba con los indios y además estaba casado con una indígena."

EL TRÁGICO FINAL DE AP IWAN

"A principios del siglo XX, siendo propietario de una de las 50 leguas de la Colonia 16 de octubre, ap Iwan se traslada con su familia a la Cordillera. Allí se desempeña también como gerente de la sucursal Arroyo Pescado de la Compañía Mercantil Chubut, ubicada a 30 kilómetros de Esquel, o la 'Cooperativa Galesa', como también se la conocía.

"En la tarde del 29 de diciembre de 1909, la Cooperativa es asaltada por dos bandoleros norteamericanos, conocidos en la zona por el nombre de Wil-

son y Evans. Al pedirle el dinero, ap Iwan les manifiesta que sólo había cincuenta pesos en la caja, lo que no creyeron los asaltantes, ya que tenían la información de que en esa fecha habría una suma importante, destinada a la compra de lana. Wilson obliga a dirigirse a ap Iwan a su despacho, en el que se encontraba la caja. Después de un rato se oye un disparo, y luego tres más. Según parece, ap Iwan, de un fogoso carácter, no obstante haber tenido una mano vendada por una quemadura, ante una aparente distracción de Wilson habría intentado desarmarlo, produciéndose un forcejeo durante el cual se dispara el arma; pero en ese momento Wilson logra extraer un pequeño revólver 'nuquero' (guardado cerca de la nuca debajo de la camisa) con el que le dispara hiriéndolo mortalmente.

"Ap Iwan fue, entre otras cosas agrimensor, ingeniero civil e hidráulico, hombre de empresa (en su verdadero sentido, el de emprender cosas y proyectos), geógrafo, y sobre todo un viajero incansable de la Patagonia. Su vida fue el mayor sacrificio de todos los que hizo su padre Michael D. Jones por la Colonia Galesa del Chubut."

MIHANGEL AP IWAN Y EL PUEBLO DE ARROYO PESCADO

Por nuestra parte, casi al final de nuestro camino, conocimos a Owen ap Iwan, hijo de Trefor ap Iwan (quien fuera Director del Hospital Británico de Buenos Aires), nieto de Mihangel ap Iwan (hermano de

but later cancelled the project because the area was part of the border dispute with Chile.

"Some years later, Perito Francisco Moreno found in ap Iwan's project the 'golden proof' to argue in favour of the Argentine position towards establishing the border along the imaginary line joining the peaks of the highest mountains, as opposed to Chile's stand that it should follow the watershed. To show how uncertain the watershed line was, Moreno decided to make the idea of a canal to send the Fénix river waters towards the Deseado come true. In charge of its construction was Italian Clemente Onelli who later, in the 1920s, as director of the Buenos Aires zoo, would become famous for organising an expedition in search of a plesiosaur that Martin Sheffield –a friend of his– claimed to have seen. The latter was called the 'cowboy-Native chief' by ap Iwan, as this American not only traded with the Natives but was married to one too."

AP IWAN'S TRAGIC END

"As he owned one of the 50 square leagues the government had granted at the '16 de Octubre' Colony, early in the 20th century ap Iwan moved to the Andes with his family. There, he also was the manager of the Arroyo Pescado branch of the 'Compañía Mercantil del Chubut' (Chubut Mercantile Company) also known as the 'Welsh Co-op,' which was located 30 km from Esquel.

On the afternoon of December 29, 1909, the Co-op was held up by two American

bandits, known as Wilson and Evans. When they ordered ap Iwan to give them the money, he answered that there were only 50 pesos in the cash register. This the outlaws did not believe, as they had heard that at that time there should be an important sum of money there to buy the wool clip. Wilson forced ap Iwan to go into his office, where the safe was. After a while a shot was heard, and then three more. It seems that ap Iwan, a spirited man, despite having a hand bandaged from a burn, tried to wrest the gun from Wilson's hand and a shot went off. But Wilson managed to draw a small handgun he carried concealed under his shirt, at the back of his neck, and shot ap Iwan, mortally wounding him.

"Ap Iwan was, among other things, a surveyor, a civil and hydraulic engineer, an entrepreneur (in its truest sense, that of undertaking productive projects), a geographer, and –above all– a tireless traveller in Patagonia. His life was the greatest sacrifice of Michael D. Jones for the cause of the Welsh Colony in Chubut."

MIHANGEL AP IWAN AND THE ARROYO PESCADO TOWN

As for us, almost at the end of our trip we met Owen ap Iwan. He is the son of Trefor ap Iwan (who was the director of the British Hospital in Buenos Aires), the grandson of Mihangel ap Iwan (brother to Llwyd), and the great-grandson of Reverend Michael D. Jones.

Owen told us that he still

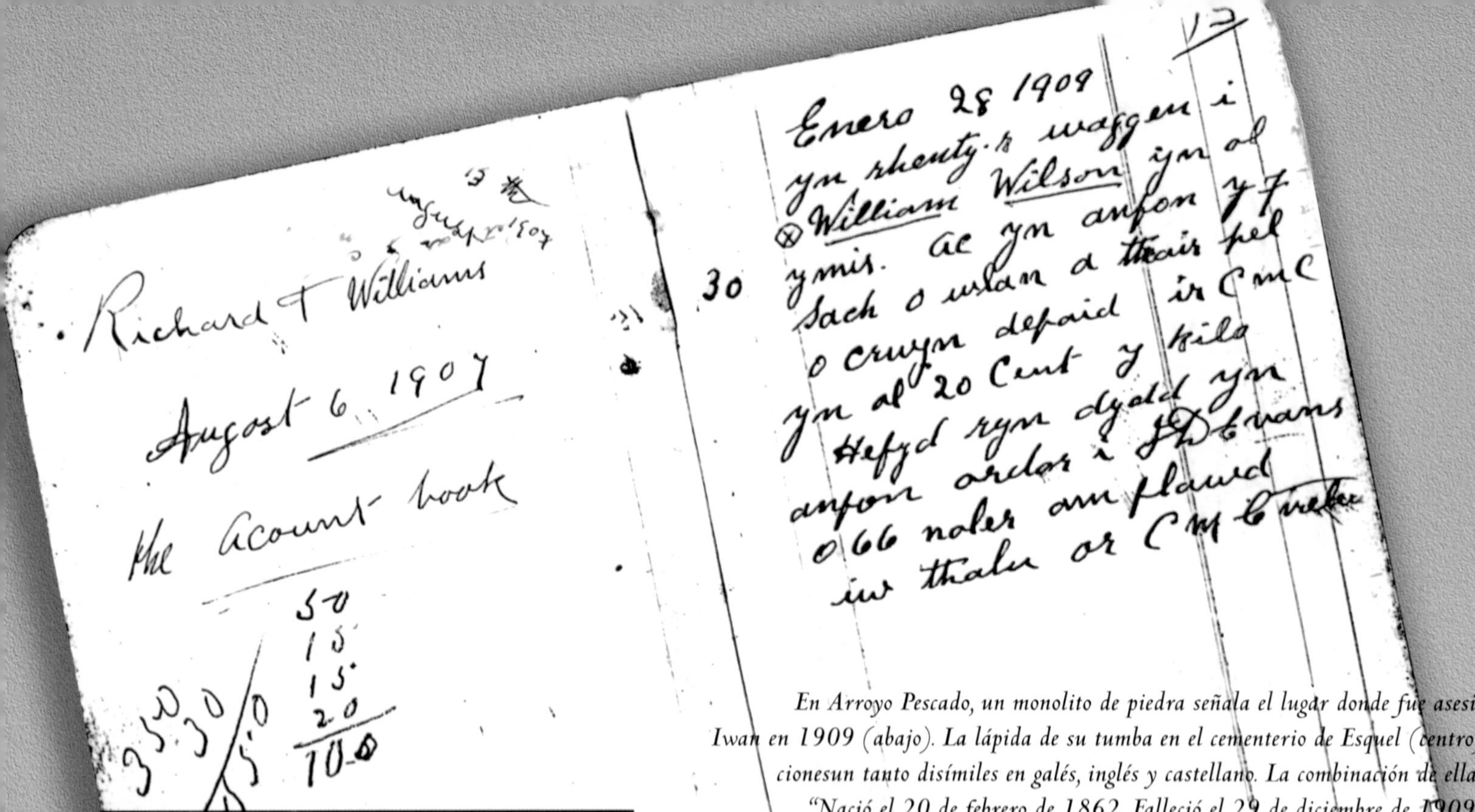

Richard T Williams

August 6, 1907

the account book

50
15.
15.
20.
100

Enero 28 1909
yn rhenty. wag[g]en i
⊗ William Wilson yn al
y mis. Ac yn anfon y 7
Sach o wlan a theair pel
o crwyn defaid ir CMC
yn al 20 Cent y kilo
Hefyd ryn dyald yn
anfon ordor i J D Evans
0.66 noler am flaned
iw thalu or CMC Creek

En Arroyo Pescado, un monolito de piedra señala el lugar donde fue asesinado Llwyd ap Iwan en 1909 (abajo). La lápida de su tumba en el cementerio de Esquel (centro) tiene inscripcionesun tanto disímiles en galés, inglés y castellano. La combinación de ellas podría leerse: "Nació el 20 de febrero de 1862. Falleció el 29 de diciembre de 1909. Fue asesinado por bandidos norteamericanos en el almacén de la Compañía Mercantil Chubut en Arroyo Pescado, mientras defendía las pertenencias de la compañía y su honor de hombre. Tenía 48 años, era el hijo mayor de Michael D. Jones, el fundador de la Colonia en el Chubut, y posiblemente el sacrificio culminante de él y su esposa durante una vida dedicada a la causa". Arriba, una libreta de contabilidad del almacén de la C.M.C. en Arroyo Pescado, propiedad de Richard T. Williams, muestra una anotación del 28 de enero de 1909 en la que se da fe que William Wilson (uno de los bandoleros), alquiló un "vagón" a ap Iwan unos meses antes de asesinarlo.

LLWYD AP IWAN
MAB HYNAF M.D. JONES Y BALA, SYLFAENYDD Y WLADFA
GANWYD   CHWEF: 20: 1862.
BU FARW   RHAG: 29: 1909.
LLOFRUDDIWYD EF YN YSTORDY YR C.M.C. NANT-Y-PYSGOD, TRAYN
AMDDIFFYN EIDDO Y GWMNI, A'I ANRHYDEDD FEL DYN.
HWN OEDD ABERTH MWYAF M.D. JONES A'I WRAIC DROS Y WLADFA

LLWYD AP IWAN.

BORN   FEB: 20: 1862.
MURDERED   DEC: 29: 1909.
HE WAS THE ELDER SON OF M.D. JONES,
THE FOUNDER OF CHUBUT COLONY,
AND POSSIBLY THE CULMINATING SACRIFICE OF
A LIFE DEVOTED TO THE CAUSE.

LLWYD AP IWAN

ASESINADO EN ARROYO PESCADO, EL 29 DE DICIEMBRE 1909.
POR BANDIDOS NORT-AMERICANOS.
TENIA 48 AÑOS, Y ERA EL HIJO MAYOR DE M.D. JONES,
EL FUNDADOR DE LA COLONIA CHUBUT.

FOTOS: JORGE MIGLIOLI

In Arroyo Pescado (Fish Creek), an engraved stone marks the place where Llwyd ap Iwan was murdered in 1909 (bottom). In Esquel cemetery, the tombstone on his grave is inscribed in Welsh, English, and Spanish. A combination of these epitaphs reads: "He was born on February 20, 1862. He died on December 29, 1909. He was murdered by North American outlaws at the store of the Chubut Mercantile Company in Arroyo Pescado, while defending the Company's property and his honour as a man. He was 48 years old, the eldest son of Michael D. Jones, founder of Chubut Colony, and was possibly the greatest sacrifice he and his wife made during a life dedicated to the cause." (center). A notebook belon-ging to Richard T. Williams shows an entry on January 28, 1909, recording that William Wilson (one of the outlaws) had rented a wagon from ap Iwan some months before they killed him (top).

Llwyd) y bisnieto del reverendo Michael Daniel Jones.

Owen nos comentó que conserva la forma de escritura original del apellido con "ap" en minúscula, y que su abuelo Mihangel estudió medicina en Bala y se doctoró en la Universidad de Edimburgo. Llegado a la Argentina, aprendió castellano, revalidó su título y se radicó en Junín, provincia de Buenos Aires, como médico del Ferrocarril al Pacífico. En 1895 adquirió una legua de terrenos fiscales en Arroyo Pescado y en 1898 compró otra, totalizando así 5000 ha.

Allí se instaló una sucursal de la Compañía Mercantil Chubut, de la cual su hermano Llwyd fue gerente, luego asesinado de 1909. En 1912 Mihangel encargó la mensura de la propiedad. Hasta aquí, nada nos hubiera sorprendido demasiado. Pero Owen tenía guardada una perlita dentro de la prolija mensura que nos mostró, desplegando el plano original.

Al abrir el "blueprint" impecablemente conservado, vimos azorados un pueblo que su abuelo Mihangel había ordenado trazar, delineándolo "en tal forma que la calle principal de veinticinco metros de ancho siguiera la dirección del paso del Río Tecka y unos pinos junto a los cuales pasa el camino, que cruzando después el arroyo Pescado va a la casa de negocio de la cooperativa de la Compañía Mercantil Chubut y de ahí a la Colonia 16 de Octubre".

El pueblo de Arroyo Pescado comprendía cincuenta manzanas, divididas en dos grupos por una calle central y el resto por calles de quince metros, destinándose una para la plaza, otra para edificios públicos y, a una distancia conveniente, se reservaron 2 ha para el cementerio.

Se delinearon además chacras de entre 15 y 25 ha. Y también "se amojonó el terreno que ocupan los edificios de la Compañía Mercantil (almacenes, galpones, habitaciones, depósitos y lo que se utiliza para guardar carros, maderas, postes y fierros)".

Arroyo Pescado era un centro clave en el acceso al Cwm Hyfryd y Mihangel ap Iwan planeó allí un pueblo. Esto era lógico, dijo Owen, ya que, equidistante a unos 50 km de Tecka y de la Colonia 16 de Octubre, guardaba coherencia con el trayecto diario que realizaban las tropas. A similar distancia se fundaron los pueblos en la provincia de Buenos Aires.

Entonces recordamos que durante la investigación de nuestro libro anterior "La Trochita", rescatamos la traza completa de un ferrocarril de trocha ancha proyectado en 1912 que, viniendo desde el norte y el sur, pasaba por Arroyo Pescado antes de entrar a Colonia 16 de Octubre y empalmar además hacia el Atlántico.

Comprendimos que estábamos frente a dos proyectos complementarios que nunca llegaron a concretarse. Y que, como suele suceder tantas veces en la historia, los mojones colocados hace un siglo por los pioneros, nos están marcando todavía el camino que nos falta recorrer para integrar la Patagonia.

uses the original spelling of his surname, with "ap" in lower case letters, and that his grandfather Mihangel studied medicine in Bala and later obtained his doctorate at Edinburgh University. Once he arrived in Argentina, he learned Spanish, passed the examinations required to make his MD title valid in this country, and finally settled in Junín (Buenos Aires province) as a medical doctor for the Pacific Railway. In 1895 he acquired the rights to a league of fiscal land at Arroyo Pescado, and 1898 he bought another one, creating a 5,000-ha farm.

The Welsh Co-op established its local branch on Mihangel's land, and it was there that Llwyd was murdered while working as a manager in 1909. In 1912 Mihangel ordered the surveying of his land. Up to this point of our conversation with Owen there was nothing too unusual, but when he unfolded the original blueprint on a table, we could see we had found a gem: his grandfather had instructed the surveyor to draw the plans for a town in Arroyo Pescado "in such a way that the main street, 25 metres wide, would follow the direction of the pass on the Tecka River and some pine trees along which the road passes, that after crossing the Pescado creek leads to the building of the 'Compañía Mercantil del Chubut' and from there to the '16 de Octubre' Colony."

The Arroyo Pescado town would have fifty blocks, divided into two groups by the main street, and these groups subdivided by 15-metre streets. One block was set aside for the town's square, another for public buildings, and –a short distance away– a 2 ha reserve was made for the cemetery.

Small farms of 15 to 25 ha were also included in the plan, and also "landmarks were placed on the land where the buildings of the 'Compañía Mercantil' stand (warehouses, sheds, living quarters, and the yards where wagons, timber, posts, and iron wares are stored)."

In those years Arroyo Pescado was such an important crossroads leading to Cwm Hyfryd, that Mihangel ap Iwan had planned to found a town there! "This was only logical," said Owen. "Arroyo Pescado lies halfway between Tecka and the '16 de Octubre' Colony, 50 km either way: the normal distance the mule trains would cover in a day. In Buenos Aires province the towns were founded at a similar distance."

We then recalled that during the research we made for a book on the Old Patagonian Express "La Trochita" we stumbled upon a complete project (dated in 1912) for a broad-gauge railway that, coming from the north and south, would make a stop at Arroyo Pescado, where there would be a detour leading to the "16 de Octubre" Colony and a connection to the Atlantic.

A railway and a town. These two complementary projects never came to be. Once again in our journeys, we found that the landmarks the pioneers placed a century ago still show us the way we must go to integrate Patagonia.

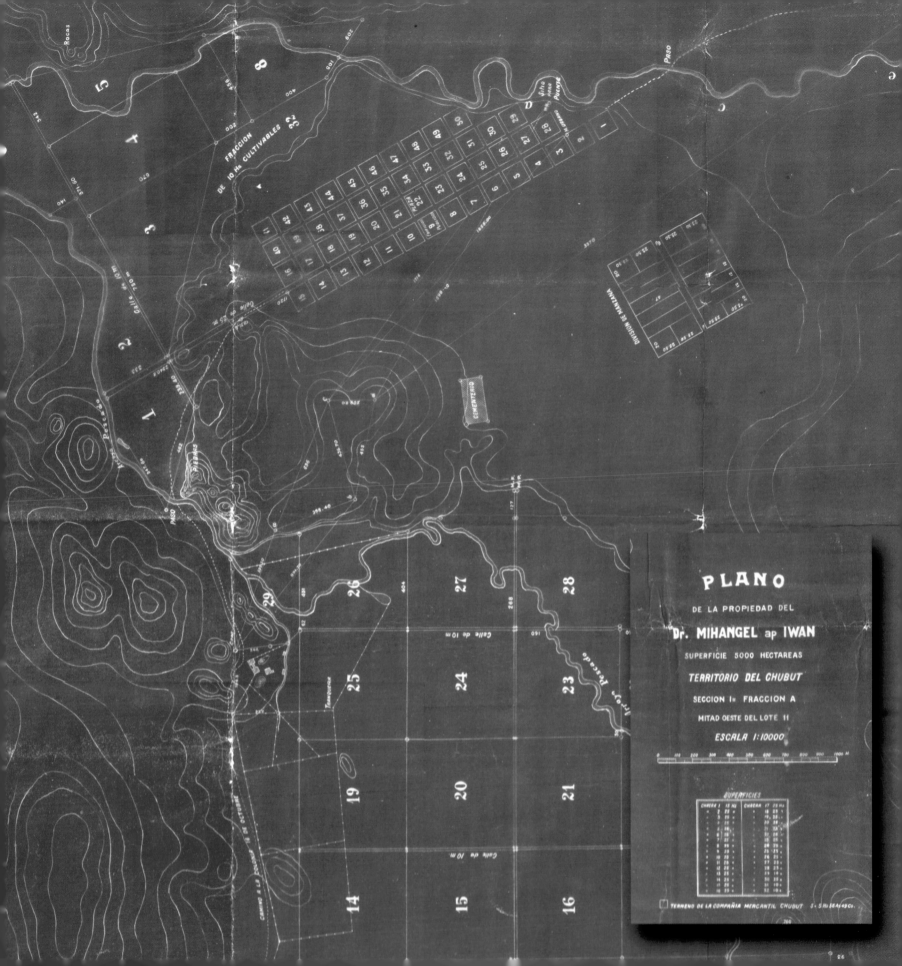

PLANO

DE LA PROPIEDAD DEL

Dr. MIHANGEL ap IWAN

SUPERFICIE 5000 HECTAREAS

TERRITORIO DEL CHUBUT

SECCION 1ª FRACCION A

MITAD OESTE DEL LOTE 11

ESCALA 1:10000

III

Cwm Hyfryd

Junto al Trono de las Nubes
Next to the Throne of the Clouds

JORGE MIGLIOLI

El Cwm Hyfryd (Valle Encantador) y la Colonia 16 de Octubre

Cwm Hyfryd (Pleasant Valley) and the 16 de Octubre Colony

TRADUCCION DE LA CARTA
DE RHYS THOMAS A
T. BENBOW PHILLIPS

Cwm Hyfryd
Diciembre 14 de 1888

Querido Amigo

De acuerdo a mi promesa, le envío unas pocas líneas por chasque desde este lugar. El chasque es el Sr. Martin Underwood, nuestro estimado comisario. Él parte para Chubut mañana por la mañana.

Bueno, para comenzar debo hacerle saber que llegamos aquí el 16 de noviembre. Usted sabe que dejamos nuestro hogar el 10 de septiembre, por lo que hemos estado en la ruta durante 61 días. Hicimos el viaje en 32 marchas, viajando unas 3 leguas por día en promedio. El resto del tiempo lo empleamos en trabajar, descansar nuestros animales, buscar el camino para seguir adelante y cazar para proveernos de carne, todo lo cual era muy necesario.

Mi experiencia de este viaje es que ha sido rudo y tedioso, debido a que el camino es escabroso y poco transitado. Encontramos muchas dificultades, por cierto, debido a que tuvimos que trasponer muchas quebradas muy cortadas por el agua, y con fondos de roca viva, suficiente para romper cualquier vagón. Los costados de estas quebradas estaban cerrados por paredes sólidas de roca. En algunos lugares eran muy estrechas, con curvas cerradas, de manera que los vagones no podían pasar sin dificultad. En sitios como ésos ocurrieron muchos accidentes, pero ninguno tan malo que no se pudiese arreglar, ya que traíamos gran variedad de herramientas con nosotros. El clima tampoco nos fue muy favorable durante todo el viaje. Tuvimos una buena cantidad de lluvia. Viento de sobra, como es común en Chubut, y muy frío y penetrante. También tuvimos un poco de nieve. Luego de dejar Paso de los Indios (más allá de la mitad del camino) ascendimos rápidamente, de modo que luego de 5 marchas pasamos sobre la cumbre de una montaña cubierta de nieve. Esto era cerca de río Sag Mati. Soplaba un verdadero vendaval cuando superamos la cresta de la montaña; y el viento era tan frío que nos penetraba hasta los huesos, por lo que lo llamamos Bwlch y Gwynt (NdeT. Desfiladero del Viento), un nombre que creo llevará por siempre. Aquí tuvimos la primera vista de las primeras cordilleras vestidas de nieve. A pesar de que estábamos temblando de frío la vista alegró nuestros corazones, sabiendo que el ansiado refugio no estaba lejos. Luego descendimos rápidamente de la montaña hacia un valle llamado Langhew. Aquí no hacía

A LETTER FROM RHYS THOMAS TO T. BENBOW PHILIPS

Cwm Hyfryd
December 14 1888

Dear Friend

According to my promise I drop you a few lines by "chasque" from this place. The 'chasque' is Mr. Martin Underwood, our worthy "comisario" (sheriff). He leaves for Chubut tomorrow morning.

Well to begin, I must let you know that we arrived here on the 16th of November. You are aware that we left home on the 10th of Sept. therefore we have been 61 (sic) days on the road. We made the journey in 32 marches -travelling 3 leagues per day upon an average. The rest of the time was spent in working, resting our animals, looking for a road ahead and hunting our meat all of which was very necessary.

My experience of the journey is that it was a rather rough and tedious one, owing to a rough and untrammelled road. We encountered many difficulties indeed, owing to having to go through several ravines badly cut up under, and the bottom of which was solid stone, enough to break any wagon. The sides of the ravines were shut up by solid walls of rock. In some places they were very narrow with a sharp turn, so that the wagons were unable to pass without difficulty. In such places many accidents occurred, but none so bad that could not be put to rights again, having tools of every description with us. The weather too was not very favourable all the way. We had a good quantity of rain. Wind in plenty as usual in Chubut, and that very cold and piercing. We had some snow also. After leaving Paso de los Indios (more than half way) we were ascending rapidly, so that about 5 marches we passed over a mountain top covered with snow. This was near Sag Mati river. It was blowing a perfect gale when we were passing over the crest of the mountain; and the wind was so cold, that it penetrated our very bones, therefore we called it Bwlch y Gwynt (Wind Gap), which name y believe it will ever bear. Here we had the first view of the first "cordilleras" clad in snow. Although we were shivering with cold the sight cheered our hearts knowing that the desired haven was not far off. Then we descended rapidly down the mountain into a valley called Langhew. Here it was not quite so cold, but it was not very pleasant.

There we rested ourselves and hunted the long necked guanaco to furnish ourselves with meat for the rest of the journey. Then on to the Sag Mati river. We forded success-

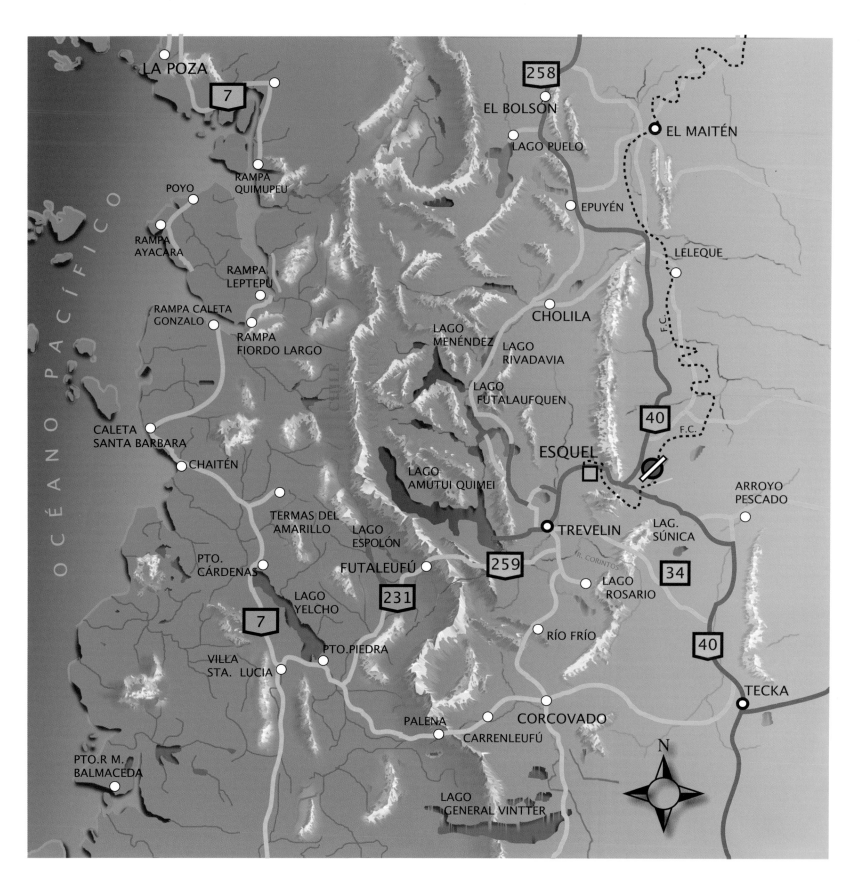

LA POZA

7

RAMPA
QUIMUPEU

POYO

RAMPA
AYACARA

RAMPA
LEPTEPU

RAMPA CALETA
GONZALO

RAMPA
FIORDO LARGO

CALETA
SANTA BARBARA

CHAITÉN

TERMAS DEL
AMARILLO

LAGO
ESPOLÓN

PTO.
CÁRDENAS

FUTALEUFÚ

LAGO
YELCHO

231

7

VILLA
STA. LUCIA

PTO.PIEDRA

PTO.R M.
BALMACEDA

PALENA

CARRENLEUFÚ

LAGO
GENERAL VINTTER

258

EL BOLSÓN

EL MAITÉN

LAGO PUELO

EPUYÉN

LELEQUE

F.C.

CHOLILA

LAGO
MENÉNDEZ

LAGO
RIVADAVIA

LAGO
FUTALAUFQUEN

40

F.C.

ESQUEL

LAGO
AMUTUI QUIMEI

TREVELIN

LAG.
SÚNICA

ARROYO
PESCADO

259

R. CORINTOS

34

LAGO
ROSARIO

RÍO FRÍO

40

TECKA

CORCOVADO

N

OCÉANO PACÍFICO

CHILE

244

tanto frío, pero tampoco estaba muy agradable. En este lugar descansamos y cazamos el guanaco de largo cuello para proveernos de carne para el resto del viaje. Luego seguimos hacia el río Sag Mati. Lo cruzamos exitosamente y llegamos a Cors Bagillt (N.T. el pantano de Bagillt). Allí tuvimos que detenernos por dos días hasta que pudimos encontrar algún tipo de camino a través de las cordilleras que nos permitiera llevar un vagón con seguridad. En este camino tuvimos que construir un puente fuerte para cruzar un arroyo dentro de una profunda quebrada, pero no debido al agua, sino a la quebrada en sí. Teníamos mucha madera excelente a mano. El resto del viaje fue fácil y seguro.

Me imagino que Ud. no espera que yo le describa detalladamente Cwm Hyfryd. Usted ha escuchado ya suficiente acerca de él, pero baste decir que su nombre es adecuado –un valle placentero en todo el sentido de la palabra. La región se parece a Gales en todo lo que me viene a la memoria. Colinas y valles por todos lados. Ríos, arroyos y manantiales. Bosque en todas las direcciones, y de la clase que es útil. Abundancia de flores silvestres. Las frutillas y corintos crecen aquí tan abundantemente como la valeriana en Chubut. Una helada tardía ha dañado un poco los corintos. La tierra es buena, generalmente de color negro. Sin embargo es liviana y bastante arenosa, creo que tiene humedad suficiente como para cultivar cualquier cosa, de otro modo es demasiado despareja

para regar. Hemos sembrado semillas de hortalizas, y se ven bien. Ya era muy tarde para pensar en sembrar trigo cuando llegamos, pero ya estamos arando para el invierno.

La mensura de la tierra continúa. Casi hemos completado una gran casa de madera, como un punto general de reunión en el futuro, en los alrededores de la legua Nº 20.

El Sr. John Evans partió al principio de la semana pasada. El último miércoles partieron seis chasques, y el Sr. J. M. Thomas también. Le puedo asegurar que llevan una pesada carga de correo.

La semana pasada tuvimos dos nuevos arribos aquí, John Davies Porul (?) y Owen Jones (Bugail). Trajeron cartas para casi todo el mundo. Tenían buenas noticias de Chubut, la mejor de las cuales era el rápido aumento del trigo desde que nos fuimos. Nos pusimos muy contentos al escuchar que la Colonia fue salvada a tiempo de los engaños de los señores Jones y Reed. Sin duda se habrán disgustado. He escuchado acerca de que hay cambios respecto de los funcionarios del ferrocarril. Hay un rumor aquí que el puesto del Sr. Lewis Jones se tambalea. Espero que esto no sea cierto, ¿no?

Escuché que usted ha hecho un pequeño cambio con respecto a los funcionarios en la C.M.C. Espero que todo haya salido bien.

Extraño mucho las reuniones mensuales de los Directores. Me imagino que ya deben haber elegido otro miembro adecuado para tomar mi lugar. Quisiera que les haga saber

fully and reached Cors Bagillt. There we had to stop for two days before we could find any kind of a road through the cordilleras to take a wagon with safety. On this road we had to construct a strong bridge to cross a brook in a deep ravine, not because of the water but for the ravine. We had plenty of excellent wood at hand. The rest of the journey was accomplished easily and in safety.

I presume that you do not expect me to give you a minute description of Cwm Hyfryd. You have heard enough of it before, but suffice it to say that it is rightly named –Pleasant Valley in every sense of the word. The country resembles Wales in all that I can remember now. Hill and dale all over. Rivers, brooks and springs. Wood in all directions, and that of a serviceable kind. Wild flowers in plenty. The strawberries and currants grow here so plentifully as the Spanish root in Chubut. Late frost has damaged a little of the currants. The soil is good, being generally of a black colour. Near the rivers it is light and rather sandy, I believe it is humid enough to grow anything, if not it is to uneven to irrigate. Garden seeds have been sown and they look well. It was too late to think of sowing wheat when we arrived here, but we are plowing already for the winter.

The measuring of the land is going on. We have nearly completed a large wooden house as a general rendezvous in future on about league No. 20.

Mr. John Evans left here beginning of last week. Last Wednesday six chasques left, and Mr. J. M. Thomas as well. I can assure you that they carry a heavy mail.

Last week we had two new arrivals here namely John Davies Porul (?) and Owen Jones (Bugail). They brought letters for almost everybody. They had good news from Chubut, the best of which was the rapid rise of wheat since we left.

We were very glad to hear that the colony was timely saved from the snares of Messrs. Jones and Reed. They were disgusted no doubt. I have heard of changes as regards railway officials. There is a rumour heard that Mr. Lewis Jones' office is in the balance. I hope it is not true?

You have made a slight change as regards officials in C.M.C., I have heard. I hope it will turn out well.

I miss the monthly meetings of the directors very much. I daresay that they have chosen another suitable member in my place by this time. I should like you to make known to them that I have written you. Please tell them to keep in mind Cwm Hyfryd that at no distant time, a Cooperative store will be sorely needed in Cwm Hyfryd. One person has already got his eye on this place as to business, and intends making a haul. We must keep an eye upon him. Give my best respects to the Directory.

I would like you Mr Phillips to write me a long letter by return, and to let me know a little about things in gene-

Rhys Thomas, su esposa Elizabeth Ann y familia, ca. 1904.
Rhys and Elizabeth Ann Thomas with their family, ca. 1904.

que le he escrito a Ud. esta carta.. Por favor dígales que no se olviden de Cwm Hyfryd, que no va a pasar mucho tiempo hasta que una sucursal de la Cooperativa resulte gravemente necesaria en Cwm Hyfryd. Una persona ya ha puesto su ojo en este lugar para los negocios, y tiene la intención de hacer un cargamento. Debemos mantenerlo vigilado. Dele mis mejores respetos al Directorio.

Quisiera que usted, Sr. Phillips, me responda con una larga carta, y que me haga saber un poco sobre las cosas en general en Chubut, especialmente sobre los asuntos de la C M C. Por favor dele mis mejores respetos al Sr. Lewis Jones, y a John H. Jones. Al Sr. Pritchard también, y a todos los funcionarios de la C M C. Esperando que disculpe mi escritura apurada, el papel sucio, etc. Concluyo suscribiéndome

Su amigo fiel
Rhys Thomas

De la coleccion de la familia de Ricardo Williams; original en inglés.

ral in Chubut, especially the C.M.C. business.

Will you give my best respects to Mr. Lewis Jones, and to John H. Jones. Mr. Pritchard also, and all the C.M.C. officials. Hoping you will excuse hurried writing, dirty paper, etc, I conclude;

Subscribing myself
Your faithful friend
Rhys Thomas

From Ricardo Williams' collection.

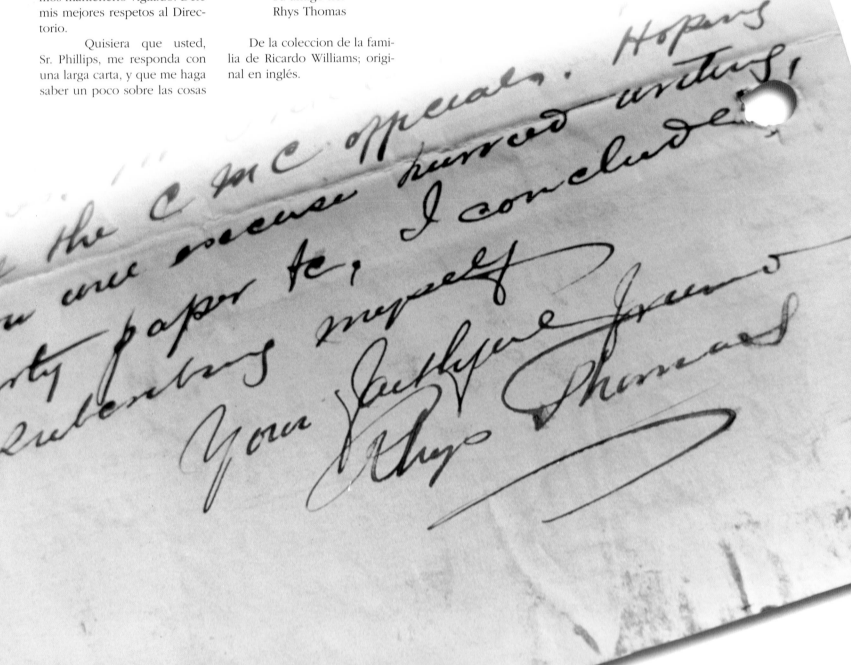

A pocos kilómetros de Esquel y Trevelin, se encuentra la Laguna Súnica. En la foto superior, a la izquierda se observa el Cerro de la Cueva del León desde cuyas laderas algunos concluyen que los Rifleros ingresaron al valle del Río Corintos.

Súnica Lake lies a few kilometres from Esquel and Trevelin. In the top photograph, on the left, is the Cueva del León (Lion Cave) Mountain, along one of whose sides some believe the Riflemen entered the Corintos River valley.

EL ENIGMA DE LA ENTRADA AL CWM

THE ENTRANCE TO THE CWM: AN ENIGMA

Siempre se ha discutido acerca del sitio exacto por donde ingresaron los Rifleros de Fontana al Cwm Hyfryd. Y también sigue siendo tema de discusión el trayecto que seguían las caravanas de carros durante los tiempos fundacionales de la Colonia 16 de Octubre.

Es que son numerosos los valles que conducen al gran valle glaciario central sobre el que se yergue el maravilloso Trono de la Nubes y por lo tanto eran bien variadas las posibilidades de acceso cuando todavía no existían caminos consolidados. Tan variadas como las direcciones de retroceso de las corrientes glaciales.

Con respecto al ingreso de los Rifleros, aunque existe coincidencia en cuanto al punto culminante desde el cual quedaron encantados con el Valle, durante muchos años subsistieron versiones encontradas respecto del trayecto que recorrieron desde Arroyo Pescado hasta llegar a apreciar la perspectiva mencionada.

En gran parte la confusión fue alimentada por el dueño de una estancia que describió el paso de Fontana por su propiedad, en un ensayo titulado "Fontana, el Territoriano" que tuvo gran difusión en 1935. Se trataba de Lorenzo Amaya, un hombre influyente que impulsó por aquellos tiempos el desalojo injusto de los indigenas de la Reserva Nahuel Pan. Lo cierto es que durante mucho tiempo esa falsa versión de ingreso vía el Boquete de Nahuel Pan fue considerada cierta.

Pero los Rifleros siguieron las sendas indígenas, que acompañaban los cursos de agua. En particular, viniendo desde el Sur, dichas sendas seguían una línea que pasaba por las lagunas Cronómetro, Súnica y Esquel, paraderos habituales de los tehuelches. Los nombres Esguel Aike y Tsúnica Paria son citados por Musters en su famoso libro "Vida entre los Patagones".

El primero corresponde a una larga y ancha planicie donde hoy se encuentra el Aeropuerto de Esquel; allí solían establecerse los tehuelches. El segundo –Súnica– fue la sede de uno de los parlamentos aborígenes más importantes de la época.

El día 23 de noviembre de 1885, después de abandonar el curso del Río Tecka, los Rifleros enfilaron por un cañadón directamente en dirección oeste-sudoeste, hasta que llegaron a la cumbre de un pequeño cerro. "Al pie de la meseta en que estábamos, vimos una gran laguna con juncos, en donde revoloteaban centenares de gaviotas de cuerpo y alas color blanco aplomado y la cabeza negra, varios cisnes nadando y, en la playa, una bandada de flamencos que

There is an ongoing discussion over the exact route the Fontana Rifleros followed when entering the Cwm Hyfryd (Pleasant Valley), and also over the one the caravans of settlers used in the early years of the "16 de Octubre" Colony.

Many smaller valleys lead to the main glacial valley, where the proud "Trono de las Nubes" (Throne of the Clouds) mountain stands, therefore allowing for many different access routes. At that time, when the tracks had not yet been clearly marked, there were as many routes as there were valleys that had been carved by the receding glaciers.

Although most people agree on the location of the cliff from which the Rifleros saw the valley for the first time, for many years there have been contradictory versions of the path they followed from their camp at Arroyo Pescado to reach this spot.

To a great extent, the confusion was fuelled by Lorenzo Amaya, the owner of a farm along which he claimed Fontana and his men had passed when entering the main valley, as he wrote in his book "Fontana, el Territoriano" (Fontana, the Territory man, very popular in 1935). Amaya was an influential man who also instigated the unfair ejection of the Natives from their land at the Nahuel Pan reservation at the time. For a long time his false version of the Rifleros entrance through the Nahuel Pan "Boquete" (opening) was held to be true.

But the Rifleros followed the Native trails, that went along the water courses. Coming from the south, those trails followed a line that skirted the small Cronómetro, Súnica, and Esquel lakes, where the Tehuelche used to camp. In his famous book "At home with the Patagonians. A year's wandering over untrodden ground from the Straits of Magellan to the Río Negro," George Musters mentioned the Native names "Esguel Aike" and "Tsúnica Paria." The first one is a large plain, next to a small lake, where the Esquel Airport now stands. The second one –Súnica– was the place where one of the most important Tehuelche meetings was held in those turbulent years.

The truth is that on November 23, 1885, the Rifleros left the Tecka River course and went up through a gully in a W.SW. direction until they reached the top of a hill. Fontana wrote: "At the foot of the flat hill where we were standing, we saw a rush-lined lake, where hundreds of gulls of a greyish-white plumage and black heads flew in circles. There were many swans swimming in its waters and, on the beach, a flock of flamingos added their superb pink co-

ofrecían a la luz el soberbio matiz de su rosado plumaje. Después, levantando la vista, se descubría una espléndida región donde alternaban praderas cubiertas de verdura, bosques y arroyos correntosos" escribió Fontana. Era la Laguna Súnica y a ese primer valle de la precordillera, los rifleros le dieron el nombre de Valle de las Frutillas.

Fontana explica luego que pronto llegaron a "un segundo valle donde entra un río que corre de poniente a naciente para cambiar repentinamente su curso con rumbo Oeste al que denominamos Valle de los Corintos. El Valle de los Corintos se extiende al Sud de la montaña llamada Pico de Thomas, nombre de uno de los habitantes antiguos del territorio, y que más empeño ha tomado siempre en el conocimiento y progreso de esta región, habiendo costeado varias expediciones con ese objeto. Desde allí, siguiendo dicho río, penetramos al valle más majestuoso de la Cordillera Austral que bautizamos solemnemente Valle 16 de Octubre. Recorriendo esa extensa comarca, pudimos constatar las observaciones anteriores de Darwin y las de Moreno, con respecto a la existencia de una depresión en la región que se extiende de Sud a Norte, al pie de la Cordillera".

En la actualidad no todos estos caminos resultan transitables, ya que muchos viejos senderos por los que antes se podía circular, hoy se encuentran cerrados por tranqueras con candados colocados preventivamente por sus dueños para evitar incendios, robos, etc.

En la Ruta Nacional 40, a la altura del km 1576 un cartel señala la Ruta de los Rifleros. Se trata de la Ruta Provincial 34 y si bien es cierto que no se corresponde con el camino de ingreso de los Rifleros al Valle Encantador –como muchos ya han observado– no es menos cierto que coincide con la ruta de salida que los Rifleros escogieron antes de seguir rumbo al Sur, pasando por Laguna Cronómetro, llamada así por que allí perdió su reloj Fontana.

Recorrer en camioneta todo este circuito en forma circular de Este a Oeste, apreciando las lagunas Cronómetro y Súnica y siguiendo por el Valle de los

lour to the scene. Further away from this lake, we could see a beautiful region where green grasslands alternated with forests and fast-flowing streams." It was Súnica Lake; this first valley they saw in the Andes they named "Valle de las Frutillas" (Strawberries Valley).

Fontana then reports that they later reached "a second valley where a river coming from a high lake (he probably refers –erroneously– to the lake he would later name 'Lago Rosario') runs from west to east, but then sharply changes its course westward. We named this valley 'Valle de los Corintos' (Currants Valley). The Currants Valley runs south

JORGE MIGLIOLI

from a mountain called 'Pico de Thomas' (Thomas's Peak), the name of one of the first settlers in the Territory, who has always endeavoured to explore and develop this region, to the extent of having funded many expeditions himself. From there we followed the river, and finally went into the most majestic of all the valleys in the southern Andes, which we solemnly named 'Valle 16 de Octubre.' When exploring this great region, we could confirm what Darwin and Moreno had previously observed, of the existence of a great depression running from south to north, at the foot of the Andes."

Today some of these paths and roads can no longer be taken, as the gates on many old trails and country roads have been padlocked by the farmers, in order to avoid wildfires and theft.

On the roadside of NH 40, at km 1576 a sign points west to the Riflero's Route. It is really PH 34, and, although it is true that this is not the path the Rifleros took when entering the Cwm Hyfryd, it nevertheless coincides with the path they chose to continue their journey south, passing along the Cronómetro (Chronometer) Lake, where Fontana lost his watch.

To drive along this circuit from east to west or vice versa, along the Cronómetro and Súnica lakes, and through the Corintos and the 16 de Octubre valleys, is a wonderful experience. We did so starting from Esquel on NH 40. Unfortunately, the road through the Strawberries Valley is no longer

Corintos hasta desembocar en el Valle 16 de Octubre, es una experiencia maravillosa que permite además seguir un circuito histórico pasando por la Piedra Holdich y la Escuela del Plebiscito de 1902, hasta entrar a Trevelin.

La transitamos saliendo desde Esquel por la Ruta Nacional 40. Alguna vez, visitamos el Valle de las Frutillas pasando frente a un muy pequeño cementerio. Aunque ese camino ya no esté abierto al tránsito, sirva el recuerdo de esas pocas tumbas, para reconstruir la vida del que fue el primer asentamiento de las autoridades de la Colonia 16 de Octubre. Alguna vez se pensó en él como el futuro pueblo de la Colonia. Hoy es tan sólo un hermoso lugar –que guarda una enorme historia– y se llama, simplemente, Súnica.

SÚNICA, EL CERCANO OESTE DE LA PATAGONIA

En este lugar, sobre la margen izquierda del Río Corintos, se construyó en 1897 la primera Comisaría de la Colonia 16 de Octubre junto a la cual estaba ubicada la vivienda del Comisario Eduardo Humphreys y donde más tarde se habilitaron las dependencias para la Oficina del Telégrafo que llegó allí en 1903.

Humphreys se hizo amigo de los más famosos bandoleros que se instalaron en la zona –el trío conformado por los buenos vecinos Butch Cassidy, Sundance Kid y Etha Place– cuya conducta en

La Policía Fronteriza.   *The Frontier Police.*

la zona era casi ejemplar ya que simplemente procuraban esconderse y vivir en paz. En su casa de Cholila, el trío recibió la visita del Gobernador Lezana que bailó con Etha y en la casa de Humphreys en Esquel, hay quienes dicen que compartieron juntos varias veladas musicales acompañados de los sonidos del piano familiar. Pero algunos viejos amigos de Butch que llegaron a visitarlos, pronto compensaron con creces la aparente inactividad delictiva del trío y atrajeron la atención de los implacables detectives de la Agencia Pinkerton, obligándolos a abandonar la zona.

Como ni las precarias comunicaciones ni la policía ordinaria establecida primero en Súnica y luego en Esquel alcanzaban para poner freno al creciente accionar delictivo registrado en toda la zona, en 1911 –después del asesinato

open. There is a small cemetery there, and these few tombs remind us that this was the first place where the authorities of the 16 de Octubre Colony established their headquarters. In those days, some people imagined the future town of the Colony would be erected there. Today it is just a beautiful place with a lot of history, and is simply called Súnica.

SUNICA: PATAGONIA'S NEAR WEST

In 1897, the Colony's first police station was built at Súnica, on the left bank of the Corintos River. It was erected attached to Police Chief Eduardo Humphrey's house. Later, a small building to house the telegraph was constructed in 1903, when the line reached this spot.

Unaware of their past, Humphreys made friends with the most famous outlaws that settled in the area –good neighbours Butch Cassidy, The Sundance Kid, and Etha Place– who behaved extremely well, as all they wanted was to lead a peaceful life hidden from the world. To the extent that Governor Lezana visited them at their house in Cholila and danced with Etha, and some say they even shared many musical evenings with Humphreys at his house in Esquel, where the family piano was played. But some of the trio's old American friends, who also came to visit, soon made up for their lack of criminal activities and attracted the attention of the relentless Pinkerton detectives, finally forcing Butch and his friends to flee the region.

As the ordinary police that was first based in Sunica and later in Esquel and the precarious communications were not enough to stop the increasing crime in the region, in 1911 (Llwyd ap Iwan had been murdered at Arroyo Pescado in 1909) the National Government created a special corps: the Frontier Police.

Legendary Major Mateo Gebhardt was appointed chief. This armed corps finally killed the dangerous bandits Wilson and Evans at Río Pico, and was very efficient in wiping out crime. However, their methods were later questioned, as some say they included the death of many prisoners that "tried to escape" while being taken to Rawson to stand trial.

The Frontier Police (known

Cerca de Súnica, junto al Río Corintos, en 1903 estaban la comisaría, la primera oficina del telégrafo y la casa de Eduardo Humphreys, primer comisario de la colonia.
In 1903 the police station, the first telegraph office, and Eduardo Humphreys' (the Colony's first chief of police) house were located on the Corintos River banks, near Súnica.

En ese mismo lugar posan para la foto los hermanos Eduardo (de pie en el centro) y Mauricio Humphreys (derecha).
Brothers Eduardo (standing, centre) and Mauricio (right) Humphreys in this same place.

FOTOS: CARLOS FORESTI
GENTILEZA RAMIRO PORCEL DE PERALTA

La Policía Fronteriza en acción. Un entierro en plena pampa.
The Frontier Police in action. A burial in the open steppe.

de Llwyd ap Iwan en la vecina Arroyo Pescado– el Gobierno Nacional creó un cuerpo especial: la Policía Fronteriza.

Al mando de la misma estuvo el legendario Mayor Mateo Gebhardt. Este cuerpo que mató finalmente a los temibles Wilson y Evans en Río Pico, resultó tan eficaz como conocido por sus métodos, que incluyeron la muerte de muchos detenidos durante presuntas "fugas" producidas mientras marchaban hacia Rawson para ser juzgados.

La "Fronteriza" tuvo su sede sobre la margen derecha del Río Corintos, junto a la población de un hombre muy simpático y popular en toda la Colonia 16 de Octubre: Richard Henry Clarke (Dick), nacido en Londres en 1866, quien pobló en Súnica el campo La Esmeralda con ayuda de Agustín Pujol. Enseguida Clarke puso un boliche que abastecía con tropas de carros que pasaban por Arroyo Pescado trayendo mercaderías y llevando productos del campo.

Cuando Humphreys vendió su campo a los alemanes de Lahusen, los administradores venían muy seguido por las mañanas a lo de Clarke, que hacía unos desayunos famosos en la zona. Fue en una de esas ocasiones que se pusieron de acuerdo para que el campo de los alemanes llevara el nombre de la laguna, ya que poseían la mayor parte de ella. Así fue que una estancia se llamó Súnica y la de Clarke La Esmeralda, como su hija mayor. Mr. Clarke se había casado con María Catalina Roberts, media hermana de la esposa de Pujol, que había nacido en Trelew en 1885 y falleció en Súnica en 1925. Está sepultada en el pequeño cementerio de La Esmeralda. Dick murió en Buenos Aires por 1937, en el Hospital Británico.

Se decía que cuando llegaba Mr. Clarke llegaba la alegría. Su hijo Jorge nos contó en Comodoro Rivadavia que su padre era muy risueño, con historias como:

-¿Ud. que remedio reco-

as the "Fronteriza") had its headquarters on the right bank of the Corintos River, next to the house of a genial man, Richard Henry Clarke (Dick), who was very popular among the settlers in the Colony. Clarke was born in London in 1866. After coming to Argentina, he settled in Súnica and established "La Esmeralda" farm with the help of Agustín Pujol. Not long after, he set up a "boliche" to trade with the mule trains that went along this way, coming from Arroyo Pescado, bringing in goods for the Colony and taking their farm produce back to the Atlantic.

Humphreys finally sold his property to the Lahussen family, Germans, and the new farm administrators took to visiting Clarke early in the mornings, as he was famous for the hefty breakfasts he served. On one of these occasions Clarke and the Lahussen administrators had a discussion over the right to use the name "Súnica", as the lake, since both wanted to give this name to their farms.

It was finally agreed that the Lahussen's farm had the right as most of the lake lay within their property. So Clarke named his farm "La Esmeralda," after his eldest daughter. He had married María Catalina Roberts, who was Pujol's wife's half-sister. María was born in Trelew in 1885, and died in Súnica in 1925. Her tomb lies in the little cemetery we mentioned before. Dick died at the British Hospital in Buenos Aires, around 1937.

Many said that when Mr Clark arrived, he brought with him a cheerful mood that was catching. Jorge, one of his sons, who lives in Comodoro Rivadavia, told us that he loved jokes:

"What medicine can you recommend for my toothache, Don Ricardo?"

"It's easy. Fill your mouth with water and sit on a hot stove. When the water in your mouth boils, surely your teeth won't hurt anymore!"

Jorge also recalled that he and his brother had to care for

JORGE MIGLIOLI

mienda para el dolor de muelas, Don Ricardo?

-Es fácil. Retenga un buche de agua bien fría en la boca, y siéntese sobre la estufa. Cuando hierva el agua en su boca, ¡seguro que ya no le duelen más las muelas!

Jorge recuerda que ellos tenían petizos para ir a la escuela, y que debían cuidar de ellos, darle forraje en invierno, etc. También las artimañas que utilizaban para que se escaparan durante la noche y a la mañana siguiente no ir a la escuela. Debían cruzar el Río Corintos, y la consigna del padre era que no debían hacerlo si estaba turbio, instrucciones que luego se vio obligado a

cambiar porque para los chicos el río nunca estaba cristalino. En la caballeriza, dice, había unos postes plantados en el suelo cerca de paredes opuestas y el padre les decía que sobre ellos la Fronteriza solía poner unos palos donde ataban a los presos y les daban latigazos (dijo "lazasos") para que confesaran.

¡Qué cercano estaba el lejano oeste de la Patagonia de los nacientes poblados de Esquel y Trevelin!

the horses they used to ride to school, especially in winter, when they had to give them their daily food ration, and how they sometimes managed to fix things in such a way that the animals would break away during the night and they could then skip school. At first their father had told them not to cross the Corintos River, which they had to do to go to school, if they saw its waters were cloudy, a sure sign that it had swollen with the rain. But later he had to modify his instructions, as the river often seemed to get cloudy even if it carried only a trickle of water!

Inside the stable, he said, there were some posts planted

on the floor, next to the walls. Their father told them that they were used by the "Fronteriza" to tie their prisoners to and whip them with a lasso so they would confess to their crimes.

How close to the budding towns of Esquel and Trevelin was Patagonia's Far West!

Don Ricardo "Dick" Clarke con sus hijos Archibald y Jorge junto al Sr. Norzagaray en La Esmeralda.
Don Ricardo "Dick" Clarke and his sons Archibald and George at "La Esmeralda". Standing next to them is Mr Norzagaray.

Fontana le dió el nombre al Lago Rosario recordando a su nodriza.
Fontana named this lake "Rosario" after his wet-nurse.

LA CABALGATA ANUAL DE LOS RIFLEROS

THE RIFLEROS' ANNUAL RIDE

Conmemorando la llegada del grupo de 30 hombres que en 1885, al mando del Comandante Luis J. Fontana, atravesaron el Territorio del Chubut desde el mar hasta la cordillera, la Compañía de Rifleros del Chubut realiza su cabalgata anual desde la Escuela Histórica Nº 18, trepando por la empinada sierra hasta el farallón desde donde los Rifleros avistaron por primera vez el Cwm Hyfryd (Valle Encantador), al que luego Fontana llamaría Valle 16 de Octubre recordando la fecha en que fue promulgada la Ley de Territorios Nacionales. Esta cabalgata evocativa se inició hace muchos años, impulsada por Milton Evans, el hijo del notable John Daniel Evans quien, montando su fiel Malacara, oficiara de baqueano en la expedición de 1885. Desde hace tres años el recorrido llega hasta el mástil ubicado al borde del precipicio de piedra rojiza, un verdadero balcón que mira al valle, donde se iza la bandera argentina, se entona el Himno Nacional, y un trompeta del Ejército toca en honor de los miembros fallecidos. Los protagonistas principales, como en ese entonces, son 30. Cada uno tiene un rol establecido, siguiendo su relación de sangre con el Riflero que representa. Muchos dejan de afeitarse varias semanas antes del evento, para lucir su barba en la ocasión.

Pero cada vez hay más

As a tribute to the 30 men that crossed the Territory of Chubut from the sea to the Andes in 1885, every year the members of the Chubut Riflemen Company set out on a memorial ride. Dressed in the garb of the mid 1880's, they assemble at the Historic "No.18" School, and from there set off. After climbing a steep mountain path they finally reach the cliff from where the Rifleros saw the Cwm Hyfryd (Pleasant Valley) for the first time. The valley is known today by its official name "16 de Octubre" Fontana gave it to commemorate the date the National Territories Act (which created the Territory of Chubut, among others) was passed by Congress. It was Milton Evans (son of the remarkable "baqueano" John Daniel Evans, who guided the 1885 expedition on his inseparable "Malacara" horse –the same one of the Martyrs' episode a year before) who pioneered this tradition some years ago. Recently it has become a solemn commemoration, and when the riders reach the flagpole at the summit of the red-rock cliff, an Argentine flag is hoisted, the National Anthem is sung, and a soldier from the Esquel regiment sounds his bugle in remembrance of the deceased Rifleros of then and now. Just as in 1885, the central characters are 30. Each one plays his role, many of them are direct

jinetes ávidos de compartir esta experiencia, y el 24 de noviembre de 2002, cuando tuvimos la suerte de experimentarla, éramos casi 90. Y los caballos más de 100, contando los "pilcheros" que llevaban al tiro nuestros Rifleros. No son tantos, si se comparan con los más de 200 que traían arreando los Rifleros originales, de refresco y para llevar las provisiones en un viaje que abarcó más de 1.500 kilómetros. En nuestro ejercicio ecuestre de tres horas, también fueron de la partida el Embajador Británico y su señora, además de varias autoridades locales. Me cuentan que, al momento de escribir estas líneas, algunos entusiastas llaman desde Gales para asegurarse un lugar en las futuras expediciones.

Sergio y yo nos encontramos en El Tropezón, la casa y complejo de cabañas de Jorge Thomas, muy cerca de Trevelin. Jorge nos recibió serio, ya completamente vestido para encarnar a John Murray Thomas, su bisabuelo visionario, principal impulsor y comandante de la expedición de 1885. Dos Rifleros más ensillaron con nosotros, y partimos cerca de las doce hacia la Escuela Histórica 18, distante unos pocos km por el camino de ripio entre las chacras del valle. Una hora después llegamos a la Escuela, donde ya había una cantidad de caballos ensillados, atados a los postes del alambrado del callejón que le pasa por enfrente. Aflojamos la cincha, y entramos a los fondos del terreno que rodea el edificio, donde el presidente de la Compañía

descendants of the original explorers. Some stop shaving for several weeks prior to this event, so as to sport full-grown beards on the occasion.

Every year an increasing number of riders gather at the Historic School to join them –albeit at a respectful distance– in their 3-hour cavalcade. The day we rode with them, on November 24, 2002, the total count was 90 horsemen and women, and about 100 horses, including the load animals of the Rifleros Company. Not so many, when compared to the 200-plus animals the original explorers drove on their 1,000-mile trip. The local authorities joined the group, and so did the British ambassador and Lady Christopher. As I write this, I am told there have already been several calls from Welsh enthusiasts overseas that don't want to miss next year's experience.

Sergio and I met at "El Tropezón" (The Stumble), Jorge Thomas's house and tourist-cabin complex near Trevelin. Jorge welcomed us rather severely, already fully dressed as John Murray Thomas, his visionary great-grandfather; the main motivator and Chief of the 1885 expedition. Two other Rifleros saddled up beside us, and later we all left for the Historic "No.18" School, a few kilometres away along a gravel country road. After an hour's ride we were there, and found a great many saddled horses already tied to the fence in front of the school. We secured ours, loosened up the girths of our saddles, and proceeded towards the back yard of the building, where we

260

"SE PODRÍA DECIR QUE ERA UN ALMUERZO CAMPERO MÁS, SI NO FUERA POR EL COLORIDO DE LOS UNIFORMES MILITARES DEL SIGLO XIX, LOS ANCHOS SOMBREROS DE LOS GALESES Y LOS FUSILES ANTIGUOS."

"ONE WOULD THINK IT WAS JUST ANOTHER RANCH-STYLE BARBECUE, IF IT WERE NOT FOR THE COLOURFUL 19TH CENTURY MILITARY UNIFORMS, THE WIDE-BRIMMED HATS OF THE WELSH, AND THE OLD RIFLES."

de Rifleros –vestido con traje grueso y pañuelo al cuello, la cartuchera de su revólver pendiendo vacía en su lado derecho– ya estaba por quitar del fuego un borrego y un costillar de ternera sabrosos y chirriantes, dando comienzo a la simple pero profunda ceremonia de un asado criollo a la manera patagónica. Carne, pan, alguna ensalada, poco vino en vista del esfuerzo que de inmediato nos esperaba; algunas bromas y, también, conversación pausada en un ambiente fraternal y de mutuo respeto. Se podría decir que era un almuerzo campero más, si no fuera por el colorido que le prestaban los uniformes militares del siglo XIX, con sus kepis colorados y botas negras lustrosas; los anchos sombreros y vestimenta de cuero de los galeses, los ponchos, y los fusiles antiguos descansando parados sobre las culatas de madera, sus caños reunidos en el ápice del cono que formaban. Cuando llegó el momento de ensillar, ya habían llegado muchos jinetes más. Los hombres se acomodaban las armas en bandolera, sobre sus espaldas, y aseguraban bien la carga que llevaban los pilcheros. Rápidamente se organizó la partida, y salimos en larga fila con el objetivo elevándose frente nuestro, del otro lado del Río Corintos. La piedra se veía oscura y distante, bajo la sombra de los nubarrones que navegaban en el viento patagónico. Por más que me esforzaba, mi vista no llegaba a distinguir el mástil donde luego izaríamos la bandera nacional. A mi lado podía observar que Sergio, un tanto dolorido, de a poco iba

"Rápidamente se organizó la partida, y salimos en larga fila con los Rifleros por delante."
"The party was quickly organised, and we set off riding in a long column, behind the Rifleros."

mejorando su estilo de equitación, que había iniciado más temprano en la característica modalidad "bolsa de papas" de los principiantes. Poco después, la larga columna llegó hasta el río y cruzamos el viejo puente de madera, que resonaba bajo los cascos como quejándose de esta invasión en la tranquilidad de la sies-

found the Rifleros Company's president –dressed in a thick woollen suit, a silken scarf around his neck and an empty leather holster dangling at his side– about to move some spits with lamb's and a young heifer's crunchy ribs off the blazing fire. The plain but somewhat solemn ceremony of the "asado criollo" (native

barbecue), Patagonian style, was about to start. Lots of excellent meat (lamb and beef), bread, a simple salad, and, in view of the ensuing ride, only a little wine. While eating –meat on a piece of bread and just your teeth and a knife to take in mouthfuls of it–, one could hear some friendly banter among the diners, but mostly quiet conversation within a brotherly and respectful atmosphere. One would think it was just another ranch-style barbecue, if it were not for the colourful way that people were dressed: 19th century blue military uniforms with striking red caps and shining black boots; wide-brimmed hats and leather coats for the Welsh characters, and homespun ponchos for the Natives. Nearby, the old rifles standing on their stock butts, their muzzles together forming a perfect cone.

By the time we were ready to start, many more horsemen had arrived. While we tightened the girths and tidied up our saddles, the Rifleros were slinging their rifles across their backs and securing the loads on their beasts of burden. The party was quickly organised, and we set off riding in a long column, our destination rising in front of us on the other side of the Corintos River. The cliff seemed dark and far away, somewhat eerie under the shadow of the heavy clouds that sailed past in the Patagonian wind. No matter how I tried, I could not make out the flagpole on its top. Sergio was riding right next to me, still smarting a bit from our previous one-hour ride to the School, but gradually improving his initial

ta. Más adelante pasamos una tranquera y nos internamos en campo abierto. Desde allí, nuestra primera etapa sólo incluyó curvas y suaves pendientes sobre un terreno húmedo y pastoso, hasta que arribamos a un pinar ralo. En ese lugar nos detuvimos un rato, y la mayoría aprovechó para acomodar sus aperos, alistándose para la empinada trepada que veíamos enfrente; de allí en más la travesía sería rocosa, transitando de a caballo –insuperable 4x4– el hermosamente salvaje escenario de esos farallones colorados.

Con los Rifleros y la Agrupación Gaucha por delante, ahora la columna se angostaba hasta transformarse en una "fila india" que serpenteaba entre las rocas. Cerca de la cumbre nos encontramos con algunos pocos entusiastas, hombres y mujeres, que –con la debida anticipación– habían encarado la expedición de a pié. Un apretado zig-zag final nos depositó sobre la gran piedra, que, de cara a la cordillera, nos recibió con un fuerte viento racheado. Frente a nosotros se

bag-of-potatoes riding style. Some time later, the long column reached the river and crossed the old wooden bridge. Its worn planks resounded under the hooves of our horses as if they were complaining of such an invasion during the quiet "siesta" hours. Further on, we went through a gate that led into an open field, and then it was a comfortable ride on the damp, grassy pastures, slowly ascending towards an enclosure sparsely grown with pines. Once we arrived there, we made a stop, and most riders took the opportunity to fasten their saddle girths tight. From there on we would climb through stony ground riding our horses –matchless all-terrain vehicles– through a wild scenery of reddish cliffs, rocks, and tufted grass.

With the Rifleros and the Gauchos' Association in the lead, the column narrowed to a single file that snaked between the rocks. Almost near the top, we met a few people that had hiked their way up there to watch and photograph the Rifleros in such an

Jorge W. Thomas, montado en su yegua Canela, personifica a su bisabuelo John Murray Thomas.

Jorge W. Thomas on his mare "Canela" acting the part of John Murray Thomas, his great-grandfather.

La hora de los discursos.
Speakers' time.

desplegaba el gran valle color esmeralda, su fondo ondulado ahora poblado de chacras, que inspiró el nombre que espontáneamente le dieron hace más de cien años los Rifleros originales. Detrás, se alzaba el imponente telón de fondo de los Andes nevados. Cuando arribaron los últimos jinetes, comenzó la ceremonia. El himno "a capella" sonó espléndido; las notas solemnes del corneta flotaron, vibrantes, en el aire recio. El intendente, entusiasmado, en su discurso prometió para el año siguiente la instalación de un mástil tan grande como para que se vea desde cualquier lugar en la colonia. Media hora después, dejamos la flamante bandera celeste y blanca trepidando en el viento y emprendimos la vuelta hacia el valle. Por la noche, algunos Rifleros acamparían en la Escuela 18 para participar el día siguiente del desfile durante los festejos del 25 de Noviembre en Trevelin.

NOTA: En noviembre de 2003 tuve oportunidad de sumarme nuevamente a esta ca-

appropriate setting. A final, tight zigzag took us to the top of the great rock, where we were greeted by strong gusts of cold wind coming from the nearby Andes. The wide, emerald panorama that inspired the "Cwm Hyfryd" name unfolded in front of us, these days populated with small farms. The imposing, snow-capped Andes, rose as a backdrop to this wonderful scene. As soon as the last riders arrived, the ceremony started. We all sang the National Anthem *a cappella*, and it sounded great; the vibrant notes of the bugle floated in the sharp air; and the mayor of Trevelin made a short speech promising a bigger flagpole for next year's ceremony, which would be able to be seen with the naked eye from anywhere in the Colony. Half an hour later, we left the Argentine blue and white flag violently fluttering in the wind and started our way down. That night, some Rifleros would camp at the School grounds so as to join the November 25 parade at Trevelin the following day.

"CUANDO ARRIBARON LOS ÚLTIMOS JINETES, COMENZÓ LA CEREMONIA. EL HIMNO "A CAPELLA" SONÓ ESPLÉNDIDO; LAS NOTAS SOLEMNES DEL CORNETA FLOTARON, VIBRANTES, EN EL AIRE RECIO..."

"AS SOON AS THE LAST RIDERS ARRIVED, THE CEREMONY STARTED. WE ALL SANG THE NATIONAL ANTHEM A CAPPELLA, AND IT SOUNDED GREAT; THE VIBRANT NOTES OF THE BUGLE FLOATED IN THE SHARP AIR…"

JORGE MIGLIOLI

265

Valle 16 de Octubre

JORGE MIGLIOLI

"...SE DESPLEGABA EL GRAN VALLE COLOR ESMERALDA CON SU FONDO ONDULADO
AHORA POBLADO DE CHACRAS, QUE INSPIRÓ EL NOMBRE QUE ESPONTÁNEAMENTE
LE DIERON HACE MÁS DE CIEN AÑOS LOS RIFLEROS ORIGINALES."

"THE WIDE, EMERALD PANORAMA THAT INSPIRED THE NAME THE ORIGINAL RIFLEROS
GAVE THE VALLEY OVER A HUNDRED YEARS AGO UNFOLDED IN FRONT OF US, THESE
DAYS DOTTED WITH SMALL FARMS."

Cwm Hyfryd

balgata, acompañado esta vez por mi hija Cecilia. Como se esperaba, el número de jinetes (y de aquellos que prefieren hacer el recorrido a pie) sigue aumentando. Además, debemos hacer notar que el intendente cumplió con su promesa y, con la ayuda de algunos esforzados Rifleros, se instaló un gran mástil al que adosaron una bandera metálica para resistir el tremendo viento que suele soplar en el lugar.

NOTE: I made this wonderful ride again in November 2003, this time accompanied by Cecilia, my daughter. As expected, an increased number of riders and hikers turned up for the event. We could see the mayor of Trevelin had kept his promise: with the help of the energetic Rifleros, a few days before the ride a tall flagpole was planted, and a big sheet-metal flag was fixed to it that (hopefully) will resist the furious winds that lash these exposed heights.

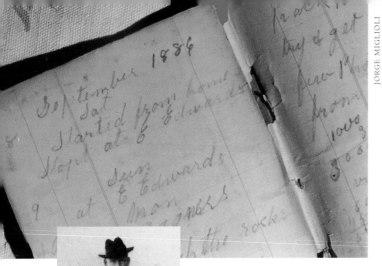

DOS DIARIOS INÉDITOS

La familia de los esposos William Freeman y Mary Ann Thomas fue de las primeras en poblar los Andes. Afortunadamente, sus descendientes han conservado una libreta donde ambos han dejado registrados sus viajes desde el Valle del Chubut en 1888 y 1891. En el primer diario William cuenta cómo junto con unos 35 hombres partió el 13 de septiembre de 1888 para reconocer y mensurar los lotes de la futura Colonia 16 de Octubre. Sus anotaciones pintan la vida en esas excursiones, incluyendo la forma en que resolvían los inevitables incidentes entre sus miembros, la observancia de la Escuela Dominical, cómo se proveían de comida y debían reparar sus vagones y carros luego de los pasajes más escarpados, construir precarios puentes, y la importancia suprema de contar con fuentes de agua para sus animales. Luego, sus impresiones al llegar a los Andes, su contacto con los indígenas araucanos (los denomina "chilenos") que se encontraban allí cazando ganado salvaje, y los arduos trabajos de exploración y mensura, donde se jugaba la elección de las mejores tierras para la futura colonia. También, su fascinación con la abundancia de corintos y frutillas, con las que introducían deliciosas variantes en su monótona dieta, incluyendo el horneado de tartas en cuya masa llegaron a incorporar, como materia grasa, el tuétano de unos huesos de guanaco. Dos veces William menciona incendios ese verano: el primero, como táctica de caza de los indígenas; el segundo —arrasador— sin responsable explícito, pero de una magnitud tal que obligó a la terminación abrupta de la excursión (no quedaba pasto sin quemar para alimentar sus caballos) y la vuelta hacia el Chubut, un viaje en el que varios caballos perecieron extenuados y que finalizó a principios de marzo de 1889.

En la misma libreta, unos años después, una mano femenina anotaría: "31 de agosto de 1891. Salimos con mi familia hacia los Andes con un vagón y un coche liviano." Era Mary Ann Thomas, que también registró el viaje que realizó con sus hijos, su esposo William Freeman y otras familias para asentarse en la nueva colonia. En esas páginas se describe el trabajo constante de las mujeres, preparando las comidas, cuidando de sus niños, horneando el pan y aprovechando algunas

William Freeman.

paradas favorables para ponerse al día con una voluminosa lavandería. Y muchas veces, la angustia ante el retorno tardío de sus hombres, que salían a cazar, buscar repuestos para vagones rotos en otros que habían sido abandonados en la huella, o recuperar animales extraviados. Pero hay episodios que pintan como pocos el espíritu pionero y sacrificado de aquellas mujeres. Uno de ellos quedó reflejado en unas pocas anotaciones de septiembre de 1891, luego de atravesar el Río Chico; "Viernes 25: Llegamos a la cima luego de un día arduo atravesando el cañón. Caminé la mitad del trecho, luego regresé sobre una mula hasta que los vagones nos alcanzaron, y cargando con Willie... Sábado 26: Viento helado, comenzamos temprano y llegamos al cerro Hospital al anochecer... Domingo 27: Todos muy cansados...el campamento tranquilo. Lunes 28: Muy ocupados en hornear el pan, lavar y empacar para salir mañana por la mañana... Martes 29: Nuestros planes de salir a la mañana se estropearon porque en lugar de marchar tuvimos una pequeña niña antes de la hora de salir, por lo que yo estaba en cama en el Hospital con un bebe de 10 libras. También una vaca tuvo un ternero...

Algunos años después, William y Mary Ann regresarían al Valle del Chubut, dejando en los Andes a sus hijos mayores. En el Chubut, su hijita nacida en aquella ocasión —Mary Paithgan, "María Nacida en el Desierto"— falleció muy joven, a los 16, junto con dos de sus hermanos, víctimas de una enfermedad contagiosa. Pocos años después, en 1910, la misma Mary Ann pereció ahogada en el Río Chubut. Los cuatro están enterrados en la Capilla Moriah de Trelew, donde William hizo construir un monumento con un epitafio en cada una de sus caras para sus cuatro seres queridos, perdidos en tan poco tiempo.

Nota: En la primera página del original escrito a lápiz puede leerse —casi en negrita- el número del año 1886 como el correspondiente al de inicio del diario de viajes de William Freeman. Hemos verificado que dicho número fue remarcado por error con posterioridad ya que, consultando el calendario de 1888 y otras fuentes, comprobamos que éste último año es el que coincide con las fechas mencionadas en el diario. Se trata del único diario original de este primer viaje en carros de 1888 que, muchos años después, fue relatado también por John D. Evans en sus memorias. Con la anuencia de la familia Freeman, es nuestro deseo concretar próximamente una sencilla publicación con la completa traducción al castellano de ambos diarios (William Freeman y Mary Ann Thomas).

Cerro Hospital (Y Clafdy).
Hospital Mountain.

TWO UNPUBLISHED DIARIES

The family of William Freeman and Mary Ann Thomas was one of the first to settle in the Andes. Fortunately, their descendants have preserved a pocket notebook in which they both recorded their trips from the Chubut valley in 1886 and 1891. The first part is William's diary of the trip he made to the Andes, with a group of 35 men, to survey and measure the land for the future "16 de Octubre" Colony. His entries describe the life during those journeys, including the way they settled the inevitable conflicts between men, the strict observance of Sunday School; how they hunted for food, had to repair their wagons after a particularly rough stretch of road, build makeshift bridges and the importance of knowing where the water-holes or springs were for their animals. Later he describes his impressions when he reached the Andes, his contact with the Araucanian Natives (who he calls "Chileans") that were hunting wild cattle there, and the tough, all-important surveying work that would finally determine the land that would be allotted to the future colonists. He also reports their fascination with the abundance of wild currants and strawberries they found, which allowed for a welcome change in their diet of wild meat and ostrich (rhea) eggs, including strawberry pies where the crust was made with guanaco bone-marrow as a substitute for lard. William mentions two fires that summer: the first one, as a Native hunting tactic; the second, a devastating one with no culprit mentioned, but so vast that it forced the somewhat abrupt end to the tasks in the valley (there was no grass left for the horses) and their return to the Chubut valley on a trip during which many horses died of exhaustion, and which ended early in May of 1887.

In the second part of the notebook the entries are made in feminine handwriting : "31 August, 1891. Started with my family to the Andes with a wagon and a trap". Here Mary Ann Thomas recorded her experiences during the trip that took her and her family, with several other families, west to settle in the new colony. She describes the women's heavy work during these trips: cooking, taking care of the children, baking bread, trying to keep up with the backlog of laundry when they stopped at a suitable spot. And, often, their distress when the men failed to return to camp after a day out hunting or after an excursion in search of spares for a wagon from an abandoned one on the trail, or to fetch stray animals. Some episodes clearly show the pioneering spirit and sacrifices made by these brave women. One of them spans several entries in September 1891, after they had crossed the Río Chico river: "25, Friday: Reached the top of the hills and camping after a hard day of humbug and trouble going through the canyon. I walked half way, then went on mules back till the wagons reached us and carrying Willie. ...26, Saturday: Cold wind and starting to march early and reached the hospital (mountain) at sundown. ...27, Sunday: All tired. ...Camp all quiet. 28, Monday: Very busy baking and washing and packing ready to start tomorrow morning. 29, Tuesday: Morning plans upset. Instead of marching we had a little girl before it was time to start, so I

was in bed in the hospital with a 10 pound child. Also a cow bore a calf. Several years later William and Mary Ann returned to the Chubut valley, leaving their elder sons in the Andes. Down in Chubut, their daughter Mary Paithgan "Mary Born in the Desert"—who had been born at the Hospital Mountain— died at the age of 16, with two of her brothers, victims of an infectious disease. A few years later, in 1910, Mary Anne herself drowned in the Chubut River. The four of them were buried in Moriah Chapel's cemetery, where William had a monument built with an epitaph engraved on each of its four sides, to mark the graves of his beloved wife and children which he lost in such a short time.

Note: The number "1886" is clearly inscribed on the first page of the pencil-written diary, as the year in which William Freeman started his journey to the Andes. But probably this date was erroneously noted down much later, as the dates in this part of the diary correspond to the year 1888, as we were able to determine after doing some research with old calendars and other sources. Nevertheless, to date it is the only original journal that has been found of the 1888 trip, that was described by John Daniel Evans in his memoirs many years later. Providing the Freeman family grants us permission, we hope to publish a transcription of both diaries in the near future.

Bella Vista, la casa que construyó John Freeman (hijo de William) en Esquel.
"Bella Vista," the house that John Freeman (the son of William) built in Esquel.

Esquel en otoño.
Esquel in autumn.

Esquel, el pueblo de la colonia; Trevelin, el pueblo del molino
Esquel, the town of the colony; Trevelin, the town of the mill

El trazado del pueblo en la Colonia 16 de Octubre se completó entre 1904 y 1906. Después de analizar varias alternativas, el mismo fue ubicado sobre el valle de Esquel, dentro del denominado ensanche de la Colonia, dando nacimiento de esta manera a la ciudad homónima. El 30 de enero de 1906 el ingeniero Lázaro Molinari había finalizado su mensura considerando, entre otras circunstancias, que "es el único valle fácilmente viable para carros y a él convergen todos los caminos de la citada Colonia".

Pocos días después, en febrero de ese mismo año, el telegrafista Medardo Morelli se trasladó junto con sus instrumentos desde Súnica hasta Esquel (45 km). Se produjo así la instalación –de hecho– de la primer oficina pública en dicho valle hasta donde poco antes había llegado la línea telegráfica desde Neuquén. Esquel festeja su cumpleaños el 25 de febrero, recordando el día en que Morelli envió la primera transmisión oficial desde su flamante ubicación.

Y en nuestra opinión, no está mal que así sea. Aunque varios vecinos e historiadores señalaron que la fecha debería ser otra, dentro de un rango de alternativas que va desde 1904 –cuando Molinari fue oficialmente designado para delinear un pueblo que aún no tenía nombre– hasta 1908 cuando se aprobó oficialmente la men-

After considering many options, the town of the "16 de Octubre" Colony was finally placed in the Esquel valley, within its "ensanche" (extension) section. Its layout was defined between 1904 and 1906. Upon finishing his work on January 30, 1906, engineer Lázaro Molinari stated that he had elected this site because, among other circumstances, "it is the only valley where wagons can travel easily, and all the roads of the mentioned Colony converge to this spot."

In February of that same year, as the telegraph lines had already arrived to the area from Neuquén, telegraph operator Medardo Morelli moved his equipment from Súnica to Esquel (45 km away). This amounted to a *de facto* inauguration of the first public facility in the valley, and, in commemoration of the date Morelli sent the first official telegram from his new location, Esquel now celebrates its birthday every February 25th.

We believe that picking this date was a sound decision, even if other neighbours and historians would have preferred other dates, ranging from 1904 (when Molinari was appointed to design a town which didn't yet have a name) to 1908 (when his surveying was officially approved, but Esquel was already developing fast). In advance of its own centenary, in 2003 Esquel

271

sura de otro que ya estaba en pleno desenvolvimiento. Como anticipándose a su centenario, la ciudad de Esquel festejó durante el año 2003 el centenario de su primera escuela y durante el año 2004 el de la capilla Seion. Ambas funcionaron en la chacra de la familia Freeman, cercana al actual casco urbano, donde los colonos galeses –sin esperarlo todo del Estado– procuraron brindar a sus hijos educación pública y formación religiosa.

Existen también notas fechadas en "Eskel" en 1898, enviadas hacia Rawson desde la comisaría que estuvo ubicada en las inmediaciones de Nahuel Pan. Y además hay numerosos testimonios que indican que antes aún ya se habían asentado varios pobladores. Como por ejemplo la descripción del viaje de Brychan Evans (ver tema 10 del CD) que narra su entrada en 1894 a la actual ciudad de Esquel, indicando que un toldo indígena estaba entonces ubicado en el sitio que hoy ocupa el Regimiento del Ejército Argentino sobre la margen derecha de la actual Ruta Nacional 259 y que la primer casa de Esquel estaba ubicada camino a la Colonia, cerca del arroyo Esquel.

Y antes que todos ellos, bien vale la pena recordar las palabras del Perito Francisco Pascasio Moreno cuando en 1880 le informaba al Ministro Zorrilla desde los toldos de su amigo Inacayal: "Acampamos

al mediodía para hacer las observaciones astronómicas en el Paradero Esquel, bajo un pequeño bosque de haya antártica (Fagus ant.). Es uno de los más lindos parajes que he visto en Patagonia como punto poblable; los campos se extienden en las lomas hasta largas distancias y los bosques que ocupan las rocas de la cadena al Oeste, destacan una avanzada hasta la planicie ondulada y en las orillas de la laguna, la frutilla crece con lujosa fuerza. Continuamos a las 2 de la tarde hacia el Sur y dominamos al Oeste una gran abra fértil, pastosa, que se interna hasta la falda de los Andes. Una ciudad argentina ha de reemplazar, algún día, el paradero del indio nómade".

Esquel pasó a ser desde 1906 el Pueblo de la Colonia, a pesar de que la mayoría de los colonos galeses estuvieran instalados en las cercanías de la actual localidad de Trevelin. Algunos años después, en 1918, nació el Pueblo del Molino, luego de la cesión de tierras efectuada por algunos de ellos para su emplazamiento. Se multiplicó entonces por dos el anticipo de Moreno. Su "mirada sin límites" aún nos convoca para seguir analizando el proceso de evolución e integración del Cwm Hyfryd que, lejos de ser un capítulo cerrado de su historia, representa un nuevo desafío para construir el porvenir.

celebrated the centenary of its first school and in 2004 that of the Seion chapel. Both were erected at the Freeman farm, near today's town site, where the Welsh settlers –who didn't expect the state to cover all their needs– would strive to provide their children both public schooling and religious education.

There are also some letters dated at "Eskel" in 1898, sent to Rawson, the Territory's capital, from a police station that was near Nahuel Pan. And some accounts indicate that there were people living in the valley even before that. Brychan Evans (his voice can be heard on the audio CD) tells that when his family entered the Esquel valley there was a Tehuelche "toldo" standing at the site where today

the No. 3 Army Regiment is, on the right hand side of NH 259, and that the first house in the valley was located next to the Esquel stream, on the way to the Colony.

But before all of them, in 1880, from the "toldos" of chief Inacayal, his friend, the "Perito" (expert) Francisco Pascasio Moreno reported to Minister Zorrilla in Buenos Aires: "We camped at noon on the Esquel stopover to make the astronomic observations (nb: a site near the airport, also visited by Musters on his 1868 journey with the Tehuelche), under a grove of Antarctic beech (*Fagus ant.*). This is one of the most beautiful settable spots I have seen so far in Patagonia; the rolling country extends far away, and the forests on the rocky western mountains

La palabra "Esquel" deriva de un término en idioma nativo que significa "abrojal", algo fácilmente comprobable durante el verano en una caminata por los alrededores.

The word "Esquel" comes from a Native term meaning "land of burrs," a fact that can be readily confirmed during a summer stroll in its surroundings.

JORGE MIGLIOLI

come down to the plains. On the shores of the nearby small lake, strawberries grow luxuriantly. Soon after, at 2 PM, we set off southwards and could see a great, lush valley to the west that ran towards the foot of the Andes. A great Argentine city will someday replace this nomad Natives' stopover site."

Thus, since 1906 Esquel became the Town of the Colony, even if most of the colonists had settled near the place where Trevelin now stands. Some years later, in 1918, the Town of the Mill was born, once some of the settlers donated the necessary land. Moreno's vision then became true twofold. His "boundless view" still summons us to keep researching on the Cwm Hyfryd development and integration process, so as to be able to build a better future for the region.

JORGE MIGLIOLI

El puente viejo sobre el Río Percy, Trevelin.
The old bridge on the Río Percy, Trevelin.

273

Casa de estilo galés en Trevelin.
A Welsh-style house in Trevelin.

En la casa del pastor de la capilla Bethel de Trevelin, Nesta Davies, profesora venida de Gales, enseña el idioma a niños y adultos.

At the pastor's house of Bethel chapel in Trevelin, Nesta Davies, a teacher sent from Wales, teaches Welsh language to children and adults.

274

Capilla Bethel de Trevelin, centro de culto y actividad social. Derecha: un té en su jardín en 1924. A la izquierda, Ellis Williams junto a la puerta de entrada.

The Bethel chapel in Trevelin, a centre of worship and social gatherings. Right: a tea served in its garden in 1924. Left, Ellis Williams next to its front door.

El sol de la mañana ilumina una vieja lápida en el cementerio de Trevelin. The morning sun illuminates an old tombstone at Trevelin's cemetery.

En primer plano, la antigua capilla construida con troncos antes de su demolición. In the foreground, the old log chapel before it was pulled down.

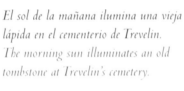

FOTOS: JORGE MIGLIOLI

Arriba, el coro Seion de Esquel, con su directora Elda Griffiths. A la derecha, Héctor Mac Donald, quien compiló la música de nuestro CD y compuso el poema sinfónico "Rocky Trip".

The Esquel Seion choir, with their director Elda Griffiths. Hector Mac Donald (right) recorded the music and poems in the CD attached to this book, and composed the "Rocky Trip" theme.

GENTILEZA ARTURO LOWNDES

El coro de hombres Cwm Hyfryd de Trevelin (2001), con su director Arturo Lowndes y la piansta Lelia Suárez de Morgan.

The Trevelin Cwm Hyfryd men's choir (2001), with their director Arturo Lowndes and pianist Lelia Suárez de Morgan.

La hiedra de Evan

Una enorme hiedra trepa desde hace casi ochenta años cubriendo el frente de una casa de la ciudad de Esquel. No importa que sean tan pocos los vecinos que conocen su hermosa historia. Es casi seguro que –aún así– ella igual percibe en la mirada cariñosa de quienes le sonríen al pasar, un poco de la fuerza que por momentos pareciera elevarla rumbo al cielo patagónico coronado por el Trono de las Nubes.

El que la saluda todas las mañanas es su amigo el sol cuando llega a la Patagonia, unas cinco horas después de haber iluminado Gales. Ella lo espera siempre ansiosa mirando al Este, como si supiera que quien allí la plantó lo hizo pensando en otra enredadera que, desde niño, había visto ascender por la pared de su casa natal en Bala. Y, como su lejana hermana, crece abrigada por historias de verdes sueños que palpitan detrás de las paredes que entibian su espalda.

Una vieja puerta marrón con su aldaba de hierro, dos grandes ventanas y una rosa que siempre se asoma en primavera, completan esta sencilla postal ubicada de la ciudad de Esquel. Al golpearla nos atienden don Luis Galíndez y su esposa Olwen Gwen Hughes, descendiente ella de los primeros colonos que llegaron a la Cordillera a fines del siglo XIX desde la costa del Chubut.

Melin (molino) Meloch, cerca de Bala, la casa natal de Evan.
Melin (mill) Meloch, near Bala, where Evan was born.

Durante unos cuantos días de ese verdaderamente tibio invierno del 2003 (para los antiguos patagónicos "inviernos eran los de antes", pero igual no se confíe demasiado), Olwen Gwen nos recibió en su casa muchas veces, contándonos historias y anécdotas, mostrándonos fotos, libros y recortes de diarios, e invitándonos a compartir recuerdos con su familia y con amigas memoriosas que la visitan todo el tiempo.

Mientras que, grabador en mano, íbamos desenredando su madeja de recuerdos, ella volvía a enredarnos con nuevos nombres, anécdotas y personajes. Cuando nos mostró la publicación "Reunión de Familias Galesas en el Sur" con el árbol genealógico completo

An infrequent sight in this small city, the façade of an old house in Esquel is totally covered by ivy. However, we found that only a few neighbours know the story behind this beautiful green blanket, although it was planted almost eighty years ago. Nevertheless, we have a hunch that the ivy can feel the warm looks passers-by never fail to give her, and draws from these the strength that seems to elevate her towards the Patagonian sky, crowned by the Throne of the Clouds.

Every morning, about five hours after dawn in Wales, her friend, the sun, greets her when he reaches Patagonia. She always waits for this moment with some expectation, looking east as if she knew the

man who planted her did so while remembering another vine he had seen clinging to his house in his native Bala. Like her faraway sister, this ivy grows lush, sheltered by the dreams that dwell behind the walls that warm her back

An old brown door with an iron knocker, two big windows and a rose that always blooms in spring round off this simple Esquel postcard. We knocked at the door and were greeted by Mr Luis Galíndez and his wife, Olwen Gwen Hughes, a descendant of the first pioneers that came from the Chubut Colony to the Andes at the end of the 19th century.

For many days Olwen welcomed us to her home during that mild winter of 2003 ("in old times we used to have proper winters," senior Patagonians remark, but readers shouldn't get too confident regarding our weather). She told us stories and anecdotes of her family, showed us photographs, books, and newspaper clippings, and also invited us to join her in conversation with the many friends that frequently visit her.

Over and over again as –aided by our recorder– we slowly managed to disentangle the yarn of reminiscences she spun, Olwen would entangle them again by introducing new names, stories, and characters. When she finally

277

Esquel bajo la gran nevada de 1972.
Esquel after the great 1972 blizzard.

de la Colonia del Chubut, nos relajamos. En vez de intentar recordarlo todo, decidimos dedicarnos solamente a saborear, sin culpas, las mejores cerezas del postre que nos ofreció con su testimonio.

El padre de Olwen, Evan Lloyd Hughes, nació en Gales en 1881 y arribó a Esquel en 1904. Habiendo estudiado en Cambridge, de joven Evan pensó que iría a pelear a Sudáfrica en la guerra de los Boers, pero el destino lo condujo primero a Gaiman donde no llegó a trabajar en el molino familiar debido a su asma, ni a ser pastor como había querido su padre. Y, luego, acompañando a su tío William en un viaje deliciosamente narrado en el libro "A Orillas del Chubut", se trasladó finalmente al lejano oeste patagónico donde formó una familia, construyó una casa y plantó una hiedra.

En su casa solamente se hablaba en galés, pero Evan pronto estudió el castellano e incorporó las costumbres del país. Como tantos inmigrantes, aprendió –al probar su primer mate– que apenas dijera "gracias" se acabaría el convite. "Era muy matero –nos dice su hija– tomaba mate cuatro veces al día; la última al cerrar el negocio, con el turquito de enfrente." Todo un cuadro de la Patagonia de la época.

Evan gustaba decir que era muy británico, no inglés, sino británico. Y muchos lo recuerdan como un hombre abierto, muy criollo y muy gaucho. Se llevaba bien con los paisanos y una vez, ante el asombro del gerente del banco –al que entraba siempre con traje, corbata y sombrero– se ofreció incluso como garante de un gitano no muy conocido, quien siempre se lo agradeció.

produced the book "Reunión de Familias Galesas en el Sur" (A Gathering of Welsh Families in the South) which included the complete genealogy of the Chubut Colony, we relaxed. Instead of trying to memorise everything she told us, we decided to lean back and, without feeling at all guilty, enjoy the feast of rich remembrances she offered.

Evan Lloyd Hughes, Olwen's father, was born in Wales in 1881 and arrived in Esquel in 1904. He had studied at Cambridge, and as a young man he had considered enlisting to fight in the Boer war in South Africa, but he finally sailed to Patagonia. Here, he could not work at the family mill in Gaiman because of his asthma, and would not become a Protestant minister, as his father had wanted. He finally accompanied his uncle William to Patagonia's far west, on a trip that has been delightfully described in the book "A Orillas del Chubut" (On the Banks of the Chubut River). Later, he would marry, build a house, and plant an ivy against its front wall.

Welsh was the only language spoken in his parents' house, but Evan learned Spanish and adapted to his new country's ways fast. As so many immigrants, he had to learn that "thank you" when having "mate" meant you had had enough and wanted no more. "He loved mate," Olwen told us, "he drank it four times a day; the last one with the little 'Turk' (meaning Syrian-Lebanese) neighbour in front, after he closed his shop." A true picture of Patagonia in those years.

Evan loved to say he was very British. "Not English, but

Instaló un comercio donde vendió los primeros autos Ford de la zona; los traía personalmente en azarosos viajes desde San Antonio Oeste. Muchas fotos muestran antiguos vehículos frente a la puerta de su casa, junto a los cuales posaban los flamantes dueños, antes de protagonizar las desventuras propias de su condición de conductores primerizos.

Un antiguo vecino, famoso por lo despistado, se bajó del auto para abrir la tranquera de su estancia, pero tuvo que salirse corriendo del camino. Contaría después que el auto "lo siguió" y quedó un poco abollado. Ya reparado el vehículo, cuando finalmente logró llegar hasta su casa en el campo, no se acordaba cómo hacer para detenerlo; entonces dio vueltas y vueltas dentro del jardín hasta agotar el combustible. En fin, varias anécdotas que parecen salidas de una película protagonizada por Carlitos Chaplin.

A su madre, que llegó a Esquel en 1892, Olwen la recuerda contándole esos largos viajes de un mes, para los que salían de la cordillera en largas caravanas, incluyendo los campamentos y paradas que hacían en medio del trayecto cuando se encontraban con alguna otra proveniente de Trelew y todos se juntaban para comentar las novedades. Los días lunes eran de detención obligatoria para lavar la ropa y hornear el pan que consumirían durante toda la semana.

Olwen cuenta que, durante uno de esos viajes, les habían avisado que si veían una polvareda en alguna parte del camino, tuvieran cuidado ya que se esperaba la llegada del primer auto que viajaba desde Trelew hasta Esquel. ¿Cuál habrá sido: el comprado por la Estancia Leleque, que se rompió al poco tiempo, el que se compró don John Da-

British," he would emphasize. Many remember him as an open-minded man, quite "gaucho" (helpful) in his ways and that he got along well with the Natives. He would always wear a suit, tie, and hat to go to the bank. Once he surprised the bank manager by offering to be guarantor to a rather unknown Gypsy who had asked for a loan. This man, as many others, was always grateful to Evan for his generosity.

At his shop Evan sold the first Ford vehicles in the region. He personally brought them in from San Antonio Oeste, a long way from Esquel. We saw many photographs showing these new cars in front of his house, their new owners proudly standing by them, just before experiencing the frequent mishaps associated with their novice-driver status.

A distinguished, absent-minded neighbour drove his new car home and got off to

open the gate but didn't engage the hand-brake, so he had to hastily jump out of the car's path as the driveway was on an incline. Later, he told his friends that the car had "followed him" and ended up somewhat dented. After his car was repaired, when he finally got to his house at the farm he couldn't remember how to stop the engine, so he drove round and round his garden until he used up all the gasoline. These and other anecdotes we were told seemed to be taken from a Charlie Chaplin movie.

Olwen's mother came to Esquel in 1892. Olwen remembers the stories she told of the month-long trips the caravans made between the Andes and the coast, and the joy they experienced when meeting travellers coming from Trelew and how they all gathered to exchange news. They always stopped on Mondays for laundry and to bake the week's bread.

niel Evans de Trevelín o el que traía al buen Shrewsbury en su viaje a Tecka? No lo tenemos bien en claro, simplemente sabemos que nos gustaría subirnos a cualquiera de ellos, aunque más no fuera por un rato.

A veces simplemente se detenían cerca de Los Altares, cuando escuchaban resonar en sus rocas los hermosos cantos de algunos galeses "importados" (recién llegados) alzando sus voces afinadas sobre el reflejo de los fogones cerca del río. Y, como veremos más adelante, sabemos también de por lo menos una historia de amor que floreció en esas largas travesías.

La abuela de Olwen, Mary Evans de Price, nació en Rawson. Su primer esposo había llegado en el vapor Vesta, veinte años después de la llegada del Mimosa. Con él viajó también un tío abuelo de Olwen que se llamaba John Henry Price. Era un joven huérfano que, con el tiempo, sería para todos "Johnny, el minero".

Olwen Gwen Hughes y su esposo Luis Galíndez, frente a la casa de la hiedra en Esquel.

Olwen Gwen Hughes and her husband Luis Galíndez, in front of their ivy house in Esquel.

JORGE MIGLIOLI

On one of those trips, Olwen recalled that they were warned that if they saw a plume of dust on the trail they had to be careful, as the first car to come to the Andes was on its way from Trelew. We wondered which one that was: the one the Leleque ranch had bought, which broke down not long after arriving?; the one John Daniel Evans of Trevelin had bought?; or maybe the one our friend Shrewsbury was driving towards Tecka? We will probably never know, but we would surely like to travel back in time and get on any of them, even for a short while.

When the caravans stopped near Los Altares, they could sometimes hear the beautiful hymns sung by recently arrived Welsh immigrants on their way to the Andes, echoing against the rocky walls, their clear voices rising above the campfire, reflected on the lazy river. And, as we will later see, we learned of at least one love story that flourished during one of those crossings.

Mary Price née Evans (Olwen's grandmother), was born in Rawson. Her first husband came on the Vesta steamer, twenty years after the Mimosa had arrived to New Bay. A great-uncle of Olwen came with him. His name was John Henry Price, a young orphan that, in time, would be known to all as "Johnny, the miner."

JOHNNY, EL MINERO

Aunque Johnny falleció hace unos cuarenta años, ha dejado historias que seguramente serán contadas por varias generaciones más. Su hermano había muerto de pulmonía mucho antes, mientras trabajaba en el tendido del ferrocarril entre Puerto Madryn y Trelew, dejando viuda a la abuela materna de Olwen, quien quedó a cargo de cuatro chiquitos menores de cinco años y del propio Johnny que entonces tenía quince.

El mismo día del entierro de su esposo, un hombre llamado Ricardo Jenkins, al verla, se propuso ofrecerle casamiento alguna vez, cuando ella hubiese calmado su dolor. Y así sucedería. Ricardo era hijo de Aaron y de Rachel, el matrimonio que inició el riego de la tierra negra en el Valle Inferior del Chubut; Aaron fue asesinado cerca de TreRawson por un prófugo de Punta Arenas.

Ricardo Jenkins y Mary Evans de Price tuvieron otros diez hijos, y sus descendientes recuerdan el trato paternal que recibieron todos por igual, cuando finalmente vinieron juntos para la cordillera. Es que Ricardo había sido uno de los Rifleros de Fontana y por ello recibió media legua de campo en la Colonia 16 de Octubre.

Los primeros fueron tiempos duros, durante los cuales las hermanas mayores se turnaban en el uso del único vestido y par de zapatos de salir que tenían, para ir a la capilla el día domingo. Con el tiempo, una vez al año llegarían rollos de tela con los que confeccionaban prendas iguales para todos. También se hacían en la casa los "tamangos" –usando cueros, tientos y suelas– unos botines cuya fabricación aprendieron de los chilenos.

Olwen cuenta que ella no supo qué era jugar, no había tiempo para eso. En los pocos ratos libres, antes del invierno, después de carnear, hacían velas y jabones. "Y una vez al mes se hacían tortas fritas para los quince que éramos en la casa." El tío Johnny, como todos lo llamaban, se quedaba a cargo de la familia cuando los abuelos de Olwen viajaban a Trelew, hasta que su madre y sus hermanos crecieron.

Entonces, Johnny empezó con sus aventuras de minero. Y la primera vez se fue nada más y nada menos que con el legendario Martín Sheffield a Tecka, a buscar oro en los aluviones de los arroyos Cuche y Caquel y del Río Corintos. No encontraron mucho y, poco después, dejaron esa zona y Johnny se fue de arriero, llevando animales a Chile. Siempre recordaba Johnny que de paso por Neuquén estaba el indio Saihueque que era bravo, pero con quien nunca tuvieron problemas.

En uno de los tantos viajes se desató una epidemia de viruela negra en Chile y Johnny se enfermó; como se cerraba la frontera, sus compañeros dejaron a Johnny atrás.

JOHNNY, THE MINER

Johnny Price died forty years ago, but he has left some stories that will surely be remembered in his family for many generations.

His elder brother died many years earlier, while working on the construction of the Puerto Madryn-Trelew railway. His widow, Olwen's grandmother (on her mother's side) Mary Price, née Evans, had four children under five years old to look after, and was also in charge of Johnny, who was fifteen at the time.

The day of her husband's funeral, a man by the name of Ricardo Jenkins was so impressed by Mary that he promised himself he would propose to her as soon as her sorrow had eased. He was the son of Aaron and Rachel Jenkins, who had pioneered irrigation of the black lands in the Chubut River valley, to ensure there would be a crop every year. Aaron is also remembered for his murder, near TreRawson, at the hands of a Punta Arenas fugitive, who he was carrying mounted behind him on his horse.

Ricardo kept his promise and married Mary. They had another ten children, thus becoming a very large family. The descendants of these children remember hearing their parents comment on how Ricardo loved them all the same, showing no preference, when they lived in their new home in the Andes, where he –being one of the Fontana Riflemen– had been granted half a league of land.

At first, times were hard. The elder sisters had to take turns using the only good dress and pair of shoes they had to go to chapel on Sundays. Later, rolls of cloth would arrive at the Colony once a year, so they were able to make their own clothes. They also made their own leather boots: the "tamangos" the Chileans taught them to make.

Olwen tells us that she doesn't recall playing with other children; there was no time for that. In their spare time, before winter came, they would make candles and soap out of cattle's fat. "And once a month we would make "tortas fritas" (fried bread) for all fifteen of us at home." Uncle Johnny, as everyone called him, was left in charge of the family when Olwen's grandparents had to travel to Trelew.

This, until the children grew up. And it was then that Johnny started his adventures as a miner. The first time, with none less than Martin Sheffield himself. They went to Tecka and prospected for gold at the Cuche and Caquel streams, and the Corintos River. They didn't find much, so Johnny soon left to work as a cattle drover, driving animals to Chile. He would always recall that he had to go through Neuquén, tough Native chief Saihueque's territory, but never had any trouble with him.

On one of his many trips,

Muchos pensaban que había muerto, pero él regresó sin reproches a los cinco meses de a caballo y con su cara un tanto agujereada. Lo había cuidado una chilena cuyo hijo también se había contagiado. Johnny siempre recordaba que estuvo bajo unos tolditos, debajo de los cuales estaqueaban a los enfermos para evitar que se tocasen, mientras les suministraban agua y más agua. Nunca olvidó el paso de los carros llenos de cadáveres, que luego se tapaban con cal.

Después de recuperarse, Johnny siguió llevando arreos, buscando oro y haciendo muchas otras cosas. Era además un gran lector. Leía en inglés y su familia conserva una hermosa carta que les envió una vez desde sus refugios mineros en Tecka.

Johnny siempre fue soltero y muy "farrista". Cuando juntaba plata se iba a caballo hasta Trelew y desde allí a San Antonio, donde tenía amigos como él. Luego tomaba el tren a Buenos Aires, de donde regresaba solamente cuando le quedaba la plata justa para el viaje, para volver a buscar un poco más de oro. "Si habré bailado tangos en el cabaret Hensen", gustaba contar, con su pipa en la boca y ya casi ciego, a sus sobrinos bisnietos, René y Eduardo, a quienes les confiaba que en su vida había tenido muchas "minas", pero les aconsejaba –como dice el tango– que buscaran una mujer y formaran una familia.

Juntaba frasquitos llenos de "chispitas" doradas y les decía que traten de ir algún día porque "todo este cordón tiene oro, pero hay que buscarlo". Nos cuenta Olwen que una vez Johnny recibió una carta de Gales: "Cuando le preguntamos qué decía, respondió que la había quemado sin abrirla. Y lloraba como un chico, lamentando que nunca volvería a ver su país".

Con todo, hasta los ochenta vivió buscando oro y recién a fines de abril o principios de mayo regresaba al pueblo con su caballo montado y su pilchero –del cual colgaba la ollita negra y una pava– para alegría de la familia que lo esperaba. Fue un hombre discreto. Un perfecto viejo tío solterón que vivió hasta los noventa haciendo las delicias de todos con sus cuentos y relatos que todavía perduran.

there was a smallpox epidemic in Chile, and Johnny fell ill. As the border was about to be closed for the winter, his companions left him behind. Most thought Johnny had died, but he rode back five months later, with a pockmarked face but no reproaches. A Chilean woman, whose son had also fallen ill, had taken care of him. Johnny said he had been placed under some small open tents, under which the sick were tied to stakes so they would not touch each other, and were given abundant water to drink. He would never forget the corpse-laden carts that went by, and how, when they buried the dead, they poured a layer of quicklime over them.

After he returned, Johnny continued to be a drover, a miner, and many other things. He was an avid reader, always in English. His family still preserves a lovely letter he once sent them from his mining retreat in Tecka.

He remained a bachelor, and liked to go on a spree every so often. After the mining season, he would ride to Trelew, and from there to San Antonio to visit some friends. Then they would all board a train to Buenos Aires, from where he only returned when he was left with just enough money to pay for his trip back to Esquel. And then he would go out to pan for gold again. Many years later, already almost blind but still smoking his pipe, he loved to brag about this when talking with René and Eduardo, his great-grandnephews: "Boy! Have I danced tangos at the Hensen cabaret!" he would reminisce. Johnny also confided that he had enjoyed feminine company many times in his life, but always warned them they should get themselves a real woman to raise a family with.

He stored his gold specs in small glass jars, and told anyone who would listen that they should go prospecting to the Tecka area, saying : "there is gold to be found all along that mountain chain, you just have to look for it hard." Olwen also told us that Johnny once got a letter from Wales: "When we asked him what the news was, he told us he had burned the letter without opening it. He was crying like a child, mourning over the fact that he would never see his home country again."

Nevertheless, he panned for gold till he was eighty. His family were always relieved to see him return at the end of April or early in May, riding his horse and leading a packhorse, a blackened pot and a kettle hanging at its side. He was always a discreet man; the perfect bachelor uncle who lived till he was ninety and who always had an audience willing to listen to his tales.

JORGE MIGLIOLI

Alejandro, estudiante de geología, observa con admiración una pepita de oro encontrada por John Price.

Alejandro, a geology student, can't believe his eyes when holding a big gold nugget found by John Price.

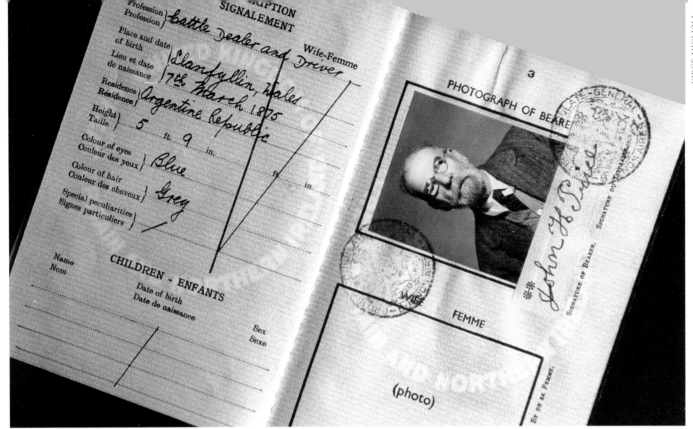

En el pasaporte de Johnny el minero, el rubro "Profesión" reza: comerciante de ganado y arriero.
On Johnny the Miner's passport, under "profession" the inscription reads "cattle dealer and driver."

OLWEN GWEN, BLANCA MÁS BLANCA

Ya a punto de retirarnos de la casa de la hiedra, advertimos que la planta y su dueña se han mimetizado, enredándonos con su relato. Adelina, la hija mayor de Olwen Gwen, agrega que su madre nació un nevado 25 de Mayo y que su nombre, coincidentemente, significa "blanca, más blanca".

Nos confían algunas fotos, textos, cartas y objetos para que los usemos. En nuestra imaginación, nos llevamos las imágenes desopilantes de los conductores primerizos, la de Evan trepando hasta una laguna en su Ford para medir potencia con el primer Chevrolet que llegó a la zona, la de toda la familia escuchando en su radio a galena las noticias de la Primera Guerra, o la del tío Johnny mostrando alguna pepita a sus sobrinos en torno un fogón alimentado de historias crepitantes.

Cuando regresamos a los pocos días para devolver las reliquias familiares, luego de golpear la aldaba casi escondida por la enredadera, nos atiende una hermosa niña llamada Catalina. Ella heredó el nombre de una tía abuela que domaba caballos y era bailarina. Al recibirnos con su hermosa sonrisa, sentimos que nos abre la puerta de la casa y del futuro...

OLWEN GWEN: WHITE, EVEN WHITER.

We were about to leave the house, and we had finally concluded that its owner and her ivy had mimicked each other, entangling us with their stories. Adelina, Olwen Gwen's eldest daughter, told us her mother was born on a snowy 25th of May. Appropriately, her name means "white, even whiter" in Welsh.

Before we left, they gave us a batch of letters, photographs, and some objects for us to review as they might be of use to us for our book. In our mind's eye we also carried a host of images: the comic one of the novice-drivers; Evan racing his Ford uphill against the first Chevrolet car that arrived in the area; the whole family gathered around the radio set, listening to the news of First World War; Uncle Johnny showing his nephews a gold nugget while telling them his stories in front of the fireplace.

Some days later, we came back to the house of the ivy to return all this family memorabilia. When we knocked at the door, Catalina, a beautiful child, opened it and showed us in. We had been told she was named after a great-aunt who was a horse tamer and a dancer. Her radiant smile, we felt, also opened the door to the future...

"Voy morir pero no voy flojar..." (solía decir con convicción la madre de Olwen, en el pintoresco castellano de los primeros colonos).
"Going to die, but not going to give in..." (Olwen's mother used to assert in Spanish, with the delightful accent of the first settlers).

Loli preparándose para entrar en acción.
Loli getting ready for action.

La imponente Piedra Parada, apenas el borde de una antigua caldera volcánica, se yergue majestuosamente en pleno valle medio del Río Chubut.

Standing tall in the midst of the central valley of the Chubut River, imposing Piedra Parada is just a remaining section of an antique volcanic caldera.

JORGE MIGLIOLI

284

LOLI ROBERTS, DE ESQUEL AL MUNDO

LOLI ROBERTS, A WORLD-CLASS ATHLETE

Nació en Esquel hace menos de treinta años y probablemente –aunque pocos todavía en su provincia lo sepan– es hoy uno de los descendientes de la Colonia Galesa del Chubut más famoso en todo el mundo.

Hijo de un lechero galés y de una madre peruana, la mezcla de sangre inca y galesa ilumina el rostro sereno –casi adolescente– de este formidable multi-atleta que ha alcanzado tantas hazañas deportivas en el mundo entero.

Germán Roberts, "Loli" para todos, describe con su característica humildad y sencillez la larga carrera de su corta vida:

"Yo arranqué con el esquí, empezando desde muy pequeño en las actividades con nieve en el Club Andino Esquel. Esquié desde los cuatro años hasta los quince y, para ponerme en forma, también comencé a correr. Como me sentía muy cómodo, me anoté en una carrera de atletismo que se organizaba en Trevelin y gané.

"Empecé a entrenar cada vez más y a ganar carreras de atletismo, mientras seguía corriendo y esquiando al mismo tiempo. A los diecisiete años por fin llegó el momento de prepararme para competir en pruebas combinadas como el Tetratlón, una prueba que se organiza en Esquel desde hace unos diez años y que incluye esquí, atletismo, bicicleta y

Corriendo en camello en el Eco-Challenge de Marruecos, Junio de 1998.
During a camel race at the Morocco Eco-Challenge in June 1998.

remo."

Y podemos agregar nosotros que desde entonces no se detuvo. Loli reconoce ahora que su vida en el campo cuando niño, bastante dura por

the Welsh Colony around the world.

He is the son of a Welsh dairyman and a Peruvian mother. An infrequent mix of Inca and Welsh blood that reflects on the serene, boyish face of this exceptional athlete, who has received so many awards both here and abroad.

In his characteristic unassuming style, Germán Roberts –better known as "Loli"– told us of his many achievements during his short life:

"When I was a child, I started skiing with the "Club Andino Esquel" (Andean Club of Esquel). I skied for the club from the age of four until I turned fifteen, and, to do some further exercise, I began training as a runner too. When I discovered that this came very naturally to me, I entered a long-distance race in Trevelin, and won!

"Then I started to train thoroughly, and won more races while I kept on skiing. When I turned seventeen, the time finally came to train for other, more complex events, such as the Esquel Tetrathlon, which combines ski, running, mountain biking, and canoeing."

Since then, he never stopped, and every year he takes part in the main endurance competitions around the world. Loli believes the years of hard life as a farm boy helped him attain the physical and spiritual strength an athlete needs to endure the

Although most people in his province are unaware of this fact, this young man, who was born in Esquel less that thirty years ago, is one of the best known descendants of

285

cierto, lo ayudó mucho para el desarrollo de una fortaleza física y espiritual que le permitió incursionar con éxito, siendo aún muy joven, en pruebas que parecían reservadas para otros. Loli participa anualmente de los principales eventos deportivos internacionales de su especialidad.

Por ejemplo el famoso Eco-Challenge, una competencia de formato "non-stop" en la cual los competidores durante ocho días recorren unos 600 km por los lugares más insólitos, en medio del desierto o de la montaña. Sólo reciben antes de salir una carta topográfica con la ubicación de los puestos de control y una brújula para orientarse. La orientación es una disciplina más en medio del cansancio y la tensión que representa la exploración de un nuevo territorio. Cargan consigo sus propios alimentos y equipo de dormir y pueden elegir los sitios para comer y descansar.

Además de las cuatro disciplinas ya señaladas, a veces se incluyen otras no tradicionales como cabalgatas, no sólo a caballo, también en camello. Otra de las competencias internacionales importantes que tienen a Loli como protagonista es el "Mild Seven" que se lleva a cabo en China o Malasia. Se trata de otro formato de competencia que procura simplificar su organización obligando a los participantes a correr diariamente entre ocho y diez horas seguidas durante cuatro días, incorporando nuevas actividades como patinaje en roller, escaladas, etc.

A pesar de no entrenar actualmente al ritmo que quisie-

ra, sigue estando entre los cinco mejores del mundo en su especialidad. Su idea es seguir compitiendo hasta los 35 años y espera poder contar –cerca de los 32– con la tranquilidad económica que le permita entrenar a gusto para aprovechar toda su experiencia y alcanzar así el mejor rendimiento al momento de su maduración deportiva.

Reconoce como un apoyo fundamental el que siempre ha tenido de su familia. Su madre, su esposa y sus cuatro hijos, por nombrar a los más cercanos, acompañan un estilo de vida que se torna exigente para todos, repleto de entrenamientos, viajes y competencias, y que actualmente sólo le dan descanso para la organización de importantes eventos que promueven el deporte y el turismo en la región a niveles insospechados hasta hace poco.

Es que Loli ha pasado a ser un referente obligado para productoras de programas televisivos entre los que pueden mencionarse Expedición Robinson y El Conquistador del Fin del Mundo, que fueron seguidos por millones de televidentes del mundo entero.

Todavía recuerda el día que llegaron los productores a una zona que apenas conocían y él les propuso llevarlos a pie hasta la alejada Reserva Natural de Lago Bagillt, en pleno invierno. "Aunque tenga que llevarlos cargados al hombro, ustedes no pueden irse sin conocer ese lugar" les dijo. "Ese lugar" se convirtió en uno de los preferidos de los productores, quienes –bajo la guía organizativa de Loli– emplea-

toughest events, and have a chance to win.

For instance, the famous Eco-Challenge: a non-stop competition where competitors cover 600 km in eight days and withstand the most punishing conditions while crossing the desert or mountains. At the starting point, they are only given a map with the checkpoints marked on it and a compass: to find your bearings while exploring unknown ground is a discipline in its own right, especially when competitors are tired and tense. They must carry their own food and sleeping gear, and are free choose the places to eat and rest.

In addition to the four disciplines we have mentioned, sometimes the Eco-Challenge includes horse or even camel riding. Another international competition Loli always competes in is the Mild Seven, which is held in China or Malaysia. The organisation of this competition is not as structured as others, its rules require competitors to run eight to ten hours a day, non-stop, for four days, and includes other activities such as roller skating, rock climbing, etc.

Even though he is not training as intensively today as he would like to, he is still ranked among the world's top five athletes in his field. He intends to continue competing until he turns thirty-five, and hopes to be sufficiently well off long before that to have enough spare time to train with the intensity needed to obtain the degree of fitness required for his level of competition, as he approaches his

maturity as an athlete.

He realises his family's support has been essential for his career. His mother, wife and four children have gallantly shared Loli's demanding lifestyle, full of training sessions, travel, and competitions. And when he is not training or competing, he also finds time to organise sports events in Esquel. Loli has promoted athletics and tourism to levels previously unheard-of in the region.

This was possible because he has become the local expert in outdoors competition and therefore producers of TV outdoor reality shows always require his services as guide and technical consultant. Thus, programmes such as "Expedición Robinson" (Robinson Expedition) and "El Conquistador del Fin del Mundo" (The World End's Conqueror), which have been watched by millions around the world, have benefited from his expertise.

When the producers came to this area for the first time, he recalls, he suggested they go, on foot and in mid-winter, to the Bagillt Lake Natural Reserve, quite a distance away. "Even if I have to carry you on my back, I well not let you leave without seeing that place," he told them. "That place" turned out to be the one the producers liked best for their show, and –under Loli's guidance– around 300 local hands were employed and many services sourced to local businesses.

Loli is always on the lookout for new sites to offer these filmmakers, many of

ron esa vez unas 300 personas junto a un sinnúmero de servicios contratados en la zona a la que planean volver.

Loli busca y ofrece permanentemente nuevos sitios maravillosos como escenarios para las filmaciones, muchos de ellos ubicados sobre La Ruta de los Galeses, como por ejemplo la fabulosa Piedra Parada con su cañadón de la buitrera, un laberinto de paredes rocosas de 180 metros de altura que se prolonga a lo largo de 3 kilómetros. De este modo, las antiguas sendas de sus ancestros son promocionados como atractivos para los amantes del deporte y la vida en la naturaleza.

La educación para una vida sana es una especie de obsesión en Loli, que organiza frecuentemente pruebas no necesariamente competitivas destinadas a promover la salud, por los senderos de su región que él conoce como nadie. Es que tiene bien claro que las mejores marcas en la vida de los jóvenes, son las que proporcionan las experiencias de los tiempos primeros.

Por eso mismo vuelve a su infancia para recordar la casa donde se crió, la misma donde luego filmaron la película "Flores Amarillas en la Ventana". Y confiesa tener necesidad de saber más de su familia y de sus raíces. Desea que los temas de nuestra historia regional resulten pronto de enseñanza obligatoria para todos los chicos en las escuelas.

"Y algún día espero competir en Gales", afirma con la misma confianza con la que –le digo– me lo imagino acompañándonos para pre-

sentar allí alguna vez nuestro libro. "¿Por qué no?" responde con una sonrisa alentadora llena de amable complicidad. Se entusiasma pensando las nuevas historias y los lugares olvidados que pueden inspirar a futuro nuevas producciones televisivas y cinematográficas y consiguientemente nuevos productos turístico-deportivos, como los que se están diseñando ahora en los países que ya vieron los programas de televisión que él contribuyó como nadie a concretar desde su pequeña ciudad.

Al finalizar la entrevista, y mientras lo acompañaba hasta la puerta, traté de imaginarme qué título podría llevar esta parte del libro. Pensé en algo así como "Loli, el conquistador del mundo" pero la frase me sonaba –aunque no demasiado exagerada a la luz de los logros del entrevistado– algo reiterada, un poco ampulosa y probablemente incompleta. Era una tarde nublada de invierno y nos despedimos sobre la calle que separa nuestras casas ubicadas a muy pocos metros.

Al darme vuelta miré hacia el oeste donde el viento desplazaba las nubes descubriendo una pálida luna llena. Entonces vi también claramente el Trono de las Nubes, al que por alguna razón sentía que Loli había hecho honor tantas veces trepando los Andes, elevándose graciosamente como el canto milenario de su pueblo. No se si para conquistar el mundo, tal vez solamente para pintar sobre el cielo el corazón de su aldea patagónica y ser, junto a ella, sencillamente universal.

them on the Route of the Welsh, as Piedra Parada for example or the Buitrera gully, a 3-kilometre maze of gullies with 600-foot walls. In this way, he promotes the use of the ancient trails of his ancestors as attractive places for people that love nature and sports.

Educating the young for a healthy lifestyle is a kind of obsession with him, so he frequently organises non-competitive events on the trails of the region he knows so well. He firmly believes these early experiences will leave a mark on the children that in time will prove fundamental for their well-being.

He looks back at his childhood and remembers the house he grew up in, the one where the film "Flores Amarillas en la Ventana" was shot. And he admits that he would like to know more about his family and his roots. He would also like the curricula of our local schools to include regional history.

"And some day I expect to compete in Wales," he states with the same self-confidence that we believe he would show if he accompanies us to this book's presentation there. "Why not?" he says, flashing an encouraging smile at us. And again he speaks of the new stories and forsaken places that could inspire future TV and cinema productions, new tourist and sports products, just like the ones that are being designed today in the countries where the rea-

lity shows he helped produce have been watched by so many.

The interview was over. While I showed him to the door, I tried to imagine the title for this section of our book. Something like "Loli, the World Conqueror" came to my mind, but this sounded commonplace, a bit boastful, and probably incomplete–albeit not totally exaggerated, in view of his achievements. It was an overcast winter afternoon, and we said good-by on the street that separates our homes, which are just a few metres from each other.

When I turned back, I looked west. The clouds were moving in the soft wind, uncovering a pale full moon. I could make out the Throne of the Clouds mountain clearly, that had been honoured by Loli so many times when climbing in the Andes, rising gracefully, as the age-old songs of his people. Not to conquer the world, but maybe only to paint the heart of his Patagonian village in the sky and become, with it, simply universal.

El edificio del Molino Andes, creado en 1897 por John Daniel Evans, es hoy la sede del Museo Regional y del Concejo Deliberante de Trevelin.

John Daniel Evans founded the Andes Mill in 1897. Its building now houses the Regional Museum and the Town Council of Trevelin.

Evans, baqueano y molinero

Evans: a guide and a miller

Seguir la vida de John Daniel Evans, es seguir la evolución de la colonia galesa del Chubut. Sólo tenía tres años de edad cuando llegó con su familia a bordo del Mimosa, y su infancia transcurrió en el valle inferior del Chubut en medio de las privaciones de los duros tiempos iniciales, jugando y educándose con sus amigos tehuelches, a quienes llamaba "hermanos del desierto".

A temprana edad, en 1884 Evans protagonizó junto con otros jóvenes una incursión aventurera en busca de oro hacia el Oeste, que finalizó con la tragedia de los Mártires, de la que sobrevivió casi milagrosamente gracias a la fortaleza de su ya famoso caballo criollo, el Malacara (ver Pág 153). En ese tiempo, el clima de convivencia pacífica que los galeses habían mantenido durante casi veinte años con los pueblos originarios ya se había visto alterado, en medio de la hostilidad y el recelo que sobrevino a la persecución de los indígenas por las tropas nacionales, decididas a ocupar su territorio durante la Campaña del Desierto.

Evans, por su conocimiento del terreno, fue "El Baqueano" de las dos expediciones de los Rifleros de Fontana y del primer traslado a la Cordillera con vagones. Era ya una experto en la ruta de los galeses cuando se instaló definitivamente en la Colonia 16 de Octubre, donde todavía se lo recuerda como un tenaz emprendedor.

Luego de realizar diferentes intentos de fabricar harina con un molino manual en 1891, fue el artífice de la creación en 1897 del Molino Andes que, por su importancia, finalmente inspiraría el nombre que recibió Trevelin; en galés, el "Pueblo del Molino". Por eso se lo conoció también con el apodo de Evans "El Molinero" como se titulan sus valiosas memorias. Las mismas nos revelan que enfrentó el desafío de su emprendimiento en medio de una viudez prematura que lo dejó sólo junto a cinco pequeños hijos. En 1900 volvió a casarse.

El éxito que tuvieron los primeros arreos a Chile concretados por otros colonos en busca de nuevos mercados, alimentó en Evans una idea que luego se transformaría en una verdadera obsesión: la integración con Chile a través de nuevos caminos que permitieran transportar y comercializar otros productos como la harina.

Antes que ello, su espíritu innovador quedó reflejado en otra iniciativa privada que promovió y concretó en 1916 en sociedad con el señor Rhys: una central telefónica que con-

To trace the life of John Daniel Evans is to trace the life of the Welsh Colony in Chubut. He was only three years old when he arrived with his family on the Mimosa, so he spent most of his childhood at the lower valley of the Chubut River, during the hardship of the initial years. He used to play and attend school with many Native boys, his Tehuelche friends, whom he called his "Brothers of the Desert." As a young man, in 1884 Evans and some Welsh friends set off on an adventurous trip west, looking for gold. The journey ended with the Martyr's episode, which he miraculously survived thanks to the stamina of his "criollo" horse, called "Malacara" (a name used for horses that sport a wide white band along the front of their face –see page 153). At the time of this tragedy, the friendly co-existence that had prevailed between the Welsh and the Natives for twenty years had been altered; with the Conquista del Desierto campaign, the national troops had chased the Native population out of their territories, bringing about an upsurge of hostility and distrust towards white man.

Due to his knowledge of the land west of the Colony, Evans was chosen as the "baqueano" (guide) on both Fontana's expeditions, and also for the first wagon train trip to the Andes. When he finally settled in the "16 de Octubre" Colony, he was already a real expert on the Route of the Welsh.

But in the Andes he is also remembered as a resolute entrepreneur. After some attempts at manufacturing flour with a hand mill in 1891, he later was the driving force behind the creation of the "Molino Andes" in 1897, which in time turned out to be so important for the new Colony that it inspired the name of its town: Trevelin, "The Town of the Mill." And so it was that the "baqueano" earned another tag after his name: Evans, The Miller, as his valuable memoirs are titled. Reading them one learns that at the time he undertook this enterprise, his wife died and he was left a premature widower with five children to take care of. He later remarried in 1900.

Searching for new markets for their produce, some colonists in the Andes had started making successful sales of cattle on the hoof to Chile and embarked on a profitable cattle drove business. Evans was highly motivated by this, and an idea came to his mind, that would later turn into a real obsession: he would find the way to integrate Argentina and Chile, build new roads across the border to transport and sell

289

tribuyó muchísimo a mejorar la situación de aislamiento de los colonos. La red se extendía por toda la Colonia y tuvo oficinas en Esquel y en el naciente Trevelin, cuya primera Comisión de Fomento le tocó presidir.

Muchos detalles de su vida fueron rescatados por su hijo Milton y su nieta Clery, traduciendo y compilando añejas libretas de anotaciones en galés. Una parte de las mismas vieron la luz por primera vez en 1994 con la edición del libro "John Daniel Evans, El Molinero", una obra que resulta clave para entender la historia regional y valorar a este gran pionero de la colonización andina.

LA CASA DEL ABUELO Y EL JARDÍN DONDE DESCANSA EL MALACARA

En Trevelin, muy cerca de la entrada viniendo desde Esquel, viven todavía los descendientes de John Daniel Evans, en la propiedad original de la familia que ahora han abierto al público. Dentro del hermoso jardín, puede visitarse la tumba del caballo Malacara que su abuelo le dedicara al noble animal.

Cerca de la misma, su nieta Clery Evans ha construido –mediante un encomiable esfuerzo personal– un pequeño y hermoso museo; allí, visitantes de todo el mundo escuchan, según su particular estilo, las historias de este pionero. Como ésta que citamos textualmente de sus Memorias:

"En el mes de junio de 1888 (apenas cuatro después de la tragedia de los Mártires) partí para Patagones para concretar la compra de caba-

llos, yeguas y aperos para trasladarnos y poblar la Colonia de los Andes. En el trayecto entre Valcheta a Patagones, lo que viví me dolió y aún lo lamento, lo acá ocurrido me marcó el alma duramente, estaba en uno de los mejores momentos de mi vida, juventud, lindo futuro, generalmente lo que me proponía lo lograba, pero esto me era imposible de comprender. El camino que recorríamos era entre toldos de los indios que el Gobierno había recluido en un reformatorio. En esta reducción, creo, se encontraban la mayoría de los indios de la Patagonia, el núcleo más importante estaba en las cercanías de Valcheta; estaban cercados por alambre tejido de gran altura, en ese patio los indios deambulaban, trataban de reconocernos, ellos sabían que éramos galeses del Valle del Chubut, sabían que donde iba un galés seguro que en sus maletas tenía un trozo de pan, algunos aferrados del alambre con sus grandes manos huesudas y resecas por el viento intentaban hacerse entender hablando un poco castellano, un poco galés '...poco bara chiñor, ...poco bara chiñor...' (un poco de pan señor).

"Desde los comienzos de la Colonia Galesa los indios tehuelches que frecuentaban la zona motivados por el trueque o para pasar el invierno, habían aprendido a pedir pan en galés: bara (pan). Los indios tehuelches durante el verano se instalaban en los valles de la cordillera con sus toldos y su ganado, entrado el otoño levantaban campamento y se situaban cerca de Glyn Du a la vera del río Chubut, es aquí

other products as well; for instance, flour.

But before he went into that venture –and showing his innovative spirit again– in 1916 he went into business with Mr Rhys to set up a telephone exchange, which greatly contributed to end the settlers' isolation. The telephone network covered the whole Colony and had its offices in Esquel and in the budding town of Trevelin. Evans was also the President of the first Town Commission.

Thanks to the work done by Milton, his son, and Clery, his granddaughter, many facts of Evans's life were recovered and compiled from some of his old notebooks, which were written in Welsh. In 1994 "John Daniel Evans, 'El Molinero'" was published, a fundamental reference book for those who wish to study the history of the region. It also gives this great pioneer his due.

THE GRANDFATHER'S HOUSE AND THE GARDEN WHERE THE "MALACARA" RESTS.

John Daniel Evans's descendants still live at the original family property in Trevelin, near the town's entrance coming from Esquel. They have now turned part of this place into a small museum and, in its lovely garden, one can visit the grave of the "Malacara", dedicated by their grandfather to his beloved horse.

Clery Evans, the miller's granddaughter, has built this charming little museum almost single-handedly; a worthy effort to keep his story alive. In her distinct style, every

season Clery tells her pioneer grandfather's story to many visitors from around the world. Like the following one, quoted from his memoirs:

"In June 1888 (just four years after the Martyrs tragedy) I was travelling to Patagones to buy some horses, mares, and riding gear we would need on our trip to settle in the Andes. What I witnessed that day between Valcheta and Patagones hurt me deeply. I still regret what happened there. It made a permanent mark on my soul, just when I was living one of the most wonderful periods in my life: I was young, the future looked promising, and I generally had my way with things. I just couldn't understand. We were riding along the "toldos" of the Natives that had been confined to the Government's detention camp. I believe that most of the Patagonian Natives were imprisoned in this settlement. The greatest concentration was near Valcheta where they were shut in by a tall chain-link fence. On seeing us, the Natives walked along the fence trying to recognise us, because they knew we were Welsh from the Chubut Colony, and also knew that wherever a Welshman travelled he surely carried a loaf of bread in his saddlebag. Some of them clung to the fence with their big, bony, wind-withered hands, and tried to make themselves understood a bit in Spanish and a bit in Welsh '...a little *bara* chinior...a little bara chinior' (a little bread, Sir).

"Since the early years, the Tehuelche that came to trade or to winter at the Colony had learnt to ask for bread in Wel-

donde frecuenté al Hermano del Desierto que tantas destrezas me enseñó y en especial recuerdo a mi amigo hijo de una de las mujeres de Wisel.

"Al principio no lo reconocí pero al verlo correr a lo largo del alambre con insistencia gritando 'bara, bara', me detuve cuando lo ubiqué. Era mi amigo de la infancia, mi Hermano del Desierto, que tanto pan habíamos compartido. Este hecho llenó de angustia y pena mi corazón, me sentía inútil, sentía que no podía hacer nada para aliviar su hambre, su falta de libertad, su exilio, el destierro eterno luego de haber sido el dueño y señor de las extensiones patagónicas y estar reducidos en este pequeño predio. Para poder verlo y teniendo la esperanza de sacarlo le pagué al guarda 50 centavos que mi madre me prestó para comprarme un poncho, el guarda se quedó con el dinero y no me lo entregó, sí pude darle algunos alimentos que no solucionarían la cuestión. Tiempo más tarde regresé por él, con dinero suficiente dispuesto a sacarlo por cualquier precio y llevarlo a casa, pero no me pudo esperar, murió de pena al poco tiempo de mi paso por Valcheta."

sh: *bara*. During the summer the Tehuelche families would move to the Andes valleys with their "toldos," driving their cattle along. When winter was about to set in, they would strike camp and return to the Chubut Valley, and erect their "toldos" again near Glyn Du, on the river banks. It was at this place that I frequently got together with our Brothers of the Desert, who taught me so many skills. The one I remember most was my friend, the son of one of Wisel's wives.

"I didn't recognize him at first, but when he ran along the fence crying 'bara, bara' I stopped. He was my childhood friend, my Brother of the Desert, with whom I had shared so much bread. My heart sank. I felt helpless: there wasn't anything I could do to ease his hunger, his confinement, his exile, the eternal expatriation of his people after having been the lords of the Patagonian vastness, now reduced to this miserable lot of land. To get near him, and hoping to take him away with me, I gave the guard the 50 cents my mother had lent me to buy a poncho, but he kept the money and didn't release him. I managed to give my friend some food, which was no solution at all to his dire situation. Some time later I came back for him, with enough money to pay whatever price they asked to release him so I could take him home. But he couldn't wait for me to come, he died from sorrow soon after I saw him in Valcheta."

Clery Evans sostiene el retrato de su abuelo junto a su querido Malacara, en el lugar en que éste fue enterrado por su dueño.

At the place where the "Malacara" was buried by his master, Clery Evans holds a portrait of her grandfather, John Daniel Evans, with his beloved horse.

La noche anterior al trágico episodio de los Mártires, John Daniel Evans y sus compañeros se refugiaron dentro de estas formaciones rocosas, tal vez sospechando que una partida indígena los perseguía (km 250).

The night before the tragic Martyrs' incident, John Daniel Evans and his companions camped inside these rock formations, fearing a party of Natives were after them (km 250).

JORGE MIGLIOLI

Finalizado el largo invierno, florece en los campos el espinoso y salvaje calafate nativo, verdadero símbolo de la región. Los tehuelches lo llamaban koonek, y dice la leyenda que una anciana sin fuerzas para viajar, abandonada en invierno cuando la tribu migraba hacia el norte, se transformó en calafate para alimentar a los pajaritos con sus frutos dulzones y darles abrigo contra el viento helado. Así logró que se quedaran con ella, remediando para siempre su soledad.

En la misma época florecen en los jardines patagónicos los dorados narcisos, al que los galeses llaman 'cenhinen Bedr'. Es la flor nacional que en Gales adorna los ojales todos los 1° de Marzo, el día de San David, patrono de ese país. Juntos, cada uno a su manera y en pacífica convivencia, son los heraldos de la primavera en la Patagonia.

Once the long winter is over, the thorny native calafate blooms in the fields, a true symbol of the Patagonian region. The Tehuelche called it "koonek," and legend has it that an old woman who was too feeble to travel north was left behind by her tribe one winter, and that she turned into a calafate bush so as to feed the small birds with its sweet berries and provide them shelter from the icy wind. Thus, she got them to stay with her and remedied her loneliness forever.

At the same time of the year, the golden daffodils —which the Welsh call "cenhinen Bedr"— bloom in the Patagonian gardens. It is Wales' national flower, that people wear proudly on their lapels every 1st of March, St David's (the patron saint of Wales) day. Both calafate and daffodil, each in its own way and in pacific coexistence, are the heralds of spring in Patagonia.

Saliendo de Esquel hacia Tecka, puede ingresarse al Cwm Hyfryd por la ruta provincial 34, admirando las lagunas Cronómetro y Súnica y el valle del Río Corintos, hasta llegar finalmente a Trevelin. En el camino pueden visitarse la Piedra Holdich -ubicada frente a la Estancia El Fortín- y el Museo de la Escuela N° 18. Es posible revivir así las históricas jornadas de los días 29 y 30 de abril y 1° de mayo de 1902. La bandera azul y blanca flameaba el 29 en la entrada a la Estancia El Fortín (entonces de Martín Underwood) cuando ingresaron a ella el árbitro Holdich y su comitiva, y también el 30 en la Escuela N° 18 cuando los vecinos de la Colonia le expresaron que esperaban ansiosamente del gobierno argentino los títulos de propiedad de las tierras que ocupaban desde 1888. El 1° de mayo el Perito Moreno hizo descubrir una piedra grabada recordando la visita del árbitro. Aunque no haya testimonios escritos que permitan demostrar la existencia formal de un plebiscito, lo cierto es que el espíritu unánime que reunió a la Colonia aquella vez es recordado emotivamente cada 30 de abril.

Cien años después que sus bisabuelos, los bisnietos de Moreno y Holdich posan frente a la misma piedra, junto a una nueva generación.

A hundred years after their great-grandfathers did, Moreno and Holdich great-grandsons pose for a photograph in front of the same rock, side by side with a new generation.

Between Esquel and Tecka there is a detour on the paved road allowing visitors to return to Cwm Hyfryd on Provincial Highway 34, along the Cronómetro and Súnica lakes and the Corintos River valley, finally reaching Trevelin. On the way they can stop at the Holdich Stone —accros the road from the entrance to the "El Fortín" ranch— and the No.18 School Museum. In this way, they can relive the historic days of April 29 and 30, and May 1st, 1902. On April 29, Argentina's blue and white flag was flying at the gate when British arbitrator Sir Thomas Holdich entered the "El Fortín" ranch (which belonged to Martin Underwood at the time), as it did the following day at the No. 18 School, where the settlers voiced their hopes that the Argentine government would promptly grant them the property of the lands they had inhabited since 1888. On the 1st of May the "Perito" Moreno had a large memorial stone unveiled, on which an inscription had been engraved recording the arbitrator's visit. Although no documentation has been found to prove if a formal plebiscite to determine the settlers' preferences on nationality was held at all, the fact remains that the spirit that united the Colony on that occasion is remembered with emotion every year on April 30th .

Esta foto muestra al primer maestro galés de la primitiva Escuela 18, posando junto a sus alumnos. Puede advertirse claramente la integración de los hijos de los colonos galeses con los descendientes indígenas.

The first Welsh teacher with his pupils in front of the original building of the No. 18 School. Integration between the settlers' and Natives' children clearly stands out in this historic photograph.

294

El laudo del Rey

The King's Award

En su tratado (de 1881), Argentina y Chile acordaron demarcar la frontera por las altas cumbres de los Andes, "entre las aguas que fluyen hacia el este y el oeste". Las cimas coinciden con la divisoria de aguas en el norte, donde llueve más sobre la ladera oriental. Pero esto cambia hacia el sur: en la Patagonia, la ladera húmeda es la occidental, y los caudalosos ríos con pendiente hacia el pacífico han "cavado" sus cañones atravesando la Cordillera hasta el primer altiplano detrás de ella. Allí los demarcadores se encontraron con problemas y ambas naciones se armaron para la guerra por el territorio en disputa.

Para comprender por qué las cimas y la divisoria de aguas no coinciden en la Patagonia, debemos retrotraernos a las condiciones existentes antes de que crecieran los Andes, y seguir los cambios a medida que los ríos se adaptaron al surgimiento de la cordillera. Al principio, el paisaje era una llanura extensa entre el Atlántico y el Pacífico. Ríos morosos fluían hacia cualquiera de los océanos, cruzando pantanos, campiñas y bosques. El clima era suave. Había manadas de antílopes, gatos enormes con dientes de sable, rinocerontes e, incluso, una especie de camello. Era la época del Terciario medio y tardío, entre diez y cuarenta millones de años atrás.

Pero miles de kilómetros debajo de la superficie, el calor había comenzado a acumularse y las rocas fundidas perforaron su camino hacia arriba, surgiendo con vigor. No es un proceso sencillo y puede haber otras explicaciones, pero ésta parece adaptarse bastante bien a los hechos: se desarrollaron zonas calientes a lo largo de toda la costa occidental de América del Sur y brotaron burbujas de granito derretido, que hoy son los Andes. Mientras la cordillera nacía despacio, como todas las montañas, durante la era del Plioceno, pasaron millones de años. Los ríos cavaron sus cañones con rapidez, hundiéndose profundamente en los flancos y extendiendo sus brazos por las tierras altas como las ramas de un árbol. En las crestas, compitieron por el territorio y ganaban aquellos que tenían la caída más empinada. Se trataba siempre de los que poseían el recorrido más corto hasta el Pacífico.

Así, la divisoria se fue desplazando hacia el este y en algunos lugares llegó hasta las mesetas que estaban detrás de las montañas. Alrededor de un millón de años atrás, el frío envolvió la tierra. En la Patagonia hubo grandes nevadas y se desarrollaron los glaciares. Hubo tres episodios de glaciación. Los grandes ríos de hielo cavaron hondo y ensancharon los cañones: el hielo arrancaba las piedras y las arrastraba hasta apilarlas allí donde la masa congelada se derretía. Cuando los glacia-

In 1881 Argentina and Chile agreed to fix their international boundary along the crest of the Codillera de los Andes "between the waters that flow to the east and the west." In all the northern region the heavy rainfall is on the eastern slope, and the summit and the watershed coincide. But as one goes south, winds and rains reverse the relations. In Patagonia it is the western slope that is wet, while the eastern is drier, and rivers of the Pacific slope have pushed their canyons eastward across the high crest to the first plateau beyond it. There the surveyors found trouble and the two nations armed for war over disputed territory.

To understand why the summit and the watershed do not coincide, we have to go back to the time before the Andes began to grow and to follow the changes of scene as the rivers adjusted themselves to the rising range. At the beginning, the Patagonian landscape presented an extensive plain, stretching clear across from Atlantic to Pacific. Sluggish rivers flowed to either ocean through swamps, grasslands, and forests. The climate was mild. There were herds of antelope, big cats with saber-like teeth, rhinoceros, and even a sort of camel. It was the time of the middle and late Tertiary ages, ten to forty million years ago.

But in the hidden laboratory of the globe, miles below the surface, heat had been ga-thering and the melted rock bore its way upward, rising by its buoyancy. It is not a simple process and there may be other explanations; but that one seems to fit the facts fairly well. Hot spots developed all along the western coast of South America and bubbles of melted granite ascended here and there where the Andes now stand.[1] While the Cordillera rose during the Pliocene Age, slowly, as mountain ranges do, millions of years passed. The rivers sawed their canyons rapidly, sinking them deeply into the flanks and extending their branches into the highlands like the twigs of a tree. At the divides they competed for territory and the one with the steeper fall was the gainer. It was always the one with the short course to the Pacific.

Thus the divide retreated eastward, in places clear through the mountains to the plateau beyond them. Something like a million years ago the chill of the Ice Age crept over the earth. In Patagonia there was also heavy snowfall and glaciers developed. There were three episodes of glaciation. The great ice rivers dug deeply and widened the canyons: flowing ice grips the rock of its bed, pries it loose, and carries it away to pile it where the ice mass melts. When the glacier has melted entirely it leaves a lake or valley to occupy its deepened channel. There are many such lakes in

Bailey Willis

295

A la derecha de la foto, el Museo del Plebiscito, instalado en el segundo edificio que ocupó la Escuela No 18. A la izquierda, un cuadro representa a los colonos reunidos el 30 de abril de 1902 frente a la escuela original, a unos mil metros de allí.

The second building of No.18 School now houses the Plebiscite Museum. At left in the image, a painting represents the meeting of the settlers on April 30, 1902 in front of the original school —about a thousand meters from this place.

res se retiraron, dejaron lagos o valles ocupando sus surcos enormes. En la región hay muchos de estos lagos, grandes y chicos. El Nahuel Huapí mide 128 kilómetros de largo. El lago Buenos Aires, más al sur, se extiende a través de la cordillera por 480 kilómetros. Otros, como el Futalaufquen, se ramifican, siguiendo los valles fluviales que ocupan. Todos presentan paisajes de una grandeza magnífica. En las nacientes de los altiplanos, al este, los riachos no encuentran su curso. Hay mesetas chatas, donde las lluvias torrenciales pueden acumularse en inundaciones temporarias y fluir con indiferencia hacia un lado o el otro. Un arroyo que desciende de las montañas puede tomar cualquier dirección. Yo estuve parado en una de esas corrientes y vi cómo las aguas, divididas por las patas de mi caballo, divergían a mi derecha hacia el Pacífico, a mi izquierda hacia el Atlánti-

the region, large and small. Lago Nahuel Huapi is eighty miles long. Lago Buenos Aires, far to the south, stretches across the Cordillera a distance of three hundred miles. Others, like Lago Futalaufquen, branch after the manner of the river valleys they occupy. All present scenes of magnificent grandeur, grandest of all when the profound gorge cuts across the crest of the range. Far to the east, at the headwaters on the plateaus, the rivulets are uncertain of their course. There are flat, gravelly plains, so flat that torrential rains may gather in temporary floods and flow indifferently east or west. Or a brook descending from the mountains may take either direction. In such a a stream I have sat on my horse and seen the waters parted by his legs diverge toward my right to the Pacific, toward my left to the Atlantic. Little wonder that the Argentine and Chilean explorers failed

co. No es una sorpresa que los exploradores de la Argentina y de Chile no se hayan podido poner de acuerdo con respecto al límite internacional. Las altas cumbres de la cordillera estaban al oeste, la insignificante divisoria de aguas al este, y entre ellas se extendía una zona repleta de valles ricos, bosques extensos y bonanzas posibles que excitaban los deseos nacionales. Ambos países eran representados por especialistas. Nunca conocí al chileno, pero el geógrafo y científico argentino, Francisco P. Moreno, se convirtió, años después, en mi colega inspirador y en un cálido amigo.

La guerra se evitó gracias a un artículo del tratado de 1856, que estipulaba que en caso de surgir una disputa limítrofe ésta debería ser sometida a la decisión de un poder amigo. El rey Eduardo de Inglaterra fue elegido como árbitro; en la necesaria exploración de los Andes Patagónicos, cuya superficie es equivalente a la región de las Montañas Rocallosas de los Estados Unidos más todo México, fue representado por un funcionario de gran experiencia con los límites de India y Persia, el coronel Sir Thomas H. Holdich. En su libro "Countries of the King's Award" dice que se basó para la división del territorio en un "principio del derecho de paso": de ser posible, cualquier zona productiva dentro de la cordillera debía contar con una salida actual o futura hacia el comercio mundial, a través de tierras de su propia nacionalidad. Allí donde era practicable, el límite fue fijado a lo largo de las altas cumbres o de la divisoria de aguas; pero el árbitro no dudó en cortar a través de lugares como el lago Buenos Aires, que desemboca tanto hacia el este como hacia el oeste. Sir Thomas aplicó la regla del sentido común y el fallo nunca fue cuestionado.

Extraído de *"Un Yanqui en la Patagonia"*.

to agree on the international boundary. The broken crest of the Cordillera lay to the west, the insignificant divide of the waters to the east, and between them stretched a region where rich valleys, extensive forests, and possible bonanzas excited national desires. Both countries were represented by specialists. The Chilean I never knew, but the Argentine geographer and scientist, Francisco P. Moreno, became in later years an inspiring colleague and my warm friend.

War was avoided only because of an article in a treaty of 1856, which stipulated that in case of a boundary dispute the issue would be submitted to the decision of a friendly power. King Edward of England was chosen as arbitrator and he was represented in the necessary exploration of the Patagonian Andes, equivalent in area to the Rocky Mountain region in the United States plus all of Mexico, by an officer of long experience on the borders of India and Persia, Colonel Sir Thomas H. Holdich. In his book, the "Countries of the King's Award," he makes clear the principle on which he based the division of territory between the two rival nations. It might be called the principle of a right of way. Any productive area within the Cordillera should, if possible, have a passable connection by water or by future roadway with an outlet to the world's commerce, through lands of its own nationality. The terms of the original boundary treaty were followed where practicable, the line being fixed along a high crest or on a divide between watersheds; but there was no hesitation in cutting across such features as Lago Buenos Aires, which has outlets both east and west. Sir Thomas applied the rule of "common sense" and the award has never been questioned.

Extracted from *"A Yanqui in Patagonia."*

JORGE MIGLIOLI

Taza con bigotera perteneciente al Museo Regional de Trevelin. ¿Habrá estado en el famoso té-concierto que la colonia galesa del Valle 16 de Octubre ofreció al árbitro?

This tea cup with a moustache-guard is displayed at the Trevelin Regional Museum. Could it be that it was used during the famous tea-concert the "16 de Octubre" Welsh Colony offered the English arbitrator?

Al Río Grande confluyen las aguas de todo el Parque Nacional Los Alerces y del resto de la cuenca Futaleufú.
The Río Grande or Futaleufú collects the waters of the whole Los Alerces National Park and beyond.

JORGE MIGLIOLI

con los integrantes de la comunidad galesa que ganaron definitivamente su corazón.

Tal era su entusiasmo que incluso pensó en convertir a uno de los protagonistas principales de la película en un galés, aunque luego se dejó de lado esa idea por falta de tiempo para modificar el guión original. Caballos Salvajes se filmó a lo largo de la ruta de los galeses usando distintos escenarios de Puerto Madryn, Rawson, Trelew, Gaiman, Los Altares, Esquel y Trevelin. Fue un éxito taquillero importante que permitió desarrollar también una capacidad logística de apoyo a otras producciones que se filmaron posteriormente. Tal es el caso de Flores Amarillas en la Ventana (filmada en Esquel) y El Viento se Llevó lo Qué (Río Pico) y de otras tantas que están proyectadas. Aprovechando los ambientes de una región de película y uno de sus mayores atractivos: el paisaje humano.

companions that Marcelo demanded to know more about the Welsh culture. Later that evening we had dinner with some Welsh community members, who finally won over his heart.

He got so excited that he even considered modifying the script of his movie, turning one of the main characters into a Welsh descendant, but later dropped the idea for lack of time to introduce the necessary changes. "Caballos Salvajes" was finally shot along the Route of the Welsh, at Puerto Madryn, Rawson, Trelew, Gaiman, Los Altares, Esquel, and Trevelin. The movie turned out to be a box-office success, and its production helped to enhance the local capacity to support the making of other films, such as "Flores Amarillas en la Ventana" (Yellow Flowers in the Window) in Esquel, "El Viento se Llevó lo qué" (What has Gone with the Wind?) in Río Pico, and other future projects, making good use of a region that looks like a scene from a motion picture, and of one of its greater attractions: its human landscape.

El leñero de la Cabaña El Cóndor, de Rhianon ap Iwan.
The colourful firewood store at El Cóndor stud farm, belonging to Rhianon ap Iwan.

302

Las cascadas de Nant y Fall y el Lago Bagillt

El nombre Nant y Fall significa "Arroyo de las Cascadas". Así se denomina además el Area Protegida Provincial de enorme belleza ubicada dentro de un predio privado ubicado a 19 km de Trevelin sobre la ruta nacional N°259 que conduce a Chile. Actualmente, miles de visitantes, luego de ascender por un empinado camino, acceden para contemplar la imponente visión que ofrecen tres de los siete saltos de agua que el arroyo contiene en su trayecto: La Petiza, Las Mellizas y La Larga.

La creación del Area Protegida Nant y Fall se produjo en 1994 merced a un acuerdo entre la señora Glenys Owen y el Estado Provincial que marca el inicio de un entendimiento entre los dueños de las propiedades privadas y el administrador de los recursos naturales. Pero el origen de la misma se remonta veinte años atrás, cuando ella tuvo la iniciativa y el tesón de utilizar su campo de un modo no tradicional, promoviendo el aprovechamiento de sus indudables atractivos para el uso turístico. Mientras tomamos un té, Glenys nos cuenta su historia con gratitud y simpleza.

La madre de Glenys se llamaba Constanza Freeman y fue la última de los quince hijos que tuvieron William Freeman y Mary Ann Thomas, legendaria partera del Chubut, a quien "le gustaba amasar el pan tanto como traer niños al mundo: esa unión mágica que, al calor, se transformaba en vida". Dos anécdotas nos recuerdan cuán ligada a los viajes por la ruta entre el Camwy y el Cwm Hyfryd, estuvo signada la vida de la familia.

Una nos cuenta que, como ya vimos, durante su primer viaje a la cordillera en 1891, Mary Ann Thomas dio a luz a una niña en un sitio llamado Hospital, después de cruzar el Río Chico. Llamaron a su bebita Mary Paithgan (nacida en el desierto). Muchos días y cientos de kilómetros después llegaron con ella al Oeste, donde fueron recibidos por el comisario de la colonia Martín Underwood e hicieron pan.

La otra cuenta que, durante un viaje a Trelew con su padre alrededor de 1915, Constanza vería por primera vez al que luego sería su esposo que entonces marchaba hacia el Oeste para poblar un campo en la cordillera, poco después de haber desembarcado proveniente de Gales.

"Connie", nos recuerda Glenys, "falleció a los 95 años. Papá falleció mucho antes, cuando yo tenía 4 años. En 1945, cuando cumplí los 15, el tío abuelo decidió vender el campo. Mamá decidió repartir en vida lo suyo y a mí me tocó Nant Fall. Ya que es montañoso y no tenía donde sembrar trigo ni pasto, a mí se me ocurrió promover el turismo. Para

Nant y Fall falls and Bagillt Lake

"Nant y Fall" is Welsh for "the stream of the falls." The Nant y Fall Provincial Protected Area, which includes the three most scenic falls (out of a total of seven), is just 19 km from Trevelin on NH 259, on the way to the border with Chile. Every year thousands of visitors drive their cars up the steep road to admire the "La Petiza," "Las Mellizas," and "La Larga" falls. This protected area lies within private property, and was created in 1994.

The agreement between its owner, Glenys Owen, and the Province was a landmark for future understanding between the owners of the land where there are tourist attractions and the Provincial Government, designated by the Constitution to administer the natural resources of the province. However, the origin of this natural reserve goes back twenty years, when Glenys decided to look for a new, non-traditional way to secure returns from her land: she would find a way to attract tourists to this charming place. While she treated us to a cup of tea, she told us her story:

Glenys' mother was Constanza Freeman, the youngest of William Freeman and Mary Ann Thomas' fifteen children. Mary Ann was Chubut's legendary midwife, who "loved to bring children to this world as much as to knead dough for making bread: that magical union that, when heated, comes to life." Two stories fittingly picture how this family's life was bound to the journeys between the Camwy and the Cwm Hyfryd. One, which we have already mentioned, tells of their first trip to the Andes in 1891, when Mary Ann gave birth to a child at a place they called the "Hospital," after crossing the Río Chico. They named the girl "Mary Paithgan" (Mary born in the desert). Many days later they arrived at Martin Underwood's (the Colony's Chief of Police) place, where they baked their bread.

In the other story we learn how, on a trip to Trelew with her father in 1915, Constanza met the man who would later be her husband for the first time. He had just arrived from Wales and was on his way to settle in the west.

"Connie, my mother," Glenys told us, "died at the age of ninety-five. Father had died long before, when I was four. In 1945, when I was 15, our great-uncle decided to sell his part of the farm. Mother then decided to distribute her share of the land among her children while she was still alive, and I got Nant y Fall. As this land is quite mountainous, and there is no arable land to sow wheat or pastures in, it occurred to me that I could use it for tourism. Ignacio Garitano —then the Mayor of Trevelin— and Messrs Dolera, Fuhr, and Garat helped

abrir el camino que se inauguró en noviembre de 1974, me ayudaron mucho el Intendente Ignacio Garitano y los señores Dolera, Fuhr y Garat. Como estaban haciendo la ruta, le pagábamos a la topadora para que trabajaran aparte los fines de semana en nuestro camino y luego la Municipalidad me ayudó a terminarlo."

Pero el acceso no fue el escollo más importante que Glenys tuvo que superar, sino la incomprensión de algunos familiares que al principio le decían que había heredado el campo para trabajarlo y no para juntar turistas. Corrieron muchas lágrimas antes que la gente pudiera disfrutar de Nant y Fall. Para colmo, quedó viuda durante la misma temporada en que inauguró el sitio. "Pero no estoy arrepentida, me gusta mucho ver a la gente que llega, aunque ahora dejo a mis chicos para que trabajen."

Con el tiempo su madre comprendió el acierto de su decidida hija. Y ni que hablar de los que hoy llegan maravillados desde los sitios más lejanos para ver las cascadas por primera vez. ¡Era tanta, incluso, la gente de la zona que no las conocía! Muchos nunca habían accedido al lugar porque había que pedir permiso, conseguir la llave de la tranquera, y encima, subir a pié. Algunos se asustaban de la subida, pero "¡para ver cascadas hay que subir!" nos dice Glenys, quien antes de despedirnos nos recuerda que allá por los años '60, ella fue una de las primeras pescadoras con mosca de la región en la zona de los ríos Grande y Corintos y en Lago Rosario.

me to open the road from the highway, which was inaugurated in November, 1974. As they were building the highway, we paid the bulldozer to work on our road on weekends, and finally the municipality helped us to finish the job."

Nevertheless, the biggest obstacle Glenys had to overcome was not getting the access road built, but the lack of support and in some cases outright opposition to her plans by some members of her family. They admonished her for her ideas, and told her she had inherited her land to "work it proper," not to "gather" tourists on it; many tears were shed before visitors could enjoy Nant y Fall. To cap it all, her husband died the same season she inaugurated the site. "I have no regrets; I like to see all those people come. But now I let my children do the work," she concluded.

In time, her mother would realise that what her daughter had done was a success. Not to speak of those who –many from far away– come to visit the falls for the first time. There were even many locals who had never seen them! Before Glenys developed the place, visitors had to: first ask for permission to enter her property, get the key to the gate, and finally climb, on foot, to the top of the falls. Some were a bit afraid of the rather steep climb on the new road, but "to get a good view of a waterfall you have to climb!" Glenys joked. Before saying good-bye, she also reminded us that in the 1960s she had been one of the first to practise fly-fishing in the Río Grande, Río Corintos and Lake Rosario districts.

JORGE MIGLIOLI

El lago Bagillt se encuentra a 1.100 metros sobre el nivel del mar, unos 700 metros más alto que el fondo del Valle 16 de Octubre. Luego de una empinada cuesta, se llega a este hermoso lugar donde la vegetación cambia y el ciprés y el maitén dejan lugar a los majestuosos bosques de lenga, típicos de las zonas altas en la región. Para su adecuada preservación, este lago y sus alrededores han sido declarados Area Protegida Provincial.

Bagillt Lake lies at 1,100 metres above sea level, about 700 metres higher than the "16 de Octubre" Valley floor. After a steep climb, one reaches this beautiful place where vegetation changes and the "maitén" and "ciprés" trees are replaced by the typical high-altitude "lenga" (southern beech) forests. To preserve their pristine beauty, the lake and its bordering land have been declared a Protected Area by the Province of Chubut.

305

EL MOLINO DE MERVIN

MERVIN'S MILL

EL TRIGO EN EL CHUBUT

Mervin suele contar a su nutrida audiencia de turistas que en 1865 los galeses se establecieron en la costa atlántica, en tierras que muchos pensaban que no tenían valor agrícola. Los colonos tuvieron la misma impresión durante años, e incluso evaluaron muchas veces la posibilidad de dejar el lugar. Hasta que por casualidad, Rachel, la mujer de Aaron Jenkins, le sugirió a su

JORGE MIGLIOLI

esposo regar el cultivo aprovechando que el río estaba crecido. El resultado fue espectacular, y toda la comunidad se dio cuenta que allí estaba el secreto de su supervivencia.

En 1874 se fundó una de las primeras compañías de irrigación del país, en este caso privada. Más de 200 kilómetros de canales llegaron a regar miles de hectáreas y todo el valle producía trigo de excelente calidad, con un rendimiento mayor al promedio del país. Benjamín Brunt, de Dolavon, ganó el primer premio en la Muestra Universal de Paris de 1889, en la que se inauguró la Torre Eiffel. Cuatro años después, se llevó el premio de la Exposición Internacional de Chicago.

Pero los chacareros sufrían a manos de los intermediarios, por lo que David Roberts los convocó a una reunión de la que surgió la Compañía Mercantil Chubut, que empezó a operar en su casa de Gaiman en 1886, la primera construida allí. En pocos años tuvieron un éxito tal que tuvieron barcos propios y fundaron sucursales en los pueblos más importantes del Chubut; en la Cordillera en Arroyo Pescado, Tecka y Esquel. Sus frutos llegaban también a Europa y, si bien los galeses odiaban a los ingleses, a la hora de hacer negocios tampoco eran tontos ya que al descargar el trigo en Inglaterra, en plena Revolución Industrial, tenían la posibilidad de traer maquinarias sofisticadas, como calderas y cosechadoras a vapor. En el Valle del Chubut había máquinas importadas de Inglaterra, Australia, Canadá y Estados Unidos; era una de las áreas con más máquinas por habitante del país.

WHEAT IN CHUBUT

Day after day, Mervin Evans tells a numerous audience of tourists how the Welsh established the Atlantic colony in 1865, on lands that many thought were of little farming value. The settlers themselves were under the same impression for several years, so much so that they often thought of moving elsewhere. Until one day Aaron Jenkins' wife, Rachel, noticed that the river was swollen and suggested they take advantage of that to water their crops. The results were spectacular, making the whole community realise that irrigation was the secret to their survival.

In 1874 the colonists founded one of the first irrigation companies in Argentina, in this case a private one. More than 200 kilometres of canals were dug to water thousands of hectares. The whole valley produced wheat of excellent quality, with a higher yield than the national average. Benjamin Brunt, from Dolavon, won the first prize in a wheat contest held at the Universal Show of Paris in 1899 (the one the Eiffel Tower was built for). Four years later, he achieved the same feat at the Chicago International Show.

But the farmers were losing much of their profits at the hands of middlemen. This prompted David Roberts to call for a meeting, at which the founding of the "Compañía Mercantil del Chubut" (Chubut Mercantile Company) was decided. The CMC started operating in 1886, from his house in Gaiman –the first to be built there. They were so successful that in a few years they had their own vessels and opened new branches at the main towns in Chubut; in the Andes, at Arroyo Pescado, Tecka, and Esquel. Their produce reached as far as Europe, and –for all that they disliked the English– they brought back from England (which was in the middle of its Industrial Revolution) sophisticated equipment such as boilers and steam-powered threshers. At the Chubut River valley there was machinery that had been imported from the United States, England, Australia, and Canada; it was one of the most mechanised agricultural areas in the country.

Years later, 50 Welsh families settled in the Andes, on a land where adequate rainfall made irrigation unnecessary. Some sources say it was Thomas Morgan who harvested the first ton of wheat at the "16 de Octubre" Valley in 1891. Also, that at first there were three mills operating in the Andes: Rhys Thomas's

307

Años después, 50 familias se trasladaron a la Cordillera, donde encontraron un régimen de lluvias que hacía innecesario regar. En el Valle 16 de Octubre hay referencias de una primera tonelada de trigo cosechada por Thomas Morgan en 1891 y de 3 molinos originales: el molino a malacate de Rhys Thomas, el molinito a mano de John Evans y el molino hidráulico de Martin Underwood. Ya para 1909 se hablaba de 350 ha y en 1916 el Diario El Pueblo de Trelew estimó en casi 3.500 las ha

sembradas en los Andes. Para el año 1918 comenzó a trabajar el Molino Andes que podía moler hasta 20 toneladas diarias. Totalmente moderno, utilizando fuerza hidráulica, llegó a igualar en producción al que tenía Weber en Esquel. A fines de la década del 20 existían 22 molinos en la Cordillera. En la costa atlántica hubo también una veintena de ellos, que procesaban en esa época miles de hectáreas sembradas de trigo. Chubut se autoabastecía de harina y exportaba a Santa Cruz, a los pueblos vecinos

horse-driven mill, John Evans's little hand-mill, and Thomas Underwood's hydraulic mill. By 1909, around 350 ha a year were being sowed. The "El Pueblo" newspaper of Trelew estimated in 1916 that these had multiplied tenfold to 3,500. In 1918, the "Molino Andes" started to operate, processing up to twenty metric tons a day. This mill, driven by hydraulic power, was modern and could rival the one Weber had installed in Esquel. By the end of the 1920s there were 22 mills operating in the Andes. In the

Chubut Valley there were another 20 or so, which processed the produce of thousands of hectares sown to wheat. Chubut was a self-sufficient flour producer, and it exported its surplus to Santa Cruz, southern Chile, and overseas.

Unfortunately, some years later this initial boom would fade away at the Andes Colony. The "La Trochita" (The Old Patagonian Express) railway construction was coming closer to Esquel, gradually providing much cheaper freight costs, and allowing the flour from

308

chilenos y al exterior.

Pero, tiempo después, este crecimiento inicial en la Colonia 16 de Octubre se vería abortado: la paulatina llegada de las vías de "La Trochita" a Esquel abarataba los fletes, y surgió la competencia de harinas de las grandes zonas productoras de la pampa húmeda. Los molinos locales no pudieron igualar las harinas más blancas, más baratas y de mejor rendimiento para el panadero que venían de Bahía Blanca. Esto y el gradual desmejoramiento de las harinas locales produjeron que en 1945 el Molino Weber fuera vendido a Molinos Río de la Plata quienes en 1947 optaron por desmontar toda la maquinaria, despacharla a Buenos Aires y convertirlo en un depósito. El tren comenzó a traer directamente harina, manteniendo un stock muy alto de 8 a 10 mil bolsas, que impedía toda competencia local. El Molino Andes de Trevelin hizo la última molienda en 1953, y en 1959 fue vendido a Molinos Concepción, que trasladó toda la maquinaria a Pehuajó (Prov. de Buenos Aires). Algunas medidas del Gobierno Nacional, como el monopolio estatal del comercio de granos por la Junta Nacional de Granos en la década del 40 (disponiendo que ningún molino del país podría procesar trigo si no lo adquiría a la Junta, ni siquiera de cosecha propia), la obligación de utilizar bolsas de yute (que en Chubut resultaban escasas y caras debido al carácter monopólico de su producción y distribución), y la no inclusión en el área triguera oficial (que recibía precios sostén) de

los cultivos al sur del paralelo 42, contribuyeron al decaimiento de la actividad hasta su desaparición. El escudo oficial de Chubut muestra una espiga de trigo como testimonio de la relevancia que tan tempranamente tuvo dicha actividad en la provincia.

LA HISTORIA DEL MOLINO DE MERVIN

La historia de las personas suele parecerse en muchos casos a la historia de sus proyectos. En el caso de Mervin Evans, esos proyectos nos remiten además a los sueños de su infancia:

"Tenía 6 años cuando mudamos al campo que papá le compró a Roldán. Muy pronto descubrí allí un antiguo molino, con la canoa y las piedras puestas, era el molino de Serafín Roldán. Cada vez que mi mamá me perdía de vista, yo estaba en el molino, el lugar más interesante que encontré para jugar. Pero faltaba la pieza clave, el alma del molino, que era la turbina. Miraba las piedras gigantes, miraba el canal, largué el agua varias veces para ver cómo bajaba, pero no tenía nada para hacer girar. Me imaginaba como sería la turbina, y con el tiempo llegué a hacer una ruedita parecida a la noria que había visto en el canal del Molino Andes cuando iba a la escuela en Trevelin. Un fin de semana llegó de visita uno de mis tíos; miró mi ruedita rudimentaria y me dijo 'mirá, traé dos latitas, tal cosa, unas maderas así...', y me hizo una turbina que con el chorrito de agua giraba una barbaridad. A partir de ahí, empecé

the great Argentine wheat-producing areas further north to compete with the local production. The local mills could not match the flour coming in from Bahía Blanca, which was whiter, cheaper, and had a better baking performance. As a result of this competition, and the gradual decline in quality of the local flour, Weber's mill was finally sold in 1947 to the large "Molinos Río de la Plata" company, who dismantled the machinery and shipped it to Buenos Aires. The building was turned into a warehouse where the company kept a large stock of 8,000 to 10,000 sacks of flour, and the train kept bringing in more, thwarting any local competition. In 1953 the Andes mill at Trevelin closed. Later, in 1959, it was sold to "Molinos Concepción" who shipped all its machinery to Pehuajó, in Buenos Aires province. Some measures taken by the National Government, such as the state monopoly on grain trade through the "Junta Nacional de Granos" in the 1940s (National Grain Board –it was illegal for mills around the country to process any wheat other than that which they purchased from the Board, even if it was of their own production); the mandatory use of jute sacks (that were hard to find in Chubut, and very expensive because their production and distribution was a monopoly too –in this case a private one); and the fact that the wheat-producing areas south of the 42nd parallel were not included by the national Government in their grain price-support program, all contributed to this

productive activity's decline, until it finally disappeared. Chubut's official shield carries an ear of wheat as a symbol of how relevant this activity was in the province.

THE STORY OF MERVIN'S MILL

People's histories often resemble the histories of their projects. In Mervin Evans's case, they also send us back to his childhood dreams:

"I was 6 years old when we moved to the farm Dad had bought from a man called Roldán. Soon I discovered there was an old mill there that had belonged to Serafín Roldán, with its water trough, millstones and all. Every time my mother lost sight of me I was at the mill, the place I liked to play at most. Unfortunately its main part, the soul of the mill, was missing: the millwheel. I used to contemplate the big millstones and the water canal; I let the water pour down many times, but there was nothing there for it to spin. I tried to imagine what the millwheel had looked like, and eventually I built a small wheel that resembled the waterwheel I had seen in the canal of the Molino Andes when I went to school in Trevelin. One weekend one of my uncles came to visit; he looked at my rudimentary wheel and said 'Look, bring me two tin cans, some planks, and so-and-so...' and he made a millwheel that spun wonderfully under a little stream of water. From there on, I started to make my own millwheels based on that model, and finally made one

a hacer turbinas basadas en ese modelo, y llegué a hacer una que tenía más o menos un metro de diámetro. Puesta en el mismo salto de agua del molino viejo, hacía girar un dínamo de 12 voltios que prendía luces y hacía funcionar la cocina. Imaginate que cuando tenía 13-14 años hice andar un lavarropas al que se le había fundido el motor a nafta, con esa turbina que había instalado. Por el año 78 mi papá vendió el campo.

"Pero a mí el asunto de los molinos me quedó, hice el servicio militar y ya se me había ocurrido investigar un poco sobre el Molino Andes. En ese tiempo tenía a tres cuadras de mi casa de Esquel a don Luis Weber, a gente como la madre de Bernardo Jones que trabajó en la Cía. Mercantil, a Milton Evans, tenía una cantidad de gente que me podía haber llenado de datos y bueno, y que voy a empezar y voy a empezar, no empecé, Weber se mudó, y se me murió la otra viejita y que se yo, me quedé patinando en el tiempo. Mi primera esposa era chilena, y recibía la revista 'Chile Ahora'. En una contratapa vi la foto del molino de Frutillar, eso llamó mi atención y aprovechando un viaje de vacaciones a Puerto Varas, fui a Frutillar a verlo (se refiere al Museo de la Colonización Alemana).

"Me dije acá está la clave, voy a hacer mi molino, así rescato la historia, cumplo mi sueño de ver un molino en marcha, y al mismo tiempo va a ser una cosa rentable. Una de mis tías me habló de un constructor alemán que le había hecho el molino al abue-

lo, un tal Adolfo. Yo sabía que había varios molinos armados por alemanes acá. Cuando tracé mis planos, me dije lo voy a hacer con una rueda de carga superior como fue el molino de Río Corintos, por lo imponente de su imagen.

"Lo abriría al público para que lo observaran en marcha. Se inauguró en junio 1996, un año y medio después de haber empezado el replanteo, y resultó ser uno de los lugares mas visitados de la zona; seis a siete mil personas al año, una cantidad que va en aumento.

"Cuando instalé el cernidor, a pesar de que yo lo había copiado tomando las medidas de uno armado en una fábrica, me preguntaba si iba a funcionar; junté los primeros 100 gramos de harina que salieron y corrí a la casa de mi mamá, que hizo un pan, y la sorpresa es que resultó morochito. Justo en esos días me visitó un señor que había trabajado como jefe en un molino grande, que me dijo: 'Sabés, tu harina está perfecta. Lo que sucede es que nosotros le ponemos blanqueadores'. Entonces le pregunté con qué se blanqueaba y me respondió 'no te voy a enseñar a echar a perder tu harina'. Me aconsejó 'al trigo hay que mojarlo' y entonces recordé que mi vecino Rowlands me contaba que su padre mojaba el trigo, lo que a mí me parecía una barbaridad. Pero al mojar el trigo, no rompés la cáscara en la molienda y eso permite separarla bien de la parte blanca. Entonces empecé a mojar el trigo y la harina salía cada vez más blanca. Al principio, yo pensé que iba a tener que poner un

that was one metre in diameter. When I installed it under the overshoot of the old mill, it drove a 12-volt dynamo that lit the house and made an electric cooker work. Just imagine: I was only thirteen or fourteen and I also made our washing machine work (its gasoline engine had burned out) with my little millwheel! Around 1978 Dad sold the farm.

"But this matter of the mills remained in my mind. By the time I did my military service, I had already started to do some research into the history of the Molino Andes. To think that at the time 'don' Luis Weber lived only three blocks from my home in Esquel and Bernardo Jones' mother (who had worked for the C.M.C.), Milton Evans and others who could have provided me with valuable information on the wheat industry, also lived close by! But I never managed to get started: Weber moved away, the old lady died, and I lost my opportunity. My first wife was Chilean, and she was subscribed to a magazine called 'Chile Today.' Once I saw a photograph of the town of Frutillar on the back of an issue, where the German Colonisation Museum could be seen. It seemed a very interesting place to visit, so when we went to Puerto Varas on vacation, I took the opportunity to visit nearby Frutillar.

"When I saw the Museum I told myself '*this* is what I should do. I will build my mill, contribute to make local history known, fulfil my dreams of seeing one of these mills working, and also make a profit. I would open it to the public so

they could watch it work.' One of my aunts told me of a German, called Adolfo, who had built my grandfather's mill. German builders erected many of the mills in this area. When I drew the blueprints for mine, I decided to design it with an overshot water wheel like the one at the mill on the Corintos River, because it also has a greater visual impact.

"It took me one-and-a-half years to build my mill, which I inaugurated in June 1996. It turned out to be a complete success, one of the most visited sites in this area; six to seven thousand people a year, and increasing.

"When I installed the sieve, I wondered if it would really work, even though I had copied it from a factory-made one. I gathered the first hundred grams of flour and ran to my mother's house for her to bake a loaf of bread with it. But the bread turned out to be a bit too dark for my liking. It so happened that a person who came to visit the mill at the time had been a manager for a large milling operation, and he said 'You know, your flour is very good. Ours is whiter because we use bleaching agents.' When I asked him how I could do the same, he retorted 'I will not teach you how to spoil your flour!' And then he threw in a piece of advice. 'You have to moisten your wheat' he said.

"That was when I remembered that Rowlands, my neighbour, had once told me that his father used to moisten the wheat before milling it, which at the time seemed nonsense to me. But what happens when

chancho en el fondo para que se comiera tanta harina, pero resulta que la harina tuvo éxito y se empezó a vender.

"Pero junto con los turistas llegó algo que quizá no había previsto: las preguntas. Llegó el productor de Buenos Aires y me dijo 'Así que trigo, che. ¿Qué variedad?' 'Sabe que no tengo ni idea', contestaba yo, '¿Y que superficie sembraron acá?', seguían preguntando. Tuve preguntas clave, inteligentes y en cantidad. Me dije yo tengo que averiguar esto, no puedo estar acá sin saber responder algo que se supone que tengo que saber. Bueno, empecé con los viejos, el primer eslabón de esa cadena era mi papá que ya tiene setenta y pico de años, el vivió esa época y llegó a sembrar trigo, entonces lo que el viejo no sabía, me decía 'Mirá, andá a verlo a fulano, ése es un tipo que trilló, ya trillaba el padre', y así empecé a averiguar.

Bueno, ya llevo siete años, a veces digo quizás ya debiera haber editado mi libro, pero por suerte no lo hice porque han aparecido más molinos. El you grind moist wheat is that the hull of the grain doesn't disintegrate and so it is much easier to separate it from the flour. I started to add water, and the flour came out whiter and whiter. At first, I thought that I would have to set up a pigsty behind the mill so the pigs would eat the excess flour, but then people started to buy it from me.

"Something arrived with the visitors that I hadn't anticipated: questions. A farmer from Buenos Aires province, for instance, who never expected this region to have anything to do with wheat, shot at me: 'So you process wheat, eh? What variety?' 'You know, I haven't the slightest idea,' I answered. 'And how many hectares did they sow in this area?' he kept on. People were asking basic, intelligent questions, and I realised I had better start finding out the answers. I started with the older settlers; the first link on that chain was my own father who is now in his seventies and had lived through the times when wheat was widely sown. What he didn't

Mervin Evans y la rueda de su molino.
Mervin Evans's mill waterwheel.

JORGE MIGLIOLI

año pasado llegó una gente de Lomas de Zamora, un matrimonio, la chica traía un diario en la mano con un testimonio de su abuelo y una foto espectacular de una rueda de carga impresionante de un molino con un grupo de gente adelante. Ese estaba sobre la costa de Río Grande y hoy estoy investigándolo, ya que es el numero 22 en la Cordillera. Quien lo hubiese dicho, yo esperaba 6 o 7 molinos, cada uno es una historia. Este año espero terminar con la investigación."

EL VUELO DE MERVIN

"¿Querés que te hable del avión? Desde chico me gustaron los aviones, y aprendí a volar con bastante viento en un Cherokee, con Roy Wergzyn de instructor. Pero me abrí del aeroclub, y desde entonces sólo volé esporádicamente, a veces con la invitación de algún amigo. Siempre pensé en la posibilidad de la construcción casera, y en un momento vi una publicación y les compré los planos de un ultraliviano, pero algunos amigos pilotos me dijeron que no lo arme porque aquí me iba a matar. Me conecté con la Asociación de Aeronaves Experimentales, y hace unos cuatro años fui a una de sus convenciones. Luego me llegó como turista al molino un señor de Bahía Blanca que estaba armando un avión en la casa, todo de madera, y ése fue el que me dio el pinchazo. Otro turista me dijo que tenía el plano de un Stortz, que lo había comprado en Australia, y me vio tan interesado que me mandó copias gratis del plano y del video. Pasaron 2 años, y decidí iniciar el proyecto, lo tengo por la mitad. Es un avión experimental, de vuelo lento, desarrollado en la Segunda Guerra Mundial como avión de observación. Apodado Storch o cigüeña, lo usó Rommel en el desierto, y cuando los aliados capturaron uno no podían creer las condiciones de vuelo espectaculares que tenía, hasta Winston Churchill llego a volar un Storch para probarlo."

Y cuando pueda volar, Mervin va a cumplir también con otro sueño suyo: "Mi propósito es tirar semillas por todos lados, cada vez que haga un vuelo voy a llevar un saco con semillas de ciprés y simplemente abriré la bolsa y desde el Storch va a caer una nube de miles y miles de semillas, y si veo dentro de unos años reverdecer los cipreses, sé que me sentiré satisfecho".

know, he sent me to find out with the right persons 'Go and see Mr So-and-so, he used to be a thresher, and so was his father.'

"Well, it's been seven years now, and I sometimes regret not having published my book yet, but, on the other hand, I keep discovering more forgotten mills. Last year a young couple from Lomas de Zamora (a Buenos Aires suburb) came to visit. The girl brought with her a newspaper clipping with an interview of her grandfather and a spectacular photograph of a group of people posing in front of a large millwheel. It said that the mill was on the banks of the Río Grande, and I am presently doing some research to learn more about it. This is the 22nd mill I have news of in the Andes, each one with its own history. Would you believe it! I had expected to find 6 or 7 at most. This year I am determined to finish my research."

MERVIN'S FLIGHT

"Do you want me to tell you about the plane?" Mervin asked us. "I have loved aeroplanes since I was a child, and when I grew up I learned to fly with a Cherokee in quite a windy environment. My flight instructor was Roy Wergzyn. But I later quit the flying club and since then I only fly sporadically, when a friend invites me to join him in his plane. I always thought that it would be nice to build my own plane, and I even purchased the plans for an ultra light model, but my pilot friends talked me out of building such a light aircraft for Patagonia, unless I intended to commit suicide. Some years ago, I contacted the Experimental Aircraft Association, and went to one of their conventions. Later a visitor from Bahía Blanca came, who told me he was building a wood-framed plane at his home, and that prodded me badly. Another visitor told me he had the blueprints of a Storch, which he had bought in Australia. Seeing that I was so interested, this good man sent me copies of the blueprints and a video for free. Two years went by, and I finally decided to start working on this project. I have it halfway finished now. It's an experimental aircraft that was developed during WW II as a slow-flying reconnaissance plane, and was nicknamed 'Storch' (Stork). Rommel used it in the desert, and when the Allies captured one they could hardly believe the exceptional flying qualities it had. Even Winston Churchill flied one to test it.

When his Storch takes flight, Mervin says he will accomplish another of his dreams: "I want to disseminate seeds everywhere. Every time I fly I will take a sack of "ciprés" (Cordillera cypress) seeds with me and open it, so that from high above a cloud of thousands of seeds will drop. If I can see the little trees growing in a few years, I will feel my work is done."

JORGE MIGLIOLI

El avión de Mervin.
Mervin's plane.

El frondoso bosque de ciprés que rodea el Valle 16 de Octubre.

The lush "ciprés" forest that borders the "16 the Octubre" Valley.

LA CORDILLERA PRODUCTIVA

El Valle 16 de Octubre, llamado Cwm Hyfryd (Valle Encantador) en galés y más conocido actualmente por los nombres de sus dos ciudades, Esquel y Trevelin, resultó un verdadero paraíso para los pioneros galeses y quienes luego los siguieron a este hermoso rincón de la Patagonia. Si bien los inviernos en la Cordillera son más duros que en la costa atlántica, aquí encontraron una naturaleza pródiga, tierras fértiles para el cultivo, y un régimen de lluvias y nieve que permitía producir el vital trigo sin necesidad de regar. Además, esta zona ofrecía tan buenas cualidades para la ganadería, que el número de ganado vacuno aumentó en forma geométrica (ya en 1901, a sólo 15 años de la llegada de los Rifleros, había tantos vacunos como hoy en día y cerca de 34.000 mulas y caballos). Entre otras cosas, actualmente se producen bulbos de tulipanes para exportar a Holanda, plantines de frutillas libres de virus, frutas finas como cerezas y frambuesas, fardos y rollos de alfalfa, plantas aromáticas, quesos y otros productos lácteos, carnes y lanas de exportación, reproductores de pedigree y –en menor cantidad que en los primeros tiempos de la colonia– cereales como trigo, cebada y avena. El turismo rural, una excelente forma de compartir la cultura local y toda esta riqueza con quienes visitan el Valle, se va consolidando como una opción que se suma a los tradicionales atractivos de esta bella región.

JORGE MIGLIOLI

314

THE PRODUCTIVE CORDILLERA

JORGE MIGLIOLI

The "16 de Octubre" Valley, named Cwm Hyfryd (Pleasant Valley) in Welsh, is much better known today by the names of its two towns, Esquel and Trevelin. To the Welsh pioneers and those that followed them, this beautiful corner in Patagonia was a real paradise. Even if winters are harsher than on the Atlantic coast, here they found a bountiful nature, a fertile soil for their crops, and enough rain and snowfall to grow wheat without needing irrigation. Furthermore, this area was so good for cattle breeding that the herds grew in a geometrical progression (already in 1901, only 15 years after the Rifleros arrived, there were as many cattle as there are today, and around 34,000 mules and horses). Nowadays, the valley farms also produce tulip bulbs which they export to Holland, virus-free strawberry seedlings, cherries, raspberries and other berries, alfalfa hay bales and rolls, aromatic plants, cheese and other dairy products, mutton and lamb meat and sheep's wool for export, pedigree breeding stock and —to a lesser degree than in the early years of the Colony— wheat, barley, and oats. Tourist activity at the farms is gradually increasing, representing a wonderful way to share the valley's peculiar culture and its natural resources with visitors, in this way adding further charm to the traditional, most popular features of this very beautiful mountain and lakes region.

JORGE MIGLIOLI

Entre otras cosas, en el Valle 16 de Octubre se crían vacunos Hereford y ovinos Merino, además de cultivarse deliciosas frambuesas (arriba derecha) y reproducirse plantines de frutillas con máxima sanidad.

At the "16 de Octubre" Valley, high-quality Hereford cattle and Merino sheep are bred. Also delicious raspberries are grown (top right) and strawberries seedlings are produced in a strict sanitary environment.

FOTOS: JORGE MIGLIOLI

Haciendo ajustes en la máquina durante la cosecha. En el inserto, un fragante cultivo de lavandín.

Making some adjustment on a combine harvester. The insert shows a fragrant lavender crop.

FOTOS: JORGE MIGLIOLI

Haciendo reserva de forraje para el invierno en una chacra próxima al Río Corintos.

Stacking hay bales for the winter inside an old barn at a farm on the Corintos River.

El cultivo de cerezas se va incrementado en el Valle.
Cherries are increasingly grown in the Valley.

322

FOTOS: JORGE MIGLIOLI

La rosa mosqueta es en el Valle una maleza muy agresiva, pero también un recurso potencial al que aún no se le ha encontrado un aprovechamiento eficiente.

Thorny wild rose (rosa mosqueta) is a very aggressive weed that has almost spoiled many fields in the valley, but it is at the same time a potential source of income to which an efficient management and harvesting system have not yet been found.

Cultivo de tulipanes a contraestación para la exportación de bulbos a Holanda.

These tulips are grown for their bulbs, which are later exported to Holland.

325

La Ruta Nacinal 259 que lleva a la frontera con Chile, cerca de Trevelin. A la izquierda, el Trono de las Nubes.
Near Trevelin, a view of the National Highway 259 that leads to the border with Chile. At left, the Throne of the Clouds Mountain.

JORGE MIGLIOLI

INTEGRAR LA PATAGONIA

La Ruta de los Galeses en la Patagonia abarca un espacio geográfico bien definido y pleno de contrastes que, partiendo desde Gales, cruza el Océano Atlántico y luego atraviesa la Provincia del Chubut de Este a Oeste. Sabemos que –en menor medida– los sueños de libertad de los galeses llegaron, por distintas circunstancias, hasta otros sitios de la Patagonia como Santa Cruz y Río Negro e incluso a provincias como Buenos Aires y Santa Fe y a países vecinos como Brasil. y Uruguay.

Por otra parte, hemos repasado varias iniciativas que los colonos y pioneros proyectaron a lo largo de esta historia que –según la miremos– nos resulta por momentos muy cercana. Porque ciento cuarenta años pueden ser casi nada cuando uno vive rodeado por la memoria viva de los descendientes argentinos de un pueblo que ha sabido sostener con tenacidad su propia identidad cultural. Aunque no siempre ello les resultara sencillo.

En efecto, la relación de los galeses con el resto de los habitantes patagónicos fue cambiante a lo largo de este tiempo. Hubo un primer momento de convivencia pacífica e intercambio comercial con los tehuelches que fue clave para consolidar la colonia durante los duros tiempos iniciales y un segundo momento de reconocimiento progresivo de los servicios prestados al país de parte de las autoridades na-

cionales. Ambos contribuyeron para que paulatinamente fuera posible el florecimiento económico, social, político, religioso y cultural de las colonias del Río Chubut y 16 de Octubre.

Más tarde la llegada de nuevas corrientes migratorias se hizo predominante sobre la distribución de la tierra pública, debido a la interrupción del proceso migratorio desde Gales. Se consolidó así un modelo de ganadería extensiva ovina, sujeto a los vaivenes de la economía internacional. Además, la organización cooperativa a pequeña escala que impulsó la Colonia desde su comienzo sufrió las consecuencias del aislamiento y de la apertura que llegó con las rutas y el ferrocarril.

Esa declinación tuvo también su expresión en una menor consideración social hacia la comunidad galesa –que por momentos tendió a cerrarse sobre sí misma– y en un debilitamiento de su cultura. Hasta aproximadamente 1965, por ejemplo, durante quince años no se celebraron los Eistedffod. Aunque luego de la celebración del Centenario de su llegada al país, la Colonia retomó un camino de autovaloración y rescate de sus orígenes que actualmente se consolida y profundiza dentro de un nuevo contexto integrador. Una mayor apertura ha redundado en un mayor reconocimiento, expresándose en el desarrollo de las manifestaciones culturales, en el incremento del intercam-

INTEGRATING PATAGONIA

The Route of the Welsh we have been following runs through a well-defined geographical space. Offering plenty of contrast, it starts in Wales, spans the Atlantic Ocean, and then crosses Chubut province from east to west. To a lesser degree the Welsh dreams of liberty also reached other places in Patagonia, as Santa Cruz and Río Negro; other parts of Argentina, as Buenos Aires and Santa Fe provinces; and even other South American destinations, as Brazil and Uruguay.

We have been able to review many ventures the colonists undertook throughout their history. Sometimes it seems it all happened not too long ago. A hundred and forty years can be almost insignificant when one lives surrounded by the living memory of the Argentine descendants of the Welsh, a people that have managed to preserve their own cultural identity. Even if that wasn't always a simple task.

Indeed, the relationship between the Welsh and the rest of the Patagonian population had its ups and downs over the years. In the early days, there was a period of peaceful coexistence and trade with the Tehuelche that was the keystone of the Colony's consolidation during its tough beginning. Then, there was a time when the National Government increasingly acknowledged the services the Welsh had rendered the country. Both periods contributed to the gra-

dual economic, social, political, religious, and cultural development of the Chubut and "16 de Octubre" colonies.

Later, due to the interruption of the emigration from Wales, the increasing flow of people from other countries resulted in the public lands being distributed mainly among non-Welsh immigrants. An extensive sheep-ranching model consolidated in Patagonia, whose income was subject to the variations of the global economy. The small-scale cooperative organisation the Colony had adopted since its very beginning suffered from its own isolation, and more so when roads and railways arrived and exposed it to the competition from other, larger markets.

This decline also undermined the appreciation the Welsh enjoyed from the rest of society. There were times when the Welsh descendants chose isolation, shutting themselves off from the rest of the community, which in turn left them alone. As a consequence, their culture also weakened. For fifteen years in a row, ending in 1965, the Eisteddfod was not held. Fortunately, on the centenary of their arrival to Patagonia, the 1965 celebrations helped them regain their self-esteem and take on the job of recovering their original culture again, starting an ongoing process that today has strengthened in a new context of integration. This attitude of opening up to the rest of the

bio con Gales y en la articulación plural y respetuosa de las mejores tradiciones.

"Pinta tu aldea y pintarás el mundo" dice un refrán mientras que otro advierte que "Nadie es profeta en su tierra". ¿Tiene sentido revisar la historia de los galeses proyectándola sobre la realidad actual de la Patagonia? ¿Podemos sacar algunas lecciones de ella quienes llegamos más tarde? ¿O acaso sólo debemos escucharla con indulgente nostalgia disfrutando los cantos corales y la deliciosa torta negra? ¿Seremos universales si pintamos lo sucedido con ellos en nuestra aldea? ¿O habrá que aceptar que no serán profetas en su propia tierra?

Aunque sospechamos que el tiempo resulta esencial para responder a estos interrogantes, intuimos que algo está bien claro: ciento cuarenta años son más que suficientes, tanto para empezar a advertir la proyección universal de la epopeya de los galeses, como para seguir alentando la vigencia de su utopía. Que simplemente nos convoca cada día a integrar la Patagonia –esa tierra de leche y miel que soñaron alguna vez– con el valor y la fuerza de su mejor conquista: la tolerancia.

HACER, RECORRER, INTEGRAR PATAGONIA Y GALES

Elvey Mac Donald nació en Gaiman. Hace más de veinte años que vive en Gales donde ha desarrollado una importante actividad para incrementar los lazos con la Patagonia. Lo encontramos en Esquel y Gaiman, guiando a los turistas galeses que anualmente acompaña a través del Chubut. Sus respuestas dejaron satisfecha nuestra curiosidad y abiertas nuevas ventanas a la imaginación.

¿Qué actividades realiza con los grupos galeses que vienen a la Patagonia?

"La visita tiene varios propósitos. Por un lado hacer turismo, mostrar la Patagonia, visitar una zona muy hermosa que tiene muchos atractivos físicos y culturales. También ver qué hace la gente del Chubut y mostrar, que además de sobrevivir, la gente se expresa culturalmente, que hay aquí tradiciones ricas, algunas basadas en Gales, otras de otros países y naturalmente las autóctonas.

"Visitamos diferentes lugares y relatamos a los viajeros lo ocurrido durante los primeros años de la Colonia. Ellos ya vienen sabiendo la historia en términos generales. Entonces esos detalles que vamos contando a medida que avanzamos o retrocedemos en el tiempo, son como las piezas de un rompecabezas que, simplemente, encajan. Los viajeros llegan con la historia ya sabida pero con lugares vacíos que van llenando a medida que avanzan. Y la entienden mucho mejor cuando ven sobre el terreno lo sucedido.

"Por ejemplo, en Arroyo Pescado hoy vemos solamente un desierto o apenas un sitio donde hubo un asesinato. Pero si les contamos que allí existía una sucursal importante de la Compañía Mercantil, que la zona estaba poblada y era un área económicamente activa, entonces un sólo detalle puede cambiar la percepción. Ese

community has brought about a greater appreciation for the Welsh descendants, and resulted in the continuous development of cultural expressions, an increasing interchange with Wales and the merging, in a unique way, of the best of Patagonian traditions.

¿Is there any sense in projecting the history of the Welsh on today's Patagonian reality? ¿Can we, who arrived later, learn any lessons from their epic story? ¿Or maybe we should just listen to it with kind nostalgia, while indulging in the pleasures of choir singing and the black cake? "Paint your village, that in this way you will have painted the world" Tolstoy wrote, and an age-old proverb says that "no one is a prophet in his own land." ¿Would a painting of what happened to them in our village turn out to be universal? ¿Or should we accept that they will never be prophets on their own land?

We guess that the passage of time will be essential before these questions can be answered. But something remains clear. Although 140 years is not too long a time, it is more than enough to encourage us to believe the Welsh dream of integrating Patagonia –that land of milk and honey they once dreamt of– can still be realised if we embrace all the value, strength, and significance of their best achievement: tolerance.

TO MAKE, EXPLORE, AND INTEGRATE PATAGONIA AND WALES

Elvey Mac Donald was born in Gaiman. For more than twenty years he has been living in Wales, where he has worked to strengthen the ties between Wales and Patagonia. We met him once in Esquel and again in Gaiman, while he was travelling with the tourist groups he guides every year across Chubut. When we interviewed him in Gaiman, his answers satisfied our curiosity but also left some windows open to our imagination. Our first question was about the activities his Welsh groups carry out in Patagonia:

"Their visit fulfils several purposes. On the one hand, to get acquainted with Patagonia and visit a beautiful area where they can find many attractions. On the other hand, we get them to see that people in Chubut, apart from working for a living, also strive to express themselves culturally. That there are many rich traditions here, some of them based on Welsh culture, but also from other countries, and naturally the Native ones.

"We tell them about the first years of the Welsh Colony, stopping on our way to visit many different sites. They come from Wales already knowing the basic facts, so the details we introduce as we move on or go back in time, are like pieces of a jigsaw puzzle that simply fall into place, filling the empty spaces of the story they learned before their journey. Today at Arroyo Pescado one can only see a desert, or, at most, a murder site. But if we tell the tourists that there was a branch of the Mercantile Company, many people living, and an active economy in the area at that time, then this detail can

es un ejemplo de los lugares donde nos quedamos y de lo que hacemos."

¿Y cómo ven ellos a la comunidad galesa de Argentina?

"Se asombran. Yo comienzo el viaje en la zona cordillerana y bajo al Valle a propósito, haciendo de este festival (el Eisteddfod del Chubut) el pináculo de la visita. A pesar de que muchos luego siguen rumbo a El Calafate, Iguazú, Río de Janeiro, etc., en lo referente a la Colonia el viaje termina en el Valle Inferior del Chubut, que es donde empezó realmente.

"Y cuando ven el Eisteddfod y oyen acerca de esos primeros meses de los colonos en Madryn y después en Rawson, se asombran y se enorgullecen de pertenecer a esa misma comunidad. El viaje es una razón más para sentirse orgulloso de ser galés. Eso es en general lo que hacemos. La gente se divierte y come bien, pero lo sustancial es el contacto cultural. Y no solamente se comprueba que en este campo se hacen cosas en Chubut, sino que se valora su nivel. Ayer, en Trelew, una o dos de las competencias del Eisteddfod asombraron no solamente al público sino también al jurado. Hay varios niveles: algunos aprecian el nivel más básico, y otros tienen la riqueza espiritual que permite un nivel más alto de apreciación. A mi no me interesa realmente para qué vienen, pero sé que cuando se van han visto algo que nunca vieron antes y que no van a ver en otros lugares.

"He traído ya cientos de pasajeros al Chubut. Gente que ha visitado los Estados Unidos, Europa, Asia, Africa, Australia y que viaja a menudo al extranjero. Sin excepciones, cuando se van me dicen que son las mejores vacaciones que han tenido en su vida."

¿Qué proyección puede tener esta actividad en el futuro?

"Este año aparecieron dos nuevas personas que organizaron grupos de turistas. La competencia es buena. Hemos ayudado a la economía de Gaiman. Hay más camas y podemos alojar a todo el mundo allí. Espero que vengan más grupos cada vez más grandes. Y ojalá que se queden también en Gaiman, porque a pesar de que hay más galeses en Trelew, aquí en Gaiman no estarán tan perdidos en la multitud. Gaiman es un milagro: aunque no son mayoría (como hasta hace unos cincuenta años), los galeses todavía son visibles, los nombres de los hoteles son casi todos en galés, entran a un negocio y pueden comprar en galés, cruzan la calle y alguien los saluda en galés; todo eso es muy importante.

"El año que viene haremos un experimento con gente joven y traeremos unos cincuenta en abril. Lo ideal sería hacer intercambios con jóvenes de los dos países. Anoche y anteanoche en el Eisteddfod vimos a mucha gente joven cantando y haciendo artísticamente de todo un poco, pero algunos de ellos nunca van a poder desarrollar su talento ya que no tienen las facilidades donde viven ahora. No consiguen becas, tienen demasiado trabajo o tienen otras vocaciones que les impiden dedicar el tiempo. Pero tienen dones que debie-

change the way they perceive this place. We do the same at the many places where we stop or stay."

Then we asked Elvey how his tourists regard the Welsh community in Argentina, and he answered:

"They are always surprised. I make this journey starting from the Andes and then gradually going down to the Chubut Valley, so this cultural festival (the Eisteddfod of Chubut) becomes the pinnacle of their visit. Although most will later continue their journey to El Calafate, Iguazú Falls, Río de Janeiro, or elsewhere, as far as the Colony is concerned, their trip ends in the lower valley of the Chubut River, which was the starting place for the Welsh colonists, really.

"And when they attend the Eisteddfod and learn about those first months in Madryn and then in Rawson, they are astonished. They find the story almost unreal, and they all end up proud of being a part of that community: this trip is one more reason to be proud of being Welsh. People have fun and eat well, but the real value for them is in the cultural contact. Yesterday in Trelew the quality displayed at some of the Eisteddfod competitions was a wonderful surprise for both the public and the panel of judges. There are different cultural preferences among the Welsh visitors, some appreciate the basic levels, but others appreciate the highest artistic expressions. Beyond the reason they chose to come, I do know that they will see something they have never seen before, and that they cannot see elsewhere.

I have already brought hundreds of travellers to Chubut; people that travel abroad twice a year, and have been to the United States, Europe, Asia, Africa, and Australia. Without exception, when leaving they always tell me they had spent the best vacations of their lifetime here."

We then asked him what was his evaluation of the future of this activity:

"This year two other persons started organising this type of trip. Competition is good. We have already helped Gaiman's economy to some extent. Now there are more beds available, so we can lodge more people. I hope many groups will come, and that they will stay in Gaiman; there may be more Welsh descendants in Trelew, but it is a big city, and Gaiman is a small, easy-going town, a real miracle. Here, the Welsh, although they are now a minority (they were the majority 50 years ago) are still visible. Most hotels carry Welsh names; our visitors find that they can enter a shop and talk in Welsh, and maybe when they cross the street somebody will say hello to them in Welsh. All these things are very important to them.

"Next year we will bring fifty young visitors in April, to see how our tour works with them. It would be ideal if there were some interaction between youngsters of both countries. In the last two evenings we saw many young people singing or performing other art forms at the Eisteddfod. Unfortunately, they will not find an opportunity to develop their

ran cultivarse. Son dones vírgenes que hace falta trabajar, sino son como plantas que no se riegan y que, con este sol, se marchitan.

"Hace falta que logremos encontrar becas para ayudar a gente así. En general las fundaciones que podrían apoyarnos consideran que la Argentina es un país que no califica para ese tipo de ayuda. Y los programas de Gran Bretaña se destinan a los países del Commonwealth. Pero tenemos esperanza en el programa de intercambios que hemos logrado como iniciativa de la Asamblea Nacional de Gales. Espero que pronto se puedan conseguir nuevas partidas dentro del presupuesto galés para gastar más en Argentina; habrá que insistir."

Nos quedamos pensando en las palabras de este argentino-galés emprendedor que encontramos en nuestro camino. Contagiándonos del entusiasmo con el que promueve –desde hace años– el desafío de hacer, recorrer e integrar la ruta de los galeses en Patagonia, para soñar y cantar en libertad.

art at home. They cannot get scholarships, or they have to work hard for a living, or maybe they have other interests that absorb them. But they should cultivate their gifts; otherwise –like an unwatered plant– they will wither under this strong sun."

"We must find the way to get scholarships to help these people. In general, the foundations that support these initiatives consider Argentina a non-eligible country. And programs in the United Kingdom only support projects within the Commonwealth. But we have strong hopes on the interchange program we have managed to implement through the Welsh National Assembly. I hope that soon it will be possible to get new appropriations within the Welsh budget so as to spend more in Argentina; we will insist on this."

We were left wondering at the words spoken by this enterprising Argentine-Welshman. His enthusiasm is catching, prompting us to keep on with the challenge of making, exploring, and integrating the Route of the Welsh in Patagonia, to dream and sing in freedom. As he has done for years now.

Ya en Chile, el Río Futaleufú corre caudaloso hacia el Pacífico.
Across the border, in Chile, the Futaleufú River runs strong towards the Pacific.

Rumbo a Chile, con el corazón extendido

Parece tan difícil imaginar que alguna vez no existió la Cordillera de los Andes y las aguas corrían mansamente entre el Atlántico y el Pacífico, como entender que –en una época no tan lejana– existió una libre circulación de bienes y personas en la frontera patagónica argentino-chilena. Pero ambas cosas sucedieron.

A fines del siglo XIX y comienzos del siglo XX, un número importante de chilenos cruzaron al territorio argentino, en procura de tierras y oportunidades de trabajo, llegando a constituir el grupo extranjero más numeroso que se instaló en el borde oriental de la frontera, desde Neuquén hasta Chubut e incluso el norte de Santa Cruz.

Entraron básicamente por Neuquén y más al sur por los pasos Pérez Rosales y Manso, siguiendo las huellas aborígenes que durante siglos configuraron otros circuitos comerciales de tráfico de ganado. Se extendieron hacia el sur a lo largo de toda la franja occidental de los nuevos territorios nacionales.

Muchos chilenos venían desplazados por el proceso de incorporación de los nuevos colonos alemanes. Otros llegaban estimulados por sus propias autoridades, cruzando hacia una suerte de tierra de nadie pretendida por todos, en medio de la incertidumbre que precedió la fijación definitiva de la frontera argentino-chilena en 1902, la cuarta más larga del mundo.

Entiéndase bien. No desconocemos que hoy existen más y mejores pasos fronterizos y que circulan cada vez más personas y vehículos entre uno y otro país. Pero el peso relativo que tenían los intercambios sociales y comerciales sobre la economía regional, resultaban entonces mucho mayores.

Los colonos galeses del Cwm Hyfryd convivieron plenamente con este proceso y pronto buscaron además desarrollar oportunidades del otro lado de la cordillera.

El primero en solicitar apoyo estatal para construir caminos al Pacífico dentro del Territorio del Chubut fue John Murray Thomas quien, en una nota presentada al Ministro de Interior en 1893, solicita sin demasiado éxito diez mil pesos para construir dos vías de acceso hacia el Pacífico a la altura de Lago Fontana y Corcovado, diciendo:

"Yo fui el iniciador de la expedición del Señor Fontana y lo acompañé en toda ella, sin haber pedido subvención ninguna como consta en el folleto del Señor Fontana e hice los gastos de mi sola cuenta, pero hoy se trata de un servicio público de gran interés para la nación y no puedo hacerlo por mi sola cuenta porque mis recursos han mermado mucho en los años que llevo en estas

Towards Chile, with an Open Heart

That sometime in the past the Andes did not exist and the rivers ran morosely between the Atlantic and the Pacific seems to be as hard to conceive as the fact that –not so long ago– people and goods flowed freely over the border between Argentina and Chile. But both things are true.

At the end of the 19th and the beginning of the 20th centuries, a great number of Chileans crossed over to Argentina, looking for land and job opportunities. They would finally become the most numerous group of foreigners on the eastern side of the border, from Neuquén through Chubut, to northern Santa Cruz.

Their points of entry were mainly in Neuquén, and, further south, the Pérez Rosales and Manso passes, which followed the Native trails that had been used for centuries to drive livestock across the Andes on a commercial basis, both legal or otherwise. Then they went south and settled along the western edge of the new National Territories.

Many Chileans had been driven out of their country when the fiscal lands they were on were given to the new German settlers by the state as part of the Chilean government's immigration programme. Others were encouraged to cross over by the Chilean authorities to occupy the sort of "no man's land" that both countries claimed to have rights on during those uncertain times before the border –the world's fourth in length– was finally fixed in 1902.

We are aware, of course, of the fact that today there are more and better border passes, and that an increasing number of people and vehicles cross them every day. But the relative weight of the social and commercial interchange on the regional economy was much higher in those days than it is now.

The Cwm Hyfryd Welsh settlers joined wholeheartedly in this interchange, and were soon looking for new opportunities on the other side of the Andes.

John Murray Thomas was the first of them to ask for state support to build roads from the Territory of Chubut to the Pacific. In a letter he sent to the Interior Minister in 1893, he asked –without much success– for ten thousand pesos to build two roads from the Lake Fontana and Corcovado areas to the Pacific coast. He wrote:

"It was I who conceived Mr Fontana's expedition and then accompanied him throughout this journey for which I never requested or received any subsidy, as stated in Mr Fontana's report. On that occasion I paid for the expenses out of my personal fortune but today we are addressing

expediciones."

Pero como suele ocurrir, los colonos siempre marchaban más adelante que el Gobierno y, para 1901, se produjeron los primeros arreos de ganado hacia Chile que fueron la base de importantes fortunas en la Colonia 16 de Octubre. Este fenómeno se extendía en esa época por amplios sectores de la frontera argentino-chilena, tal como el lector habrá podido advertir recordando la historia de Crockett o los viajes a Chile de John Price.

Sin embargo, en vísperas del fallo arbitral de límites de 1902 que debía resolver el conflicto binacional, el clima no resultaba favorable para iniciativas integradoras. Y aunque una creciente hostilidad dejara trascender las más variadas versiones acerca de inminentes avances chilenos en la construcción de caminos hacia la frontera en disputa, la realidad evolucionó mucho más lentamente que los rumores.

Hacia 1910, John D. Evans insistió en organizar una expedición a Chile para encontrar una salida a la producción regional por el Océano Pacífico, pero pasarían aún muchos años antes de que la misma empezara a ser una realidad. Antes por el conflicto, después por los recelos, lo cierto es que los vecinos continuaban aislados e incomunicados tal como lo refleja este despacho telegráfico enviado en 1932 por el corresponsal en Esquel del diario nacional "La Prensa" (de Buenos Aires), que decía:

"Gobierno chileno tiene propósito construir este verano camino carretero que una

pueblo Futaleufú, situado en Territorio Chileno sobre frontera argentina, con puerto sobre Océano Pacífico, buscando ruta más corta y accesible. Punto. Secundarán acción aquel Gobierno y gratuitamente, todos pobladores región chilena. Punto. Dicha población y contorno comunícase actualmente, únicamente por Argentina. Punto. Gana terreno entre los vecinos de este pueblo y de la Colonia 16 de Octubre, propósitos favorecer y ayudar tal obra disponiéndose muchos comerciantes y productores contribuir con dinero y especias para tal fin. Punto. La construcción se efectuaría toda en territorio chileno, por ser el argentino accesible al tráfico hasta la frontera. Punto. Tal obra beneficiaría enormemente esta región tan rica y productiva que hoy languidece bajo las consecuencias de su aislamiento. Punto. Esquel quedaría a treinta y cinco leguas, Trevelin a treinta y la frontera a veinte de su puerto sobre el Pacífico que comunicaría con resto del mundo. Punto. Fácilmente se pueden prever las consecuencias de dicha vía de comunicación, que sería la desviación de la corriente comercial de esta región para esa ruta. Punto. Razón de fuerza obliga a productores buscar fácil salida a producción, caso contrario región se despoblará de elementos más útiles. Punto. Ferrocarriles y caminos prometidos que nos deben comunicar con puertos Atlánticos, no se construyen. Punto. El sufrido productor patagónico, vive miserablemente debiéndose conformar con ver mermar el

a matter of public service, of great interest to the Nation. I can no longer do this on my own since my resources have diminished greatly during the years I have invested in these expeditions."

However, as it usually happens, the colonists were far ahead of the Government. By 1901, the first droves of cattle had crossed to Chile, an activity that would later be the foundation of some important fortunes at the "16 de Octubre" Colony. This cattle trading carried on all along the border in this part of Patagonia, as readers may remember we mentioned when we looked into Crockett's story or referred to the droves John Price took to Chile.

Notwithstanding this, on the eve of the arbitrator's verdict of 1902, which was expected to put an end to the border conflict between the two countries, the atmosphere was not at all favourable to integrating initiatives. As a result of an increasingly hostile mood there were many stories told on the Argentine side regarding the alleged hurried construction of a road to the disputed border by the Chileans. But reality evolved at a much slower pace than the rumours.

As early as 1910, John D. Evans had insisted on the need to organise an expedition to Chile to find an outlet for the regional produce to the Pacific, but many years would go by before this could come true. Initially because of the border conflict, later because of mutual distrust, but the result was that the neighbours remained isolated and cut off from each

other, as the "La Prensa" newspaper correspondent in Esquel telegraphed his Buenos Aires headquarters in 1932:

"Chilean government will build a road this summer joining the village of Futaleufú, on Chilean territory next to the Argentine border, with a port on the Pacific Ocean, through the shortest and more accessible route. Stop. Government will support this action and all settlers in this Chilean region will do the same for free. Stop. Today said village and surrounding areas can only communicate through Argentina. Stop. Neighbours of this village and of the 16 de Octubre Colony will foster and help this construction, many businessmen and farmers ready to contribute with goods and money to this end. Stop. All the construction would be done in Chilean territory, as Argentine territory is accessible to the border. Stop. This construction would greatly favour this rich and productive region that today suffers the consequences of its isolation. Stop. Esquel would be thirty five leagues, Trevelin thirty, and the border twenty from the port on the Pacific which would communicate them with the rest of the world. Stop. The consequences of this new communication route are easy to see: regional commerce will all be diverted that way. Stop. Producers need to find an easy outlet for their produce, if not this region will lose its most valuable individuals. Stop. Railways and roads promised to connect us with Atlantic ports are not being constructed. Stop. The long-suffering Pata-

valor de sus productos en proporción tan alta mientras estos se liquidan en esa Capital. Punto. Asimismo el valor del flete hasta allí insume el cincuenta por ciento del valor de la lana y el ochenta del mejor cuerumbre, no pudiéndose llevar al inferior por no pagar el flete. Producto tan noble como el trigo que esta región produce de primera calidad, debe pudrirse en los graneros porque el flete no permite su transporte a ningún mercado consumidor. Punto. Llega hoy el caso tristemente real de que todas poblaciones cordilleranas encuéntranse aisladas careciendo de muchos artículos indispensables y sin poder llegar ni la correspondencia. Punto. Es tiempo ya de que nuestros hombres gobierno, inspirados en la conveniencia nacional indiscutible de acercar estas regiones a puertos del Atlántico por medio buenos caminos y ferrocarriles, no olviden sus promesas, cumpliendo las cuales pueden evitar hoy lo que mañana será difícil. LUQUE. CORRESPONSAL.

John Daniel Evans cuenta en sus Memorias que "durante la primavera de 1932 se dio comienzo a un precario camino desde Futaleufú hasta el Océano Pacífico. Los hermanos Borques, propietarios de campos ubicados junto al Lago Yelcho, llamaron a este proyecto 'La llave de Oro de la Colonia 16 de Octubre'. Pobladores y comerciantes de Esquel y Trevelin cooperaron según sus posibilidades con mercaderías, herramientas y trabajos. Los pobladores chilenos dirigidos por el señor Gelbes y otros que residían en

Futaleufú aportaban su trabajo, bueyes para el arrastre de los troncos en la limpieza del camino y además algunos vacunos para el consumo. Así se dio comienzo a este proyecto y trabajamos arduamente y cuando el tiempo lo permitía hasta 1934. Un camino de cuatro metros de ancho se abrió por la margen norte del río que nace en el Lago Espolón, hasta el mismo lago. No teníamos aportes ni respaldo de ninguno de los Gobiernos, las tareas comenzaron a obstaculizarse y la geografía accidentada del terreno era un impedimento para adelantar las tareas. En vista de tantos problemas organicé un viaje a Santiago de Chile con mi hijo Plenydd para tratar de encontrar apoyo para esta obra."

En Santiago, Evans se entrevistó con muchos funcionarios, pero el Gobierno de Chile no autorizó la obra en ese momento, por considerar una amenaza la presencia argentina en esa parte austral de su territorio, tan difícil de incorporar al resto. "Regresamos a nuestra Colonia con el sabor de la derrota, con nuestras ilusiones hechas trizas y sabíamos que esa posibilidad de salida al mar por muchos años nos iba a estar prohibida."

Habían empezado, en los dos países, una política de fronteras cerradas que se mantendría por mucho tiempo. Piénsese que recién casi un siglo después del fallo de 1902, fue posible acordar la demarcación definitiva de la frontera, luego de recurrir a cuatro fallos arbitrales adicionales en Río Encuentro, Canal de Beage, Lago del Desierto y

gonian farmer lives miserably and must accept with resignation to have the value of his goods reduced considerably by the time they are sold in Buenos Aires. Stop. The cost of freight to the Capital is fifty percent on the value of wool and eighty percent on the better hides, the inferior quality ones are not worth sending there. Such a noble product as the excellent-quality wheat of this region must rot in the silos because the cost of freight to consumer markets is too high. Stop. Sad truth today is the Cordillera towns are isolated and lack many indispensable items. Even the mail does not arrive. Stop. It is high time our government officials, inspired in the unquestionable national interest in bringing these regions near to the Atlantic ports through good roads and railways, do not forget their promises, which if kept would avoid today what tomorrow will be inevitable. LUQUE CORRESPONDENT.

In his memoirs, John Daniel Evans tells that "in the spring of 1932 work started on a rough road from Futaleufú to the Pacific Ocean. Fittingly, the Borques brothers, who owned land on the Yelcho Lake, called this project 'the 16 de Ocubre Colony's golden key.' Farmers and businessmen from Esquel and Trevelin contributed goods, tools, and labour as they could. The Chilean settlers, directed by Mr Gelbes, and the residents of Futaleufú worked on the construction too, and also contributed their oxen to drag the logs away from the road, and some cattle to be slaughtered for food. We

started this way and, when the weather allowed us to, we worked hard until 1934. We opened a four-metre road on the northern bank of the river that has its source at the Espolón lake, and got as far as the lake itself. There was no help from either government, and the ground turned increasingly rough, so I organised a trip to Santiago de Chile with my son Plenydd to seek support for our work."

Evans met with many officials in Santiago, but the Chilean Government finally did not authorise the work on the road to continue, as they considered the Argentine presence there was a threat to their sovereignty over a region that in those years was still completely isolated from the rest of Chile. "We returned to our Colony with a bitter taste of defeat and our illusions shattered. We knew that for many years the possibility of having a way opened to the Pacific would be forbidden."

Both countries had embarked on a policy of strictly controlled borders that would last for many years. After the 1902 verdict, it took almost a century and four additional arbitrations at Río Encuentro, the Beage Channel, Lago del Desierto, and the Continental Ice-cap, before a final border demarcation was agreed on.

Surely it was because of this that so much time has passed since the road to the Pacific was begun but has not been finished yet. Fortunately, in Chile they have now started the construction on several stretches of this road, keeping to the same layout along the

los Hielos Continentales.

Seguramente por eso ha transcurrido tanto tiempo desde que se inició la construcción del camino al Pacífico, sin que éste aún se haya concretado. Pero, afortunadamente, por esa misma traza que rodea el Lago Espolón y el Volcán Michimahuida, hoy en día en Chile se proyecta la construcción de varios tramos de la ruta que empezaron a abrir, hace setenta años, vecinos chilenos, galeses y argentinos. Quienes nos dejaron, junto a su clara visión anticipatoria y progresista, un contundente mensaje de integrar la Patagonia, trabajando con el corazón extendido.

Espolón Lake and the Michimahuida volcano that was planned by those Chilean, Welsh, and Argentine neighbours seventy years ago. All of whom left us their clear vision of the future, their love for progress, and a substantial message on how to integrate Patagonia by working with an open heart.

Camino vecinal al oeste de la localidad chilena de Futaleufú. En la actualidad existe una creciente relación social y comercial de esta última con las argentinas de Trevelin y Esquel.

A country lane west from the Chilean town of Futaleufú. There is an increasing social and commercial interchange today between this town and Trevelin and Esquel in Argentina.

EL LIBRE DEL SUR

Director **C. G. Viera** | *Fundador y propietario* **Dr. Hugo Roggero** | *Administrador* **R. Savio**

Precios de suscripción

Por año	$ 10.00
Por semestre	$ 6.00
Por mes	$ 1.00
Número suelto	$ 0.20

DEFENSOR DE LOS INTERESES DEL PUEBLO

Aparece los Sábados

La correspondencia á nombre del Administrador, Avenida Marcelo T. Alvear.
No se devuelven los originales.

ESQUEL MAYO 3 DE 1924 — AÑO 1 Nro. 1

"El Libre del Sur"

Hoy, por primera vez aparece un semanario en Esquel, órgano defensor de todos los intereses de esta rica zona que forma parte de la Patagonia.

Nos cabe el orgullo, tanto al Dr. Roggero como á nuestro Director, de ser los primeros en aportar este grano de arena para contribuir al desarrollo y progreso de todas las industrias é instituciones, tanto sociales como comerciales.

En este periódico, encontrarán los habitantes de esta zona sin distinción de cuna, un defensor de toda causa justa; cualquier atropello contra la vida ó propiedad; él ó los damnificados pueden acudir a este semanario en la seguridad de que serán atendidos con el debido respeto que merecen las personas honestas, cultas y trabajadoras.

Alfredo Jacobi y nuestro Director.

Se dió principio á la discusion de la lista de candidatos para las elecciones; debido á intransigencias del Dr. Despontin y Sr. Martinez, (este último, nos manifestó que no podia actuar en politica pero que no le gustaban los candidatos que nosotros presentábamos), no se pudo llegar á un acuerdo, pero nos sorprendió sobremanera que el Sr. Goya faltando á su palabra, aceptó el ofrecimiento que le hizo el Sr. Martinez, de Concejal Municipal.

La sorpresa grande nuestra fué cuando el Sr. Brun haciendo causa comun con el otro bando, nos abandonó por completo y en ese momento aunque creemos que el Sr. Brun pertenece al sexo masculino, nos acordamos del inmortal autor de la siguiente estrofa:

La donna é mobile
cual piuma al vento,
muta d' accento
é di pensier.

ceden los hombres de dignidad, no quiso que su nombre se mezclara en actos impropios y se retiró á su casa, dejando completa libertad de accion á estos señores, en la esperanza de que con el transcurso del tiempo, Esquel se daria cuenta quiénes eran los buenos y los malos.

Seamos justos y demos al César lo que es del César; si bien es cierto que el Dr. Roggero se equivocó cuando se embanderó con estos señores; no por eso dejó de cumplir con su deber en un todo y consique lo defendimos siempre, mucho antes de que tuviéramos negocios con dicho Sr. como asi mismo, mucho antes de que fuésemos amigos.

Varias veces se ha dicho que el Doctor Roggero faltó á su palabra al retirarse de nuestras filas; no es verdad, pues cuando fuimos invitados á la casa de dicho Sr. él no tenia compromisos con nosotros y como hombre libre y dueño de sus ac...

comision y entre dimes y diretes se pasaron unos 15 dias quedando de acuerdo en celebrar una reunion, la que se efectuó en el Salon de la Cosmopolita.

En plena asamblea; tenemos conocimiento que los ánimos se exaltaron y no faltó quien dirigiese improperios á otro, siendo de lamentar esas incidencias personales que no arriban á ninguna solucion altruista.

Cábenos preguntar: ¿Porqué la Comision anterior, si aceptó la votacion antes de producirse esta, (es decir habiendo quedado de acuerdo en que podian votar todos los presentes) despues que fué derrotada, porqué no entregó?

Si había inconvenientes, muy bien podian estos señores haberlos puesto en conocimiento de la asamblea y de ese modo se hubiera evitado los incidentes que son del dominio público.

Hemos tenido oportunidad de conver...

Saúl Luque llegó al Chubut alrededor de 1910 proveniente de Córdoba. Su primer trabajo lo tuvo con Jack Lewis, compartiendo por dos años el cuidado de su rebaño cerca de Las Plumas. Luego se trasladó a la zona de Languiñeo donde trabajó con el señor Alemán. Posteriormente obtuvo concesiones de tierras en Esquel, donde formó parte del primer Concejo Municipal en 1923 y en Tecka, donde fue designado Juez de Paz en 1928. Allí actuó además como corresponsal del diario La Prensa. Las notas que aquí reproducimos, tal como fueran telegrafiadas originalmente, fueron conservadas en un viejo libro copiador que nos facilitó uno de sus hijos. A pesar de haber sido escritas hace 70 años, hacen referencia a cuestiones que aún hoy guardan una sorprendente vigencia. Y como si esto fuera poco, al abrir el libro copiador encontramos el único ejemplar del número 1 del semanario El Libre del Sur, el primer diario editado en Esquel.

Originally from Córdoba province in the north, Saúl Luque arrived in Chubut around 1910. His first job was helping Jack Lewis to tend his flock near Las Plumas. Then he moved to Languiñeo to work for Mr. Alemán. Later, he got some land concessions in Esquel, where he was a member of the first Town Council in 1923, and in Tecka, where he was appointed Justice of the Peace in 1928. He also acted as a correspondent for the La Prensa national newspaper. The articles we transcribe, just as they were originally telegraphed to his headquarters in Buenos Aires, were preserved inside an old register book that one of his sons lent us. Although they were written 70 years ago, they refer to some issues that are surprisingly current today. And as a bonus, when we opened the register book we found the only copy of the No.1 issue of the "El Libre del Sur" weekly newspaper, the first newspaper to be published in Esquel.

En el campamento de los cuentos
At Tales' Camp

Epílogo

Cuando empezamos a trabajar en la preparación de este libro, Jorge y yo visitamos una tarde a un querido vecino de Esquel de origen galés, el veterinario Roy Roberts, quien después de escuchar nuestro proyecto, nos alentó diciendo:

"Me gusta la idea de ustedes, siempre he soñado con llevar alguna vez a mis hijos y a mis nietos a hacer campamento en un lugar desértico, en medio de la ruta a la costa o junto al río, para que algún lenguaraz pudiera contarnos a todos las historias de esos viajes que yo escuchaba desde que era chico."

Compartir historias, transmitir vivencias, dejarnos sorprender junto a los más jóvenes, ése era el anhelo que nos expresaba Roy aquella vez. Como buscando prolongar en las nuevas generaciones el sentido de la epopeya de sus antepasados; una epopeya que abrió el camino a tantos pioneros que fueron sumándose a lo largo de un interminable corredor de sueños.

Más tarde, leyendo los diarios de expedición de John Murray Thomas, encontramos la mención de un sitio al que él denominaba "campamento de los cuentos". Enseguida nos imaginamos a un grupo de personas sentadas a la luz del fogón, saboreando las historias chispeantes de nuestra querida y todavía desconocida Patagonia, en medio de aquellos viajes que a menudo duraban meses.

Llegando al final de las sendas de los galeses entre el Camwy y Cwm Hyfryd, advertimos que en definitiva eso mismo es lo hemos estado intentando hacer todo este tiempo, procurando rescatar historias, deleitándonos con cuentos e imágenes e involucrándonos inevitablemente en una investigación apasionante para la cual contamos con la inestimable ayuda de muchos colegas rigurosos que nos precedieron y acompañaron.

Es cierto que no nos detuvimos en demasiados campamentos, pero nos encontramos muchas veces con la memoria viva de sucesivas generaciones que habitaron este pedazo de la Patagonia. Y lo hicimos con enorme placer y respeto, lamentando sinceramente haber dejado muchísimo material sin publicar.

Pero más allá de las historias que seguramente faltan, confiamos en que el lector habrá advertido la presencia de un hilo que atraviesa las historias de esta memorable marcha hacia el Oeste de nuestro lejano Sur. Porque todas ellas, mucho más que hablarnos acerca de antiguos y pintorescos viajes, reflejan la fuerza del paisaje humano que habita la desproporcionada geografía física de la región.

Junto al testimonio de amor por esta tierra, sus protagonistas nos dejaron una lección de tolerancia y un estilo de vida que propone hacer, recorrer e integrar la Patagonia, viajando y cantando en libertad. Eso sí, deteniéndonos cada tanto en el campamento de los cuentos. ¡Hasta la próxima!

Epilogue

When we began working on this book, Jorge and I went to visit a much-appreciated neighbour in Esquel, a descendant of the Welsh pioneers and a veterinarian by profession. We told him of our new project, and after listening for a while Roy Roberts encouraged us by saying:

"I like your idea. I have always dreamed of taking my sons and daughters and their children to a camp somewhere in the desert, halfway along the highway to the coast and near the river, and take somebody with us who could tell us the tales of those crossings I have heard since I was a child."

To share stories, convey experiences, and be as surprised as the young; that was what Roy longed for. To extend, through the new generations, the meaning of his ancestors' epic deeds, their many achievements that also opened the way for so many pioneers that gradually joined this unending corridor of dreams.

Some time later, when we were reading the diaries of John Murray Thomas's expeditions, we found that he mentioned a place he called "Tales' Camp." We immediately pictured a group of people sitting in a circle around the campfire, their faces illuminated by the flames while they listened to stories about their beloved and yet-unknown Patagonia, in the middle of one of those journeys that took months to complete.

Now that we have almost reached the end of the trails the Welsh marked between the Camwy and Cwm Hyfryd, we understand that this is precisely what we have been trying to do all this time: to unearth unknown stories, delighting in old tales and images, and inevitably getting involved in a thrilling research, with the valuable help of many colleagues that have preceded and accompanied us.

While it is true that we haven't stopped at many campsites, we often came across the living memory of the generations that have inhabited this part of Patagonia. It has been quite a pleasurable experience, and we always treated what has been told to us with respect. We sincerely regret that we had to leave so much material unpublished for lack of space.

But in spite of the stories we are certainly lacking, we are sure that the reader must have perceived a connecting theme that, as a thread, goes through all the narratives of this memorable march towards the west of our Far South. Because all these stories, beyond telling us about the colourful experiences of old times, reveal the strength of the human landscape on the immense physical geography of the region.

Together with the assertion of their love for this land, the characters in these stories left us a lesson on tolerance and a lifestyle that invites us to make, explore, and integrate Patagonia, travelling and singing in freedom. But, naturally, stopping every now and then at Tales' Camp. See you!

Bibliografía

A) Fuentes primarias inéditas

Colección de documentos familia Ricardo Williams, Esquel, Chubut

-Carta de Michael D. Jones a Thomas Benbow Phillips (1867), original en inglés.

-Carta de Rhys Thomas a Thomas Benbow Phillips (1888), original en inglés.

Diarios de viaje familia Freeman, Esquel, Chubut

-Diario de William Freeman (1888), original en inglés.

-Diario de Mary Ann Thomas (1891), original en inglés.

Patagonia en el Espejo Retroscópico (1916-1920)

-Enrique Shrewsbury, mimeo original de 52 páginas con fotografías. Reproducido parcialmente por gentileza de sus descendientes.

University College of North Wales, Bangor

-Documentos BMS Nº 7667, 7668 y 7669. Diarios de Llwyd ap Iwan. Traducidos por Tegai Roberts.

Cartográficas

-Llwyd ap Iwan: Mapa del Territorio del Chubut, 1888, original en Museo Regional de Gaiman.

-Plano original de la Propiedad del Dr. Mihangel ap Iwan con el pueblo proyectado en Arroyo Pescado. Gentileza del señor Owen ap Iwan de Esquel.

B) Bibliografía

AMAYA, Lorenzo, 1935. *Fontana el Territoriano*. Talleres Gráficos L. Gotelli, Buenos Aires.

ASTUTTI, Alberto Antonio, 1996. *635 km a Pie por la Ruta de los Pioneros Patagónicos*, Biblioteca Popular "Agustín Alvarez", Trelew, Chubut.

BREBBIA, Carlos, 2002. *Little Wales Across the Sea*.

CAMINOA DE HEINKEN, Isabel, 2001. *Pioneros de la Costa del Chubut*, Trelew, Chubut.

CAMPBELL, William Orr, 1901. *Through Patagonia*, www.throughpatagonia.co.uk.

CASAMIQUELA, RODOLFO, 2000. *Toponimia Indígena del Chubut*, Subsecretaría de Cultura, Provincia del Chubut.

CORONATO, Fernando (comp. y trad.), 2000. *Patagonia 1865: Cartas de los colonos galeses*. Ed.Universitaria de la Patagonia.

DE PAULA, Alberto S. J.,1983. *Las colonias galesas del Chubut y su arquitectura*, Revista Summario nros. 65/66.

DUMRAUF, Clemente I., 1991. *Historia del Chubut*. Colección Historia de Nuestras Provincias Nº 15. Plus Ultra, Buenos Aires. pp. 535.

DUMRAUF, Clemente I., 1991. *Un precursor de la colonización del Chubut*. Textos Ameghinianos. Biblioteca de la Fundacion Ameghino, Viedma.

DUMRAUF, Clemente I., 1993. *El Ferrocarril Central del Chubut. Origen de la ciudad de Puerto Madryn*. Centro de Estudios Históricos y Sociales, Puerto Madryn. 91 pp.

EL REGIONAL, *Ediciones especiales julio 1974 y julio 1975*. Director: Donald Thomas. Coordinadora: Irma Hughes de Jones.

EVANS, Clery A (Ed.), 1994. *John Daniel Evans ~El Molinero~*. Trevelin, Chubut.

EVANS, D. G., 1989. *A history of Wales, 1815-1906* . U. Wales Press, Cardiff.

EVANS, Iola (Ed.), 1994. *Thomas Dalar Evans. Semblanza de un auténtico colono*, Trelew, Chubut.

FERRARI, Carlos Dante, 2003. *El Riflero de Ffos Halen*, Segunda Edición, Ediciones Pasco, 2004.

FINKELSTEIN, D., GAVIRATI, M. y NOVELLA, M. M., 2000. *Por los bordes de la cordillera, caminando hacia el Sur. La inmigración chilena en el oeste chubutense (1895-1920)*.

FIORI, Jorge – DE VERA, Gustavo, 2002. *1902. El protagonismo de los colonos galeses en la cordillera del Chubut*. Consejo Federal de Inversiones – Municipalidad de Trevelin.

FIORI, Jorge – DE VERA, Gustavo, 2002. *Trevelin. Un pueblo en los tiempos del Molino*. Consejo Federal de Inversiones – Municipalidad de Trevelin.

FONTANA, Luis Jorge, 1886. *Viaje de exploración en la Patagonia Austral*. La Tribuna Nacional, Buenos Aires. pp. 124.

FUNDACIÓN ANTORCHAS, 2003. *Una Frontera Lejana 1865-1935 fotografías de John Murray Thomas, Henry Bowman, Carlos Foresti y otros*.

GALINDEZ DE LUCERO, Adelina. *Mi Personaje Inolvidable*.

GAVIRATI, J. M., 1998. *La desviación del río Fénix: ¿una "travesura" del Perito Moreno o un proyecto colonizador de los galeses del Chubut?* En revista Todo es Historia, enero.

GAVIRATI, Marcelo, 2001. *De Gales a Patagonia*. En M.T. Boschín y R. Casamiquela (Dir.) *Patagonia 13.000 años de historia*. Editorial. Emecé, Buenos Aires.

11. MYFANWY 3:05

Letra: Mynyddog. Música: Joseph Parry. Interpretado por Billy Hughes. Instrumentos: Héctor Mac Donald.

***Myfanwy* –un nombre de mujer galés– es una tradicional y emotiva canción de amor.**

12. PERSISTIR 1:42

Letra: Cecilia Glanzmann. Música: Héctor Mac Donald. Voz: Pedro Sepiurka. Instrumentos: Héctor Mac Donald.

***Persistir* es un poema de la poetisa Cecilia Glanzmann, de Trelew, ganadora de la Corona del Poeta del Eisteddfod del año 2002.**

13. CALON LÂN 1:47

Letra: Gwyrosydd. Música: John Hughes. Interpretado por Conjunto Camwy de Gaiman. Directora: Edith Mac Donald.

***Calon Lân (Corazón Puro)* es una expresión popular muy representativa del espíritu galés.**

14. HIMNO NACIONAL ARGENTINO 2:19

Letra: Vicente López y Planes. Música: Blas Parera. Interpretado por Coro Seion de Esquel. Directora: Elda Griffiths.

***Himno Nacional Argentino,* en una versión a cuatro voces según la forma tradicional en que los galeses entonan la canción de su patria adoptiva.**

ALEJANDRO LANÖEL

HECTOR MAC DONALD

Compositor y multinstrumentista argentino, nacido en Gaiman, Chubut en 1967. Realizó sus estudios en la Escuela de Música de la Provincia del Chubut y también tomó cursos en Buenos Aires con maestros como Clydwyn Jones, Enrique Cipolla, Marta Lambertini, Luis María Serra entre otros. Ha participado como pianista y tecladista en varios festivales nacionales e internacionales acompañando a varios coros, conjuntos, grupos y solistas, nacionales y extranjeros. Ha compuesto varios musicales, operas y oratorios para distintas productoras del país de Gales. Como compositor y arreglador ha escrito una variedad de música tanto para coros y/o orquestas sinfónicas como para sintetizadores en proyectos varios que van desde lo puramente formal hasta lo experimental, desde música para teatro, concierto, radio, TV, cine, etc. Ha participado en la grabación y/o edición de más de 100 producciones musicales diferentes. Actualmente su música circula en los multimedios de varios países.

Argentine composer and skilled performer of many instruments, born in Gaiman in 1967. He studied at the Chubut Provincial School of Music and later took courses in Buenos Aires with musicians of the calibre of Clydwyn Jones, Enrique Cipolla, Marta Lambertini, and Luis María Serra amongst others. As a pianist and keyboard player he has accompanied many choirs, vocal groups, and soloists, both in Argentina and abroad. He has composed various musicals, operas, and oratorios for several producers in Wales. As a composer and arranger he has written a variety of music for choirs, symphonic orchestras, and synthesisers, ranging from the purely formal to the experimental, including music for theatre, concerts, radio, TV, films, etc. He has taken part in the recording and/or edition of over a hundred musical productions. Today, his music is played by the media in many countries.

Agradecimientos

Deseamos agradecer, aún a riesgo de incurrir en omisiones inevitables, a las personas que han facilitado nuestro trabajo, aportando ayuda, información, materiales o sugerencias, y que no han sido mencionadas a lo largo del libro. Por supuesto, cualquier posible error de uso o interpretación de las informaciones suministradas, es responsabilidad de los autores.

Acknowledgements

We wish to acknowledge the support of many people not mentioned in this book —even at the risk of some involuntary omissions— who helped us in many ways and contributed valuable information, material, and suggestions which have been of great assistance to our work. Of course, the authors take full responsibility for any error in the use or interpretation of the information received.

Rodolfo "Paty" Aguado, Ana Ahumada, Carlos Aime, María Julia Alemán de Brand, Daniel y Gabriel Almendra, Marilina Alonso, Rhianon ap Iwan, Emilio Arroyo, Alfredo Austin, Jorge Austin (†), Natalia Austin, Carlos Azparren, Romina Azzolini, Sonia Baliente, Cristina Belelli, Arturo Berwyn, Ricardo Ithel "Chuquin" Berwyn, Maximino Brochetti, Winfredo Brückner, Verónica Buss, Marcela Cabada, Isabel Caminoa de Heinken, Héctor Capraro, Liliana Carli de Goya, Silvia Carosso, José Condado, Elías Chucair, Irma da Graca de Williams, Sandra Day, Dora Dobosch, Christine Downey, Juan Andrés Enricci, Omar Estévez, Elsa Estrucco, Iola Evans, María Cristina Fajardo, Juan y Lucía Morales y Federico Bleder, Sara Felicevich, Carlos D. Ferrari, Elena Feeney, Jorge Fiori, Lena, Lizzie y Shirley Freeman, Mariana Freeman, María Adelina Galíndez de Lucero, Estebana Gallo, Alejandro Garzonio, Héctor Garzonio, Luis y Ariel Giannandrea, Cecilia Glanzmann, Lalo González, Olga Gough, Charlie Green, Mary Green, Natalia Hildemann, Vernon Hughes, John Humphreys, Omar Inthamussu, Albina Jones de Zampini, Camwy Painter Jones, Edi Jones, Gladys Jones, Juan "Juancito" Jones, Mario Jones, Rosa Jones de Lowndes, Tomás Jones, Graciela Jorge, Enrique Korn, Honorable Legislatura Provincial del Chubut, Graciela Lier, Carlos Liñeiro, Liliana Lolich, Felicitas Luna, Ernesto Luque, Ariel Lloyd, Carlos Lloyd, Edith Mac Donald, Carlos Malbarez, María Alicia Manterola, Hermanas Markaida, Ernesto Maurer (†), Enrique Meyer, Mariana Montero Lacasa, Omar Morelli, Mirta Moreschi, Mariano Moruja, Roberto Müller, Municipalidad de Esquel, Castor Murga, Samuel "Sammy" Neri, Ernesto Howell Neuman, Jorge de Oro, Guillermo "Willy" Paats, Rosendo Pichinian, Ricardo Piegaro, Sebastián Planas, Ramiro Porcel de Peralta, Joyce Powell, Aldwin Pugh, María Roxana Rapp, Gabriel Restuccia, Rosa Revsyn, Enrique Riba, Luned Roberts, Dora Rocha de Feldman, Willian Rodo, Antonio Roqueta, Ricardo Roqueta, Elvey Rowlands, Christian Ruiz, Marcelino Sánchez, Juan San Martín, Hugo Saulo, Jorge Schmid, Pedro Sepiurka, Carlos Sheffield, Nilda Sierra, Pedro Smolarsky, Gabriel "Pompón" Tachella, Alwina Thomas, Donald Thomas, Jorge W. Thomas, Lewis Thomas, Juan Carlos Tolosa, Mario Torroija, Segundo Vallejos, María del Pilar Vargas de Arpires, María Francina Venter de Ayling, Silvia Williams, Virgilio Zampini.

Jorge Miglioli y Sergio Sepiurka
Esquel, Chubut, noviembre de 2004

Producido en Argentina en noviembre de 2004

Edición y diseño general:

BALERO Producciones
Sarmiento 620 - Tel: 02945 - 450882
Esquel, Chubut - Patagonia Argentina

Fotocromía: Ediciones Mayo SA

Impresión: Casano Gráfica SA

ISBN 987-1121-12-1

Hecho el depósito que dispone la Ley Nº 11723

GAC

Grupo Abierto
Comunicaciones

Av. Libertador 17882, Beccar, Buenos Aires, Argentina
(54) 011-4513-4030
gac@grupoabierto.com
www.grupoabierto.com